12.50

A

CONCORDANCE TO BEOWULF

COMPILED BY

ALBERT S. COOK

PROFESSOR OF THE ENGLISH LANGUAGE AND LITERATURE
IN YALE UNIVERSITY

HALLE: MAX NIEMEYER, 1911

REPUBLISHED BY GALE RESEARCH COMPANY, BOOK TOWER, DETROIT, 1968

Library of Congress Catalog Card Number 68–23146

PREFACE

This concordance to Beowulf was prepared some years ago, as the first instalment of a projected concordance to the complete extant remains of Old English poetry. As that larger compilation has not in the mean time been made, there seems no sufficient reason for longer withholding from publication a book which ought to prove useful to those who seriously occupy themselves with this remarkable poem.

Certain of the commoner words have been disregarded. These are the numerals, prepositions, and many pronouns, besides the following, with their various inflectional forms where such occur: *ac, ǣnig, ǣr, and; cweðan; eal, eft; forðām; ge, gēn, gif, git; habban, heonan, hēr, hider, hū, hwǣr, hwanon, hwider; innan, inne; mon, monig, monn; nā, nabban, nǣnig, nales, nān, ne, nefne, nellan, nesan, nō, nū; oft, oð, ōðer, oððe; sculan, self, siððan, sōna, sum, swā, swilc, swilce; ðǣr, ðæt, ðanon, ðēah, ðenden, ðider, ðonne; uppan, uppe, ūtan; wel, weorðan, wesan, willan.*

The text is that of Wyatt's second edition (Cambridge, 1898). In compounds, however, the hyphen is omitted, and the punctuation is sometimes modified, where the omission of words from the text seems to demand it.

The progress of scholarship will certainly result in a better text, and perhaps may already have done so; but it is hardly necessary to say that concordances, lexicons, and grammars must deal with the texts in existence when they are compiled.

The quotations are by no means uniform in length, and greater uniformity might have been attained by sufficient effort; but perhaps this fault is negligible. Here and there a false concord, or the appearance of such, will doubtless be discovered; but I present the work, with such defects as it has, in the hope that it may be of service to other students of the early speech and literature of England.

YALE UNIVERSITY, December, 1910.

A.

ā. *See also* **āwa.**

oððe *ā* syþðan earfoðþrāge, | þrēanȳd þolað,   283

Gǣð *ā* wyrd swā hīo scel.   455

þæt hit *ā* mid gemete manna ænig | ... tōbrecan

    meahte,   779

swā hīe *ā* wǣron | æt nīða gehwām nȳdgesteallan;   881

ā mæg God wyrcan | wunder æfter wundre,   930

þæt ðū mē *ā* wǣre | forð gewitenum on fæder stæle.   1478

Ūs wæs *ā* syððan | Merewīoingas milts ungyfeðe.   2920

ābēad.

word inne *ābēad*;   390

grētte þā guma ōþerne, | ... ond him hǣl

    ābēad,   653

eotonweard *ābēad*.   668

þenden hǣlo *ābēad* heorðgenēatum, | goldwine Gēata.   2418

ābēag.

fram sylle *ābēag* | medubenc monig,   775

ābealh.

oð ðæt hyne ān *ābealh* | mon on mōde;   2280

Ābel.

þone cwealm gewræc | ēce Drihten, þæs þe hē *Abel*

    slōg.   108

ābīdan.

ābīdan sceal | maga māne fāh miclan dōmes,   977

ābrǣd.

Hond ūp *ābrǣd* | Gēata dryhten,   2575

ābrēat.

þone ðe hēo on ræste *ābrēat*, | blǣdfæstne beorn.   1298

ābredwade.

þēah ðe hē his brōðor bearn *ābredwade*.   2619

1

ābrēot.

se frōda fæder Ōhtheres ... | *ābrēot* brimwīsan,   2930

ābroten.

þæt hine sēo brimwylf *ābroten* hæfde.   1599
hī hyne þā bēgen *ābroten* hæfdon,   2707

ācenned.

hwæþer him ænig wæs ær *ācenned* | dyrnra gāsta.   1356

ācīgde.

se snotra sunu Wihstānes | *ācīgde* of corðre
     cyni[n]ges þegnas   3121

ācwæð.

þæt word *ācwæð*:   654

ācwealde.

syþðan wīges heard wyrm *ācwealde*,   886
þone ðe Grendel ær | māne *ācwealde*,   1055
Wīf unhȳre | ... beorn *ācwealde*   2120

ācwyð.

ond þæt word *ācwyð*:   2046

ād.

gegiredan Gēata lēode | *ād* on eorðan unwāclīcne,   3138

āde.

æt þǣm *āde* wæs ēþgesȳne | swātfāh syrce,   1110
Hēt ðā Hildeburh æt Hnæfes *āde* | hire ... sunu ...
     befæstan,   1114

ādfære.

gebringan ... | on *ādfære*.   3010

ādl.

nō hine wiht dweleð | *ādl* ne yldo,   1736
þæt þec *ādl* oððe ecg eafoþes getwæfeð,   1763
þæt ðe gār nymeð, ... | *ādl* oþðe īren   1848

ādrēogan.

Oft sceall eorl monig ... | wræc *ādrēogan*,   3078

ǣdre.

Him on fyrste gelomp | *ǣdre* mid yldum,   77
ond þē þā ondsware *ǣdre* gecȳðan,   354
Sīe sīo bǣr gearo | *ǣdre* geæfned,   3106

ǣdrum.

þæt him for swenge swāt *ǣdrum* sprong   2966

æfen.

Syþðan *æfen* cwōm,   1235
oð ðæt *æfen* cwōm;   2303

æfengrom.

gæst yrre cwōm, | eatol *æfengrom,* ūser nēosan,   2074

æfenlēoht.

siððan *æfenlēoht* | ... beholen weorþeð.   413

æfenræste.

sunu Healfdenes sēcean wolde | *æfenræste*;   646
Sum sāre angeald | *æfenræste,*   1252

æfensprǣce.

Gemunde þā se gōda mæg Higelāces | *æfensprǣce,*   759

æfnan.

þæt hit ellenweorc *æfnan* scolde.   1464

æfnde.

siþðan goldsele Grendel warode, | unriht *æfnde,*   1254

æfre.

þon[n]e yldo bearn *æfre* gefrūnon,   70
gyf him edwendan *æfre* scolde | ... eft cuman,   280
þæt ænig ōðer man | *æfre* mærða þon mā ... | gehēdde   504
þæt hē þanon scolde | eft eardlufan *æfre* gesēcean,   692
ne þurh inwitsearo *æfre* gemænden,   1101
hwæþre him Alwalda *æfre* wille | ... wyrpe ge-
fremman.   1314

æfðunca.

wæs him Bēowulfes sīð | ... micel *æfþunca,*   502

æghwǣm.

sēlre bið *æghwǣm,* | þæt hē his frēond wrece,   1384

æghwǣr.

forþan bið andgit *æ̆ghwǣr* sēlest,   1059

æghwæs.

Ic þā lēode wāt ... | *æghwæs* untǣle ealde wīsan.   1865
þæt wæs ān cyning | *æghwæs* orleahtre,   1886
geaf him ... gūðgewǣda | *æghwæs* unrīm,   2624
þær wæs wunden gold ... hladen, | *æghwæs* unrīm;   3135

æghwæðer.

hæfde *æghwæðer* ende gefēred | lǣnan līfes.   2844

æghwæðres.

Æghwæþres sceal | scearp scyldwiga gescād witan,   287

1*

æghwæðrum.

hafelan bǣron | earfoðlīce heora *ǣghwǣþrum*   1636
ǣghwǣðrum wæs | bealohycgendra brōga fram ōðrum.   2564

æghwylc.

oð þæt him *ǣghwylc* þāra ymbsittendra | ... hȳran
scolde,   9
hand scēawedon, | fēondes fingras, foran *ǣghwylc*;   984
ǣghwylc gecwæð,   987
þā gyt wæs hiera sib ætgædere, | *ǣghwylc* ōðrum
trȳwe.   1165
Hēr is *ǣghwylc* eorl ōþrum getrȳwe,   1228
Ūre *ǣghwylc* sceal ende gebīdan | worolde līfes;   1386
swā sceal *ǣghwylc* mon ālætan lændagas.   2590
mōt | þǣre mægburge monna *ǣghwylc* | īdel hweor-
fan,   2887

æghwylcne.

Ymbēode þā ides Helminga | ... dæl *æghwylcne*,   621

æghwylcum.

Ðā gyt *ǣghwylcum* eorla drihten ... | ... māþðum
gesealde,   1050

ǣglǣca. *See* **āglǣca.**

ǣgwearde.

Ic wæs endesǣta, *ǣgwearde* hēold,   241

ǣht.

scoldon | on flōdes *ǣht* feor gewītan.   42
Git on wæteres *ǣht* | seofon niht swuncon;   516
hit on *ǣht* gehwearf,   1679
þā wæs *ǣht* boden | Swēona lēodum,   2957

ǣhte.

Heald þū nū, hrūse, nū hæleð ne mōstan, | eorla
ǣhte.   2248

ǣled.

þā sceall brond fretan, | *ǣled* þeccean,   3015

ǣledlēoman.

hilderinc sum on handa bær | *ǣledleoman*,   3124

Ælfheres.

Wīglāf wæs hāten,Weoxtānessunu,...|mæg*Ælfheres*;   2604

ælfylcum.

þæt hē wið *ælfylcum* ēþelstōlas | healdan cūðe,   2371

Ælmihtiga.
    cwæð þæt se *Ælmihtiga* eorðan worh[te],   92
ælwihta.
    þæt þær gumena sum | *ælwihta* eard ufan cunnode.   1500
æne.
    sceal geomormōd ... | oft, nalles *æne,* elland tredan,   3019
ænlīc.
    næfne him his wlite lēoge, | *ænlīc* ansȳn.   251
ænlīcu.
    Ne bið swylc cwēnlīc þēaw | ..., þēah ðe hīo
        ænlīcu sȳ,   1941
æppelfealuwe.
    þæt ... fēower mēaras | ... lāst weardode, | *æppel-*
        fealuwe;   2165
ærdæge.
    Ðā wæs ... mid *ærdæge* | Grendles gūðcræft gumum
        undyrne;   126
    samod *ærdæge* | ēode eorla sum, ... | self mid ge-
        sīðum,   1311
    Frōfor eft gelamp | sārigmōdum somod *ærdege,*   2942
ærende.
    Habbað wē tō þæm mæran micel *ærende* | Deniga
        frēan;   270
    Wille ic āsecgan ... | mærum pēodne mīn *ærende,*   345
ærest.
    syððan *ærest* wearð | fēasceaft funden;   6
    wīf ful gesealde | *ærest* Ēast-Dena ēþelwearde,   616
    hwām þæt sweord geworht, | īrena cyst, *ærest* wære,   1697
    syððan *ærest* wearð | gyfen goldhroden geongum
        cempan,   1947
    þæt ic his *ærest* ðē ēst gesægde;   2157
    From *ærest* cwōm | oruð āglæcean ūt of stāne,   2556
    ærest gesōhton | Gēata lēode Gūð-Scilfingas.   2927
ærfæder.
    oð ðæt his byre mihte | eorlscipe efnan swā his
        ærfæder;   2622
ærgestrēon.
    māðmas dǣleþ, | eorles *ærgestrēon,*   1757
    wæs ... fela | in ðām eorð[hū]se *ærgestrēona,*   2232

ǣrgeweorc.

  gylden hilt ..., | enta *ǣrgeweorc*;   1679

ǣrgōd.

  æþeling *ǣrgōd* unblīðe sæt,   130

  þæt him heardra nān hrīnan wolde | īren *ǣrgōd,*   989

  Swy[lc] scolde eorl wesan, [æþeling] *ǣrgōd,*   1329

  Sceolde *lǣn*daga | æþeling *ǣrgōd* ende gebīdan,   2342

  swā hyt nō sceolde, | īren *ǣrgōd.*   2586

ærnes.

  [*ærnes*] þearfa,   2225

ǣror.

  sē þe fela *ǣror* | ... manna cynne | fyrene gefremede,   809

  nemme wē *ǣror* mægen | fāne gefyllan,   2654

  eldum swā unnyt, swā hi[t ǣro]r wæs.   3168

ǣrran.

  Swylce oft bemearn *ǣrran* mǣlum | ... sīð snotor   907

  Ealle hīe dēað fornam | *ǣrran* mǣlum,   2237

  þe him hringas geaf | *ǣrran* mǣlum;   3035

ǣrwelan.

þæt ic *ǣrwelan,* | goldǣht ongite,   2747

Æschere.

  Dēad is *Æschere,* | Yrmenlāfes yldra brōþor,   1323

  Swy[lc] scolde eorl wesan | ... swylc *Æschere* wæs.   1329

  þǣr wæs *Æschere* | ... feorh ūðgenge.   2122

Æscheres.

  syðþan *Æscheres* | on þām holmclife hafelan mētton.   1420

æscholt.

  gāras stōdon, ... | *æscholt* ufan grǣg;   330

æscum.

  æscum ond ecgum,   1772

æscwiga.

  cwið æt bēore ... | eald *æscwiga,*   2042

ǣse.

  ic ne wāt hwæder | atol *ǣse* wlanc eftsīðas tēah,   1332

ætbǣr.

  on Heaþo-Rǣmas holm ūp *ætbǣr*;   519

  þæt hīo Bēowulfe ... | ... medoful *ætbǣr*;   624

  hīo þæt līc *ætbǣr*   2127

his māgum *ætbær* | brūnfāgne helm,   2614
hider ūt *ætbær* | cyninge mīnum;   3092
ætbǣron.
   hī hyne þā *ætbǣron* tō brimes faroðe.   28
ætberan.
   ænig mon ōðer | tō beadulāce *ætberan* meahte,   1561
ǣte.
   hū him æt *ǣte* spēow,   3026
ætfealh.
   nō ic him þæs georne *ætfealh,*   968
ætferede.
   Ic þæt hilt þanan | fēondum *ætferede,*   1669
ætgædere.
   Strǣt wæs stānfāh, stīg wīsode | gumum *ætgædere.*   321
   gāras stōdon, | sǣmanna searo, samod *ætgædere,*   329
   hāt in gān | sēon sibbegedriht samod *ætgædere;*   387
   Geseah hē ... | swefan sibbegedriht samod *ætgædere,*   729
   þǣr wæs sang ond swēg samod *ætgædere*   1063
   þā gyt wæs hiera sib *ætgædere,*   1164
   hæleþa bearn, | giogoð *ætgædere;*   1190
ætgifan.
   Ic him līfwraðe lȳtle meahte | *ætgifan*   2878
ætgrǣpe.
   þǣr him āglǣca *ætgrǣpe* wearð;   1269
æðelan.
   eormenlāfe *æðelan* cynnes,   2234
æðele.
   sē wæs ... | *æþele* ond ēacen.   198
   Wæs ... | *æþele* ordfruma Ecgþēow hāten;   263
   ēode eorla sum, *æþele* cempa | self mid gesīðum,   1312
æðeling.
   æþeling ǣrgōd unblīde sæt,   130
   wæs ēþgesȳne ... | ... *æþeling* manig   1112
   Wes, þenden þū lifige, | *æþeling* ēadig;   1225
   Swy[lc] scolde eorl wesan, | [*æþeling*] ǣrgōd,   1329
   ēode weorð Denum | *æþeling* tō yppan,   1815
   þæt hē slēac wǣre, | *æðeling* unfrom.   2188
   Sceolde *lǣndaga* | *æþeling* ǣrgōd ende gebīdan,   2342
   sceolde ... | *æðeling* unwrecen ealdres linnan.   2443

in campe gecrong cumbles hyrde, | æþeling on elne; 2506
æðeling ānhȳdig,   2667
Ðā se æðeling gīong,   2715
Þær wæs ... | ... æþeling boren | ... tō Hrones næsse.   3135

æðelinga.

Fand þā ðær inne æþelinga gedriht   118
hraðe hēo æþelinga ānne hæfde | fæste befangen;   1294
Oferēode þā æþelinga bearn | stēap stānhliðo,   1408
Hēt þā ūp beran æþelinga gestrēon,   1920
Nealles him ... | æðelinga bearn ymbe gestōdon   2597
ymbe hlæw riodan ... | æþelinga bearn ealra twelfa,   3170

æðelingas.

hū ðā æþelingas ellen fremedon.   3
siþðan æþelingas eorles cræfte | ... hand scēawedon,   982
wæron æþelingas eft tō lēodum | fūse tō farenne;   1804
syððan æðelingas | feorran gefricgean flēam ēowerne,   2888

æðelinge.

þær ... wæs | ofer æþelinge ȳþgesēne | heaþostēapa
helm,   1244
Nō ðȳ ær fēasceafte findan meahton | æt ðām
æðelinge   2374

æðelinges.

þær æt hȳðe stod hringedstefna | ... æþelinges fær;   33
æþelinges bearn āna genēðde | frēcne dæde;   888
þæt hig þæs æðelinges eft ne wēndon,   1596
nō þon lange wæs | feorh æþelinges flæsce bewunden.   2424

æðelingum.

hē ... wearð | eallum æþelingum tō aldorceare.   906

æðelu.

þæt hē ēower æþelu can,   392

æðelum.

þā ðær wlonc hæleð | ōretmecgas æfter æþelum
frægn: 332
fæder æþelum onfōn,   911
Gecyste þā cyning æþelum gōd | ... ðegn betstan,   1871
geongum cempan, | æðelum dīore,   1949

æðme.

Hyrte hyne hordweard, hreðer æðme wēoll,   2593

ætwearf.
> hwīlum on beorh *ætwearf,* | sincfæt sōhte;   2299

ætrihte.
> *ætrihte* wæs | gūð getwæfed,   1657

ætsomne.
> guman ōnetton, | sigon *ætsomne,*   307
> Snyredon *ætsomne,* þā secg wīsode,   402
> þā wæs Gēatmæcgum geador *ætsomnc* | ... benc
>   gerȳmed ;   491
> Ðā wit *ætsomne* on sæ wæron | fīf nihta fyrst,   544
> þæt ðā hildlatan holt ofgēfan, | ...tȳne *ætsomne,*   2847
> ācīgde of corðre cyni[n]ges þegnas | syfore [æt]somne,   3122

ætspranc.
> blōd *ætspranc* | lāðbite līces.   1121

ætstōd.
> þæt hit on wealle *ætstōd,* | dryhtlīc īren ;   891

ætstōp.
> Forð nēar *ætstōp,*   745

ættren.
> wæs þæt blōd tō þæs hāt, | *ættren* ellorgæst,   1617

ætwæg.
> syþðan Hāma *ætwæg* | ... Brōsinga mene,   1198

ætwand.
> sē þæm fēonde *ætwand.*   143

ætwiton.
> Gūðlāf ond Ōslāf... | *ætwiton* wēana dæl;   1150

āfēded.
> þær hē *āfēded* wæs: 693

āfylled.
> Heorot innan wæs | frēondum *āfylled;*   1018

āgan.
> þæt hīe healfre geweald | wið Eotena bearn *āgan* mōston,   1088

āgangen.
> swā hit *āgangen* wearð | eorla manegum.   1234

āgeaf.
> him se frōda fæder Ōhtheres | ... ondslyht *āgeaf,*   2929

āgeald.
> þā mē sæl *āgeald,*   1665
> ræsde on ðone rōfan, þā him rūm *āgeald,*   2690

10 COOK, [āgen-āhæfen]

āgen.

    þā his *āgen* w[æs] | glēdum forgrunden.   2676

Āgendes.

    gearwor hæfde | *Āgendes* ēst ær gescēawod.   3075

āgendfrēan.

    sægenga bād | *āgɛ[n]dfrēan*, sē þe on ancre rād.   1883

āgifan.

    ðe mē se gōda *āgifan* þenceð.   355

āglǣca.

    [Atol] *ǣglǣca* ēhtende wæs,   159
    þæt se *ǣglǣca* | ... wǣpna nē recceð;   433
    þæt nǣfre Gre[n]del swā fela gryra gefremede, |
      atol *ǣglǣca*,   592
    mynte þæt hē gedælde, ... | atol *āglǣca*, ... | līf
      wið līce,   732
    Ne þæt se *āglǣca* yldan þōhte,   739
    Līcsär gebād | atol *ǣglǣca*;   816
    Hæfde *āglǣca* | elne gegongen,   893
    se *āglǣca* | fyrendǣdum fāg on flēam gewand,   1000
    þǣr him *āglǣca* ætgrǣpe wearð;   1269

āglǣcan.

    wið þām *āglǣcan* āna gehēgan | ðing wið þyrse.   425
    mē gyfeþe wearð, | þæt ic *āglǣcan* orde gerǣhte,   556
    wiste þǣm *āhlǣcan* | tō þǣm hēahsele hilde geþinged,   646
    þæt ðæs *āhlǣcan* | blōdge beadufolme onberan wōlde.   989
    ēhton *āglǣcan*.   1512
    wið ðām *āglǣcean* elles meahte | gylpe wiðgrīpan,   2520
    þæt hē wið *āglǣcean* eofoðo dæle,   2534
    cwōm | oruð *āglǣcean* ūt of stāne,   2557
    þæt ðā *āglǣcean* hȳ eft gemētton.   2592
    ne meahte | on ðām *āglǣcean* ... | wunde gewyrcean.   2905

āglǣcean. *See* **āglǣcan.**

āglǣcwīf.

    Grendles mōdor, | ides, *āglǣcwīf*, yrmþe gemunde,   1259

āgōl.

    þæt ... hringmǣl *āgōl* | grǣdig gūðlēoð.   1521

āh.

    hē *āh* ealra geweald.   1727

āhæfen. *See* **āhafen.**

āhafen.
  þā wæs æfter wiste wōp ūp *āhafen*, 128
  Āð wæs geæfned, ond icge gold | *āhæfen* of horde. 1108
āhēorde.
  se frōda fæder Ōhtheres ... | ... brȳd *āhēorde*, 2930
āhlǣcan. *See* **āglǣcan.**
āhlēop.
  Āhlēop ðā se gomela, Gode þancode, 1397
āhlōg.
  þā his mōd *āhlōg*; 730
āhsode.
  syþðan hē for wlenco wēan *āhsode*, 1206
āhsodon.
  wræc Wedera nīð (wēan *āhsodon*), 423
āht.
  nō ðǣr *āht* cwices | lāð lyftfloga lǣfan wolde. 2314
āhte.
  lēof landfruma lange *āhte*. 31
  āhte ic holdra þȳ lǣs, 487
  þǣr hē folc *āhte*, 522
  Sōð ic talige, | þæt ic merestrengo māran *āhte*,
  | ... ðonne ǣnig ōþer man. 533
  swā his fæder *āhte*; 2608
āhyrded.
  ecg wæs īren, ... | *āhyrded* heaþoswāte; 1460
ālæg.
  ðā wæs forma sīð | dēorum mādme, þæt his dōm
  ālæg. 1528
ālǣtan.
  swā sceal ǣghwylc mon | *ālǣtan* lǣndagas. 2591
  þæt ic ðȳ sēft mǣge | ... mīn *ālǣtan* | līf ond
  lēodscipe, 2750
ālǣte.
  þæt ðū ne *ālǣte* be ðē lifigendum | dōm gedrēosan; 2665
ālamp.
  oþ þæt sǣl ālamp, 622
ald-. *See* **eald-.**
ālēdon. *See* **ālegdon.**

ālegde.

syþðan hildedēor hond *ālegde,*	834
in fenfreoðo feorh *ālegde,*	851
þæt hē on Bīowulfes bearm *ālegde,*	2194
nū se herewīsa hleahtor *ālegde,*	3020

ālegdon.

ālēdon þā lēofne þēoden	... on bearm scipes,	34
ālegdon ðā tōmiddes mærne þēoden	3141

ālēh.

Hē bēot ne *ālēh,* bēagas dælde,	80

ālicgean.

Nū sceal ...	... ēowrum cynne	lufen *ālicgean*;	2886

ālumpen.

þā him *ālumpen* wæs	wistfylle wēn.	733

alwalda.

Fæder *alwalda*	... ēowic gehealde	316
Alwalda þec	gōde forgylde,	955
hwæþre him *Alwalda* æfre wille	1314

Alwealdan.

Ðisse ansȳne *Alwealdan* þanc	lungre gelimpe.	928

ālȳfde.

Næfre ic ænegum men ǣr *ālȳfde* ...	ðrȳþærn Dena	655

ālȳfed.

mē ... wæs	... sīð *ālȳfed*	3089

ālȳsed.

wæs of þǣm hrōran helm ond byrne	lungre *ālȳsed.*	1630

an.

ic þē *an* tela	sincgestrēona.	1225

ancerbendum.

sælde tō sande sīdfæþme scip	*oncerbendum* fæst,	1918

ancre.

seomode ... sīdfæþmed scip	on *ancre* fæst,	303
sǣgenga bād	āge[n]dfrēan, sē þe on *ancre* rād.	1883

andan.

ac hē wæccende wrāðum on *andan*	bād bolgenmōd	708
brynelēoma stōd	eldum on *andan*;	2314

andgit.

forþan bið *andgit* æghwǣr sēlest,	1059

andlonge.
wēan oft gehēt | earmre teohhe *ondlonge* niht;   2938
andlongne.
Swā wē þǣr inne *ondlangne* dæg | nīode nāman,   2115
ic ... [gefrægn] ... | *andlongne* eorl ellen cȳðan,   2695
andrysnum.
sē for *andrysnum* ealle beweotede | þegnes þearfe,   1796
andswarode. *See* **ondswarode.**
andweard.
þonne... | sweord ... | ecgum dyhtig *andweard* scireð.   1287
andwlitan.
hlēorbolster onfēng | eorles *andwlitan,*   689
ānfealdne.
mīn[n]e gehȳrað | *ānfealdne* geþōht;   256
āngan.
ðǣm tō hām forgeaf Hrēþel Gēata | *āngan* dohtor;   375
siþðan Cain wearð | tō ecgbanan *āngan* brēþer,   1262
wolde hire bearn wrecan, | *āngan* eaferan.   1547
ond ðā Iofore forgeaf *āngan* dohtor,   2997
angeald.
Sum sāre *angeald* | æfenræste,   1251
angeat.
þā hine se brōga *angeat.*   1291
āngenga.
Swā fela fyrena ... | atol *āngengea* oft gefremede,   165
eteð *āngenga* unmurnlīce,   449
āngengea. *See* **angenga.**
ānhaga.
sunu Ecgðēowes, | earm *ānhaga,*   2368
ānhȳdig.
æðeling *ānhȳdig,*   2667
ānpaðas.
stīge nearwe, | enge *ānpaðas,*   1410
ānrǣd.
Eft wæs *ānrǣd,* nalas elnes læt,   1529
Higelāces ðegn, yrre ond *ānrǣd.*   1575
ansund.
hrōf āna genæs | ealles *ansund,*   1000

ansȳn.

 næf*ne* him his wlite lēoge, | ænlīc *ansȳn.*   251

 Næs ðæs wyrmes þær | *onsȳn* ænig,   2772

 māðmæhta wlonc | *ansȳn* ȳwde;   2834

ansȳne.

 Ðisse *ansȳne* Alwealdan þanc | lungre gelimpe. 929

antīd.

 ymb *antīd* ōþres dōgores   219

ānunga.

 þæt ic *ānunga* ēowra lēoda | willan geworhte, 634

Anwaldan.

 ond him tō *Anwaldan* āre gelȳfde,   1272

ār.

 Ic eom Hrōðgāres | *ār* ond ombiht.   336

 Ār wæs on ofoste, eftsīðes georn,   2783

ārǣrdon.

 ricone *ārǣrdon,* ðā him gerȳmed wearð, 2983

ārǣred.

 Blǣd is *ārǣred* | geond wīdwegas,   1703

ārās.

 Ārās þā se rīca, ymb hine rinc manig, 399

 Werod eall *ārās* ;   651

 Duguð eal *ārās* ;   1790

 hæfde þā gefrūnen, hwanan sīo fǣhð *ārās,* 2403

 Ārās ðā bī ronde rōf ōretta,   2538

 Weorod eall *ārās;*   3030

ārað.

 nænegum *ārað* | lēode Deniga,   598

āre.

 ond him tō Anwaldan *āre* gelȳfde,   1272

 frēondlārum hēold, | ēstum mid *āre,*   2378

 gemunde ðā ðā *āre,* þe hē him ær forgeaf, 2606

ārfæst.

 þēah þe hē his māgum nǣre | *ārfæst* æt ecga ge-

  lācum.   1168

ārīs.

 Ārīs, rīces weard;   1390

ārna.

hwæt wit ... | umborwesendum ǣr *ārna* gefremedon.   1187

Ār-Scyldinga.

þanon hē gesōhte Sūð-Dena folc | ..., *Ār-Scyldinga*;   464

Ār-Scyldingum.

Ne wearð Heremōd swā | ... *Ār-Scyldingum*;   1710

ārstafum.

Fæder alwalda | mid *ārstafum* ēowic gehealde |
sīða gesunde!   317
Hine hālig God | for *ārstafum* ūs onsende,   382
F[or w]erefyhtum þū, ... | ond for *ārstafum* ūsic
sōhtest.   458

ārum.

ic maguþegnas mīne hāte | ... flotan ēowerne ...
| *ārum* healdan,   296
þæt hē þā wēalāfe weotena dōme | *ārum* hēolde,   1099
þæt hē þā geogoðe wile | *ārum* healdan,   1182

āsecgan.

Wille ic *āsecgan* suna Healfdenes | ... mīn ǣrende,   344

āseted.

Hæfde kyning[a] wuldor | Grendle tōgēanes ... |
seleweard *āseted*;   667

āsetton.

þā gyt hīe him *āsetton* segen g[yl]denne   47

āstāg.   *See* **āstāh.**

āstāh.

Swēg ūp *āstāg* | nīwe geneahhe;   782
Gūðrinc *āstāh*.   1118
Gamen eft *āstāh*, | beorhtode bencswēg;   1160
wud[u]rēc *āstāh* | sweart ofer swioðole,   3144

āstīged.

þonon ȳðgeblond ūp *āstīgeð*   1373

āstōd.

ūplang *āstōd* | ond him fæste wiðfēng;   759
syþðan hē eft *āstōd*.   1556
syððan ic on yrre uppriht *āstōd*.   2092

āsungen.

Lēoð wæs *āsungen*, glēomannes gyd.   1159

āswefede.
    be ȳðlāfe uppe lǣgon, | sweo[r]dum *āswefede,*   567
ātēah.
    þæt se hearmcaþa tō Heorute *ātēah.*   766
ātelīc.
    Norð-Denum stōd | *atelīc* egesa,   784
ātertānum.
    ecg wǣs īren, *ātertānum* fāh,   1459
āð.
    Āð wæs geæfned,   1107
āða.
    Ic ... | ... ne mē swōr fela | *āða* on unriht.   2739
āðas.
    hē mē *āþas* swōr.   472
āðōhte.
    þēah ðe hlāford ūs | þis ellenweorc ... *āðōhte* | tō
        gefremmanne,   2643
āðsweord.
    þonne bīoð brocene on bā healfe | *āðsweord* eorla,   2064
āðum.
    Fin Hengeste | elne unflitme *āðum* benemde,   1097
āðumswerian.
    þæt se *ecghete āþumswerian* | ... wæcnan scolde.   84
atol.
    [Atol] ǣglǣca ēhtende wæs | ... duguþe ond geogoþe,   159
    Swā fela fyrena ... | *atol* āngengea oft gefremede,   165
    þæt nǣfre Gre[n]del swā fela gryra gefremede, | *atol*
        ǣglǣca,   592
    þæt hē gedǣl*der,* ... | *atol* āglǣca, ... | līf wið līce,   732
    Līcsār gebād | *atol* ǣglǣca;   816
    atol ȳða geswing eal gemenged | ... heorodrēore,
        wēol;   848
    ic ne wāt hwæ*der* | *atol* ǣse wlanc eftsīðas tēah,   1332
    oððe gāres fliht, | oððe *atol* yldo;   1766
    gǣst yrre cwōm, | *eatol* ǣfengrom, ūser nēosan,   2074
    wyrm yrre cwōm, | *atol* inwitgǣst, ōðre sīðe   2670
atolan.
    gūðrinc gefēng | *atolan* clommum;   1502

atole.

þæt hē þā fǣhðe ne þearf, | *atole* ecgþrǣce,...
| swīðe onsittan, 596

atolne.

ymb Hreosnabeorh | *eatolne* inwitscear oft gefremedon. 2478

attor.

þæt him on brēostum bealonīð wēoll, | *attor* on
innan. 2715

attorsceaðan.

þæt hē wið *attorsceaðan* oreðe gerǣsde, 2839

attres.

ic ... wēne | [o]reðes ond a*ttres*; 2523

āwā. *See also* **ā.**

þæt þīn [dōm] lyfað | *āwa* tō aldre. 955

āwræc.

ic þis gid be þē | *āwræc* wintrum frōd. 1724
hwīlum gyd *āwræc* | sōð ond sārlīc; 2108

āwyrded.

æþeling manig | wundum *āwyrded*; 1113

B.

bā.

þonne bīoð brocene on *bā* healfe | āðsweord eorla, 2063

bād.

heaðowylma *bād* | lāðan līges. 82
sē þe in þȳstrum *bād*, 87
flota stille *bād*, 301
þæt wæs foremǣrost ... | receda ..., on þǣm se
rīca *bād*; 310
bād bolgenmōd beadwa geþinges. 709
þǣr se snotera *bād*, 1313
sǣgenga *bād* | āge[n]dfrēan, 1882
hē on searwum *bād*. 2568
Ic on earde *bād* | mǣlgesceafta, 2736

bæd.

swā hē selfa *bæd*, 29
bæd hine blīðne æt þǣre bēorþege, 617
Ic ðē lange *bæd*, 1994

2

frioðowǣre *bǣd* | hlāford sīnne.   2282
bǣd þæt gē geworhton ... | ... beorh þone hēan,   3097
bǣdde.
    mǣru cwēn ... | *bǣdde* byre geonge;   2018
bǣdon.
    wordum *bǣdon*, | þæt him gāstbona gēoce gefremede   176
bǣl.
    betst beadorinca wæs on *bǣl* gearu;   1109
    Hēt ðā Hildeburh ... | bānfatu bærnan ond on *bǣl*
        dōn;   1116
    ne on *bǣl* hladan | lēofne mannan;   2126
    ǣr hē *bǣl* cure,   2818
bǣle.
    mid *bǣle* fōr, | fȳre gefȳsed.   2308
    hæfde landwara līge befangen, | *bǣle* ond bronde;   2322
    Hātað heaðomǣre hlǣw gewyrcean | beorhtne æfter
        bǣle   2803
bǣlfȳra.
    Ongunnon þā on beorge *bǣlfȳra* mǣst | wīgend
        weccan;   3143
bǣlstede.
    þæt gē geworhton ... | in *bǣlstede* beorh þone hēan,   3097
bǣlwudu.
    þæt hīe *bǣlwudu* | feorran feredon,   3112
bǣr.
    sē þe on handa *bǣr* hroden ealowǣge,   495
    Godes yrre *bǣr*;   711
    hū hē ..., | fǣge ond geflȳmed, feorhlāstas *bǣr*.   846
    bǣr on bearm scipes beorhte frætwa   896
    magoþegna *bǣr* | þone sēlestan sāwollēasne,   1405
    Bǣr þā sēo brimwyl[f], ... | hringa þengel tō hofe
        sīnum,   1506
    Hǣreðes dohtor | ... līðwǣge *bǣr* | hælum tō handa.   1982
    dohtor Hrōðgāres | eorlum on ende ealuwǣge *bǣr*,   2021
    þone þīn fæder tō gefeohte *bǣr*   2048
    bǣr eorlgestrēona | hringa hyrde hardfyrdne dǣl,   2244
    mandryhtne *bǣr* | fǣted wǣge,   2281
    hiorosercean *bǣr* | under stāncleofu,   2539

wīgheafolan *bær* | frēan on fultum,   2661
hāres hyrste Higelāce *bær.*   2988
hilderinc sum on handa *bær* | æledlēoman,   3124
bǣr.
   Sīe sīo *bǣr* gearo | ǣdre geæfned,   3105
bǣran. *See* **bǣron.**
bærnan.
   Hēt ðā Hildeburh ... | bānfatu *bærnan* ond on bǣl
   dōn;   1116
   se gǣst ongan ... | beorht hofu *bærnan*;   2313
bǣron.
   secgas *bǣron* | on bearm nacan beorhte frætwe,   213
   from þǣm holmclife hafelan *bǣron*   1635
   hringnet *bǣron,* | locene leoðosyrcan.   1889
   þe him foran ongēan | linde *bǣron*;   2365
   ac hȳ scamiende scyldas *bǣran,*   2850
bæð.
   gōdum gegrēttan ofer ganotes *bæð*;   1861
baldor. *See* **bealdor.**
balwon.
   hyne sār hafað | ... befongen | *balwon* bendum;   977
bām.
   Him wæs *bām* samod | on ðām lēodscipe lond ge-
   cynde,   2196
   ūrum sceal ... | byrne ond byrduscrūd *bām* ge-
   mæne.   2660
ban-. *See* **bon-.**
bāncofan.
   sēo ðe *bāncofan* beorgan cūþe,   1445
bāne.
   þæt sīo ecg gewāc | brūn on *bāne,*   2578
bānfāg.
   betlīc ond *bānfāg,*   780
bānfatu.
   Hēt ðā Hildeburh ... | *bānfatu* bærnan ond on bǣl
   dōn;   1116
bānhringas.
   bānhringas bræc;   1567

20 COOK, [bānhūs-beadurūne]

bānhūs.

him hildegrāp heortan wylmas, | *bānhūs* gebræc. 2508

oð þæt hē ðā *bānhūs* gebrocen hæfde, 3147

bānlocan.

bāt *bānlocan,* blōd ēdrum dranc, 742

seonowe onsprungon, | burston *bānlocan.* 818

bānum.

heals ealne ymbefēng | biteran *bānum;* 2692

bāt, *sb.*

flota wæs on ȳðum, | *bāt* under beorge. 211

bāt, *vb.*

bāt bānlocan, blōd ēdrum dranc, 742

bāt unswīðor, | þonne his ðīodcyning þearfe hæfde, 2578

bātwearde.

Hē þǣm *bātwearde* bunden golde | swurd gesealde, 1900

bēacen.

Lēoht ēastan cōm, | beorht *bēacen* Godes; 570

betimbredon on tȳn dagum, beadurōfes *bēcn;* 3161

bēacna.

segn ēac genōm, | *bēacna* beorhtost. 2777

beado-. *See* **beadu-.**

beadufolme.

þæt ðæs āhlæcan | blōdge *beadufolme* onberan wolde. 990

beadugrīman.

þā ðe *beadogrīman* bȳwan sceoldon; 2257

beaduhrægl.

beadohrægl brōden on brēostum læg, 552

beadulāce.

ðonne ænig mon ōðer | tō *beadulāce* ætberan meahte, 1561

beadulēoma.

þæt se *beadolēoma* bītan nolde, 1523

beadumēcas.

brond ne *beadomēcas* bītan ne meahton. 1454

beadurinca.

betst *beadorinca* wæs on bæl gearu; 1109

beadurōfes.

betimbredon on tȳn dagum | *beadurōfes* bēcn; 3160

beadurūne.

onband *beadurūne* 501

beaduscearp.
    wǣllseaxe gebrǣd | biter ond *beaduscearp,*   2704
beaduscrūda.
    Onsend Higelāce, gif mec hild nime, | *beaduscrūda*
        betst,   453
beadusercean.
    hringnet beran, | brogdne *beadusercean,* | under
        beorges hrōf.   2755
beaduweorces.
    Hwǣðre hilde gefeh, | *bea[du]weorces;*   2299
beadwa.
    bād bolgenmōd *beadwa* geþinges.   709
beadwe.
    brǣgd þā *beadwe* heard ... | feorhgenīðlan,   1539
bēaga.
    ālēdon ... | *bēaga* bryttan on bearm scipes,   35
    Ic þæs ... | ... frīnan wille, | *bēaga* bryttan,   352
    þæt ic gumcystum gōdne funde | *bēaga* bryttan,   1487
    Ðā wæs hord rāsod, | onboren *bēaga* hord;   2284
    hund þūsenda | landes ond locenra *bēaga;*   2995
bēagas.
    Hē bēot ne ālēh, *bēagas* dǣlde,   80
    þǣr hē folc āhte, | burh ond *bēagas.*   523
    nallas *bēagas* geaf | Denum æfter dōme;   1719
    nallas on gylp seleð | fæ*tte bēagas,*   1750
    him Hygd gebēad ... | *bēagas* ond bregostōl;   2370
    ðe ūs ðās *bēagas* geaf,   2635
    þe ūs *bēagas* geaf,   3009
    sylfes fēore | *bēagas* [geboh]te;   3014
    þæt gē ... scēawiað | *bēagas* ond brād gold.   3105
bēage.
    þā cwōm Wealhþēo forð | gān under gyldnum *bēage,* 1163
bēages.
    Brūc ðisses *bēages,* Bēowulf lēofa,   1216
bēaggyfan.
    ðēah hīe hira *bēaggyfan* banan folgedon   1102
bēaghroden.
    þæt hīo Bēowulfe, *bēaghroden* cwēn, | ... medoful
        ætbær;   623

bēah, *sb.* *See also* **bēg.**

breostgewǣdu ond se *bēah* somod;   1211
sē ðe *bēah* gesyhð, | eald æscwiga,   2041
þegne gesealde ... | *bēah* ond byrnan,   2812

bēah, *vb.*

bēah eft þonan | eald under eorðweall.   2956

bēahhorda.

bēahhorda weard | tryddode tīrfæst   921

bēahhordes.

þæt hē *bēahhordes* brūcan mōste | selfes dōme;   894

bēahhordum.

Bēahhordum leng | wyrm wōhbogen wealdan ne mōste,   2826

bēahsele.

Heorot is gefǣlsod, | *bēahsele* beorhta;   1177

bēahðege.

hyre syððan wæs, | æfter *bēahðege*, br[ē]ost ge-
weorðod.   2176

bēahwriðan.

oft hīo *bēahwriðan* | secge [sealde],   2018

bealdode.

Swā *bealdode* bearn Ecgðēowes,   2177

bealdor.

þā mec sinca *baldor* | ... æt mīnum fæder genam;   2428
Stīðmōd gestōd wið stēapne rond | winia *bealdor*,   2567

bealewa. *See* **bealwa.**

bealocwealm.

Bealocwealm hafað | fela feorhcynna forð onsended.   2265

bealohycgendra.

ǣghwæðrum wæs | *bealohycgendra* brōga fram ōðrum.   2565

bealohȳdig.

onbrǣd þā *bealohȳdig* ... | recedes mūþan.   723

bealonīð.

Bebeorh þē ðone *bealonīð*, Bēowulf lēofa,   1758
hwanan sīo fǣhð ārās, | *bealonīð* biorna;   2404
þæt him on brēostum *bealonīð* wēoll,   2714

bealuwa. *See* **bealwa.**

bealwa.

gyf him edwendan ǣfre scolde | *bealuwa* bisigu ...
cuman,   281

sē þe him *bealwa* tō bōte gelȳfde,   909
bona blōdigtōð, *bealewa* gemyndig,   2082
bealwe.
  Bona swylce læg,... | *bealwe* gebæded.   2826
Bēanstānes.
  Bēot eal wið þē | sunu *Bēanstānes* sōðe gelæste.   524
bearhtm.
  beahrtm ongēaton, | gūðhorn galan.   1431
oððe ēagena *bearhtm* | forsiteð ond forsworceð;   1766
bearm.
  ālēdon ... | bēaga bryttan on *bearm* scipes,   35
secgas bæron | on *bearm* nacan beorhte frætwe,   214
bær on *bearm* scipes beorhte frætwa | Wælses eafera;   896
Ðā wæs winter scacen, | fæger foldan *bearm*;   1137
hildelēoman, | billa sēlest, on *bearm* dyde;   1144
þæt hē on Bīowulfes *bearm* ālegde,   2194
him on *bearm* hladon būnan ond discas   2775
bearme.
  him on *bearme* læg | mādma mænigo,   40
him tō *bearme* cwōm | māðþumfæt mære   2404
bearn, *sb.*
  Ðæm fēower *bearn* forð gerīmed | ... wōcun,   59
þon[n]e yldo *bearn* æfre gefrūnon,   70
Ðā wæs Heregār dēad,... | *bearn* Healfdenes;   469
*Un*ferð maþelode, Ecglāfes *bearn*,   499
Bēowulf maþelode, *bearn* Ecgþēowes: 529, 631, 957,
      1383, 1473, 1651, 1817; *cf.* 1999, 2425
siþþan morgenlēoht | ofer ylda *bearn*... | ... scīneð.   605
þāra þe gumena *bearn* gearwe ne wiston,   878
æþelinges *bearn* āna genēðde | frēcne dæde;   888
þæt þæt ðēodnes *bearn* geþēon scolde,   910
Forgeaf þā Bēowulfe *bearn* Healfdenes | segen
  gyldenne   1020
þæt hīe healfre geweald | wið Eotena *bearn* āgan
  mōston,   1088
þæt hē Eotena *bearn* inne gemunde.   1141
Hrēðrīc ond Hrōðmund, ond hæleþa *bearn*,   1189
Oferēode þā æþelinga *bearn* | stēap stānhliðo,   1408
wolde hire *bearn* wrecan, | āngan eaferan.   1546

Gif him þonne Hrēþric ... | geþingeđ, þeodnes *bearn*,   1837
Bīowulf mađelode, *bearn* Ecgđīoes: 1999
Wīf unhȳre | hyre *bearn* gewræc,   2121
Swā bealdode *bearn* Ecgđēowes,   2177
swā hyne Gēata *bearn* gōdne ne tealdon,   2184
gewāt Ongenđīoes *bearn* | hāmes nīosan,   2387
Bīowulf maþelade, *bearn* Ecgđēowes: 2425
Nealles him ... | æđelinga *bearn* ymbe gestōdon   2597
þēah đe hē his brōđor *bearn* ābredwade.   2619
bearn ond brȳde;   2956
ymbe hlǣw riodan ... | æþelinga *bearn* ealra twelfa,   3170
bearn, *vb.*[1]
Him on mōd *bearn*,   67
bearn, *vb.*[2]
him ... | ... dyrne langađ | *bearn* wiđ blōde.   1880
bearna.
nȳde genȳdde, niþđa *bearna*,   1005
Nō þæs frōd leofađ | gumena *bearna*,   1367
þ[ēow] nāthwylces | hæleđa *bearna* heteswengeas flēah, 2224
næs ic him ... lāđra ōwihte | ... þonne his *bearna*
    hwylc,   2433
bearne.
bearne ne trūwode,   2370
bearngebyrdo.
þæt hyre eald Metod ēste wǣre | *bearngebyrdo*.   946
bearnum.
wearđ | ylda *bearnum* undyrne cūđ,   150
wearđ | beloren lēofum ... | *bearnum* ond brōđrum;   1074
bearwas.
ofer þǣm hongiađ hrīm*ge bearwas*,   1363
bēateđ.
ne se swifta mearh | burhstede *bēateđ*.   2265
bebēad.
swā him se hearda *bebēad*.   401
Hrađe wæs gerȳmed, swā se rīca *bebēad*,   1975
bebeorgan.
him *bebeorgan* ne con | wōm wundorbebodum wergan
    gāstes;   1746

bebeorh.
   Bebeorh þē ðone bealonīð, Bēowulf lēofa,   1758
bebohte.
   Nū ic on māðma hord mīne *bebohte* | frōde feorhlege,   2799
bebūgeð.
   wlitebeorhtne wang, swā wæter *bebūgeð*;   93
   efne swā sīde swā sæ *bebūgeð* | windge [e]ardweallas.   1223
becearf.
   hine þā hēafde *becearf.*   1590
   ic hēafde *becearf* | ... Grendeles mōdor   2138
bēcn. *See* **bēacen.**
becōm. *See* **becwōm.**
becwōm.
   Gewāt ðā nēosian, syþðan niht *becōm,* | hēan hūses,   115
   wæs þæt gewin tō swȳð | ... þe on ðā lēode *becōm,*   192
   oþ þæt ende *becwōm,* | swylt æfter synnum.   1254
   oð ðæt niht *becwōm* | ōðer tō yldum.   2116
   lȳt eft *becwōm* | fram þām hildfrecan hāmes nīosan.   2365
   stefn in *becōm* | heaðotorht hlynnan under hārne
     stān;   2552
   þā hyne sīo þrāg *becwōm.*   2883
   þā hē tō hām *becōm,*   2992
bed.
   ræste [sōhte], | *bed* æfter būrum,   140
   ǣr hē on *bed* stige: 676
bedǣled.
   Cōm þā ... rinc sīðian | drēamum *bedǣled*;   721
   hē hēan gewāt, | drēame *bedǣled,*   1275
beddes.
   wolde blondenfeax *beddes* nēosan, | gamela Scylding.   1791
beddum.
   hit geondbrǣded wearð | *beddum* ond bolstrum.   1240
befæstan.
   Hēt ðā Hildeburh ... | hire selfre sunu sweoloðe
     befæstan,   1115
befangen. *See* **befongen.**
befeallen.
   Gewiton ... | frēondum *befeallen,* Frȳsland gesēon,   1126

Sceal se hearda helm [hyr]sted golde | fætum *be-*
    feallen;   2256
befleonne.
    Nō þæt ȳðe byð | tō *befleonne*,   1003
befongen.
    hyne sār hafað | in *nȳd*gripe nearwe *befongen*,   976
    hraðe hēo æþelinga änne hæfde | fæste *befangen*; 1295
    since geweorðad, | *befongen* frēawrāsnum,   1451
    nacod nīðdraca, nihtes flēogeð | fȳre *befangen*;   2274
    hæfde landwara līge *befangen*,   2321
    nearo þrōwode | fȳre *befongen*,   2595
beforan.
    mære māðþumsweord manige gesāwon | *beforan*
        beorn beran.   1024
    hē fēara sum *beforan* gengde | ... wong scēawian, 1412
    symle ic him on fēðan *beforan* wolde,   2497
bēg. *See also* **bēah.**
    Hī on beorg dydon *bēg* ond siglu,   3164
bēga.
    Bēowulfe *bēga* gehwæþres | eodor Ingwina onweald
        getēah,   1043
    ðe þær gūð fornam | *bēga* folces;   1124
    Him wæs *bēga* wēn | ealdum, infrōdum,   1873
    bēga on wēnum, | endedōgores ond eftcymes   2895
begang. *See* **begong.**
begeat.
    ðā hīe se fær *begeat*,   1068
    Swylce ferhðfrecan Fin eft *begeat* | sweordbealo
        slīðen   1146
    [þā hyne] se fær *begeat*,   2230
    ðā hyne wīg *beget*.   2872
begeate.
    þe lēodfruman lange *begēate*.   2130
begēaton.
    hyt ær on ðē | gōde *begēaton*;   2249
bēgen.
    wæron *bēgen* þā git | on geogoðfēore,   536
    Yrre wæron *bēgen* | rēþe rēnweardas.   769
    ond hī hyne þā *bēgen* ābroten hæfdon,   2707

beget. *See* **begeat.**

begnornodon.

Swā *begnornodon* Gēata lēode | hlāfordes [hry]re,   3179

begong.

feorran cumene | ofer geofenes *begang*,   362

þætte ... | ... ōþer nænig | under swegles *begong*
sēlra nære   860

sē ðe flōda *begong* | heorogīfre behēold hund missera,   1497

þæt ic mē ænigne | under swegles *begong* gesacan
ne tealde.   1773

Gif ic þæt gefricge ofer flōda *begang*,   1826

Oferswam ðā sioleða *bīgong* sunu Ecgðēowes,   2367

behēold.

þegn nytte *behēold*,   494

sundornytte *behēold* | ymb aldor Dena,   667

þrȳðswȳð *behēold* | mæg Higelāces,   736

sē ðe flōda begong | heorogīfre *behēold* hund missera,   1498

behōfað.

þæt ūre mandryhten mægenes *behōfað* | gōdra
gūðrinca;   2647

beholen.

siððan æfenlēoht | under heofenes hador *beholen*
weorþeð.   414

behongen.

gegiredan Gēata lēode | ād ... | helm[um] *behongen*,
hildebordum,   3139

behrorene.

fyrnmanna fatu, feormendlēase, | hyrstum *behrorene*.   2762

belamp.

þe him sīo sār *belamp*,   2468

belēac.

winter ȳþe *belēac* | īsgebinde,   1132

ond hig wigge *belēac* | manigum mægþa   1770

belēan.

Ne inc ænig mon | ... *belēan* mihte | sorhfullne sīð,   511

beloren.

wearð | *beloren* lēofum æt þām *lind*plegan,   1073

bemearn.

Swylce oft *bemearn* . . . | swīðferhþes sīð   907
Nalles hōlinga Hōces dohtor | meotodsceaft *bemearn,* 1077

bēna.

swā þū *bēna* eart,   352
swā hē *bēna* wæs;   3140

benam.

oð þæt hine yldo *benam* | mægenes wynnum,   1886

bēnan.

Hȳ *bēnan* synt,   364

benc.

þā wæs Gēatmæcgum . . . | on bēorsele *benc* gerȳmed; 492

bence.

bugon þā tō *bence;*   327, 1013
Hwearf þā bī *bence, þ*ær hyre byre wæron,   1188
þær on *bence* wæs | . . . ȳþgesēne | heaþostēapa helm, 1243

bencswēg.

Gamen eft āstāh, | beorhtode *bencswēg;*   1161

bencðelu.

eal *bencþelu* blōde bestȳmed,   486
Bencþelu beredon;   1239

bend.

ðonne forstes *bend* Fæder onlǣteð,   1609

bendum.

hyne sār hafað | . . . befongen | balwon *bendum;*   977

bēne.

Ic þē nū ðā | . . . biddan wille | . . . ānre *bēne,* 428
bēne getīðad | fēasceaftum men.   2284

benēat.

hē . . . | . . . cyning ealdre *binēat.*   2396

benemde.

Fin Hengeste | elne unflitme āðum *benemde,*   1097

benemdon.

hit . . . dīope *benemdon* | þēodnas mǣre,   3069

benēotan.

forþan ic hine . . . nelle | aldre *benēotan,*   680

bengeato.

hafelan multon, | *bengeato* burston;   1121

benne.
Bīowulf maþelode: hē ofer *benne* spræc,   2724
bēodan.
ic þǣm gōdan sceal | for his mōdþrǣce mādmas *bēodan.*   385
Heht ðā þæt heaðoweorc tō hagan *bīodan*   2892
bēodgenēatas.
Wē synt Higelāces | *bēodgenēatas*;   343
brēat bolgenmōd *bēodgenēatas,*   1713
bēore.
Ful oft gebēotedon *bēore* druncne | ... ōretmecgas,   480
þū worn fela... | *bēore* druncen ymb Brecan sprǣce,   531
cwið æt *bēore* ... | eald æscwiga,   2041
beorg. *See* **beorh.**
beorgan.
Hēo wæs on ofste, wolde ūt þanon | fēore *beorgan,*   1293
sēo ðe bāncofan *beorgan* cūþe,   1445
beorgas.
þæt ðā līðende land gesāwon, | ... *beorgas* stēape,   222
sē ðe byrnende *biorgas* sēceð,   2272
beorge.
flota wæs on ȳðum, | bāt under *beorge,*   211
Gebīde gē on *beorge* byrnum werede,   2529
Geseah ðā ... | ..., strēam ūt þonan | brecan of
beorge;   2546
Biorn under *beorge* bordrand onswāf   2559
gif hē ... weard onfunde | būon on *beorge.*   2842
Ongunnon þā on *beorge* bælfȳra mǣst | wīgend
weccan;   3143
beorges.
wæs ðā gebolgen *beorges* hyrde,   2304
beorges getrūwode, | wīges ond wealles;   2322
Nelle ic *beorges* weard | oferflēon   2524
wæs *beorges* weard | æfter heaðuswenge on hrēoum
mōde,   2580
hringnet beran, | brogdne beadusercean, under
beorges hrof.   2755
þā hē *biorges* weard | sōhte,   3066
beorh.
Beorh eall gearo | wunode on wonge wæterȳðum nēah,   2241

hwīlum on *beorh* æthwearf, | sincfæt sōhte;   2299
þæt hit sælīðend syððan hātan | Bīowulfes *biorh*,   2807
þæt gē geworhton... | in bælstede *beorh* þone hēan, 3097
Hī on *beorg* dydon bēg ond siglu,   3164
beorht.
Lēoht ēastan cōm, | *beorht* bēacen Godes;   570
ðā cōm *beorht* scacan | [sunne]   1802
se gæst ongan... | *beorht* hofu bærnan;   2313
beorhta.
Heorot is gefælsod, | bēahsele *beorhta*;   1177
beorhtan.
syþðan Hāma ætwæg | tō þǣre *byrhtan* byrig Brō-
    singa mene,   1199
Setton him tō hēafdon hilderandas, | bordwudu
    beorhtan;   1243
Beorht-Dena.
Ic þē nū ðā, | brego *Beorht-Dena,* biddan wille
    | ... ānre bēne,   427
gēoce gelȳfde | brego *Beorht-Dena*;   609
beorhte.
secgas bæron | on bearm nacan *beorhte* frætwe,   214
beran ofer bolcan *beorhte* randas,   231
bær on bearm scipes *beorhte* frætwa | Wælses eafera;   896
Wæs þæt *beorhte* bold tōbrocen swīðe,   997
fȳrlēoht geseah, | blācne lēoman *beorhte* scīnan.   1517
beorhtne.
Hātað heaðomǣre hlǣw gewyrcean | *beorhtne* æfter
    bǣle   2803
beorhtode.
Gamen eft āstāh, | *beorhtode* bencswēg;   1161
beorhtost.
segn ēac genōm, | bēacna *beorhtost.*   2777
beorhtre.
ne þǣr nǣnig witena wēnan þorfte | *beorhtre* bōte   158
beorhtum.
behongen... | *beorhtum* byrnum,   3140
beorn.
māðþumsweord manige gesāwon | beforan *beorn*
    beran.   1024

þone ðe hēo on ræste ābrēat, | blædfæstne *beorn.*   1299
Wīf unhӯre | ... *beorn* ācwealde | ellenlīce;   2121
næs ic him ... lāðra ōwihte | *beorn* in burgum   2433
Biorn under beorge bordrand onswāf   2559
beorn. See **bearn,** *vb.*[2]
beorna.
hwanan sīo fæhð ārās, | bealonīð *biorna;*   2404
beornas.
Beornas gearwe | on stefn stigon;   211
þanon eft gewiton ... | *beornas* on blancum.   856
beorncyning.
ðā ic ðē, *beorncyning,* bringan wylle,   2148
beorne.
brosnað æfter *beorne;*   2260
bēorscealca.
Bēorscealca sum | fūs ond fæge fletræste gebēag.   1240
bēorsele.
þæt hīe in *bēorsele* bīdan woldon | Grendles gūþe   482
þā wæs Gēatmæcgum ... | on *bēorsele* benc gerӯmed;   492
swā hē Frēseņa cyn | on *bēorsele* byldan wolde.   1094
þonne wē gehēton ussum hlāforde | in *bīorsele,*   2635
bēorðege.
hū hit Hring-Dene | æfter *bēorþege* gebūn hæfdon.   117
bæd hine blīðne æt þære *bēorþege,*   617
bēot.
Hē *bēot* ne ālēh, bēagas dælde,   80
Bēot eal wið þē | sunu Bēanstānes sōðe gelæste.   523
bēotwordum.
Bēowulf maðelode, *bēotwordum* spræc,   2510
Bēowulf.
Bēowulf wæs brēme (blæd wīde sprang),   18
Ðā wæs on burgum *Bēowulf* Scyldinga ... | folcum
gefræge   53
Bēowulf is mīn nama.   343
þone yldestan ōretmecgas | *Bēowulf* nemnað.   364
Bēowulf maðelode   405
wine mīn *Bēowulf,*   457, 1704
Eart þū se *Bēowulf,* së þe wið Brecan wunne,   506

Bēowulf.

Bēowulf maþelode, bearn Ecgþēowes: 529, 631, 957,
       1383, 1473, 1651, 1817
grētte þā guma ōþerne, | Hrōðgār Bēowulf, 653
Gespræc þā se gōda gylpworda sum, | Bēowulf Gēata, 676
Nū ic, Bēowulf, þec, | ... mē for sunu wylle | frēogan 946
Bēowulf geþah | ful on flette.   1024
þær se gōda sæt, | Bēowulf Gēata,   1191
Brūc ðisses bēages, Bēowulf lēofa,   1216
Næs Bēowulf ðær,   1299
Hraþe wæs tō būre Bēowulf fetod,   1310
Gyrede hine Bēowulf eorlgewædum,   1441
Bebeorh þē ðone bealonīð, Bēowulf lēofa, 1758
Mē þīn mōdsefa | līcað leng swā wel, lēofa Bēowulf. 1854
Him Bēowulf þanan | ... græsmoldan träd 1880
Hū lomp ēow on lāde, lēofa Bīowulf,   1987
Bīowulf maðelode, bearn Ecgðīoes: 1999
þonan Bīowulf cōm | sylfes cræfte,   2359
lēt ðone bregostōl Bīowulf healdan,   2389
Bīowulf maþelade, bearn Ecgðēowes: 2425
Bēowulf maðelode, bēotwordum spræc, 2510
Lēofa Bīowulf, læst eall tela,   2663
Bīowulf maþelode: hē ofer benne spræc, 2724
[Bēowulf maðelode,]   2792

Bēowulfe.

gehȳrde on Bēowulfe | folces hyrde fæstrædne geþōht. 610
þæt hīo Bēowulfe, bēaghroden cwēn, | ... medoful
 ætbær;   623
Bēowulfe wearð | gūðhrēd gyfeþe;   818
Forgeaf þā Bēowulfe bearn Healfdenes | segen
 gyldenne   1020
Bēowulfe bēga gehwæþres | eodor Ingwina onweald
 getēah,   1043
þāra þe mid Bēowulfe brimlāde tēah, 1051
syððan Bēowulfe brāde rīce | on hand gehwearf. 2207
þā wæs Bīowulfe brōga gecȳðed   2324
Bīowulfe wearð | dryhtmāðma dæl dēaðe forgolden; 2842
Wīglāf siteð | ofer Bīowulfe,   2907
Swā wæs Bīowulfe,   3066

Bēowulfes.

wæs him *Bēowulfes* sīð, | ... micel æfþunca,   501
þær genehost brægd | eorl *Bēowulfes* ealde lāfe,   795
Ðær wæs *Bēowulfes* | mærðo mæned;   856
Secg eft ongan | sīð *Bēowulfes* snyttrum styrian,   872
Higelāce wæs | sīð *Bēowulfes* snūde gecȳðed,   1971
þæt hē on *Bīowulfes* bearm ālegde,   2194
geswāc æt sæcce sweord *Bīowulfes,*   2681
þæt hit sǣlīðend syððan hātan | *Bīowulfes* biorh,   2807

beran.

lēton holm *beran,* | gēafon on gārsecg;   48
beran ofer bolcan beorhte randas,   231
Gewītaþ forð *beran* | wǣpen ond gewǣdu,   291
mǣre māðþumsweord manige gesāwon | beforan
    beorn *beran.*   1024
Heht þā se hearda Hrunting *beran*   1807
Hēt þā ūp *beran* æþelinga gestrēon,   1920
Hēt ðā in *beran* eafor,hēafodsegn,   2152
Nolde ic sweord *beran,* | wǣpen tō wyrme,   2518
ic ... gefrǣgn sunu Wihstānes | ... hringnet *beran,* 2754

bere.

þæt ic sweord *bere*   437
þæt ic ... | ... þē tō gēoce gārholt *bere,*   1834

berēafod.

se wyrm ligeð, | ... since *berēafod.*   2746
egeslīc eorðdraca ealdre *berēafod,*   2825
ac sceal gēomormōd, golde *berēafod,* | ... elland
    tredan,   3018

beredon.

bencþelu *beredon;*   1239

beren.

þæt wē rondas *beren* | eft tō earde,   2653

berofene.

gesyhð sorhcearig ... | ... windgereste | rēote *be-*
    rofene;   2456
īomēowlan golde *berofene,*   2931

besæt.

Besæt ðā sinherge sweorda lāfe   2936

3

bescūfan.

ðe sceal | ... sāwle *bescūfan* | in fȳres fæþm,   184

besette.

swā hine ... | worhte wǣpna smið, ... | *besette*
swīnlīcum,   1453

besmiðod.

īrenbendum | searoþoncum *besmiþod*.   775

besnyðede.

þætte Ongenðīe ealdre *besnyðede* | Hæðcen Hrēþling 2924

bestȳmed.

eal bencþelu blōde *bcstȳmed*,   486

beswǣled.

wæs se lēgdraca | ... glēdum *beswǣled*.   3041

besyrwan.

mynte se mānscaða manna cynnes | sumne *besyrwan* 713
ðe wē ealle ǣr ne meahton | snyttrum *besyrwan*. 942

betimbredon.

betimbredon on tȳn dagum | beadurōfes bēcn,   3160

betera.

sē wæs *betera* ðonne ic.   469
þæt ðes eorl wǣre | geboren *betera*.   1703

betlīc.

be*tlīc* ond bānfāg,   780
Bold wæs *betlīc*, brego rōf cyning,   1925

betost. *See* **betst.**

betst.

Onsend Higelāce, gif mec hild nime, | beaduscrūda *betst*, 453
betst beadorinca wæs on bæl gearu;   1109
Nū is ofost *betost*,   3007

betsta.

secg *betsta*,   947, 1759

betstan.

Gecyste ... | þēoden Scyldinga ðegn*a* *betstan*,   1871

bewǣgned.

Him wæs ... frēondlaþu | wordum *bewǣgned*,   1193

bewand.

þe hit mid mundum *bewand*,   1461

bewenede.

wæron hēr tela | willum *bewenede*;   1821
dryhtbearn Dena duguða *biwenede*;   2035
beweotode.

sē ðe . . . hord *beweotode*,   2212
sē for andrysnum ealle *beweotode* | þegnes þearfe,   1796
beweredon.

lēoda landgeweorc lāþum *beweredon*   938
bewitiað.

þā ðe syngales sēle *bewitiað*, | wuldortorhtan weder. 1135
ðā on undernmǽl oft *bewitigað* | sorhfulne sīð   1428
bewitigað. *See* **bewitiað.**

beworhton.

bronda lāfe | wealle *beworhton*,   3162
bewunden.

hēafodbeorge | wīrum *bewunden* wala ūtan hēold,   1031
nō þon lange wæs | feorh æþelinges flǽsce *bewunden*. 2424
sceall gār wesan | . . . mundum *bewunden*,   3022
wæs þæt . . . | īumonna gold galdre *bewunden*,   3052
swōgende lēg | wōpe *bewunden*   3146
bicgan.

þæt hīe . . . *bicgan* scoldon | frēonda fēorum.   1305
bīd.

þǽr wearð Ongenðīow . . . | blondenfexa on *bīd* wrecen, 2962
bīdan.

þæt hīe . . . *bīdan* woldon Grendles gūþe   482
gif þū Grendles dearst | nihtlongne fyrst nēan *bīdan*. 528
sē æt Heorote fand | wæccendne wer wīges *bīdan*.   1268
nalas ondsware | *bīdan* wolde;   1494
nō on wealle leng | *bīdan* wolde,   2308
biddan.

Ic þē nū ðā | . . . *biddan* wille | . . . ānre bēne, 427
bidde.

Druncne dryhtguman, dōð swā ic *bidde*.   1231
bidon.

sume þǽr *bidon*, | heaðorēaf hēoldon,   400
bifongen. *See also* **befongen.**

f[enne] *bifongen*.   2009
bigong. *See* **begong.**

3*

bil.

Geseah ðā on searwum sigeēadig *bil*,   1557
bil eal ðurhwōd | fægne flæschoman;   1567
hē frætwe gehēold . . . , | *bill* ond byrnan,   2621
Bill ær gescōd   2777

billa.

billa brōgan;   583
þonne him Hunlāfing . . . | *billa* sēlest on bearm dyde;   1144

bille.

swealt | *bille* gebēaten.   2359

billes.

æfter *billes* bite   2060
ic . . . gefrægn mæg ōðerne | *billes* ecgum . . . stælan,   2485
sceall *billes* ecg | . . . ymb hord wīgan.   2508

billum.

billum ond byrnum;   40

binēat. *See* **benēat.**

bio‐. *See* **beo‐.**

bīo‐. *See* **bēo‐.**

bisigu.

gyf him edwendan æfre scolde | bealuwa *bisigu* . . .
     cuman,   281

bisgum. *See* **bisigum.**

bisigum.

bið se slæp tō fæst | *bisgum* gebunden,   1743
þonne his ðīodcyning þearfe hæfde, *bysigum* ge‐
     bæded.   2580

bītan.

þæt hine . . . nō | brond ne beadomēcas *bītan* ne
     meahton.   1454
Ðā se gist onfand, | þæt se beadolēoma *bītan* nolde,   1523

bite.

æfter billes *bite*   2060
sīo æt hilde gebād | ofer borda gebræc *bite* īrena,   2259

biter.

wællseaxe gebræd | *biter* ond beaduscearp,   2704

biteran.

þonne bið on hreþre . . . drepen | *biteran* stræle;   1746
heals ealne ymbefēng | *biteran* bānum;   2692

bitere.

hīe on weg hruron | *bitere* ond gebolgne,   1431

þæt hē Wealdende | ... | *bitre* gebulge;   2331

bitre. *See* **bitere.**

biwenede. *See* **bewenede.**

blaca.

oþ þæt hrefu *blaca* heofones wynne | ... bodode;   1801

blācne.

fȳrlēoht geseah, | *blācne* lēoman beorhte scīnan.   1517

blǣd.

Bēowulf wæs brēme (*blǣd* wīde sprang),   18

wæs hira *blǣd* scacen.   1124

Blǣd is ārǣred | geond wīdwegas,   1703

Nū is þīnes mægnes *blǣd* | āne hwīle;   1761

blǣdāgende.

Bugon þā tō bence *blǣdāgende,*   1013

blǣdfæstne.

þone ðe hēo on ræste ābrēat, | *blǣdfæstne* beorn.   1299

blancum.

beornas on *blancum.*   856

blēate.

þæt hē ... geseah | þone lēofestan ... | *blēate* ge-
bǣran.   2824

blīcan.

þæt ðā līðende land gesāwon, | brimclifu *blīcan,*   222

blīðe.

swā mē Higelāc sīe, | mīn mondrihten, mōdes *blīðe,*   436

blīðheort.

oþ þæt hrefu ... heofones wynne | *bliðheort* bodode;   1802

blīðne.

bæd hine *blīðne* æt þǣre bēorþege,   617

blōd.

bāt bānlocan, *blōd* ēdrum dranc,   742

blōd ætspranc | lāðbite līces.   1121

wæs þæt *blōd* tō þæs hāt,   1616

swā þæt *blōd* gesprang, | hātost heaþoswāta.   1667

blōde.

eal bencþelu *blōde* bestȳmed,   486

Ðǣr wæs on *blōde* brim weallende,   847

þonne *blōde* fāh, | hūsa sēlest heorodrēorig stōd,   934
Flōd *blōde* wēol   1422
þæt wæs ȳðgeblond eal gemenged, | brim *blōde* fāh.   1594
him ... | ... dyrne langað | bearn wið *blōde*.   1880
þæt hē *blōde* fāh būgan sceolde,   2974
blōdfāg.
   blōdfāg swefeð,   2060
blōdig.
   byreð *blōdig* wæl, byrgean þenceð,   448
blōdigan.
   his mæg ofscēt, | brōðor ōðerne, *blōdigan* gāre.   2440
blōtigtōð.
   bona *blōdigtōð*,   2082
blōdge.
   þæt ðæs āhlæcan | *blōdge* beadufolme onberan wolde.   990
blōdrēow.
   him on ferhþe grēow | brēosthord *blōdrēow*,   1719
blondenfeax.
   wolde *blondenfeax* beddes nēosan, | gamela Scylding.   1791
blondenfeaxe.
   Blondenfeaxe | gomele ymb gōdne on geador spræcon,   1594
blondenfeaxum.
   hruron him tēaras | *blondenfeaxum*.   1873
blondenfexa.
   þær wearð Ongenðīow ..., *blondenfexa*, on bīd
      wrecen.   2962
boden.
   þā wæs æht *boden* | Swēona lēodum,   2957
bodode.
   oþ þæt hrefu ... heofones wynne | blīðheort *bodode*;   1802
bolcan.
   beran ofer *balcan* beorhte randas,   231
bold.
   Wæs þæt beorhte *bold* tōbrocen swīðe,   997
   Bold wæs betlīc, brego rōf cyning,   1925
   him gesealde seofan þusendo, | *bold* ond bregostōl.   2196
bolda.
   bolda sēlest brynewylmum mealt,   2326

boldāgendra.

  Hēt ðā gebēodan byre... | hæleðā monegum, |

    boldāgendra,   3112

bolgenmōd.

  bād *bolgenmōd* beadwa geþinges.   709

  brēat *bolgenmōd* bēodgenēatas,   1713

bolstrum.

  hit geondbrǣded wearð | beddum ond *bolstrum.*   1240

bona.

  bona swīðe nēah,   1743

  bona blōdigtōð,   2082

  ne wæs ecg *bona,*   2506

  Bona swylce lǣg,   2824

  þām æt sæcce wearð, | wræcca[n] winelēasum,

    Weohstān *bana*   2613

bonan.

  wēnan þorfte | beorhtre bōte tō *ban*an folmum. 158

  þēah ðū þīnum brōðrum tō *banan* wurde,   587

  ðēah hīe hira bēaggyfan *banan* folgedon   1102

  bonan Ongenþēoes... |... gefrūnon | hringas dǣlan. 1968

  hildemēceas | under bordhrēoðan tō *bonan* wurdon, 2203

  ic... gefrægn mǣg ōðerne |... on *bonan* stǣlan, 2485

bonena.

  þāra *banena* byre nāthwylces |... on flet gǣð, 2053

bongār.

  æfter lēodhryre lȳtle hwīle | *bongār* būgeð, 2031

bord.

  forðon ic mē on hafu | *bord* ond byrnan.   2524

  Līgȳðum forborn | *bord* wið rond;   2673

borda.

  sīo æt hilde gebād | ofer *borda* gebræc bite īrena, 2259

bordhæbbende.

  þǣr þæt eorlweorod |... mōdgīomor sæt | *bord-*

    hæbbende,   2895

bordhrēoðan.

  hildemēceas | under *bordhrēoðan* tō bonan wurdon, 2203

bordrand.

  Biorn under beorge *bordrand* onswāf   2559

bordweal.

brecan ofer *bordweal*;   2980

bordwudu.

Setton him tō hēafdon ... | *bordwudu* beorhtan;   1243

boren.

Him wæs ful *boren*,   1192
þā wæs be feaxe on flet *boren* | Grendles hēafod,   1647
þær wæs ... æþelin*g boren* | ... tō Hrones næsse.   3135

bōt.

gyf him ... æfre scolde | ... *bōt* eft cuman,   281

bōte.

ne þær nænig witena wēnan þorfte | beorhtre *bōte*   158
sē þe him bealwa tō *bōte* gelȳfde,   909
þæt ic ænigra mē | wēana ne wēnde... | *bōte* gebīdan, 934

botme.

þā hēo tō *botme* cōm,   1506

brād.

hyre sea*x* getēah, | *brād*, brūnecg,   1546
þæt gē ... scēawiað | bēagas and *brād* gold.   3105
sē wæs hēah ond *brād*,   3158

brāde.

syððan Bēowulfe *brāde* rīce | on hand gehwearf.   2207

brādne.

lēt se ... þegn, *brād[n]e* mēce ... | ... brecan   2978

bræc.

hine fyrwyt *bræc* | mōdgehygdum,   232
sædēor monig | hildetuxum heresyrcan *bræc*,   1511
bānhringas *bræc*,   1567
hyne fyrwet *bræc*,   1985, 2784

brǣce.

þæt ðær ænig mon | wordum ne worcum wære ne
    brǣce,   1100

brægd.

þær genehost *brægd* | eorl Bēowulfes ealde lāfe,   794
brægd þā beadwe heard ... | feorhgenīðlan,   1539

brēac.

brēac þonne mōste.   1487
hīo ... | līfgesceafta lifigende *brēac*,   1953
hē on weg losade, | lȳtle hwīle līfwynna *br[ēa]c*; 2097

brēat.

 brēat bolgenmōd bēodgenēatas,   1713

Breca.

 Breca næfre git... | swā dēorlīce dæd gefremede   583

Brecan.

 Eart þū se Bēowulf, sē þe wið *Brecan* wunne,   506

 þū worn fela... | ... ymb *Brecan* spræce,   531

brecan.

 Geseah ðā ... strēam ūt þonan | *brecan* of beorge;   2546

 brecan ofer bordweal;   2980

brecða.

 Þæt wæs wræc micel wine Scyldinga, | mōdes *brecða.*   171

bregdan.

 þæt hīe ne mōste,... | se synscaþa under sceadu

  bregdan;   707

bregdon.

 Swā sceal mæg dōn, | nealles inwitnet ōðrum

  bregdon,   2167

brego.

 Ic þē nū ðā, | *brego* Beorht-Dena, biddan wille,   427

 gēoce gelȳfde | *brego* Beorht-Dena;   609

 bold wæs betlīc, *brego* rōf cyning,   1925

 hīold hēahlufan wið hæleþa *brego,*   1954

bregostōl.

 him gesealde seofan þusendo, | bold ond *bregostōl.*   2196

 him Hygd gebēad ... | bēagas ond *bregostōl*;   2370

 lēt ðone *bregostōl* Bīowulf healdan,   2389

brēme.

 Bēowulf wæs *brēme* (blǣd wīde sprang),   18

brentingas.

 ðā ðe *brentingas* | ofer flōda genipu feorran drīfað.   2807

brēost.

 Onsend... | beaduscrūda betst, þæt mīne *brēost* wereð,   453

 hyre syððan wæs, | æfter bēahðege, *br[ē]ost* geweorðod.   2176

 brēost innan wēoll | þēostrum geþoncum   2331

brēostgehygdum.

 þæt wæs þām gomelan gingæste word | *brēost-*

  gehygdum,   2818

brēostgewǣdu.

Gehwearf þā in Francna fæþm ... | *brēostgewǣdu*   1211
nō ðȳ ǣr suna sīnum syllan wolde,... | *brēost-*
gewǣdu.   2162

brēosthord.

him on ferhþe grēow | *brēosthord* blōdrēow;   1719
oð þæt wordes ord | *brēosthord* þurhbræc.   2792

brēostnet.

Him on eaxle læg | *brēostnet* brōden;   1548

brēostum.

beadohrægl brōden on *brēostum* læg,   552
lēt ðā of *brēostum* ... | Weder-Gēata lēod word ūt
faran,   2551
þæt him on *brēostum* bealonīð wēoll,   2714

brēostweorðunge.

Nalles hē ... | *brēostweorðunge* bringan mōste,   2504

brēostwylm.

þæt hē þone *brēostwylm* forberan ne mehte,   1877

brēðer.

siþðan Cain wearð | tō ecgbanan āngan *brēþer,*   1262

brim.

Ðǣr wæs on blōde *brim* weallende,   847
þæt wæs ȳðgeblond eal gemenged, | *brim* blōde fāh.   1594

brimclifu.

þæt ða līðende land gesāwon, | *brimclifu* blīcan,   222

brimes.

hī hyne þā ætbǣron tō *brimes* faroðe,   28
Hātað heaðomǣre hlǣw gewyrcean | ... æt *brimes*
nosan;   2803

brimlāde.

þāra þe mid Bēowulfe *brimlāde* tēah,   1051

brimlīðende.

ymb brontne ford *brimlīðende* | lāde ne letton.   568

brimstrēamas.

flēat ... | bundenstefna ofer *brimstrēamas,*   1910

brimu.

brimu swaþredon,   570

brimwīsan.

se frōda fæder Ōhtheres | ... | ābrēot *brimwīsan,*   2930

brimwylf.

Bær þā sēo *brimwyl*[*f*], . . . | hringa þengel tō hofe
sīnum,   1506
þæt hine sēo *brimwylf* ābroten hæfde.   1599

brimwylm.

brimwylm onfēng | hilderince.   1494

bringan.

sceal hringnaca ofer hēaþu *bringan* | lāc and luftācen.   1862
ðā ic ðē, beorncyning, *bringan* wylle,   2148
Nalles hē . . . | brēostweorðunge *bringan* mōste,   2504

bringe.

ic ðē þūsenda þegna *bringe*   1829

brocene.

þonne bīoð *brocene* on bā healfe | āðsweord eorla,   2063

brōden.

beadohrægl *brōden* on brēostum læg,   552
Him on eaxle læg | brēostnet *brōden*;   1548
sweord ǣr gemealt, | forbarn *brōden mǣl*;   1616
þæt hildebil | forbarn, *brogden mǣl*,   1667

brōga.

þā hine se *brōga* angeat.   1291
þā wæs Bīowulfe *brōga* gecȳðed   2324
æghwæðrum wæs | bealohycgendra *brōga* fram ōðrum.   2565

brōgan.

nō ic wiht fram þē | swylcra . . . secgan hȳrde, |
billa *brōgan*:   583

brogden.   *See* **brōden.**

brogdne.

brogdne beadusercean,   2755

brōhton.

wē þē þās sǣlāc, . . . | lēod Scyldinga, lustum *brōhton* 1653

brond.

brond ne beadomēcas bītan ne meahton.   1454
þā sceall *brond* fretan,   3014

bronda.

bronda lāfe | wealle beworhton,   3161

bronde.

hȳ hine ne mōston . . . | *bronde* forbærnan,   2126
hæfde landwara līge befangen, | bǣle ond *bronde*;   2322

Brondinga.

ðonon hē gesōhte ... | ... lond *Brondinga*,   521

brontne.

þe þus *brontne* cēol | ofer lagustræte lǣdan cwōmon,   238
ymb *brontne* ford brimlīðende | lāde ne letton.   568

Brōsinga.

syþðan Hāma ætwæg | ... *Brōsinga* mene,   1199

brosnað.

brosnað æfter beorne;   2260

brōðor.

Dēad is Æschere, | Yrmenlāfes yldra *brōþor*,   1324
his mǣg ofscēt, | *brōðor* ōðerne, blōdigan gāre.   2440
þēah ðe he his *brōðor* bearn ābredwade.   2619
þā his *brōðor* lǣg,   2978

brōðrum.

þēah ðū þīnum *brōðrum* tō banan wurde,   587
wearð | beloren lēofum ... | bearnum ond *brōðrum*;   1074

brūc.

brūc þenden þū mōte | manigra mēda   1177
Brūc ðisses bēages, Bēowulf lēofa,   1216
Brūc ealles well.   2162

brūcan.

þæt hē bēahhordes *brūcan* mōste | selfes dōme;   894
hēt hine wel *brūcan*.   1045
þæt hē lȳtel fæc longgestrēona | *brūcan* mōste.   2241
hēt hyne *brūcan* well.   2812
þenden hē burhwelan *brūcan* mōste.   3100

brūceð.

sē þe longe hēr | on ðyssum windagum worolde
brūceð.   1062

brugdon.

þǣr git ... | mǣton merestrǣta, mundum *brugdon*,   514

brun.

þæt sīo ecg gewāc | *brūn* on bāne,   2578

brūnecg.

hyre seax getēah, | brād, *brūnecg*,   1546

brūnfāgne.

his māgum ætbær | *brūnfāgne* helm,   2615

brȳd.

þēah sēo *brȳd* duge.	2031
se frōda fæder Ōhtheres... | ... *brȳd* āhēorde,	2930

brȳdbūre.

swylce self cyning | of *brȳdbūre* ... | tryddode	921

brȳde.

bearn ond *brȳde*;	2956

bryneleōma.

bryneleōma stōd | eldum on andan;	2313

brynewylmum.

bolda sēlest *brynewylmum* mealt, | gifstōl Gēata.	2326

brytnade.

ðe in Swīorīce sinc *brytnade*,	2383

brytta.

þā wæs on sālum sinces *brytta*,	607
Onfōh þissum fulle, frēodrihten mīn, | sinces *brytta*;	1170
þæt ðū geare cunne, | sinces *brytta*,	2071

bryttan.

ālēdon... | bēaga *bryttan* on bearm scipes,	35
Ic þæs... frīnan wille | bēaga *bryttan*,	352
þæt ic gumcystum gōdne funde | bēaga *bryttan*,	1487
næs him feor þanon | tō gesēcanne sinces *bryttan*,	1922

bryttað.

hū mihtig god... | þurh sīdne sefan snyttru *bryttað*,	1726

būan.

gif hē... weard onfunde *būon* on beorge.	2842
þonne leng ne mæg | mon... meduseld *būan*.	3065

budon.

hig him geþingo *budon*,	1085

būgan.

þæt se byrnwiga *būgan* sceolde,	2918
þæt hē blōde fāh *būgan* sceolde,	2974

būgeð.

æfter lēodhryre lȳtle hwīle | bongār *būgeð*,	2031

bugon.

bugon þā tō bence;	327
Bugon þā tō bence blædāgende,	1013
hȳ on holt *bugon*, | ealdre burgan.	2598

būnan.

on bearm hladon *būnan* ond discas 2775
Him big stōdan *būnan* ond orcas, 3047

bunden.

þonne heoru *bunden*, ... | sweord ... | ... andweard
scireð. 1285
Hē þǣm bātwearde *bunden* golde | swurd gesealde, 1900

bundenne.

guman ūt scufon, | weras on wilsīð, wudu *bundenne.* 216

bundenstefna.

flēat ... | *bundenstefna* ofer brinstrēamas, 1910

būon. *See* **būan.**

būre.

Hraþe wæs tō *būre* Bēowulf fetod, 1310
Gesyhð sorhcearig on his suna *būre* | wīnsele wēstne, 2455

burgan.

hȳ on holt bugon, | ealdre *burgan.* 2599

burgum.

Ðā wæs on *burgum* Bēowulf Scyldinga | ... folcum
gefrǣge 53
burgum in innan, | ... gūðcyning ... gefrūnon |
hringas dǣlan. 1968
næs ic him ... lāðra ōwihte | beorn in *burgum* 2433
tō gebīdanne *burgum* in innan | yrfeweardas, 2452

burh.

þǣr he folc āhte, | *burh* ond bēagas. 523

burhlocan.

þēah ðe ... | under *burhlocan* gebiden hæbbe |
Hǣreþes dohtor; 1928

burhstede.

ne se swifta mearh | *burhstede* bēateð. 2265

burhwelan.

þenden hē *burhwelan* brūcan mōste. 3100

burnan.

wæs þǣre *burnan* wælm | heaðofȳrum hāt; 2546

burston.

him fæste wiðfēng; fingras *burston*; 760
seonowe onsprungon, | *burston* bānlocan. 818
hafelan multon, | bengeato *burston*; 1121

būrum.

   ræste [sōhte], | bed æfter *būrum*,   140

byldan.

   swā hē Frēsena cyn | on bēorsele *byldan* wolde.   1094

bȳman.

   syððan hīe Hygelāces horn ond *bȳman* | gealdor

      ongēaton,   2943

byrduscrūd.

   ūrum sceal... | byrne ond *byrduscrūd* bām gemǣne.   2660

byre.

   Hwearf þā bī bence, þǣr hyre *byre* wǣron,   1188

   bǣdde *byre* geonge;   2018

   þāra banena *byre* nāthwylces | ... on flet gǣð,   2053

   þæt his *byre* rīde | giong on galgan;   2445

   oð ðæt his *byre* mihte | eorlscipe efnan   2621

   Wīglāf siteð, | ... *byre* Wihstānes,   2907

   Hēt ðā gebēodan *byre* Wihstānes,   3110

byrelas.

   byrelas sealdon | wīn of wunderfatum.   1161

byreð.

   oþ þæt eft *byreð* | ... lēofne mannan | wudu

      wundenhals   296

   byreð blōdig wæl, byrgean þenceð,   448

   þone māðþum *byreð,*   2055

byrgean.

   byreð blōdig wæl, *byrgean* þenceð,   448

byrhta[n]. *See* beorhta[n].

byrig.

   syþðan Hāma ætwæg | tō þǣre byrhtan *byrig* Brōsinga

      mene,   1199

byrnan.

   byrnan hringdon, | gūðsearo gumena;   327

   helm ond *byrnan*;   1022

   helm ne gemunde, | *byrnan* sīde,   1291

   Hēt ðā in beran... | heaðostēapne helm, hāre *byrnan,*   2153

   ne mæg *byrnan* hring | æfter wīgfruman wīde fēran   2260

   forðon ic mē on hafu | bord ond *byrnan.*   2524

   his māgum ætbær | brūnfāgne helm, hringde *byrnan,*   2615

   hē frætwe gehēold..., | bill ond *byrnan,*   2621

þæt hē on *byrnan* wæg; 2704

þegne gesealde ... | bēah ond *byrnan,* 2812

gesealde | healsittendum helm ond *byrnan,* 2868

byrne.

on him *byrne* scān, 405

heaþostēapa helm, hringed *byrne,* 1245

Ðā wæs of þǣm hrōran helm ond *byrne* | lungre

ālȳsed. 1629

byrne ond byrduscrūd, bām gemǣne. 2660

byrne ne meahte | geongum gārwigan gēoce ge-

fremman; 2673

byrnende.

sē ðe *byrnende* biorgas sēceð, 2272

Gewāt ðā *byrnende* gebogen scrīðan, 2569

byrnum.

billum ond *byrnum;* 40

Hwæt syndon gē searohæbbendra | *byrnum* werede, 238

Gebīde gē on beorge *byrnum* werede, 2529

behongen ... | beorhtum *byrnum,* 3140

byrnwiga.

þæt se *byrnwiga* būgan sceolde, 2918

bysigum. *See* **bisigum.**

bȳwan.

þā ðe beadogrīman *bȳwan* sceoldon; 2257

C.

Cain.

siþðan *Cain* wearð | tō ecgbanan āngan brēþer, 1261

Caines.

In *Caines* cynne þone cwealm gewræc | ēce Drihten, 107

can(-). *See* **con(-).**

campe.

ac in *campe* gecrong cumbles hyrde 2505

candel.

efne swā of hefene hādre scīneð | rodores *candel.* 1572

cealde.

sē þe wæteregesan wunian scolde, | *cealde* strēamas, 1261

cealdost.

wedera *cealdost,*   546

cealdum.

hē gewrǣc syððan | *cealdum* cearsīðum,   2396

cēap.

nǣs þæt ȳðe *cēap* | tō gegangenne gumena ænigum.   2415

cēape.

þēah ðe ōðer his ealdre gebohte, | heardan *cēape*;   2482

cearað.

nā ymb his līf *cearað.*   1536

ceare.

woldon [*ceare*] cwīðan, kyning mǣnan,   3171

cearsīðum.

hē gewrǣc syððan | cealdum *cearsīðum,*   2396

cearu.

cearu wǣs genīwod, | geworden in wīcum.   1303

cearwælmum.

him wīflufan | æfter *cearwælmum* cōlran weorðað.   2066

cearwylmas.

ond þā *cearwylmas* cōlran wurðaþ;   282

ceasterbūendum.

wearð | *ceasterbūendum,* cēnra gehwylcum, | eorlum
    ealuscerwen.   768

cempa.

ēode eorla sum, æþele *cempa* | self mid gesīðum,   1312
under gynne grund, Gēata *cempa,*   1551
Hē him þæs lēan forgeald, | rēþe *cempa,*   1585
oferhȳda ne gȳm, | mǣre *cempa.*   1761
hē fyrmest læg, | gyrded *cempa*;   2078

cempan.

Hæfde se gōda Gēata lēoda | *cempan* gecorone,   206
syððan ǣrest wearð | gyfen goldhroden geongum
    cempan,   1948
Onginneð gēomormōd geong[um] *cempan* | ... higes
    cunnian,   2044
Dæghrefne weard | tō handbonan, Hūga *cempan.*   2502
þā wǣs forma sīð | geongan *cempan,*   2626

cen.

cen þec mid cræfte,   1219

4

cende.

swā ðone magan *cende* | æfter gumcynnum,   943

cenned.

Ðæm eafera wæs æfter *cenned* | geong in geardum,   12

cēnoste.

þe hē *cēnoste* | findan mihte;   206

cēnra.

wearð | ceasterbūendum, *cēnra* gehwylcum, | eorlum
ealuscerwen.   768

cēnðu.

cræft ond *cēnðu,*   2696

cēol.

Ne hȳrde ic cymlīcor *cēol* gegyrwan | hildewǣpnum   38
þe þus brontne *cēol* | ofer lagustrǣte lǣdan cwōmon, 238
cēol ūp geþrang,   1912

cēoles.

wolde feor þanon | cuma collenferhð *cēoles* nēosan.   1806

ceorl.

bemearn . . . | swīðferhþes sīð snotor *ceorl* monig,   908

ceorlas.

Ðone sīdfæt him snotere *ceorlas* | lȳthwon lōgon,   202
þā mē þæt gelǣrdon lēode mīne, | . . . snotere *ceorlas,* 416
Sōna þæt gesāwon snottre *ceorlas,*   1591

ceorle.

Swā bið gēomorlīc gomelum *ceorle* | tō gebīdanne,   2444
Ne meahte se . . . sunu Wonrēdes | ealdum *ceorle*
ondslyht giofan,   2972

cīosan.

oððe þone cynedōm *cīosan* wolde;   2376

clammum.

Ic hine hrædlīce heardan *clammum* | . . . wrīþan þōhte, 963
þe þū gystran niht Grendel cwealdest | . . . heardum
clammum,   1335
gūðrinc gefēng | atolan *clommum*;   1502

clifu.

þæt hīe Gēata *clifu* ongitan meahton,   1911

clommum. *See* **clammum.**

cnihtwesende.

Ic hine cūðe cnihtwesende; 372
Wit þæt gecwædon cnihtwesende 535

cnyhtum.

þyssum cnyhtum wes | lāra līðe; 1219

cnysedan.

þonne hniton fēþan, | eoferas cnysedan. 1328

collenferhð.

wolde feor þanon | cuma collenferhð cēoles nēosan. 1806
hwæðer collenferð cwicne gemētte | ... Wedra þēoden, 2785

cōlran.

ond þā cearwylmas cōlran wurðaþ; 282
ond him wīflufan | ... cōlran weorðað. 2066

cōm. See **cwōm.**

cōme. See **cwōme.**

cōmon. See **cwōmon.**

con.

þæt hē ēower æþelu can, 392
Ic mīnne can | glædne Hrōþulf, 1180
Hē þæt wyrse ne con, 1739
him bebeorgan ne con | wōm wundorbebodum 1746
con him land geare. 2062

const.

Eard git ne const, | frēcne stōwe, 1377

corðre.

Ðā wæs ... Fin slægen, | cyning on corþre, 1153
se ... sunu Wihstānes | ācigde of corðre cyni[n]ges
þegnas 3121

costode.

ac hē mægnes rōf mīn costode, 2084

cræft.

forþan hīe mægenes cræft mīn[n]e cūþon; 418
þæt hīe fēond heora | ðurh ānes cræft ... ofercōmon, 699
swā bið mægþa cræft, 1283
Nealles mid gewealdum wyrmhorda cræft | [sōhte], ... 2222
cræft ond cēnðu, 2696

cræfte.

siþðan æþelingas eorles cræfte | ... hand scēawedon, 982
Cen þec mid cræfte, 1219

4*

dyrnum *cræfte* dēað rēn[ian]   2168
hē mancynnes mǣste *cræfte* | ... gife ... | hēold   2181
þēofes *cræfte*   2219
hē ... gestōp | dyrnan *cræfte* dracan hēafde nēah.   2290
þonan Bīowulf cōm | sylfes *cræfte,*   2360

cræftig.
Hūru ne gemunde mago Ecglāfes | eafoþes *cræftig,*   1466
nefa Gārmundes, nīða *cræftig.*   1962

cræftum.
sīo wæs ... gegyrwed | dēofles *cræftum*   2088

crunge.
on wæl *crunge* | fēondgrāpum fæst.   635

crungon.
sume on wæle *crungon.*   1113

cuma.
wolde feor þanon | *cuma* collenferhð cēoles nēosan. 1806

cuman.
Nō hēr cūðlīcor *cuman* ongunnon | lindhæbbende;   244
gyf him ... ǣfre scolde | ... bōt eft *cuman,*   281
hēt [h]ine ... | ... snūde eft *cuman.*   1869

cumbles.
ac in campe gecrong *cumbles* hyrde,   2505

cume.
þæt hine ... gewunigen | wilgesīþas, þonne wīg *cume,* 23

cumen.
is his eafora nū | heard hēr *cumen,*   376
Nū is se dæg *cumen,*   2646

cumene.
Hēr syndon ... feorran *cumene* | ... Gēata lēode;   361

cunne.
þæt ðū geare *cunne,* sinces brytta,   2070

cunnedon.
ðǣr git for wlence wada *cunnedon,*   508

cunnian.
gesāwon ... | sellīce sǣdracan sund *cunnian,*   1426
scolde herebyrne ... | ... sund *cunnian,*   1444
onginneð gēomormōd geong[um] cempan | ... higes
cunnian,   2045

cunnode.

þæt þær gumena sum | ælwihta eard ufan *cunnode.*   1500

cunnon.

Men ne *cunnon* | secgan   50
men ne *cunnon,* | hwyder helrūnan hwyrftum scrīþað.   162
nō hīe fæder *cunnon,*   1355

cure.

ær hē bæl *cure,*   2818

cūð.

wearð | ylda bearnum undyrne *cūð,*   150
Mē wearð Grendles þing | ... undyrne *cūð;*   410
þæt wæs yldum *cūþ,*   705
þe is wīde *cūð,*   2135
bearn Ecgðēowes, | guma gūðum *cūð,*   2178
ac wæs wīde *cūð,*   2923

cūðe.

sē þe *cūþe* | frumsceaft fīra feorran reccan,   90
cūþe hē duguðe þēaw.   359
Ic hine *cūðe* cnihtwesende;   372
ðær him foldwegas fægere þūhton, | cystum *cūðe.*   867
þæs wæron mid Eotenum ecge *cūðe.*   1145
hēo under heolfre genam | *cūþe* folme;   1303
sēo ðe bāncofan beorgan *cūþe,*   1445
foldweg mæton, | *cūþe* stræte,   1634
þæt hīe Gēata clifu ongitan meahton, | *cūþe* næssas;   1912
syððan hē mōdsefan mīnne *cūðe,*   2012
þæt hē wið ælfylcum ēþelstōlas | healdan *cūðe,*   2372
seolfa ne *cūðe,*   3067

cūðlīcor.

Nō hēr *cūðlīcor* cuman ongunnon | lindhæbbende;   244

cūðon.

sorge ne *cūðon,* | wonsceaft wera.   119
Metod hīe ne *cūþon,*   180
ne hīe hūru heofena Helm herian ne *cūþon,*   182
forþan hīe mægenes cræft mīn[n]e *cūþon;*   418
wyrd ne *cūþon,* | gēosceaft grim*m*e,   1233

cwealdest.

þe þū gystran niht Grendel *cwealdest*   1334

cwealm.

In Caines cynne þone *cwealm* gewræc | ēce Drihten,   107
mōdceare mændon mondryhtnes *cw[e]alm*;   3149
cwealmbealu.

þæt hit scēadenmæl scÿran mōste, | *cwealmbealu*
cÿðan.   1940
cwealmcuman.

Nolde eorla hlēo ... | þone *cwealmcuman* cwicne
forlætan,   792
cwehte.

þrymmum *cwehte* | mægenwudu mundum,   235
cwēn.

hÿrde ic, þæt Elan *cwēn*   62
Ēode Wealhþēow forð, | *cwēn* Hrōðgāres,   613
bēaghroden *cwēn* | ... medoful ætbær;   623
wolde wīgfruma Wealhþēo sēcan, | *cwēn* tō gebeddan. 665
his *cwēn* mid him   923
ond sēo *cwēn* numen.   1153
Mōd Ðrÿðo wæg, | fremu folces *cwēn*,   1932
Hwīlum mæru *cwēn* | ... flet eall geondhwearf,   2016
cwēnlīc.

Ne bið swylc *cwēnlīc* þēaw | idese tō efnanne,   1940
cwice.

þāra ðe *cwice* hwyrfaþ.   98
cwices.

nō ðær āht *cwices* | lāð lyftfloga læfan wolde.   2314
cwicne.

Nolde eorla hlēo ... | þone cwealmcuman *cwicne*
forlætan,   792
hwæðer collenferð *cwicne* gemētte | ... Wedra þēoden, 2785
cwico.

cwico wæs þā gēna,   3093
cwīðan.

ongan ... | gomel gūðwiga gioguðe *cwīðan* | hilde-
strengo;   2112
Woldon [ceare] *cwīðan*, kyning mænan,   3171
cwōm.

ðā ic of searwum *cwōm*,   419
nū ic þus feorran *cōm*,   430

Lēoht ēastan *cōm*,   569
Cōm on wanre niht | scrīðan sceadugenga.   702
Đa *cōm* of mōre ... | Grendel gongan,   710
Cōm þā tō recede rinc sīðian   720
sē þe ǣr feorran *cōm*,   825
syþðan morgen *cōm*,   1077
oþ ðæt ōþer *cōm* | gēar in geardas,   1133
þā *cwōm* Wealhþēo forð   1162
Syþðan æfen *cwōm*,   1235
cōm þā tō Heorote,   1279
nū ōþer *cwōm* | mihtig mānscaða,   1338
þā hēo tō botme *cōm*,   1506
Đā *cōm* nōn dæges;   1600
Cōm þā tō lande lidmanna helm   1623
Đā *cōm* in gān ealdor ðegna,   1644
mē þæs on ēþle edwenden *cwōm*,   1774
þā *cōm* beorht scacan | ⌈sunne⌉   1802
Cwōm þā tō flōde fela mōdigra | hægstealdra;   1888
þæt ðǣr ... wīgendra hlēo, | lindgestealla, lifigende
  cwōm,   1973
Ic ðǣr furðum *cwōm* | ... Hrōðgār grētan;   2009
gæst yrre *cwōm*,   2073
syððan mergen *cōm*,   2103
syððan mergen *cwōm*,   2124
Edwenden *cwōm* | tīrēadigum menn torna gehwylces.   2188
oð ðæt æfen *cwōm*;   2303
þonan Bīowulf *cōm* | sylfes cræfte,   2359
him tō bearne *cwōm* | māðþumfæt mǣre   2404
cwōm | oruð āglǣcean ūt of stāne,   2556
Æfter ðām wordum wyrm yrre *cwōm*,   2669
syððan Higelāc *cwōm* | faran ... on Frēsna land,   2914
þā se gōda *cōm* | lēoda dugoðe on lāst faran.   2944
cwōman. *See* **cwōmon.**
cwōme.
  ǣr þon dæg *cwōme*,   731
  þæt hē sigehrēðig sēcean *cōme* | mǣrne þēoden,   1597
cwōmon.
  þe þus brontne cēol | ofer lagustrǣte lǣdan *cwōmon*,   239
  Wē ... hlāford þīnne, | sunu Healfdenes, sēcean *cwōmon*, 268

þā hīe tō sele furðum | ... gangan *cwōmon.*   324
scaduhelma gesceapu scrīðan *cwōman,*   650
oþ ðæt semninga tō sele *cōmon* | frome, fyrdhwate, 1640
cyme.
hwanan ēowre *cyme* syndon.   257
cymen.
þonne wē ūt *cymen,*   3106
cymest.
gyf þū on weg *cymest.*   1382
cymeð.
oð ðæt sǣl *cymeð,*   2058
cymlīcor.
Ne hȳrde ic *cymlīcor* cēol gegyrwan | hildewǣpnum 38
cyn.
ȳðde eotena *cyn,*   421
hine *Wedera cyn* | ... habban ne mihte.   461
swā hē Frēsena *cyn* | on bēorsele byldan wolde. 1093
syðþan flōd ofslōh | ... gīganta *cyn*;   1690
cynedōm.
þæt hē ... | ... þone *cynedōm* cīosan wolde;   2376
cyning.
þæt wæs gōd *cyning.*   11, 863, 2390
Hē on lust geþeah | symbel ond seleful, sigerōf *kyning.* 619
swylce self *cyning* | ... tryddode tīrfæst   920
wolde self *cyning* symbel þicgan.   1010
cyning on corþre,   1153
þā wæs frōd *cyning* | ... on hrēon mōde,   1306
tō gecēosenne *cyning* ænigne,   1851
Gecyste þā *cyning* æþelum gōd, | ... ðegn betstan, 1870
þæt wæs ān *cyning* | æghwæs orleahtre,   1885
Bold wæs betlīc, brego rōf *cyning,*   1925
syllīc spell | rehte æfter rihte rūmheort *cyning*; 2110
cwæð þæt hyt hæfde Hiorogār *cyning,*   2158
Hēt ... in gefetian | heaðorōf *cyning* Hrēðles lāfe 2191
wæs þā frōd *cyning,* | eald ēþelweard,   2209
syððan Gēata *cyning* | ... hiorodryncum swealt, 2356
cyning ealdre binēat.   2396
Gesæt ðā on næsse nīðheard *cyning,*   2417
hēold mec and hæfde Hrēðel *cyning,*   2430

þā gēn sylf *cyning* | gewēold his gewitte,   2702
ðā gebēah *cyning,*   2980
woldon [ceare] cwīðan, *kyning* mænan,   3172
cyninga.
Hæfde *kyning*[a] wuldor | ... seleweard āseted;   665
cyningbalde.
cyningbalde men   1634
cyninge.
hider ūt ætbær | *cyninge* mīnum;   3093
cyninges.
cyninges þegn | ... word ōþer fand   867
Gehwearf þā in Francna fæþm feorh *cyninges,*   1210
syððan under[ne] | ... fyll *cyninges* | wīde weorðeð.   2912
se ... sunu Wihstānes | ācigde of corðre *cyni*[n]*ges*
þegnas   3121
cynna.
līf ēac gescēop | *cynna* gehwylcum,   98
Ēode Wealhþēow forð, | ... *cynna* gemyndig,   613
cynne.
In Caines *cynne* þone cwealm gewræc | ēce Drihten,   107
sē þe fela æror ... manna *cynne* | fyrene gefremede,   810
wearð | mæg Higelāces manna *cynne* | ... gefægra;   914
hū mihtig God manna *cynne* | ... snyttru bryttað,   1725
*N*ū sceal ... | eall ēðelwyn ēowrum *cynne* | lufen
ālicgean;   2885
cynnes.
þæt mihtig God manna *cynnes* | wēold *w*īdeferhð!   702
mynte se mānscaða manna *cynnes* | sumne besyrwan   712
þæt hē mā mōste manna *cynnes* | ðicgean   735
hæfdon ealfela eotena *cynnes* | sweordum gesæged.   883
Metod eallum wēold | gumena *cynnes,*   1058
hē on lufan læteð hworfan | monnes mōdgeþonc
mæran *cynnes,*   1729
sē þe lengest leofað lāðan *cynnes*   2008
eormenlāfe æþelan *cynnes*   2234
forgrāp Grendeles mægum | lāðan *cynnes.*   2354
þū eart endelāf usses *cynnes,*   2813
cyst.
sealde his hyrsted sweord, | īrena *cyst,* ombihtþegne,   673

īrenna *cyst,* | gūðbilla nān,   802
þǣr wæs symbla *cyst,*   1232
þæt [wæs] wǣpna *cyst,*   1559
hwām ... geworht | īrena *cyst* ǣrest wǣre,   1697

cystum.
ðǣr him foldwegas fægere þūhton, | *cystum* cūðe.   867
cystum gecȳþed,   922

cȳð.
gemyne mǣrþo, mǣgenellen *cȳð,*   659

cȳðan.
þæt hit scēadenmǣl scȳran mōste, | cwealmbealu
cȳðan.   1940
ic ... [gefrǣgn] ... | andlongne eorl ellen *cȳðan,*   2695

D.

dǣd.
Breca nǣfre git | ... swā dēorlīce *dǣd* gefremede   585
Nū scealc hafað | þurh Drihtnes miht *dǣd* gefremede,   940
syððan æðelingas | feorran gefricgean ... | dōm-
lēasan *dǣd.*   2890

dǣda.
Metod hīe ne cūþon, | *dǣda* Dēmend,   181
gefrǣgn Higelāces þegn | ... Grendles *dǣda*;   195
God ēaþe mæg | þone dolsceaðan *dǣda* getwǣfan.   479
þonne se ān hafað | þurh dēaðes nȳd *dǣda* gefondad.   2454
forðām hē manna mǣst ... gefremede, | *dǣda* dollīcra.   2646
þēah ðe hē *dǣda* gehwæs dyrstig wǣre,   2838

dǣdcēne.
Ðā cōm ... | *dǣdcēne* mon dōme gewurþad,   1645

dǣde.
āna genēðde | frēcne *dǣde*;   889

dǣdfruma.
dīor *dǣdfruma,*   2090

dǣdhata.
dēogol *dǣdhata* deorcum nihtum | ēaweð ... uncūðne
nīð,   275

dǣdum.
þū þē self hafast | *dǣdum* gefremed,   954

dǣdum.

Bēo þū suna mīnum | *dǣdum* gedēfe, 1227
þæt se fæmnan þegn fore fæder *dǣdum* | ... swefeð, 2059
bealdode bearn Ecgðēowes | ... gōdum *dǣdum*, 2178
wæs ... | mǣges *dǣdum* morþorbed strēd, 2436
hē þone heaðorinc hatian ne meahte | lāðum *dǣdum*, 2467
scealt nū *dǣdum* rōf | ... feorh ealgian; 2666
þæt ðām þēodne wæs | sīðas[t] sigehwīle sylfes
dǣdum, 2710
Wolde dōm Godes *dǣdum* rǣdan | gumena ge-
hwylcum, 2858
wunað wælreste wyrmes *dǣdum*. 2902
þæt gē geworhton æfter wines *dǣdum* | ... beorh
þone hēan, 3096

dæg.

þonne *dæg* līxte, 485
ǣr þon *dæg* cwōme, 731
Swā wē þǣr inne ondlangne *dæg* | nīode nāman, 2115
þā wæs *dæg* sceacen | wyrme on willan; 2306
oð ðone ānne *dæg*, 2399
Nū is se *dæg* cumen, 2646
þǣr þæt eorlweorod | morgenlongne *dæg* mōdgīomor
sæt 2894
Swā hit oð dōmes *dæg* dīope benemdon | þēodnas
mǣre, 3069

dæge.

on þǣm (ðǣm) *dæge* þysses līfes 197, 790, 806

dæges.

Ðā wæs hwīl *dæges*, 1495
Ðā cōm nōn *dæges*; 1600
þæt hire an *dæges* ēagum starede; 1935
dæges ond nihtes, 2269
ǣr *dæges* hwīle; 2320

Dæghrefne.

syððan ic for dugeðum *Dæghrefne* wearð | tō hand-
bonan, 2501

dæghwīla.

þæt hē *dæghwīla* gedrogen hæfde | eorðan wynn[e]; 2726

dægrīm.

   wiste þē geornor, | þæt...wæs...gegongen | dōgera
   dægrīm.   823

dæl.

   Ymbēode þā ides... | duguþe ond geogoþe *dæl*
   æghwylcne,   621
   Gūðlāf ond Oslāf | ... ǣtwiton wēana *dæl*;   1150
   oð þæt him on innan oferhygda *dæl* | weaxeð   1740
   him ǣr God sealde | ... weorðmynda *dæl.*   1752
   þæt hē mid ðȳ wīfe wælfæhða *dæl,* | saecca, gesette. 2028
   ne telge | dryhtsibbe *dæl* Denum unfæcne,   2068
   bǣr eorlgestrēona | hringa hyrde hardfyr*d*ne *dæl,* 2245
   Bīowulfe wearð | dryhtmāðma *dæl* dēaðe forgolden; 2843
   syððan orwearde ænigne *dæl* | secgas gesēgon   3127

dǣlan.

   geongne gūðcyning gōdne gefrūnon | hringas *dǣlan.* 1970

dǣlas.

   gedēð him swā gewealdene worolde *dǣlas,*   1732

dǣlde.

   Hē bēot ne ālēh, bēagas *dǣlde,*   80
   ðāra þe on Scedenigge sceattas *dǣlde.*   1686

dǣle.

   þæt hē wið āglǣcean eofoðo *dǣle,*   2534

dǣleð.

   sē þe unmurnlīce mādmas *dǣleþ,*   1756

dagum.

   ond betimbredon on tȳn *dagum* | beadurōfes bēcn; 3160

dareðum.

   ðā ne dorston ǣr *dareðum* lācan   2848

dēad.

   Ðā wæs Heregār *dēad,*   467
   Dēad is Æschere,   1323
   ðā wæs Hygelāc *dēad.*   2372

dēadne.

   syðþan hē ... þone dēorestan *dēadne* wisse. 1309

dēah.

   hūru se aldor *dēah,*   369
   þonne his ellen *dēah.*   573
   þæm þe him selfa *dēah.*   1839

dealle.

þǣr swīðferhþe sittan ēodon, | þrȳðum *dealle*.   494

dear.

gif hē gesēcean *dear* | wīg ofer wǣpen,   684

dearst.

gif þū Grendles *dearst* | ... nēan bīdan.   527

dēað.

sē þe hine *dēað* nimeð.   441

gif mec *dēað* nimeð;   447

þē þā *dēað* fornam.   488

wolde | ... suna *dēað* [?] wrecan;   1278

oþðe mec *dēað* nimeð.   1491

þæt ðec, dryhtguma, *dēað* oferswȳðeð.   1768

sunu *dēað* fornam,   2119

dyrnum cræfte *dēað* rēn[ian]   2168

Ealle hīe *dēað* fornam   2236

ðā wæs ... | ... *dēað* ungemete nēah: 2728

Dēað bið sēlla | eorla gehwylcum þonne edwītlīf.   2890

dēaðbedde.

Nū is ... | dryhten Gēata *dēaðbedde* fæst,   2901

dēaðcwalum.

gewēox hē ... | ... tō *dēaðcwalum* Deniga lēodum;   1712

dēaðcwealm.

fyrendǣda wrǣc, | *dēaðcwealm* Denigea,   1670

dēaðdæge.

þe mōt | æfter *dēaðdæge* Drihten sēcean,   187

Sigemunde gesprong | æfter *dēaðdæge* dōm unlȳtel,   885

dēaðe.

wyrce sē þe mōte | dōmes ǣr *dēaþe*;   1388

syþðan hē æfter *dēaðe* drepe þrōwade,   1589

Bīowulfe wearð | dryhtmāðma dǣl *dēaðe* forgolden;   2843

wæs ðā *dēaðe* fæst,   3045

dēaðes.

oð ðæt *dēaðes* wylm | hrān æt heortan.   2269

þonne se ān hafað | þurh *dēaðes* nȳd dǣda gefondad.   2454

dēaðfǣge.

dēaðfǣge dēog, siððan drēama lēas | ... feorh ālegde,   850

dēaðscūa.

ēhtende wæs, | deorc *dēaþscūa*, duguþe ond geogoþe,   160

dēaðwērigne.

ne mōston ... *dēaðwērigne* Denia lēode | bronde
    forbærnan,   2125

dēaðwīc.

hē hēan gewāt | ... *dēaþwīc* sēon,   1275

dēmdon.

his ellenweorc | duguðum *dēmdon*,   3174

dēme.

siþðan wītig God ... | mærðo *dēme*,   687

dēmend.

Metod hīe ne cūþon, | dæda *Dēmend*,   181

Dena.

on land *Dena*.   242, 253
þær wæs ... | duguð unlȳtel *Dena* ond Wedera.   498
Næfre ic ænegum men ær ālȳfde... | ðrȳþærn *Dena* 657
sundornytte behēold | ymb aldor *Dena*,   668
Dena land ofgeaf.   1904
þonne hē mid fæmnan on flett gæð, | dryhtbearn
    Dena   2035

Dene.

dōgra gehwylce *Dene* weorþode,   1090
þær hyne *Dene* slōgon,   2050

Deni(ge)a.

wið manna hwone mægenes *Deniga*   155
Habbað wē tō þæm mæran micel ærende | *Deniga*
    frēan;   271
Ic þæs wine *Deniga*, | frēan Scildinga, frīnan wille, 350
þæt hē for eaxlum gestōd | *Deniga* frēan;   359
þæt· hīe sint wilcuman | *Deniga* leodum.   389
ðā ic furþum wēold folce *Deniga*,   465
nænegum ārað | lēode *Deniga*,   599
tō fela ... | ... wældēað fornam | *Denigea* lēode. 696
sorh is genīwod | *Denigea* lēodum.   1323
slǣpende frǣt | folces *Denigea* fȳftȳne men, 1582
fyrendǣda wræc, | dēaðcwealm *Denigea*,   1670
hit on æht gehwearf | ... *Denigea* frēan,   1680
tō dēaðcwalum *Deniga* lēodum;   1712
ne mōston ... dēaðwērigne *Denia* lēode | bronde
    forbærnan,   2125

denn.
þæs wyrmes *denn,*   2759
dennes.
nyðer eft gewāt | *dennes* nīosian;   3045
Denum.
Denum eallum wearð | ... ealuscerwen.   767
Denum eallum wearð | ... willa gelumpen.   823
Hīe ... | drihtlīce wīf tō *Denum* feredon,   1158
Denum eallum wæs | ... weorce on mōde   1417
nallas bēagas geaf | *Denum* æfter dōme;   1720
ēode weorð *Denum* | æþeling tō yppan,   1814
ne telge | dryhtsibbe dæl *Denum* unfæcne,   2068
dēofla.
wolde on heolster flēon, | sēcan *dēofla* gedræg;   756
æfter *dēofla* hryre,   1680
dēofles.
gegyrwed | *dēofles* cræftum ond dracan fellum.   2088
dēog.
dēaðfæge *dēog,*   850
dēogol. *See also* **dȳgel.**
dēogol dædhata ... | ēaweð ... uncūðne nīð,   275
dēop.
on *dēop* wæter | aldrum nēþdon?   509
Gewāt him on nacan | drēfan *dēop* wæter,   1904
ne meahte ... | *dēop* gedȳgan   2549
dēope.
dīope benemdon | þēodnas mǣre,   3069
dēor.
nǣnig þæt dorste *dēor* genēþan   1933
dīor dædfruma,   2090
dēoran.
ic him þēnode | *dēoran* sweorde,   561
deorc.
ēhtende wæs, | *deorc* dēaþscūa, duguþe ond geogoþe,   160
Nihthelm geswearc | *deorc* ofer dryhtgumum.   1790
deorcum.
deorcum nihtum | ēaweð ... uncūðne nīð,   275
oð ðæt ān ongan | *deorcum* nihtum draca rīcs[i]an,   2211

dēore. *See also* **dȳre.**

gyfen ... geongum cempan, | æðelum *dīore*,　　　1949
eormenlāfe ... gehȳdde, | *dēore* māðmas.　　　2236
fǣted wǣge, | dryncfæt *dēore*;　　　2254
dēorestan.

syðþan hē ... | þone *dēorestan* dēadne wisse.　　　1309
dēorlīce.

Breca nǣfre git ... | swā *dēorlīce* dǣd gefremede　　　585
dēorre.

āhte ic holdra þȳ lǣs, | *dēorre* duguðe,　　　488
dēorum.

ðā wǣs forma sīð | *dēorum* mādme,　　　1528
him ... | æfter *dēorum* men dyrne langað | bearn
wið blōde.　　　1879
dēð.

swā hē nū git *dēð*;　　　1058
swā nū gyt *dēð*,　　　1134
swā *dēð* ēadig mon,　　　2470
swā hē nū gēn *dēð*.　　　2859
dīo-. *See* **dēo-.**
discas.

on bearm hladon būnan ond *discas*　　　2775
discas lāgon ond dȳre swyrd,　　　3048
dōgera. *See* **dōgora.**
dōgor.

Ðȳs *dōgor* þū geþyld hafa | wēana gehwylces,　　　1395
dōgora.

þæt hē *dōgora* gehwām drēam gehȳrde　　　88
þæt ... wǣs ... gegongen | *dōgera* dægrīm.　　　823
dōgra gehwylce Dene weorþode,　　　1090
dōgore.

swylce þȳ *dōgore* | hēaþolīðende habban scoldon.　　　1797
ðǣr hē þȳ fyrste forman *dōgore* | wealdan mōste,　　　2573
dōgores.

ymb antīd ōþres *dōgores*　　　219
siþþan morgenlēoht | ... ōþres *dōgores* | ... sūþan
scīneð.　　　605
dōgorgerīmes.

ðā wǣs eall sceacen | *dōgorgerīmes*,　　　2728

dōgorum.

eft þæt geīode ufaran *dōgrum* | hildehlæmmum,   2200
Se ðæs lēodhryres lēan gemunde | uferan *dōgrum*;   2392

dōgra. *See* **dōgora.**

dōgrum. *See* **dōgorum.**

dohte.

ðēah þū heaðoræsa gehwær *dohte*,   526
sē þe ēow welhwylcra wilna *dohte*.   1344

dohtest.

þū ūs wel *dohtest*.   1821

dohtor.

ðæm tō hām forgeaf Hrēþel Gēata | āngan *dohtor*;   375
Nalles hōlinga Hōces *dohtor* | meotodsceaft bemearn,   1076
þēah ðe wintra lȳt | ... gebiden hæbbe | Hæreþes
  dohtor;   1929
hwearf | geond þæt *heal*reced Hæreðes *dohtor*,   1981
Hwīlum for [d]uguðe *dohtor* Hrōðgāres | ... ealu-
  wæge bær,   2020
ðone þe him Wealhðēo geaf, | ðēod[nes] *dohtor*,   2174
ond ðā Iofore forgeaf āngan *dohtor*,   2997

dolgilpe.

ðær git ... for *dolgilpe* on dēop wæter | aldrum
  nēþdon?   509

dollīcra.

forðām hē ... mæst ... gefremede | dæda *dollīcra*.   2646

dolscaðan.

God ēaþe mæg | þone *dolscaðan* dæda getwæfan.   479

dōm.

Sigemunde gesprong | æfter dēaðdæge *dōm* unlȳtel,   885
þæt þīn [*dōm*] lyfað | āwā tō aldre.   954
ic mē mid Hruntinge | *dōm* gewyrce,   1491
ðā wæs forma sīð | dēorum māðme, þæt his *dōm*
  ālæg.   1528
hē mē [māðma]s geaf | ... on [mīn]ne sylfes *dōm*,   2147
þæt ðū ne ālæte be ðē lifigendum | *dōm* gedrēosan;   2665
him ... gewāt | sāwol sēcean sōðfæstra *dōm*.   2820
Wolde *dōm* Godes dædum rædan | gumena gehwylcum,   2858
þæt se þēodcyning ðafian sceolde | Eafores ānne *dōm*.   2964

5

dōme.

    ðǣr gelȳfan sceal | Dryhtnes *dōme* sē þe hine dēað
        nimeð.   441

    þæt hē bēahhordes brūcan mōste | selfes *dōme*;   895
    þæt hē þā wēalāfe weotena *dōme* | ārum hēolde,   1098
    þǣr hē *dōme* forlēas,   1470
    dǣdcēne mon *dōme* gewurþad,   1645
    nallas bēagas geaf | Denum æfter *dōme*;   1720
    bearn Ecgðēowes ... | drēah æfter *dōme*,   2179
    ic ... gefrægn ... hladon būnan ond discas | sylfes
        dōme;   2776

dōmes.

    ðǣr ābīdan sceal | maga māne fāh miclan *dōmes*,   978
    wyrce sē þe mōte | *dōmes* ǣr dēaþe;   1388
    Swā hit oð *dōmes* dæg dīope benemdon | þēodnas
        mǣre,   3069

dōmlēasan.

    syððan æðelingas | feorran gefricgean ... | *dōm-*
        lēasan dǣd.   2890

dōn.

    Hēt ðā Hildeburh ... | bānfatu ... on bǣl *dōn*;   1116
    swā sceal man *dōn*,   1172, 1534
    Swā sceal mǣg *dōn*,   2166

dorste.

    sē ðe gryresīðas gegān *dorste*,   1462
    selfa ne *dorste* | ... aldre genēþan,   1468
    nǣnig þæt *dorste* dēor genēþan   1933
    þe mec gūðwinum grētan *dorste*,   2735

dorston.

    ðā ne *dorston* ǣr dareðum lācan   2848

dōð.

    Druncne dryhtguman, *dōð* swā ic bidde.   1231

draca.

    draca morðre swealt.   892
    oð ðæt ōn ongan | deorcum nihtum *draca* rīcs[i]an,   2211

dracan.

    sīo wæs ... gegyrwed | ... *dracan* fellum.   2088
    hē ... gestōp | ... *dracan* hēafde nēah.   2290
    Gewāt ... | dryhten Gēata *dracan* scēawian;   2402

ne meahte... | dēop gedȳgan for *dracan* lēge. 　2549
Dracan ēc scufun, | wyrm ofer weallclif, 　3131
dranc.
blōd ēdrum *dranc,* 　742
drēah.
æþeling ǣrgōd ... | ... þegnsorge *drēah,* 　131
nearoþearfe *drēah,* 　422
bearn Ecgðēowes ... | *drēah* æfter dōme, 　2179
þonan Bīowulf cōm, | ... sundnytte *drēah;* 　2360
drēam.
þæt hē ... *drēam* gehȳrde | hlūdne in healle; 　88
þǣr wæs hæleða *drēam,* 　497
Bēo þū suna mīnum | dǣdum gedēfe, *drēam* healdende. 1227
drēama.
siððan *drēama* lēas | in fenfreoðo feorh ālegde, 　850
drēame.
hē hēan gewāt, | *drēame* bedǣled, 　1275
drēamlēas.
drēamlēas gebād, 　1720
drēamum.
Swā ðā drihtguman *drēamum* lifdon 　99
Cōm þā ... rinc sīðian | *drēamum* bedǣled; 　721
drēfan.
Gewāt him on nacan | *drēfan* dēop wæter, 　1904
drēogan.
þæs þū in helle scealt | werhðo *drēogan,* 　589
ne dorste | ... drihtscype *drēogan;* 　1470
drēoh.
symbelwynne *drēoh,* | wigge weorþad; 　1783
drēore.
hē mē habban wile | d[r]ēore fāhne, 　447
drēorfāh.
Ðonne wæs ... | drihtsele *drēorfāh,* 　485
drēorig.
wæter under stōd | *drēorig* ond gedrēfed. 　1417
drēorigne.
dryhten sīnne *drīorigne* fand 　2789
drep.
þonne ic sweorde *drep* | ferhðgenīðlan; 　2880

5*

drepe.
    syþðan hē æfter dēaðe *drepe* þrōwade,   1589
drepen.
    þonne bið on hreþre... *drepen* | biteran stræle;   1745
drīfan.
    þēah þe hē [ne] meahte... *drīfan* | hringedstefnan; 1130
drīfað.
    ðā de brentingas | ofer flōda genipu feorran *drīfað*. 2808
driht-. *See* **dryht-.**
drincfæt.
    fæted wæge, | *dryncfæt* dēore;   2254
    wolde *se* lāða līge forgyldan | *drincfæt* dȳre.   2306
drīorigne. *See* **drēorigne.**
drohtoð.
    ne wæs his *drohtoð* þær,   756
dropen.
    cyning | ... wæs in feorh *dropen*.   2981
drugon.
    þæt hīe ær *drugon*   15
    þā hīe gewin *drugon*,   798
    þe hīe ær *drugon*   831, 1858
    hī sīð *drugon*,   1966
druncen.
    þū worn fela... | bēore *druncen* ymb Brecan spræce, 531
    þæt hē ær gespræc | wīne *druncen*,   1467
druncne.
    Ful oft gebēotedon bēore *druncne* | ... ōretmecgas 481
    Druncne dryhtguman, dōð swā ic bidde.   1231
    nealles *druncne* slōg | heorðgenēatas;   2179
druncon.
    þær wæs symbla cyst, | *druncon* wīn weras;   1233
    þær guman *druncon*,   1648
drūsade.
    Lagu *drūsade*, | wæter under wolcnum,   1630
dryhtbearn.
    þonne hē mid fæmnan on flett gæð, | *dryhtbearn*
    Dena   2035
Dryhten, dryhten.
    In Caines cynne þone cwealm gewræc | ēce *Drihten*, 108

ne wiston hīe *Drihten* God,   181
wel bið þæm þe mōt | æfter dēaðdæge *Drihten* sēcean,   187
siþðan ... | ... hālig *Dryhten* | mærðo dēme,   686
Ac him *Dryhten* forgeaf | wīgspēda gewiofu,   696
æghwylcum eorla *drihten* ... | ... māþðum gesealde, 1050
Mæg þonne ... ongitan Gēata *dryhten*,   1484
hālig God | gewēold wīgsigor, wītig *Drihten*,   1554
gumena *dryhten*,   1824
Ic on Higelāce wāt, | Gēata *Dryhten*,   1831
þē þā wordcwydas wittig *Drihten* | on sefan sende; 1841
þæt is undyrne, *dryhten* Higelāc,   2000
ne hyne ... micles wyrðne | *Drihten* wereda gedōn
    wolde;   2186
Heht him þā gewyrcean | ... eorla *dryhten* | wīg-
    bord wrætlīc;   2338
Gewāt ... | *dryhten* Gēata dracan scēawian;   2402
bordrand onswāf | wið ðām gryregieste Gēata
    dryhten;   2560
Hond ūp ābræd | Gēata *dryhten*,   2576
dryhten sīnne drīorigne fand   2789
Nū is ... | *dryhten* Gēata dēaðbedde fæst,   2901
geald þone gūðræs Gēata *dryhten*,   2991
dryhtguma.
    þæt ðec, *dryhtguma*, dēað oferswȳðeð.   1768
dryhtguman.
    Swā ðā *drihtguman* drēamum lifdon   99
    Druncne *dryhtguman*, dōð swā ic bidde.   1231
    þæt bið *drihtguman* | unlifgendum æfter sēlest.   1388
dryhtgumum.
    Nihthelm geswearc | deorc ofer *dryhtgumum*.   1790
dryhtlīc.
    þæt hit on wealle ætstōd, | *dryhtlīc* īren;   892
dryhtlīce.
    Hīe ... *drihtlīce* wīf tō Denum feredon,   1158
dryhtmāðma.
    Bīowulfe wearð | *dryhtmāðma* dæl dēaðe forgolden; 2843
Dryhtne, dryhtne.
    Gode þancode, | mihtigan *Drihtne*,   1398
    þæt wæs fremde þēod | ēcean *Dryhtne*;   1692

Þæs sig Metode þanc, | ēcean *Dryhtne,*   1779

þæt hē ... | ... ēcean *Dryhtne* | bitre gebulge;   2330

Hæðcynne wearð, | Gēata *dryhtne,* gūð onsæge.   2483

ic ... gefrægn sunu Wihstānes | ... wundum *dryhtne*

    hȳran   2753

Ic ... ðanc | ... wordum secge | ēcum *Dryhtne,*   2796

Dryhtnes.

   ðær gelȳfan sceal | *Dryhtnes* dōme   441

   Nū scealc hafað | þurh *Drihtnes* miht dæd gefremede,   940

dryhtscype.

   ne dorste ... | *drihtscype* drēogan;   1470

dryhtsele.

   Ðonne wæs ... | *drihtsele* drēorfāh,   485

   Dryhtsele dynede,   767

   Hord eft gescēat, | *dryhtsele* dyrnne,   2320

dryhtsibbe.

   þȳ ic ... ne telge | *dryhtsibbe* dæl Denum unfæcne,   2068

dryncfæt. *See* **drincfæt.**

drysmað.

   oð ðæt lyft *drysmaþ,*   1375

duge.

   þēah þīn wit *duge.*   589

   þēah þæt wǣpen *duge;*   1660

   þēah sēo brȳd *duge.*   2031

dugeðum. *See* **duguðum.**

dugoðe. *See* **duguðe.**

duguð.

   þær wæs ... | *duguð* unlȳtel Dena ond Wedera.   498

   Duguð eal ārās;   1790

   dug[uð] ellor scōc.   2254

duguða.

   dryhtbearn Dena *duguða* biwenede;   2035

duguðe.

   [Atol] æglæca ēhtende wæs | ... *duguþe* ond geogoþe,   160

   cūþe hē *duguðe* þēaw.   359

   āhte ic holdra þȳ læs, | dēorre *duguðe,*   488

   Ymbēode þā ides ... | *duguþe* ond geogoþe dæl

    æghwylcne,   621

   þegna gehwylc þīnra lēoda, | *duguðe* ond iogoþe;   1674

Hwīlum for [d]uguðe dohtor Hrōðgāres | ... ealu-
    wǣge bǣr,   2020
se ān ðā gēn | lēoda duguðe... | wearð winegēomor, 2238
þæt hē āna scyle | Gēata duguðe gnorn þrōwian, 2658
nalles frætwe geaf | ealdor dugoðe.   2920
þā se gōda cōm | lēoda dugoðe on lāst faran.   2945

duguðum.
syððan ic for dugeðum Dæghrefne wearð | tō hand-
    bonan,   2501
his ellenweorc | duguðum dēmdon,   3174

duru.
[þā wið duru healle | Wulfgār ēode,]   389
duru sōna onarn, | fȳrbendum fæst,   721

dweleð.
nō hine wiht dweleð | ādl ne yldo,   1735

dyde.
swā he oft dyde   444
swā hē nū gyt dyde!   956
him Hunlāfing... | billa sēlest on bearm dyde; 1144
swā ic ǣr dyde,   1381
ðonne ic gyt dyde,   1824
swā hē ǣr dyde;   1891
ne him þæs wyrmes wīg for wiht dyde,   2348
swā ic gīo wið Grendle dyde;   2521
Dyde him of healse hring gyldenne   2809

dydest.
swā þū ǣr dydest.   1676

dydon.
Nalæs hī hine læssan lācum tēodan | ... þon[ne]
    þā dydon,   44
swā hīe oft ǣr dydon.   1238
swā þec hetende hwīlum dydon,   1828
þā ðæt þǣr dydon,   3070
Hī on beorg dydon bēg ond siglu,   3163

dȳgel. *See also* **dēogol.**
Hīe dȳgel lond | warigeað,   1357

dyhtig. *See also* **þyhtig.**
sweord... | ecgum dyhtig   1287

dynede.

dȳre. *See also* **dēore.**

dyrnan.

dyrne.

dyrnne.

dyrnra.

dyrnum.

dyrre.

dyrstig.

E.

ēac.

ēacen.

ēacencræftig.

ēacne.

   wǣron ȳðgebland eal gefǣlsod, | *ēacne* eardas,   1621

ēacnum.

   ic hēafde becearf | ... Grendeles mōdor | *ēacnum*

     ecgum;   2140

Ēadgilse.

   Ēadgilse wearð | fēasceaftum frēond,   2392

ēadig.

   Wes, þenden þū lifige, | æþeling *ēadig*;   1225

   swā dēð *ēadig* mon,   2470

ēadiglīce.

   Swā ðā drihtguman drēamum lifdon | *ēadiglīce*,   100

eafer-. *See* **eafor-.**

eafeð-. *See* **eafoð-.**

eafora.

   Ðǣm *eafera* wæs æfter cenned   12

   Scyldes *eafera* Scedelandum in.   19

   is his *eafora* nū | heard hēr cumen,   375

   bær on bearm scipes beorhte frætwa | Wælses *eafera*;   897

   Gēata cyning ..., | Hrēðles *eafora*   2358

   Gēata dryhten, | Hrēðles *eafora*,   2992

eaforan.

   þæt hē mid gōde gyldan wille | uncran *eaferan*,   1185

   wolde hire bearn wrecan, | āngan *eaferan*.   1547

   þæt ðe gār nymeð | ... Hrēþles *eaferan*,   1847

   Symble bið gemyndgad ... | *eaforan* ellorsīð;   2451

   him Ongenðēowes *eaferan* wǣran | frome, fyrdhwate,   2475

Eafores.

   þæt se þēodcyning ðafian sceolde | *Eafores* ānne dōm.   2964

eafor. *See* **eofor.**

eaforum.

   Finnes *eaferum*, ðā hīe se fær begeat,   1068

   Ne wearð Heremōd swā | *eaforum* Ecgwelan,   1710

   eaferum lǣfde ... | lond ond lēodbyrig,   2470

eafoð.

   ic him Gēata sceal | *eafoð* ond ellen ... | gūþe ge-

     bēodan.   602

   hild sweðrode, *eafoð* ond ellen,   902

   frēcne genēðdon | *eafoð* uncūþes;   960

se frōda fæder Ōhtheres, | *eald* ond egesfull,   2929
bēah eft þonan | *eald* under eorðweall.   2957

ealde.

sende ic Wylfingum ... | *ealde* mādmas;   472
þær genehost brægd | eorl Bēowulfes *ealde* lāfe,   795
Ond þū *Unf*erð læt *ealde* lāfe,   1488
Hrōðgār madelode, hylt scēawode, | *ealde* lāfe,   1688
Ic þā lēode wāt ... | æghwæs untæle *ealde* wīsan.   1865
þæt hē Wealdende | ofer *ealde* riht ... | bitre ge-
bulge;   2330

ealder-. *See* **ealdor-.**

ealdes.

þæs wyrmes denn, | *ealdes* ūhtflogan;   2760

ealdgesegena.

sē ðe ealfela *ealdgesegena* | worn gemunde,   869

ealdgesīðas.

þanon eft gewiton *ealdgesīðas*,   853

ealdgestrēona.

þæt wæs ān foran *ealdgestrēona*,   1458

ealdgestrēonum.

Ic þē þā fæhðe fēo lēanige, | *ealdgestrēonum*,   1381

ealdhlāfordes.

Bill ær gescōd | ... *ealdhlāfordes*   2778

ealdor.

fæder ellor hwearf, | *aldor* of earde,   56
hūru se *aldor* dēah,   369
Ēow hēt secgan sigedrihten mīn, | *aldor* Ēast-Dena,   392
sundornytte behēold | ymb *aldor* Dena,   668
ær hē feorh seleð, | *aldor* on ōfre,   1371
Ðā cōm in gān *ealdor* ðegna,   1644
þæt ðē gār nymeð, ... | ādl oþðe īren *ealdor* ðīnne,   1848
nalles frætwe geaf | *ealdor* dugoðe.   2920

ealdorbealu.

þæt þū him ondrædan ne þearft, ... | *aldorbealu*
eorlum,   1676

ealdorceare.

hē ... wearð | eallum æþ*el*ingum tō *aldorceare*.   906

ealdordagum.

Næfre hē on *aldordagum* . . . | heardran hæle,
healðegnas fand.   718
swylce hē on *ealderdagum* ærgemētte.   757

ealdorgedāl.

Scolde his *aldorgedāl* . . . | earmlīc wurðan,   805

ealdorgewinna.

Him on efn ligeð *ealdorgewinna*   2903

ealdorlēase.

fyrenðearfe ongeat, | þæt hīe ær drugon *aldor*[*lē*]*ase*   15

ealdorlēasne.

geseah | gūðwērigne Grendel licgan, | *aldorlēasne,*   1587
syððan hīe gefricgeað frēan ūserne | *ealdorlēasne,*   3003

ealdorðegn.

syðþan hē *aldorþegn* unlyfigendne | . . . wisse.   1308

ealdre.

Wille ic āsecgan . . . | . . . mīn ærende | *aldre* þīnum,   346
þæt næfre Gre[n]del swā fela gryra gefremede | . . .
     ealdre þīnum,   592
gif þū þæt ellenweorc *aldre* gedīgest.   661
forþan ic hine . . . nelle | *aldre* benēotan,   680
þæt þīn [dōm] lyfað | āwā tō *aldre.*   955
þæt him on *aldre* stōd | herestræl hearda;   1434
nalles for *ealdre* mearn;   1442
þæt him . . . ne mihte | eorres inwitfeng *aldre* ge-
     sceþðan;   1447
ne dorste | under ȳða gewin *aldre* genēþan,   1469
gif ic æt þearfe þīnre scolde | *aldre* linnan,   1478
þæt se beadolēoma bītan nolde, | *aldre* sceþðan,   1524
Ic þæt unsōfte *ealdre* gedīgde,   1655
þæs ðe ic on *aldre* gebād,   1779
þær hē . . . gefremede | yrmðe tō *aldre*;   2005
eorlscipe efnde, *ealdre* genēðde,   2133
cyning *ealdre* binēat.   2396
þēah ðe ōðer his *ealdre* gebohte,   2481
tō *aldre* sceall | sæcce fremman,   2498
hȳ on holt bugon, | *ealdre* burgan.   2599
þā hē of *ealdre* gewāt   2624

egeslīc eorðdraca *ealdre* berēafod,   2825
þætte Ongenðīo *ealdre* besnyðede | Hæðcen Hrēþling   2924
ealdres.
his *aldres* wæs ende gegongen,   822
on flēam gewand, | *aldres* orwēna.   1002
Hē æt wīge gecrang | *ealdres* scyldig,   1338
aldres orwēna yrringa slōh,   1565
blōdfāg swefeð, | *ealdres* scyldig;   2061
sceolde ... | æðeling unwrecen *ealdres* linnan.   2443
drīorigne fand | *ealdres* æt ende.   2790
ealdrum.
on dēop wæter | *aldrum* nēþdon?   510
þæt wit on gārsecg ūt | *aldrum* nēðdon,   538
ealdum.
eall gedǣlan | geongum ond *ealdum*,   72
him wæs bēga wēn, | *ealdum*, infrōdum,   1874
Ne meahte ... | *ealdum* ceorle ondslyht giofan,   2972
ealfela.
sē ðe *ealfela* ealdgesegena | worn gemunde,   869
hæfdon *ealfela* eotena cynnes | sweordum gesǣged.   884
ealgian.
wolde frēadrihtnes feorh *ealgian*,   796
nemne wē æror mægen | ... feorh *ealgian* | Wedra
    ðēodnes.   2655
scealt nū dǣdum rōf ... | feorh *ealgian*;   2668
ealgode.
siðþan hē under segne sinc *ealgode*,   1204
ealgylden.
æt þǣm āde wæs ēþgesȳne | ... swȳn *ealgylden*,   1111
Swylce hē siomian geseah segn *eallgylden*   2767
ealles.
hrōf āna genǣs | *ealles* ansund,   1000
eallgylden.   *See* **ealgylden.**
eallīrenne.
Heht him þā gewyrcean wīgendra hlēo | *eallīrenne*
    ... | wīgbord   2338
ealo-.   *See* **ealu-.**
ēalond.
Hæfde līgdraca ... | *ēalond* ūtan ... | glēdum for-
    grunden;   2334

ealubence.

Ne gefrægn ic ... mādmas | ... gummanna fela in
   ealobence ōðrum gesellan.   1029
þonne hē on *ealubence* oft gesealde   2867

ealudrincende.

Ealodrincende ōðer sædan,   1945

ealuscerwen.

wearð ... | eorlum *ealuscerwen*.   769

ealuwǣge.

Ful oft gebēotedon ... | ofer *ealowǣge* ōretmecgas,   481
sē þe on handa bær hroden *ealowǣge*,   495
dohtor Hrōðgāres | eorlum on ende *ealuwǣge* bær,   2021

ēam.

þonne hē swulces hwæt secgan wolde, | *ēam* his
   nefan,   881

Ēanmundes.

þæt wæs mid eldum *Ēanmundes* lāf,   2611

eard.

fīfelcynnes *eard* | wonsæli wer weardode hwīle,   104
eard gemunde;   1129
Eard git ne const,   1377
þæt þǣr gumena sum | ælwihta *eard* ufan cunnode.   1500
bryttað | *eard* ond eorlscipe;   1727
lond gecynde, | *eard*, ēðelriht,   2198
hē mē lond forgeaf, | *eard*, ēðelwyn.   2493

eardas.

wǣron ȳðgebland eal gefǣlsod, | ēacne *eardas*,   1621

earde.

fæder ellor hwearf, | aldor of *earde*   56
þæt wē rondas beren | eft tō *earde*,   2654
Ic on *earde* bād | mǣlgesceafta,   2736

eardian.

sceolde [ofer] willan wīc *eardian* | elles hwergen,   2589

eardlufan.

scolde | eft *eardlufan* æfre gesēcean,   692

eardode.

Heorot *eardode*, | sincfāge sel sweartum nihtum;   166

eardodon.

þūsend wintra þǣr *eardodon*;   3050

eardweallas.

efne swā sīde swā sǣ bebūgeð | windge [e]ardweallas.   1224

earfeð-.   See **earfoð-.**

earfoðlīce.

Ða se ellengǣst earfoðlīce | þrāge geþolode,   86
hafelan bǣron | earfoðlīce   1636
weorc genēþde | earfoðlīce;   1657
Hordweard onbād | earfoðlīce,   2303
Ðā wæs gegongen guman unfrōdum | earfoðlīce,   2822
oð ðæt hī oðēodon earfoðlīce   2934

earfoðo.

þæt ic merestrengo māran āhte, | earfeþo on ȳþum,   534

earfoððrāge.

oððe ā syþðan earfoðþrāge, | þrēanȳd þolad,   283

earges.

ne bið swylc earges sīð.   2541

earm.

wið earm gesæt.   749
syððan hildedēor hond ālegde, | earm ond eaxle   835
hē his folme forlēt..., | earm ond eaxle;   972
sunu Ecgðēowes, | earm ānhaga,   2368

earmbēaga.

þǣr wæs helm monig | ..., earmbēaga fela,   2763

earme.

earme on eaxle ides gnornode,   1117
hæfde him on earme [āna] þrittig | hildegeatwa,   2361

earmhrēade.

wunden gold | ēstum geēawed, earm[h]rēade twā,   1194

earmlīc.

Scolde his aldorgedāl... | earmlīc wurðan,   807

earmran.

Nō ic... gefrægn... | ... on ēgstrēamum earmran
    mannon;   577

earmre.

wēan oft gehēt | earmre teohhe   2938

earmsceapen.

ōðer earmsceapen | on weres wæstmum   1351
hwæðre [earm]sceapen   2228

80 COOK, [earmum - eaxlgesteallan

earmum.

þǣr git ēagorstrēam *earmum* þehton,   513

Earna.

ēodon unblīðe under *Earna* næs,   3031

earne.

earne secgan hū him æt æte spēow,   3026

ēastan.

Lēoht *ēastan* cōm, | beorht bēacen Godes;   570

East-Dena.

Ēow hēt secgan sigedrihten mīn, | aldor *Ēast-Dena,*   392

ful gesealde | ǣrest *Ēast-Dena* eþelwearde,   616

East-Denum.

Hæfde *East-Denum* | Gēatmecga lēod gilp gelǣsted,   828

ēaðe. *See also* ȳðe.

Gode þancedon, | þæs þe him ȳþlade *ēaðe* wurdon.   228

God *ēaþe* mæg | þone dolscaðan dǣda getwǣfan.   478

Swā mæg unfǣge *ēaðe* gedīgan | wēan ond wrǣcsīð,   2291

Ne wæs þæt *ēðe* sīð,   2586

Sinc *ēaðe* mæg | ... gumcynnes gehwone | ... ofer-
hīgian,   2764

ēaðfynde.

Þā wæs *ēaðfynde,* þe him elles hwǣr | ... rǣste
[sōhte],   138

eatol. *See* atol.

eatolne. *See* atolne.

ēaweð. *See also* ēoweð.

ēaweð þurh egsan | uncūðne nīð,   276

eaxle.

him on *eaxle* wearð | syndolh sweotol;   816

syþðan hildedēor hond ālegde, | earm ond *eaxle*   835

hē his folme forlēt, ... | earm ond *eaxle*;   972

earme on *eaxle* ides gnornode,   1117

Gefēng þā be *eaxle* ... | ... Grendles mōdor,   1537

Him on *eaxle* læg | brēostnet brōden;   1547

eaxlgestealla.

mīn rǣdbora, | *eaxlgestealla,*   1326

eaxlgesteallan.

brēat bolgenmōd bēodgenēatas, | *eaxlgesteallan,*   1714

eaxlum.

þæt hē for *eaxlum* gestōd | Deniga frēan;   358

sæt | fēðecempa frēan *eaxlum* nēah,   2853

ēc. *See* **ēac.**

ēce.

In Caines cynne þone cwealm gewræc | *ēce* Drihten, 108

þē þæt sēlre gecēos, | *ēce* rǣdas;   1760

hū ðā stānbogan ... | *ēce* eorðreced innan healde. 2719

ēcean.

þæt wæs fremde þēod ¦ *ēcean* Dryhtne;   1692

þæs sig Metode þanc, | *ēcean* Dryhtne,   1779

þæt hē Wealdende, | ... *ēcean* Dryhtne, | bitre gebulge; 2330

ecg.

þonne hit sweordes *ecg* syððan scolde.   1106

ecg wæs īren, ātertānum fāh,   1459

sēo *ecg* geswāc | ðēodne æt þearfe;   1524

Næs sēo *ecg* fracod | hilderince,   1575

þæt þec ādl oððe *ecg* eafoþes getwǣfeð, 1763

ne wæs *ecg* bona,   2506

Nū sceall billes *ecg* | ... ymb hord wīgan. 2508

þæt sīo *ecg* gewāc | brūn on bāne,   2577

hyne *ecg* fornam.   2772

ecg wæs īren   2778

ecga.

bīdan woldon | Grendles gūþe mid gryrum *ecga*. 483

hē sigewǣpnum forsworen hæfde, | *ecga* gehwylcre. 805

ārfæst æt *ecga* gelācum.   1168

ac hin*e* īrenna *ecga* fornāmon,   2828

ecgbanan.

Ca*in* wearð | tō *ecgbanan* āngan brēþer, 1262

ecge.

þæs wǣron mid Eotenum *ecge* cūðe.   1145

wið ord ond wið *ecge* ingang forstōd.   1549

nales wordum lōg | mēces *ecge*.   1812

þæt him īrenna *ecge* mihton | helpan æt hilde; 2683

þæt hē hyne sylfne gewræc | āna mid *ecge*, 2876

ecghete.

þæt se ecg*hete* āþumswerian | ... wæcnan scolde. 84

ne gesacu ōhwǣr, | *ecghete*, ēoweð,   1738

6

Ecglāfes.

Unferð maþelode, Ecglāfes bearn,   499
Secge ic þē tō sōðe, sunu Ecglāfes,   590
Ðā wæs swīgra secg sunu Ec[g]lāfes   980
ne gemunde mago Ecglāfes | ... þæt hē ær gespræc   1465
se hearda Hrunting beran | sunu Ecglāfes,   1808

Ecgðēo. See **Ecgðēow.**

Ecgðēow.

Wæs ... | æþele ordfruma Ecgþēow hāten;   263
wæs his eald fæder Ecgþēo hāten,   373

Ecgðēowes.

Bēowulf maþelode, bearn Ecgþēowes: 529, 631, 957,
                        1383, 1473, 1651, 1817; cf. 1999, 2425
Hæfde ðā forsīðod sunu Ecgþēowes   1550
Bīowulf maðelode, bearn Ecgðīoes: 1999
Swā bealdode bearn Ecgðēowes,   2177
Oferswam ðā sioleða bīgong sunu Ecgðēowes,   2367
hē nīða gehwane genesen hæfde, | ... sunu Ecgðīowes,   2398
Bīowulf maþelade, bearn Ecgðēowes: 2425
maga Ecgðēowes | grundwong þone ofgyfan wolde;   2587

Ecgðīo(w)es. See **Ecgðēowes.**

ecgðræce.

þæt hē ... ne þearf | atole ecgþræce ... | swīðe
    onsittan,   596

ecgum.

sweord swāte fāh, ... | ecgum dyhtig   1287
eald sweord eotenisc, ecgum þyhtig,   1558
hig wigge belēac | manigum mægþa ... | æscum ond
    ecgum,   1772
ic hēafde becearf | ... Grendeles mōdor | ēacnum
    ecgum;   2140
ic ... gefrægn mæg ōðerne | billes ecgum ... stælan,   2485
gomele lāfe, | ecgum unslāw;   2564
Weohstān bana | mēces ecgum,   2614
cwæð, hē on mergenne mēces ecgum | gētan wolde,   2939
ecgum sweorda | ... on bīd wrecen,   2961

Ecgwelan.

Ne wearð Heremōd swā | eaforum Ecgwelan,   1710

ēcne.

searonīðas flēah | Eormenrīces, gecēas ēcne ræd.   1201

ēcum.

wordum secge | ēcum Dryhtne,   2796

edhwyrft.

þā ðær sōna wearð | edhwyrft eorlum,   1281

ēdrum.

bāt bānlocan, blōd ēdrum dranc,   742

edwendan.

gyf him edwendan æfre scolde | bealuwa bisigu,   280

edwenden.

mē þæs on ēþle edwenden cwōm,   1774
Edwenden cwōm | tīrēadigum menn torna gehwylces. 2188

edwītlīf.

Dēað bið sēlla | eorla gehwylcum þonne edwītlīf.   2891

efn.

Him on efn ligeð ealdorgewinna   2903

efnan.

oð ðæt his byre mihte | eorlscipe efnan   2622

efnanne.

Ne bið swylc cwēnlīc þēaw | idese tō efnanne,   1941

efnde.

þæt ic on holma geþring | eorlscipe efnde,   2133
furður gēn | eorlscipe efnde.   3007

efne.

þæt secgan mæg | efne swā hwylc mægþa,   943
efne swā swīðe sincgestrēonum   1092
Wæs se gryre læssa | efne swā micle,   1283
efne swā of hefene hādre scīneð | rodores candel.   1571
þæt hē . . . eofoðo dæle, | eorlscype efne.   2535

eftcymes.

on wēnum | . . . eftcymes | lēofes monnes.   2896

eftsīð.

Landweard onfand | eftsīð eorla,   1891

eftsīðas.

ic ne wāt hwæder | atol æse wlanc eftsīðas tēah,   1332

eftsīðes.

Ār wæs on ofoste, eftsīðes georn,   2783

6*

efstan.
    Uton nū *efstan* ōðre [sīðe]   3101
efste.
    Weder-Gēata lēod | *efste* mid elne,   1493
ēgclif.
    Hēht ðā þæt heaðoweorc ... bīodan | ūp ofer *ēgclif,* 2893
egesa.
    Norð-Denum stōd | atelīc *egesa,*   784
egesan.
    ēaweð þurh *egsan* uncūðne nīð,   276
    egesan ne gȳmeð.   1757
    þæt þec ymbsittend *egesan* þȳwað,   1827
    grētan dorste, | *egesan* ðēon.   2736
    :::: des *egesan*   3154
egesfull.
    se frōda fæder Ōhtheres, | eald ond *egesfull,* 2929
egeslīc.
    Grendles hēafod, ... | *egeslīc* for eorlum   1649
    Wæs se fruma *egeslīc* | lēodum on lande,   2309
    Bona swylce læg, | *egeslīc* eorðdraca   2825
egl.
    hilderinces | *egl* unhēoru;   987
egsan. *See* **egesan.**
egsode.
    Egsode eorl, syððan ǣrest wearð | fēasceaft funden; 6
ēgstrēamum.
    ne on *ēgstrēamum* earmran mannon;   577
ēhtende.
    [Atol] æglǣca *ēhtende* wæs, | ... duguþe ond geogoþe, 159
ehtigað.
    ealne wīdeferhþ weras *ehtigað,*   1222
ēhton.
    ēhton āglǣcan.   1512
Elan.
    Elan cwēn [Ongenþēowes wæs] | ... healsgebedda. 62
eldo.
    ongan *eldo* gebunden,   2111
eldum. *See also* **yldum.**
    stīg under læg | *eldum* uncūð.   2214

bryneléoma stód | *eldum* on andan;   2314
þæt wæs mid *eldum* Ēanmundes lāf,   2611
þǣr hit nū gēn lifað *eldum* swā unnyt,   3168
elland.
oft, nalles ǣne, *elland* tredan,   3019
ellen.
hū ðā æþelingas *ellen* fremedon.   3
þonne his *ellen* dēah.   573
sceal | eafoð ond *ellen* . . . | gūþe gebēodan.   602
Ic gefremman sceal | eorlīc *ellen*,   637
Siððan Heremōdes hild sweðrode, | *eafoð* ond *ellen*,   902
þæs wyrmes wīg . . . | eafoð ond *ellen*,   2349
ic . . . [gefrægn] . . . | andlongne eorl *ellen* cȳðan, 2695
ferh *ellen* wræc,   2706
ellendǣdum.
hē fram Sigemunde[s] secgan hȳrde | *ellendǣdum*,   876
Sē wæs wreccena wīde mǣrost . . . | *ellendǣdum*;   900
ellengǣst.
Ðā se *ellengǣst* earfoðlīce | þrāge geþolode,   86
ellenlīce.
beorn ācwealde | *ellenlīce*;   2122
ellenmǣrðum.
nihtweorce gefeh, | *ellenmǣrþum*.   828
þǣr hē dōme forlēas, | *ellenmǣrðum*.   1471
ellenrōf.
Him þā *ellenrōf* andswarode,   340
ēode *ellenrōf*,   358
þonne | eorl *ellenrōf* ende gefēre | līfgesceafta,   3063
ellenrōfum.
þā wæs eft swā ǣr *ellenrōfum* | . . . fǣgere gereorded   1787
ellensīocne.
Wedra þēoden, | *ellensīocne*,   2787
ellenweorc.
gif þū þæt *ellenweorc* aldre gedīgest.   661
Wē þæt *ellenweorc* ēstum miclum, | feohtan fremedon,   958
næs þæt forma sīð, | þæt hit *ellenweorc* æfnan scolde.   1464
þis *ellenweorc* āna āðōhte | tō gefremmanne,   2643
his *ellenweorc* | duguðum dēmdon,   3174

ellenweorca.

Swā hē nīða gehwane genesen hæfde,... | *ellen-*
    weorca,   2399
elles.

þe him *elles* hwǣr | gerūmlīcor rǣste [sōhte],   138
hū | wið ðām āglǣcean *elles* meahte | gylpe wiðgrīpan, 2520
sceolde [ofer] willan wīc eardian | *elles* hwergen,   2590
ellor.

fæder *ellor* hwearf,   55
dug[uð] *ellor* scōc.   2254
ellorgǣst(-). *See* **ellorgāst(-).**
ellorgāst.

Scolde... | ... se *ellorgāst* | on fēonda geweald
    feor sīðian.   807
wæs þæt blōd tō þæs hāt, | ættren *ellorgǣst,*   1617
se *ellorgāst* | oflēt līfdagas   1621
ellorgāstas.

hīe gesāwon... | micle mearcstapan mōras healdan, |
    ellorgǣstas;   1349
ellorsīð.

Symble bið gemyndgad... | eaforan *ellorsīð;*   2451
elne.

Hæfde āglǣca *elne* gegongen,   893
Fin Hengeste | *elne* unflitme āðum benemde,   1097
wunode mid Finn | *el*[*ne*] un*f*litme;   1129
Weder-Gēata lēod | efste mid *elne,*   1493
hī sīð drugon, | *elne* geēodon,   1967
in *campe* gecrong cumbles hyrde, | æþeling on *elne;* 2506
Ic mid *elne* sceall | gold gegangan,   2535
under his mǣges scyld | *elne* geēode,   2676
ealle wyrd fors*wēop* | ... tō metodsceafte, | eorlas
    on *elne;*   2816
ðe ǣr his *elne* forlēas.   2861
elne geēodon mid ofermægene,   2917
elnes.

Eft wæs ānrǣd, nalas *elnes* lǣt,   1529
þā him wæs *elnes* þearf.   2876
elran.

on *elran* men | mundgripe māran;   752

elpēodigne.

Ne seah ic *elpēodige* | þus manige men mōdiglīcran.   336

ende.

þā wæs sund liden | eoletes æt *ende.*   224

þæt his aldres wæs *ende* gegongen,   822

oþ þæt *ende* becwōm, | swylt æfter synnum.   1254

Ūre æghwylc sceal *ende* gebīdan | worolde līfes;   1386

þæt hē his selfa ne mæg | ... *ende* geþencean.   1734

dohtor Hrōðgāres | eorlum on *ende* ealuwǣge bær,   2021

Sceolde *lǣn*daga | æþeling ærgōd *ende* gebīdan,   2342

dryhten sīnne drīorigne fand | ealdres æt *ende*;   2790

geseah | þone lēofestan līfes æt *ende*   2823

hæfde æghwæðer *ende* gefēred | lǣnan līfes.   2844

hæfde eorðscrafa *ende* genyttod.   3046

þonne | eorl ellenrōf *ende* gefēre | līfgesceafta,   3063

endedæg.

oþðe *endedæg* | on þisse meoduhealle mīnne gebīdan.   637

þā wæs *endedæg* | gōdum gegongen,   3035

endedōgores.

bēga on wēnum, | *endedōgores* ond eftcymes   2896

endelāf.

þū eart *endelāf* usses cynnes,   2813

endelēan.

him þæs *endelēan* | ... Waldend sealde.   1692

endesǣta.

Ic wæs *endesǣta*, ǣgwearde hēold,   241

endestæf.

Hit on *endestæf* eft gelimpeð,   1753

enge.

Oferēode þā æþelinga bearn ... | *enge* ānpaðas,   1410

enta.

wæs gylden hilt gamelum rince | ... gyfen, | *enta*
ǣrgeweorc;   1679

seah on *enta* geweorc,   2717

hord rēafian, | eald *enta* geweorc,   2774

entiscne.

Lēt se ... þegn ... | *entiscne* helm | brecan   2979

ēode.

eoderas.

ēodon.

eodor.

eodur. *See* **eodor.**
eofer. *See* **eofor.**
eoferas.

eofor.

Eofore.

Eofores.

eoforlīc.

eoforsprēotum.

eofoðo.
  þæt hē wið āglæcean *eofoðo* dǣle, 2534
eoletes.
  þā wæs sund liden | *eoletes* æt ende. 224
Ēomǣr.
  þonon *Ēomǣr* wōc | hæleðum tō helpe, 1960
eorclanstānas.
  Hē þā frætwe wæg, | *eorclanstānas*, 1208
ēoredgeatwe.
  sē ēow ðā māðmas geaf, | *ēoredgeatwe*, 2866
eorl.
  Egsode *eorl*, syððan ǣrest wearð | fēasceaft funden; 6
  Wyrd oft nereð | unfǣgne *eorl*, 573
  þæt hēo on ǣnigne *eorl* gelȳfde | fyrena frōfre. 627
  eoten wæs ūtweard; *eorl* furþur stōp. 761
  þǣr genehost brǣgd | *eorl* Bēowulfes ealde lāfe, 795
  Hēr is ǣghwylc *eorl* ōþrum getrȳwe, 1228
  Swy[lc] scolde *eorl* wesan | ... swylc Æschere wæs. 1328
  Ðā se *eorl* ongeat, | þæt hē [in] nīðsele nāthwylcum wæs, 1512
  þæt ðes *eorl* wǣre | geboren betera. 1702
  andlongne *eorl* ellen cȳðan, 2695
  eorl ofer ōðrum unlifigendum, 2908
  eorl Ongenþīo ufor oncirde; 2951
  sceall ... | ... nalles *eorl* wegan | māððum tō gemyndum, 3015
  þonne | *eorl* ellenrōf ende gefēre | līfgesceafta, 3063
  Oft sceall *eorl* monig ānes willan | wrǣc ādrēogan, 3077
eorla.
  Nǣfre ic māran geseah | *eorla* ofer eorþan, 248
  Hrōðgār sæt | eald ond unhār mid his *eorla* gedriht; 357
  Hȳ on wīggetāwum wyrðe þinceað | *eorla* geæhtlan; 369
  mīnra *eorla* gedryht, 431
  Nolde *eorla* hlēo ... | þone cwealmcuman ... forlǣtan, 791
  Heht ðā *eorla* hlēo eahta mēaras | ... tēon, 1035
  Ðā gyt ǣghwylcum *eorla* drihten ... | ... māþðum gesealde, 1050
  swā hit āgangen wearð | *eorla* manegum. 1235
  reced weardode | unrīm *eorla*, 1238

ēode *eorla* sum, æþele cempa | self mid gesīðum,   1312
oncȳð *eorla* gehwǣm,   1420
him *eorla* hlēo inne gesealde | ... māþmas twelfe,   1866
Landweard onfand | eftsīð *eorla*,   1891
eorla hlēo, ... | geongne gūðcyning   1967
þonne bīoð brocene ... | āðsweord *eorla*,   2064
mē *eorla* hlēo eft gesealde | māðma menigeo,   2142
Hēt ðā *eorla* hlēo in gefetian | ... Hrēðles lāfe   2190
Hēald þū nū, hrūse, ... | *eorla* æhte.   2248
Heht him þā gewyrcean ... | ... *eorla* dryhten |
     wīgbord wrætlīc;   2338
Dēað bið sēlla | *eorla* gehwylcum þonne edwītlīf.   2891
forlēton *eorla* gestrēon eorðan healdan,   3166
eorlas.
eorlas on elne;   2816
eorles.
hlēorbolster onfēng | *eorles* andwlitan,   689
siþðan æþelingas *eorles* cræfte | ... hand scēawedon,   982
māðmas dǣleþ, | *eorles* ǣrgestrēon,   1757
eorlgestrēona.
bær *eorlgestrēona* | hringa hyrde hardfyrdne dǣl,   2244
eorlgewǣdum.
Gyrede hine Bēowulf | *eorlgewǣdum*,   1442
eorlīc.
Ic gefremman sceal | *eorlīc* ellen,   637
eorlscipe.
snyttru bryttað, | eard ond *eorlscipe*;   1727
þæt ic on holma geþring | *eorlscipe* efnde,   2133
þæt hē ... eofoðo dǣle, | *eorlscype* efne.   2535
oð ðæt his byre mihte | *eorlscipe* efnan   2622
furður gēn | *eorlscipe* efnde.   3007
eahtodan *eorlscipe*,   3173
eorlum.
Denum eallum wearð, ... | *eorlum* ealuscerwen.   769
þā ðǣr sōna wearð | edhwyrft *eorlum*,   1281
Grendles hēafod, ... | egeslīc for *eorlum*   1649
þæt þū him ondrǣdan ne þearft ... | aldorbealu
     eorlum,   1676
dohtor Hrōðgāres | *eorlum* on ende ealuwǣge bær,   2021

eorlweorod.

þǣr þæt *eorlweorod* | . . . mōdgīomor sæt   2893

eormencynnes.

þone sēlestan bī sǣm twēonum, | *eormencynnes.*   1957

eormengrund.

be sǣm twēonum | ofer *eormengrund*   859

eormenlāfe.

eormenlāfe æþelan cynnes,   2234

Eormenrīces.

searonīðas flēah | *Eormenrīces,*   1201

eorres. *See also* **yrr-.**

þæt him . . . ne mihte | *eorres* inwitfeng aldre ge-
scepðan;   1447

eorðan.

cwæð þæt se Ælmihtiga *eorðan* worh[te],   92

Nǣfre ic māran geseah | eorla ofer *eorþan,*   248

wīde geond *eorþan.*   266

þæt hē ne mētte middangeardes, | *eorþan* sceatta,   752

ǣnig ofer *eorþan* īrenna cyst,   802

þæt hit on *eorðan* læg,   1532

seleð him on ēþle *eorþan* wynne,   1730

Gif ic þonne on *eorþan*   1822

[ne] gylpan þearf Grendeles māga | [ǣnig] ofer *eorðan*   2007

eald under *eorðan;*   2415

þæt hē dæghwīla gedrogen hæfde | *eorðan* wynn[e];   2727

þæt hē on *eorðan* geseah | þone lēofestan   2822

hē *eorðan* gefēoll   2834

Ne meahte hē on *eorðan* . . . | . . . feorh gehealdan,   2855

swā hīe wið *eorðan* fæðm | . . . eardodon;   3049

wīde geond *eorðan,*   3099

gegiredan Gēata lēode | ād on *eorðan* unwāclīcne,   3138

forlēton eorla gestrēon *eorðan* healdan,   3166

eorðcyninges.

Scēotend Scyldinga . . . feredon | eal ingesteald
eorðcyninges,   1155

eorðdraca.

þe him se *eorðdraca* ǣr geworhte,   2712

Bona swylce læg, | egeslīc *eorðdraca*   2825

eorðhūse.

þǣr wæs swylcra fela | in ðām *eorð*[*hū*]*se* ǣrgestrēona, 2232

eorðreced.

hū ðā stānbogan ... | ēce *eorðreced* innan healde.   2719

eorðscrafa.

hæfde *eorðscrafa* ende genyttod.   3046

eorðsele.

tō ðæs ðe hē *eorðsele* ānne wisse,   2410

gif mec se mānsceaða | of *eorðsele* ūt gesēceð.   2515

eorðweall.

bēah eft þonan | eald under *eorðweall.*   2957

sīð ālȳfed | inn under *eorðweall.*   3090

eorðweard.

Hæfde līgdraca ... | ... *eorðweard* ðone | glēdum

forgrunden;   2334

eoten.

eoten wæs ūtweard;   761

eotena.

ȳðde *eotena* cyn,   421

hæfdon ealfela *eotena* cynnes | sweordum gesǣged.   883

Eotena.

Ne hūru Hildeburh herian þorfte | *Eotena* trēowe;   1072

geweald wið *Eotena* bearn āgan mōston,   1088

þæt hē *Eotena* bearn inne gemunde.   1141

eotenas.

eotenas ond ylfe ond orcnēas,   112

eotenisc.

eald sweord *eotenisc,* (*etonisc, eotonisc*)   1558, 2616, 2979

eotenum.

hē mid *eotenum* wearð | ... forð forlācen,   902

Eotenum.

þæs wǣron mid *Eotenum* ecge cūðe.   1145

eotenweard.

eotonweard ābēad.   668

eotonisc. *See* **eotenisc.**

ēoweð. *See also* **ēaweð.**

ne gesacu ōhwǣr, | ecghete, *ēoweð,*   1738

ēst.
  þæt ic his ǣrest ðē *ēst* gesǣgde;   2157
  hē him *ēst* getēah | mēara ond māðma.   2165
  gearwor hæfde | Āgendes *ēst* ǣr gescēawod.   3075

ēste.
  þæt hyre eald Metod *ēste* wǣre | bearngebyrdo.   945

ēstum.
  Wē þæt ellenweorc *ēstum* miclum, | feohtan fremedon,   958
  Him wæs ... | ... wunden gold | *ēstum* geēawed,   1194
  ðā ic ðē, beorncyning, bringan wylle, | *ēstum* geȳwan.   2149
  frēondlārum hēold, | *ēstum* mid āre,   2378

etan.
  Wēn ic þæt hē wille, ... | ... Gēatena lēode | *etan*
  unforhte,   444

eteð.
  eteð āngenga unmurnlīce,   449

ēðbegēte.
  wæs æt ðām geongum grim ondswaru | *ēðbegēte,*   2861

ēðe. *See* ēaðe.

ēðel.
  ðonon hē gesōhte swǣsne *ēðel,*   520
  hæleþa rīce, | *ēðel* Scyldinga.   913
  wīsdōme hēold | *ēðel* sīnne.   1960

ēðelriht.
  lond gecynde, | eard, *ēðelriht,*   2198

ēðelstōlas.
  þæt hē wið ælfylcum *eþelstōlas* | healdan cūðe,   2371

ēðeltyrf.
  Mē wearð Grendles þing | on minre *eþeltyrf* undyrne
  cūð;   410

ēðelweard.
  eald *ēðelweard,*   1702
  wæs þā frōd cyning, | eald *eþelweard,*   2210

ēðelwearde.
  ful gesealde | ǣrest Ēast-Dena *eþelwearde,*   616

ēðelwyn.
  hē mē lond forgeaf, | eard, *ēðelwyn.*   2493
  Nū sceal ... | eall *ēðelwyn* ēowrum cynne | lufen
  ālicgean;   2885

ēðgesȳne.

 æt þǣm āde wæs *eþgesȳne* | swātfāh syrce,   1110

ēðle.

 seleð him on *eþle* eorþan wynne,   1730
 mē þæs on *eþle* edwenden cwōm,   1774

etonisc. *See* **eotenisc.**

F.

fācenstafas.

 nalles *fācenstafas* | þēod-Scyldingas þenden fremedon. 1018

fǣc.

 þæt hē lȳtel *fǣc* longgestrēona | brūcan mōste. 2240

fæder.

 Swā sceal [geong g]uma gōde gewyrcean | ... on
  fæder [wi]ne,   21
 fæder ellor hwearf,   55
 þe mōt ... | ... tō *Fæder* fæþmum freoðo wilnian. 188
 Wæs mīn *fæder* folcum gecȳþed,   262
 Fæder aĺwalda | ... ēowic gehealde   316
 Geslōh þīn *fæder* fæhðe mǣste,   459
 bearn geþēon scolde, | *fæder* æþelum onfōn, 911
 nō hīe *fæder* cunnon,   1355
 þæt ðū mē ā wǣre | forð gewitenum on *fæder* stǣle. 1479
 ðonne forstes bend *Fæder* onlǣteð,   1609
 be *fæder* lāre   1950
 Meaht ðū ... mēce gecnāwan, | þone þīn *fæder* ... bær 2048
 fore *fæder* dǣdum   2059
 æt mīnum *fæder* genam;   2429
 swā his *fæder* āhte;   2608
 se frōda *fæder* Ōhtheres,   2928

fæderenmǣge.

 tō ecgbanan āngan brēþer, | *fæderenmǣge*; 1263

fǣge.

 fǣge ond geflȳmed, feorhlāstas bær.   846
 Bēorscealca sum | fūs ond *fǣge* fletrǣste gebēag. 1241
 þæt se līchoma lǣne gedrēoseð, | *fǣge* gefealleð; 1755
 næs ic *fǣge* þā gyt;   2141

<pre>
        næs hē fǣge þā git,   2975
fæger.
    þæt hē on hrūsan ne fēol, | fæger foldbold;   773
    Đā wæs winter scacen, | fæger foldan bearm;   1137
fægere.
    ðonon hē gesōhte ... | freoðoburh fægere,   522
    ðær him foldwegas fægere þūhton,   866
    fægere geþægon | medoful manig māgas   1014
    þā wæs ... ellenrōfum | fletsittendum fægere gereorded   1788
    Higelāc ongan | sīnne geseldan ... | fǣgre fricgcean,   1985
    Hē ð[ām] frætwum fēng, ond him fǣgre gehēt   2989
fǣges.
    helm oft gescær, | fǣges fyrdhrægl;   1527
fǣghðe. See fǣhðe.
fægne.
    Fērdon forð þonon fēþelāstum | ferhþum fægne,   1633
fægne.
    bil eal ðurhwōd | fægne flæschoman;   1568
fǣgre. See fægere.
fǣgum.
    þær wæs Hondscīo hild onsæge, | feorhbealu fǣgum;   2077
    sceall ... | ... se wonna hrefn | fūs ofer fǣgum
        fela reordian,   3025
fæhð.
    hæfde þā gefrūnen, hwanan sīo fæhð ārās,   2403
    sīo fæhð gewearð | gewrecen wrāðlīce.   3061
fæhða.
    þā wæs ... | frēcne fȳrdraca fæhða gemyndig,   2689
fæhðe.
    Ne gefeah hē þære fæhðe,   109
    nō mearn fore | fæhðe ond fyrene;   137
    hetenīðas wæg, | fyrene ond fæhðe   153
    Geslōh þīn fæder fæhðe mæste,   459
    Siððan þā fæhðe fēo þingode;   470
    þæt hē þā fæhðe ne þearf ... | swīðe onsittan,   595
    fæhðe ond fyrena,   879
    wēan āhsode, | fæhðe tō Frȳsum.   1207
    Hēo þā fæhðe wræc,   1333
    feor hafað fæhðe gestæled,   1340
</pre>

Ic þē þā *fǣhðe* fēo lēanige,   1380
nalas for *fǣhðe* mearn   1537
wihte ne meahte | on ðām feorhbonan *fǣghðe* gebētan;   2465
þæt mǣgwine mīne gewrǣcan, | *fǣhðe* and fyrene,   2480
ic wylle, ! frōd folces weard, *fǣhðe* sēcan,   2513
nō ymbe ðā *fǣhðe* sprǣc,   2618
hū ðā folc mid him *fǣhðe* tōwehton.   2948
fǣhðo.

hond gemunde | *fǣhðo* genōge,   2489
þæt ys sīo *fǣhðo* ond se fēondscipe,   2999
fǣlsian.

þæt ic mōte āna ... | ... Heorot *fǣlsian.*   432
fǣlsode.

syððan hē Hrōðgāres, | sigorēadig secg, sele *fǣlsode,*   2352
fǣmnan.

þonne hē mid *fǣmnan* on flett gǣð,   2034
se *fǣmnan* þegn fore fæder dǣdum   2059
fǣr.

hringedstefna | īsig ond ūtfūs, æþelinges *fǣr;*   33
fǣr.

ðā hīe se *fǣr* begeat,   1068
[þā hyne] se *fǣr* begeat,   2230
fǣrgripe.

ne him ... hrīnan ne mehte | *fǣrgripe* flōdes;   1516
fǣrgripum.

hū se mānscaða | under *fǣrgripum* gefaran wolde.   738
fǣrgryrum.

hwæt ... sēlest wǣre | wið *fǣrgryrum* tō gefremmanne.   174
fǣringa.

oþ þæt hē *fǣringa* fyrgenbēamas | ... funde,   1414
þā ðū *fǣringa* feorr gehogodest | sæcce sēcean   1988
fǣrnīða.

hwæt mē Grendel hafað ... | *fǣrnīða* gefremed;   476
fæst.

wæs tō *fæst* on þām.   137
sīdfæþmed scip, | on ancre *fæst.*   303
on wæl crunge | fēondgrāpum *fæst.*   636
duru sōna onarn, | fȳrbendum *fæst,*   722
eal inneweard īrenbendum *fæst,*   998

þǣr his līchoma legerbedde *fæst* | swefeþ   1007
sīdrand manig | hafen handa *fæst*;   1290
wudu wyrtum *fæst*, wǣter oferhelmað.   1364
bið se slǣp tō *fæst*, | bisgum gebunden,   1742
hygebendum *fæst*   1878
wǣs be mǣste merehrægla sum, | segl sāle *fæst*;   1906
sǣlde tō sande sīdfæþme scip | oncerbendum *fæst*,   1918
Glōf hangode | sīd ond syllīc, searobendum *fæst*;   2086
nearocræftum *fæst*;   2243
Nū is ... | dryhten Gēata dēaðbedde *fæst*,   2901
wǣs ðā dēaðe *fæst*,   3045
þæt se secg wǣre ... | ... hellbendum *fæst*,   3072

fæste.

fæste hæfde | grim on grāpe;   554
ūplang āstōd | ond him *fæste* wiðfēng;   760
hē þæs *fæste* wǣs | ... īrenbendum | ... besmiþod.   773
Hēold hine *fæste*,   788
Ðā hīe getrūwedon ... | *fæste* frioðuwǣre;   1096
hraðe hēo æþelinga ānne hæfde | *fæste* befangen;   1295
Ic þā lēode wāt | ... *fæste* geworhte,   1864
ðā stānbogan stapulum *fæste*   2718

fæsten.

sē þe mōras hēold, | fen ond *fæsten*;   104
Hæfde līgdraca lēoda *fæsten* ... | glēdum forgrunden;   2333
gewāt ... | frōd, felagēomor, *fæsten* sēcean,   2950

fæstne.

þȳ ic ... ne telge ... | frēondscipe *fæstne*.   2069

fæstor.

hēold hyne syðþan | fyr ond *fæstor*,   143

fæstrǣdne.

gehȳrde on Bēowulfe | folces hyrde *fæstrǣdne* geþōht.   610

fǣted.

Nāh hwā sweord wege, | oððe fe[o]r[mie] *fǣted* wǣge,   2253
mandryhtne bær | *fǣted* wǣge,   2282
þæt ðæt sweord gedēaf | fāh ond *fǣted*,   2701

fǣtedhlēore.

Heht ðā eorla hlēo eahta mēaras | *fǣtedhlēore* on
flet tēon,   1036

7

fǣtgold.

Hēt þā ūp beran ... | frætwe ond *fǣtgold*;   1921

fǣttan.

sincgestrēonum | *fǣttan* goldes.   1093

Mē þone wælrǣs wine Scildunga | *fǣttan* golde fela
leanode,   2102

bær ... | hringa hyrde hardfyrdne dæl | *fǣttan* goldes,   2246

fǣtte.

Hwanon ferigeað gē *fǣtte* scyldas,   333

nallas on gylp seleð | *fǣtte* bēagas,   1750

fǣttum.

hē wīnreced | ... gearwost wisse | *fǣttum* fāhne;   716

Sceal se hearda helm [hyr]sted golde | *fǣtum* befeallen; 2256

fǣtum. *See* **fǣttum.**

fæðm.

ðe sceal | ... sāwle bescūfan | in fȳres *fæþm*,   185

nymþe līges *fæþm* | swulge on swaþule.   781

Gehwearf þā in Francna *fæþm* feorh cyninges,   1210

ne on foldan *fæþm*, ne on fyrgenholt,   1393

swā hīe wið eorðan *fæðm* | ... þær eardodon;   3049

fæðmian.

lēton ... | flōd *fæðmian* frætwa hyrde.   3133

fæðmie.

þæt mīnne līchaman | ... glēd *fæðmie*.   2652

fæðmum.

tō Fæder *fæþmum* freoðo wilnian.   188

hīo þæt līc ætbær | fēondes *fæð*[*mum*]   2128

fāg. *See* **fāh.**

fāge.

būton þone hafelan ond þā hilt somod, | since *fāge*;   1615

fāgum.

swā dēorlīce dǣd gefremede | *fāgum* sweordum   586

fāgne. *See* **fāhne.**

fāh (*stained* and *hostile*).

Eoforlīc scionon ... , | *fāh* ond fȳrheard;   305

ðā ic ... cwōm, | *fāh* from fēondum,   420

Mē tō grunde tēah | *fāh* fēondscaða,   554

hē *fāg* wið God,   811

þonne blōde *fāh*, | hūsa sēlest heorodrēorig stōd ;   934

ābīdan sceal | maga māne *fāh* miclan dōmes,   978
þā se āglǣca | fyrendǣdum *fāg* on flēam gewand,   1001
þāra ānum stōd | sadol searwum *fāh*,   1038
hē þā *fāg* gewāt, | morþre gemearcod,   1263
sweord swāte *fāh*,   1286
ecg wæs īren, ātertānum *fāh*,   1459
brim blōde *fāh*.   1594
Lagu drūsade, | wæter under wolcnum, wældrēore *fāg*.   1631
hond . . . | since *fāh*,   2217
wyrm yrre cwōm, . . . | fȳrwylmum *fāh* fīonda nīos[i]an,   2671
þæt ðæt sweord gedēaf | *fāh* ond fæted,   2701
þæt hē blōde *fāh* būgan sceolde,   2974

fāhne.
ac hē mē habban wile | d[r]ēore *fāhne*,   447
hē wīnreced | . . . gearwost wisse | fættum *fāhne*:   716
on *fāgne* flōr fēond treddode,   725
geseah stēapne hrōf | golde *fāhne*   927
nemne wē æror mægen *fāne* gefyllan,   2655

fāmigheals.
Gewāt þā ofer wægholm . . . | flota *fāmiheals*   218
flēat *fāmigheals* forð ofer ȳðe,   1909

fāmiheals. *See* **fāmigheals.**

fand. *See* **fond.**

fāne. *See* **fāhne.**

fāra.
hwæþere ic *fāra* feng fēore gedīgde,   578
sē ðe gryresīðas gegān dorste, | folcstede *fāra*;   1463

faran.
þanon eft gewāt | hūðe hrēmig tō hām *faran*,   124
heaþorōfe hlēapan lēton, | on geflit *faran*, fealwe mēaras,   865
Lēt . . . | Weder-Gēata lēod word ūt *faran*,   2551
syððan Higelāc cwōm | *faran* flotherge on Frēsna land,   2915
þā se gōda cōm | lēoda dugoðe on lāst *faran*.   2945

farenne.
wæron æþelingas eft tō lēodum | fūse tō *faren*ne;   1805

faroðe.
hī hyne þā ætbæron tō brīmes *faroðe*,   28
Ðā mec sæ oþbær, | flod æfter *faroðe*,   580
fūs æt *faroðe* feor wlātode;   1916

fatu.

fyrnmanna *fatu*   2761

fēa.

fēa worda cwæð: 2246, 2662

fealh.

siþðan inne *fealh* | Grendles mōdor.   1281

þær inne *fealh* | secg synbysig.   2226

feallan.

Hnæf Scyldinga | in Frēswæle *feallan* scolde.   1070

fealone.

Offan flet | ofer *fealone* flōd … | sīðe gesōhte;   1950

fealwe.

heaþorōfe hlēapan lēton, | on geflit faran, *fealwe* mēaras, 865

Hwīlum flitende *fealwe* strǣte | mēarum mǣton.   916

fēara.

hē *fēara* sum beforan gengde   1412

Weard ǣr ofslōh | *fēara* sumne;   3061

fēasceaft.

Egsode eorl, syððan ǣrest wearð | *fēasceaft* funden;   7

nō þǣr ǣnige … | *fēasceaft* guma frōfre gebohte;   973

fēasceafte.

Nō ðȳ ǣr *fēasceafte* findan meahton   2373

fēasceaftum.

wæs … | … bēne getīðad | *fēasceaftum* men.   2285

Ēadgilse wearð | *fēasceaftum* frēond,   2393

fēaum.

Wīg ealle fornam | Finnes þegnas, nemne *fēaum* ānum,   1081

feaxe.

þā wæs be *feaxe* on flet boren | Grendles hēafod,   1647

swāt ǣdrum sprong | forð under *fexe*.   2967

fēhð.

fēhð ōþer tō,   1755

fela.

þær wæs mādma *fela*, | of feorwegum frætwa gelǣded.   36

hetenīðas wæg, | fyrene ond fǣhðe *fela* missera,   153

Swā *fela* fyrena fēond mancynnes | … oft gefremede,   164

līxte se lēoma ofer landa *fela*.   311

hæbbe ic mǣrða *fela* | ongunnen on geogoþe.   408

Hwæt! þū worn *fela*, wine mīn *Un*ferð, | … sprǣce,   530

nō ic þæs [*fela*] gylpe,   586
þæt næfre Gre[n]del swā *fela* gryra gefremede,   591
þæt hīe ær tō *fela* micles ┆ ... wældēað fornam,   694
sē þe *fela* æror ┆ ... manna cynne ┆ fyrene gefremede,   809
uncūþes *fela*,   876
Fela ic lāþes gebād, ┆ grynna æt Grendle;   929
fela þæra wæs ┆ wera ond wīfa,   992
Goldfāg scinon ┆ web æfter wāgum, wundorsīona *fela*   995
ne gefrægn ic frēondlīcor fēower mādmas ┆ ...
gummanna *fela* ┆ ... gesellan.   1028
Fela sceal gebīdan ┆ lēofes ond lāþes,   1060
þanon wōc *fela* ┆ gēosceaftgāsta;   1265
þæt hē his frēond wrece, þonne hē *fela* murne.   1385
nēowle næssas, nicorhūsa *fela*;   1411
gesāwon ðā æfter wætere wyrmcynnes *fela*,   1425
ac hine wundra þæs *fela* ┆ swe[n]cte on sunde,   1509
ðolode ær *fela* ┆ hondgemōta,   1525
hē hraþe wolde ┆ Grendle forgyldan gūðræsa *fela*,   1577
unc sceal worn *fela* ┆ māþma gemænra,   1783
hē mæg þær *fela* ┆ frēonda findan;   1837
fela mōdigra ┆ hægstealdra;   1888
þær hē worna *fela* ┆ Sige-Scyldingum sorge gefremede,   2003
Gomela Scilding, *fela* fricgende, feorran rehte;   2106
þær wæs swylcra *fela* ┆ in ðām eorð[hū]se ærgestrēona,   2232
Bealocwealm hafað ┆ *fela* feorhcynna forð onsended.   2265
Fela ic on giogoðe gūðræsa genæs,   2426
Ic genēðde *fela* ┆ gūða on geogoðe;   2511

fēla.
þæt him *fēla* lāfe frēcne ne meahton ┆ scūrheard
sceðþan,   1032

felagēomor.
Gewāt ... ┆ frōd, *felagēomor*, fæsten sēcean,   2950

felahrōr.
Scyld gewāt ... ┆ *felahrōr* fēran on Frēan wære;   27

felamōdigra.
hafelan bǣron ┆ ... heora ǣghwæþrum ┆ *felamōdigra*;   1637
Cwōm þā tō flōde *felamōdigra* ┆ hægstealdra;   1888

felasinnigne.
ðǣr þū findan miht ┆ *felasinnigne* secg;   1379

102   COOK,   [fellum-feohlēas

fellum.

   gegyrwed | dēofles cræftum ond dracan *fellum.*   2088

fen.

   sē þe mōras hēold, | *fen* ond fæsten;   104

fenfreoðo.

   siððan drēama lēas | in *fenfreoðo* feorh ālegde,   851

feng.

   hwæþere ic fāra *feng* fēore gedīgde,   578
   oððe fȳres *feng,* | oððe flōdes wylm,   1764

fēng.

   Hēo ... | ... him tōgēanes *fēng;*   1542
   Hē ð[ām] frætwum fēng, ond him fægre gehēt   2989

fengel.

   wīsa *fengel* | geatolīc gengde,   1400
   Geþenc nū, se mæra maga Healfdenes, | snottra *fengel,*   1475
   snotra *fengel* sume worde hēt,   2156
   Oferhogode ðā hringa *fengel,*   2345

fengelād.

   Hīe dȳgel lond | warigeað, ... | frēcne *fengelād,*   1359

fenhleoðu.

   scolde Grendel þonan | feorhsēoc flēon under *fenhlēoðu,*   820

fenhopu.

   Mynte se mæra ... | flēon on *fenhopu;*   764

fenne.

   þā hēo tō *fenne* gang.   1295
   f[enne] bifongen.   2009

fēo.

   ne wolde ... | ... *fēo* þingian,   156
   Siððan þā fæhðe *fēo* þingode;   470
   Ic þē þā fæhðe *fēo* lēanige,   1380

feohgiftum. *See* **feohgyftum.**

feohgyfte.

   Nō hē þære *feohgyfte* | ... scamigan ðorfte;   1026

feohgyftum.

   Swā sceal [geong g]uma gōde gewyrcean, | fromum
     feohgiftum,   21
   æt *feohgyftum* Folcwaldan sunu | ... Dene weorþode,   1089

feohlēas.

   þæt wæs *feohlēas* gefeoht, fyrenum gesyngad,   2441

feohtan.

    Nō ic ... gefrægn | ... heardran *feohtan,*   576

    Wē þæt ellenweorc ēstum miclum, | *feohtan* fremedon,   959

fēol. *See* **fēoll.**

fēoll.

    þæt hē on hrūsan ne *fēol,*   772

    se byrnwiga ... | *fēoll* on fēðan;   2919

    fēoll on foldan;   2975

fēollon.

    ðonne walu *fēollon.*   1042

fēond.

    ān ongan | fyrene fre[m]man, *fēond* on helle;   101

    Swā fela fyrena *fēond* mancynnes | ... oft gefremede,   164

    hū hē frōd ond gōd *fēond* oferswȳðeþ,   279

    þæt hīe *fēond* heora | ... ealle ofercōmon,   698

    on fāgne flōr *fēond* treddode,   725

    ræhte ongēan | *fēond* mid folme;   748

    þæt ðū hine selfne gesēon mōste, | *fēond* on frætewum   962

    wæs tō foremihtig | *fēond* on fēþe.   970

    ðȳ hē þone *fēond* ofercwōm,   1273

    hē hēan gewāt, ... | mancynnes *fēond.*   1276

    ge wið *fēond* ge wið frēond fæste geworhte,   1864

    Fēond gefyldan, ferh ellen wræc,   2706

fēonda.

    wið *fēonda* gehwone flotan ... | ... healdan,   294

    on *fēonda* geweald feor sīðian.   808

    on *fēonda* geweald forð forlācen,   903

    Ðā wæs heal hroden | *fēonda* fēorum,   1152

    wyrm yrre cwōm ... | ... *fīonda* nīos[i]an,   2671

fēonde.

    sē þæm *fēonde* ætwand.   143

    ic mid grāpe sceal | fōn wið *fēonde,*   439

fēondes.

    hand scēawedon, | *fēondes* fingras,   984

    hīo þæt līc ætbær | *fēondes* fæð[mum]   2128

    stearcheort onfand | *fēondes* fōtlāst;   2289

fēondgrāpum.

    on wæl crunge | *fēondgrāpum* fæst.   636

fēondscaða.

Mē tō grunde tēah | fāh *fēondscaða,*　　　554

fēondscipe.

þæt ys sīo fæhðo ond se *fēondscipe,*　　　2999

fēondum.

ðā ic of searwum cwōm, | fāh from *fēondum,*　　　420
Ic þæt hilt þanan | *fēondum* ætferede,　　　1669

feor.

scoldon | on flōdes æht *feor* gewītan.　　　43
hē hine *feor* forwræc,　　　109
Nō hē wiht fram mē | flōdȳþum *feor* flēotan meahte,　542
on fēonda geweald *feor* sīðian.　　　808
þæt ðē *feor* ond nēah | . . . weras ehtigað,　　　1221
ge *feor* hafað fæhðe gestæled,　　　1340
Nis þæt *feor* heonon　　　1361
feor eal gemon,　　　1701
wolde *feor* þanon | cuma collenferhð cēoles nēosan.　1805
fūs æt faroðe *feor* wlātode;　　　1916
næs him *feor* þanon | tō gesēcanne sinces bryttan,　1921
þā ðū færinga *feorr* gehogodest | sæcce sēcean　1988
ōwēr | *feor* oððe nēah findan meahte,　　　2870

feorbūend.

Nū gē *feorbūend,* | merelīðende, mīn[n]e gehȳrað |
anfealdne geþōht;　　　254

feorcȳððe.

feorcȳþðe bēoð | sēlran gesōhte,　　　1838

fēore.

hwæþere ic fāra feng *fēore* gedīgde,　　　578
tō wīdan *fēore*　　　933
wolde ūt þanon | *fēore* beorgan,　　　1293
þæt gebearh *fēore,*　　　1548
on swā geongum *fēore*　　　1843
sylfes *fēore* | bēagas [geboh]te;　　　3013

fēores.

Sumne Gēata lēod | of flānbogan *fēores* getwæfde,　1433
þætte freoðuwebbe *fēores* onsæce | . . . lēofne mannan.　1942

feorh.

ymb *feorh* sacan　　　439

wolde frēadrihtnes *feorh* ealgian,   796
in fenfreoðo *feorh* ālegde,   851
Gehwearf þā in Francna fæþm *feorh* cyninges,   1210
ær hē *feorh* seleð,   1370
þū þīn *feorh* hafast,   1849
ne seah ic wīdan *feorh*... | medudrēam māran.   2014
oð ðæt hīe forlǣddan... | ... hyra sylfra *feorh*.   2040
þǣr wæs Æschere, | frōdan fyrnwitan, *feorh* ūðgenge.   2123
unsōfte þonan | *feorh* oðferede;   2141
nō þon lange wæs | *feorh* æþelinges flǣsce bewunden.   2424
nemne wē ǣror mægen | ... *feorh* ealgian | Wedra
  ðēodnes.   2655
scealt nū dǣdum rōf... | *feorh* ealgian;   2668
Fēond gefyldan, *ferh* ellen wræc,   2706
Ne meahte hē... | on ðām frumgāre *feorh* gehealdan,   2856
wæs in *feorh* dropen.   2981

feorhbealo. *See* **feorhbealu.**

feorhbealu.
ne wolde... | *feorhbealo* feorran, fēo þingian,   156
þǣr wæs Hondscīo hild onsǣge, | *feorhbealu* fǣgum;   2077
gūðdēað fornam, | *feorhbealo* frēcne, fȳra gehwylcne,   2250
gūð nimeð, | *feorhbealu* frēcne, frēan ēowerne.   2537

feorhbennum.
Ic ðæs ealles mæg | *feorhbennum* sēoc gefēan habban;   2740

feorhbonan.
wihte ne meahte | on ðām *feorhbonan* fǣghðe gebētan;   2465

feorhcynna.
Bealocwealm hafað | fela *feorhcynna* forð onsended.   2266

feorhgenīðlan.
nō ic him þæs georne ætfealh, | *feorhgenīðlan*;   969
brægd þā beadwe heard... | *feorhgenīðlan*,   1540
ond ðā folgode *feorhgenīðlan*,   2933

feorhlāstas.
fǣge ond geflȳmed, *feorhlāstas* bær.   846

feorhlege.
Nū ic on māðma hord mīne bebohte | frōde *feorhlege*,   2800

feorhsēoc.
scolde Grendel þonan | *feorhsēoc* flēon under fenhleoðu,   820

feorhsweng.

feorhsweng ne oftēah.   2489

feorhwunde.

hē þǣr orfeorme *feorhwunde* hlēat   2385

feorme.

nō ðū ymb mīnes ne þearft | līces *feorme* leng sorgian. 451

feormend.

feormend swefað, | þā ðe beadogrīman bȳwan sceoldon; 2256

feormendlēase.

orcas stondan | fyrnmanna fatu, *feormendlēase*,   2761

feormie.

Nah hwā sweord wege, | oððe *fe[o]r[mie]* fǣted wǣge, 2253

feorr. *See* **feor.**

feorran.

sē þe cūþe | frumsceaft fīra *feorran* reccan,   91

ne wolde ... | feorhbealo *feorran*, feo þingian,   156

Hēr syndon geferede, *feorran* cumene | ..., Gēata

leode;   361

nū ic þus *feorran* cōm,   430

sē þe ǣr *feorran* cōm,   825

fērdon folctogan *feorran* ond nēan | ... wundor

scēawian,   839

nēan and *feorran* þū nū [freoðo] hafast.   1174

holtwudu sēce, | *feorran* geflȳmed,   1370

Gomela Scilding, | fela fricgende, *feorran* rehte;   2106

wīde gesȳne, | nearofāges nīð nēan ond *feorran*,   2317

ðā ðe brentingas | ofer flōda genipu *feorran* drīfað. 2808

syððan æðelingas | *feorran* gefricgean flēam ēowerne, 2889

þæt hīe bælwudu | *feorran* feredon,   3113

feorrancumene. *See also* **cumene.**

Nū wē sǣlīðend secgan wyllað, | *feorrancumene*,   1819

feorrancundum.

sōna him seleþegn ... | *feorrancundum* forð wīsade, 1795

fēorum.

būton folcscare ond *fēorum* gumena.   73

Ðā wæs heal hroden | fēonda *fēorum*,   1152

þæt hīe ... bicgan scoldon | frēonda *fēorum*.   1306

feorwegum.

þǣr wæs māðma fela, | of *feorwegum* frætwa gelǣded.   37

fēran.

Scyld gewāt ... | felahrōr *fēran* on Frēan wǣre;	27
ǣr gē fyr heonan ... | furþur *fēran.*	254
Gewiton him þā *fēran;*	301
Mǣl is mē tō *fēran;*	316
uton hraþe *fēran,*	1390
ne mæg byrnan hring | æfter wīgfruman wīde *fēran*	2261

fērdon.

fērdon folctogan feorran ond nēan | ... wundor scēawian,	839
Fērdon forð þonon fēþelāstum | ferhþum fægne,	1632

feredon.

þā ðe gifsceattas Gēata *fyredon* | þyder tō þance,	378
Scēotend Scyldinga tō scypon *feredon* | eal ingesteald	1154
Hīe on sǣlāde | drihtlīce wīf tō Denum *feredon,*	1158
þæt hīe bǣlwudu | feorran *feredon,*	3113

ferh.

ferh wearde hēold.	305

ferhðe.

hē on mōde wearð | forht, on *ferhðe;*	754
Nū ic, Bēowulf, þec | ... wylle | frēogan on *ferhþe;*	948
gehwylc hiora his *ferhþe* trēowde,	1166
him on *ferhþe* grēow | brēosthord blōdrēow;	1718

ferhðes.

forþan bið andgit ǣghwǣr sēlest, | *ferhðes* foreþanc.	1060

ferhðfrecan.

Swylce *ferhðfrecan* Fin eft begeat | sweordbealo slīðen	1146

ferhðgenīðlan.

þonne ic sweorde drep | *ferhðgenīðlan;*	2881

ferhþum.

Fērdon forð þonon fēþelāstum | *ferhþum* fægne,	1633
þæt mon his winedryhten ... | *ferhþum* frēoge,	3177

ferigeað.

Hwanon *ferigeað* gē fǣtte scyldas,	333

fēt.

fēt ond folma.	745

fetelhilt.

Hē gefēng þā *fetelhilt,*	1563

fetod.

Hraþe wæs tō būre Bēowulf *fetod,*	1310

fēða.

  Fēþa eal gesæt;   1424
fēðan.
  þonne hniton *fēþan*, | eoferas cnysedan.   1327
  symle ic him on *fēðan* beforan wolde,   2497
  þonne hnitan *fēðan*,   2544
  se byrnwiga ... fēoll on *fēðan*;   2919
fēðe.
  wæs tō foremihtig | fēond on *fēþe.*   970
fēðecempa.
  oferwearp þā wērigmōd wigena strengest, | *fēþecempa*,   1544
  Hē gewērgad sæt, | *fēðecempa*,   2853
fēðegestum.
  Hraðe wæs gerȳmed ... | *fēðegestum* flet innanweard.   1976
fēðelāstum.
  Fērdon forð þonon *fēþelāstum* | ferhþum fægne,   1632
feðergēarwum.
  sceft nytte hēold, | *feðergēarwum* fūs flāne fullēode.   3119
fēðewīges.
  Nealles Hetware hrēmge þorf[t]on | *fēðewīges*,   2364
fexe. *See* **feaxe.**
fīfelcynnes.
  fīfelcynnes eard | wonsælig wer weardode hwīle,   104
Fin.
  Fin Hengeste | elne unflītme āðum benemde,   1096
  Swylce ferhðfrecan *Fin* eft begeat | sweordbealo slīðen 1146
  Ðā wæs ... | ... *Fin* slægen,   1152
  Hengest ðā gyt | wælfāgne winter wunode mid *Finn*   1128
findan.
  þe hē cēnoste | *findan* mihte;   207
  swylce hīe æt Finnes hām *findan* meahton   1156
  ðær þū *findan* miht | felasinnigne secg;   1378
  hē mæg þær fela | frēonda *findan*;   1838
  wolde guman *findan*,   2294
  Nō ðȳ ær fēasceafte *findan* meahton   2373
  swylce hē ... | ... řeor oððe nēah *findan* meahte,   2870
  swā hyt weorðlicost | foresnotre men *findan* mihton.   3163
fingra.
  wiste his *fingra* geweald | on grames grāpum.   764

fingras.
    fingras burston;   760
    hand scēawedon, | fēondes *fingras*,   984
fingrum.
    þæt hēo þone fyrdhom ðurhfōn ne mihte | ... lāþan
      fingrum.   1505
Finn. *See* **Fin.**
Finna.
    Ðā mec sǣ oþbær | ... on *Finna* land,   580
Finnes.
    Finnes eaferum ... | hæleð Healf-Dena feallan scolde.   1068
    Wīg ealle fornam | *Finnes* þegnas, nemne fēaum ānum,   1081
    swylce hīe æt *Finnes* hām findan meahton   1156
fīonda. *See* **fēonda.**
fīra.
    sē þe cūþe | frumsceaft *fīra* feorran reccan,   91
    þæt is undyrne, ... | ... monegum *fīra*,   2001
    Frēa scēawode | *fīra* fyrngeweorc forman sīðe.   2286
    forðām mē wītan ne ðearf Waldend *fīra* | morðor-
      bealo māga,   2741
firen. *See* **fyren.**
firgenstrēam. *See* **fyrgenstrēam.**
Fitela.
    būton *Fitela* mid hine,   879
    ne wæs him *Fitela* mid;   889
flǣsce.
    nō þon lange wæs | feorh æþelinges *flǣsce* bewunden.   2424
flǣschoman.
    bil eal ðurhwōd | fægne *flǣschoman*;   1568
flānbogan.
    Sumne Gēata lēod | of *flānbogan* fēores getwǣfde,   1433
    sē þe of *flānbogan* fyrenum scēoteð.   1744
flāne.
    syððan hyne Hæðcyn ... | ... *flāne* geswencte,   2438
    sceft nytte hēold, | feðergēarwum fūs *flāne* fullēode.   3119
flēah.
    searonīðas *flea*h | Eormenrīces,   1200
    þ[ēow] nāthwylces | hæleða bearna heteswengeas *flēah*,   2225
flēam.
    þā se āglǣca | fyrendǣdum fāg on *flēam* gewand,   1001
    syððan æðelingas | feorran gefricgean *flēam* ēowerne,   2889

flēat.

flēat fāmigheals forð ofer ȳðe,   1909
flēogeð.

nihtes *flēogeð* | fȳre befangen;   2273
flēon.

Hyge wæs him hinfūs, wolde on heolster *flēon*,   755
Mynte se mæra . . . | *flēon* on fenhopu;   764
scolde Grendel þonan | feorhsēoc *flēon* under fenhleoðu,   820
hē þā fāg gewāt, | morþre gemearcod, mandrēam *flēon*,   1264
flēotan.

Nō hē wiht fram mē | . . . *flēotan* meahte,   542
flet.

Heht ðā eorla hlēo eahta mēaras | . . . on *flet* tēon,   1036
þæt hīe him ōðer *flet* eal gerȳmdon,   1086
þæt hēo on *flet* gebēah.   1540
hēo on *flet* gecrong.   1568
þā wæs be feaxe on *flet* boren | Grendles hēafod,   1647
syððan hīo Offan *flet* . . . | sīðe gesōhte,   1949
Hraðe wæs gerȳmed, . . . | fēðegestum *flet* innanweard.   1976
mæru cwēn, | friðusibb folca, *flet* eall geondhwearf,   2017
þonne hē mid fæmnan on *flett* gæð,   2034
byre nāthwylces | frætwum hrēmig on *flet* gæð,   2054
fletræste.

Bēorscealca sum | fūs ond fæge *fletræste* gebēag.   1241
fletsittende.

þā ic Frēaware *fletsittende* | nemnan hȳrde,   2022
fletsittendum.

þā wæs . . . ellenrōfum | *fletsittendum* fægere gereorded   1788
flett. *See* **flet.**
flette.

Bēowulf geþah | ful on *flette.*   1025
fletwerod.

is mīn *fletwerod*, | wīghēap, gewanod;   476
fliht.

oððe gripe mēces, oððe gāres *fliht*,   1765
flite.

sē þe wið Brecan wunne, . . . ymb sund *flite*,   507
flītende.

Hwīlum *flītende* fealwe strǣte | mēarum mǣton.   916

flōd.

op þæt unc *flōd* tōdrāf,   545
Ðā mec sǣ oþbær, | *flōd* æfter faroðe, on Finna land,   580
ðǣr fyrgenstrēam | ... niþer gewīteð, | *flōd* under
foldan.   1361
Flōd blōde wēol   1422
syðþan *flōd* ofslōh | ... gīganta cyn;   1689
syððan hīo Offan flet | ofer fealone *flōd* ... | sīðe
gesōhte;   1950
lēton ... | *flōd* fæðmian frætwa hyrde.   3133

flōda.

sē ðe *flōda* begong | heorogīfre behēold hund missera,   1497
Gif ic þæt gefricge ofer *flōda* begang,   1826
ðā ðe brentingas | ofer *flōda* genipu feorran drīfað.   2808

flōde.

nīðwundor sēon, | fȳr on *flōde*.   1366
Cwōm þā tō *flōde* fela mōdigra | hægstealdra;   1888

flōdes.

scoldon | on *flōdes* æht feor gewītan.   42
hrīnan ne mehte | færgripe *flōdes*;   1516
oððe fȳres feng, oððe *flōdes* wylm,   1764

flōdȳðum.

Nō hē wiht fram mē | *flōdȳþum* feor flēotan meahte,   542

flōr.

on fāgne *flōr* fēond treddode,   725

flōre.

Gang ðā æfter *flōre* fyrdwyrðe man   1316

flota.

flota wæs on ȳðum,   210
Gewāt þā ... | *flota* fāmiheals   218
flota stille bād,   301

flotan.

ic maguþegnas mīne hāte | ... *flotan* ēowerne ... |
ārum healdan,   294

flotherge.

syððan Higelāc cwōm | faran *flotherge* on Frēsna land,   2915

folc.

þanon hē gesōhte Sūð-Dena *folc*   463
þǣr hē *folc* āhte,   522

eft eardlufan æfre gesēcean, | *folc* oþðe frēoburh,   693
þæt þæt ðēodnes bearn . . . scolde | . . . *folc* gehealdan,   911
þīnum māgum læf | *folc* ond rīce,   1179
folc tō sǣgon,   1422
folc beorna   2220
hū ðā *folc* mid him fæhðe tōwehton.   2948

folca.

þæt ðū mē ne forwyrne, . . . | frēowine *folca,*   430
mǣru cwēn, | friðusibb *folca,* flet eall geondhwearf,   2017
þā mec . . . | frēawine *folca* æt mīnum fæder genam;   2429

folcāgende.

þæt hīe bǣlwudu | feorran feredon, *folcāgende,*   3113

folccyning.

næs se *folccyning* | ymbesittendra ænig ðāra,   2733
Nealles *folccyning* fyrdgesteallum | gylpan þorfte;   2873

folccwēn.

ēode goldhroden | frēolicu *folccwēn*   641

folce.

þone God sende | *folce* tō frōfre;   14
ðā ic furþum wēold *folce* Deni*g*a,   465
sē þe sōð ond riht | fremeð on *folce,*   1701
hwæðre hē hi*n*e on *folce* frēondlārum hēold,   2377
folce gestēpte | ofer sǣ sīde sunu Ōhteres,   2393
sē ðe ǣr *folce* wēold,   2595

folces.

gehȳrde . . . | *folces* hyrde fæstrǣdne geþōht.   610
ðe þǣr gūð fornam | bēga *folces;*   1124
slǣpende frǣt | *folces* Denigea fȳftȳne men,   1582
folces hyrde,   1832, 1849, 2644,   2981
Mōd Ðrȳðo wæg, | fremu *folces* cwēn,   1932
frēawine *folces* Frēslondum on,   2357
frōd *folces* weard,   2513

folcrēd.

folcrēd fremede,   3006

folcrihta.

folcrihta gehwylc, swā his fæder āhte.   2608

folcscare.

būton *folcscare* ond fēorum gumena.   73

folcstede.

ic wīde gefrægn weorc gebannan,... | *folcstede* frætwan.   76
sē ðe gryresīðas gegān dorste, | *folcstede* fāra;   1463

folctogan.

fērdon *folctogan* feorran ond nēan | ...wundor scēawian,   839

folcum.

Ðā wæs on burgum Bēowulf Scyldinga ... | *folcum*
gefrǣge   55
Wæs mīn fæder *folcum* gecȳþed,   262
þæt þām *folcum* sceal ... | sib gemǣne,   1855

Folcwealdan.

æt feohgyftum *Folcwaldan* sunu | ...Dene weorþode,   1089

foldan.

gefrætwade *foldan* scēatas | leomum ond lēafum ;   96
Ðā wæs winter scacen, | fæger *foldan* bearm;   1137
þāra þe ic on *foldan* gefrægen hæbbe.   1196
ðǣr fyrgenstrēam | ...niþer gewīteð, | flōd under
foldan.   1361
ne on *foldan* fæþm, ne on fyrgenholt,   1393
fēoll on *foldan*;   2975

foldbold.

þæt hē on hrūsan ne fēol, | fæger *foldbold*;   773

foldbūend.

hyne *foldbūend* | [swīðe ondræ]da[ð].   2274

foldbūende.

þone on gēardagum Grendel nemdon | *foldbūende*;   1355

foldbūendum.

þæt wæs foremǣrost *foldbūendum* | receda under
roderum,   309

foldweg.

foldweg mǣton, | cūþe strǣte,   1633

foldwegas.

ðǣr him *foldwegas* fægere þūhton,   866

folgedon.

ðēah hīe hira bēaggyfan banan *folgedon*   1102

folgode.

ond ðā *folgode* feorhgenīðlan,   2933

folma.

fēt ond *folma*.   745

8

folme.

rähte ongēan | fēond mid *folme*;   748

Hwǣþere hē his *folme* forlēt   970

hēo under heolfre genam | cūþe *folme*;   1303

folmum.

nǣnig witena wēnan þorfte | beorhtre bōte tō ban*an*

    folmum.   158

syþðan hē hire *folmum* [hr]ān;   722

Heort innanweard | *folmum* gefrætwod;   992

fōn.

ic mid grāpe sceal | *fōn* wið fēonde,   439

fond.

Fand þā ðǣr inne æþelinga gedriht   118

Nǣfre hē... | heardran hæle, healðegnas *fand.*   719

word ōþer *fand* | sōðe gebunden.   870

sē æt Heorote *fand* | wæccendne wer wīges bīdan.   1267

grim*n*e, gryrelīcne grundhyrde *fond.*   2136

Hordwynne *fond* | eald ūhtsceaða opene standan,   2270

dryhten sīnne drīorigne *fand*   2789

fōr.

gegnum *fōr* | ofer myrcan mōr,   1404

sǣgenga *fōr,*   1908

mid bǣle *fōr,* | fȳre gefȳsed.   2308

foran.

fēondes fingras, *foran* ǣghwylc;   984

þæt wæs ān *foran* ealdgestrēona;   1458

þe him *foran* ongēan | linde bǣron;   2364

forbærnan.

ne mōston... | dēaðwērigne Denia lēode | bronde

    forbærnan,   2126

forbærst.

Nægling *forbærst,*   2680

forbarn. *See* **forborn.**

forberan.

þæt hē þone brēostwylm *forberan* ne mehte,   1877

forborn.

sweord ǣr gemealt, | *forbarn* brōden mǣl;   1616

þæt hildebil | *forbarn,* brogden mǣl,   1667

Līgȳðum *forborn* | bord wið rond;   2672

ford.

ymb brontne *ford* brimlīðende | lāde ne letton.　568

fore.

nō mearn *fore* | fǣhðe ond fyrene;　136

foremǣrost.

þæt wæs *foremǣrost* foldbūendum | receda under
roderum,　309

foremihtig.

wæs tō *foremihtig* | fēond on fēþe.　969

foresnotre.

swā hyt weordlīcost | *foresnotre* men findan mihton. 3162

foreðanc.

forþan bið andgit ǣghwǣr sēlest, | ferhðes *foreþanc.* 1060

forgeaf.

Him þæs Līffrēa, | wuldres Wealdend, woroldāre
forgeaf;　17
ðǣm tō hām *forgeaf* Hrēþel Gēata | āngan dohtor;　374
Ac him Dryhten *forgeaf* | wīgspēda gewiofu,　696
Forgeaf þā Bēowulfe b*earn* Healfdenes | segen
gyldenne　1020
mǣgenrǣs *forgeaf* | hildebille,　1519
hē mē lond *forgeaf,* | eard, ēðelwyn.　2492
gemunde ðā ðā āre, þe hē him ǣr *forgeaf,*　2606
eald sweord etonisc, þæt him Onela *forgeaf,*　2616
ond ðā Iofore *forgeaf* āngan dohtor,　2997

forgeald.

hē him ðæs lēan *forgeald.*　114
Hēo him eft hraðe handlēan *forgeald* | grimman
grāpum,　1541
Hē him þæs lēan *forgeald,* | rēþe cempa,　1584
hū i[c] [ð]ām lēodsceaðan | yfla gehwylces hondlēan
forgeald;　2094
forgeald hraðe | wyrsan wrixle wælhlem þone,　2968

forgolden.

Bīowulfe wearð | dryhtmāðma dǣl dēaðe *forgolden*; 2843

forgrand.

forgrand gramum;　424

forgrāp.

æt gūðe *forgrāp* Grendeles mǣgum　2353

8*

forgrunden.

Hæfde līgdraca lēoda fæsten . . . | glēdum *forgrunden*; 2335

þā his āgen w[æs] | glēdum *forgrunden.*   2677

forgyldan.

þone ænne heht | golde *forgyldan,*   1054

hē hraþe wolde | Grendle *forgyldan* gūðræsa fela,   1577

wolde . . . līge *forgyldan* | drincfæt dȳre.   2305

forgylde.

Alwalda þec | gōde *forgylde,*   956

forgȳmeð.

hē þā forðgesceaft | forgyteð ond *forgȳmeð,*   1751

forgyteð.

hē þā forðgesceaft | *forgyteð*   1751

forhabban.

ne meahte wæfre mōd | *forhabban* in hreþre.   1151

ne mihte ðā *forhabban,*   2609

forhealdan.

hæfdon hȳ *forhealden* helm Scylfinga,   2381

forhicge.

ic þæt þonne *forhicge,*   435

forht.

hē on mōde wearð | *forht,* on ferhðe;   754

Næs hē *forht* swā ðēh, | gomela Scilfing,   2967

forlācen.

hē . . . wearð | . . . forð *forlācen,*   903

forlǣddan.

oð ðæt hīe *forlǣddan* . . . | swǣse gesīðas   2039

forlǣtan.

Nolde eorla hlēo . . . | þone cwealmcuman cwicne

forlǣtan,   792

forlēas.

þær hē dōme *forlēas,* | ellenmǣrðum.   1470

ðe ǣr his elne *forlēas.*   2861

forlēt.

Hwæþere hē his folme *forlēt*   970

þær hē hine ǣr *forlēt.*   2787

forlēton.

forlēton eorla gestrēon eorðan healdan,   3166

forloren.

nealles ic ðām lēanum *forloren* hæfde,   2145

forma.

ne wæs þæt *forma* sīð,   716
næs þæt *forma* sīð,   1463
ðā wæs *forma* sīð | dēorum mādme,   1527
þā wæs *forma* sīð | geongan cempan,   2625

forman.

hē gefēng hraðe *forman* sīðe | slæpendne rinc,   740
Frēa scēawode | fīra fyrngeweorc *forman* sīðe.   2286
ðær hē þȳ fyrste *forman* dōgore | wealdan mōste,   2573

fornam.

āhte ic holdra þȳ læs, | ... þē þā dēað *fornam.*   488
heaþorǣs *fornam* | mihtig meredēor þurh mīne hand.   557
þæt hīe ... | in þǣm wīnsele wældēað *fornam,*   695
Wīg ealle *fornam* | Finnes þegnas,   1080
ðe þær gūð *fornam* | bēga folces;   1123
hyne wyrd *fornam,*   1205
hē ... wæs | sundes þē sænra, ðē hyne swylt *fornam.*   1436
sunu dēað *fornam,* | wīghete Wedra.   2119
Ealle hīe dēað *fornam* | ærran mǣlum,   2236
gūðdēað *fornam,* | feorhbealo frēcne, fȳra gehwylcne,   2249
hyne ecg *fornam.*   2772

fornōmon.

hine īrenna ecga *fornāmon,*   2828

fōron.

scaþan scīrhame tō scipe *fōron.*   1895

forscrifen.

siþðan him Scyppend *forscrifen* hæfde.   106

forsended.

hē mid eotenum wearð ... | snūde *forsended.*   904

forsiteð.

oððe ēagena bearhtm | *forsiteð* ond forsworceð;   1767

forsīðod.

Hæfde ðā *forsīðod* sunu Ecgþēowes   1550

forstandan.

þæt hē ... mihte | ... hord *forstandan,*   2955

forstes.

ðonne *forstes* bend Fæder onlǣteð,   1609

forstōd.

wið ord ond wið ecge ingang *forstōd.*   1549

forstōde.

nefne him witig God wyrd *forstōde,*   1056

forswealg.

Līg ealle *forswealg,* | gæsta gīfrost,   1122
lēofes mannes līc eall *forswealg.*   2080

forswēop.

hīe wyrd *forswēop* | on Grendles gryre.   477
ealle wyrd *forswēop* | mīne māgas tō metodsceafte,   2814

forsworceð.

oððe ēagena bearhtm | forsiteð ond *forsworceð*;   1767

forsworen.

ac hē sigewæpnum *forsworen* hæfde,   804

forð.

þe hine æt frumsceafte *forð* onsendon   45
Ðæm fēower bearn *forð* gerīmed | in worold wōcun,   59
Fyrst *forð* gewāt;   210
Gewītaþ *forð* beran | wæpen ond gewædu,   291
Ēode Wealhþēow *forð,* | cwēn Hrōðgāres,   612
Forð nēar ætstōp,   745
hē ... wearð | on fēonda geweald *forð* forlācen,   903
heald *forð* tela | nīwe sibbe.   948
þā cwōm Wealhþēo *forð* | gān   1162
þonne ðū *forð* scyle | metodsceaft sēon.   1179
forð gewitenum on fæder stæle.   1479
Fērdon *forð* þonon   1632
stēpte ofer ealle men, | *forð* gefremede,   1718
sōna him seleþegn ... | feorrancundum *forð* wīsade,   1795
flēat fāmigheals *forð* ofer ȳðe,   1909
Ic sceal *forð* sprecan | gēn ymbe Grendel,   2069
Bealocwealm hafað | fela feorhcynna *forð* onsended.   2266
hē tō *forð* gestōp | ... dracan hēafde nēah.   2289
freoðowong þone *forð* oferēodon,   2959
swāt ædrum sprong | *forð* under fexe.   2967
þonne hē *forð* scile | of līchaman [læne] weorðan.   3177

forðgesceaft.

hē þā *forðgesceaft* | forgyteð   1750

forðringan.

ne þā wēalāfe wīge *forþringan* 1084

forðweg.

þā hē of ealdre gewāt | frōd on *forðweg.* 2625

forwræc.

hē hine feor *forwræc,* | . . . mancynne fram. 109

forwrāt.

forwrāt Wedra helm wyrm on middan. 2705

forwrecan.

þȳ læs hym ȳþa ðrym | wudu wynsuman *forwrecan*
meahte. 1919

forwurpe.

þæt hē gēnunga gūðgewǣdu | wrāðe *forwurpe,* 2872

forwyrnde.

Swā hē ne *forwyrnde* woroldrǣdenne, 1142

forwyrne.

þæt ðū mē ne *forwyrne,* wīgendra hlēo, 429

fōtes.

Nelle ic beorges weard | oferflēon *fōtes* trem, 2525

fōtgemearces.

Sē wæs fīftiges *fōtgemearces* | lang 3042

fōtlāst.

stearcheort onfand | fēondes *fōtlāst;* 2289

fōtum.

þe æt *fōtum* sæt frēan Scyldinga, 500
æt *fōtum* sæt frēan Scyldinga; 1166

fracod.

Næs sēo ecg *fracod* | hilderince, 1575

frægn.

þegn Hrōðgāres . . . meþelwordum *frægn:* 236
þā ðær wlonc hæleð | ōretmecgas . . . *frægn:* 332
frægn gif him wǣre | æfter nēodlaðu niht getǣse. 1319

frǣt.

slǣpende *frǣt* | folces Denigea fȳftȳne men, 1581

frætewum. *See* **frætwum.**

frætwa.

þǣr wæs māðma fela, | of feorwegum *frætwa* gelǣded. 37
bær on bearm scipes beorhte *frætwa* | Wælses eafera; 896

Ic ðāra *frætwa* Frēan ealles ðanc | ... secge,   2794
lēton ... | flōd fæðmian *frætwa* hyrde.   3133
frætwan.
  ic wīde gefrægn weorc gebannan ..., | folcstede
  frætwan.   76
frætwe.
  secgas bǣron | on bearm nacan beorhte *frætwe*,   214
  Hē þā *frætwe* wǣg, | eorclanstānas, ofer ȳða ful,   1207
  Hēt þā ūp beran ... | *frætwe* ond fǣtgold;   1921
  Nalles hē ðā *frætwe* Frēscyning[e], | brēostweorðunge,
    bringan mōste,   2503
  Hē *frætwe* gehēold fela missera,   2620
  nalles *frætwe* geaf | ealdor dugoðe.   2919
frætwum.
  þæt ðū hine selfne gesēon mōste, | fēond on *frætewum*   962
  byre nāthwylces | *frætwum* hrēmig on flet gǣð,   2054
  þæt þām *frætwum* fēower mēaras | ... lāst weardode,   2163
  Ār wæs on ofoste, ... | *frætwum* gefyrðred;   2784
  Hē ð[ām] *frætwum* fēng,   2989
Francna.
  Gehwearf þā in *Francna* fæþm feorh cyninges,   1210
frēa.
  nǣnig þæt dorste dēor genēþan | ... nefne sīn *frēa*,   1934
  Frēa scēawode | fīra fyrngeweorc forman sīðe.   2285
frēadrihtnes.
  wolde *frēadrihtnes* feorh ealgian, | mǣres þēodnes,   796
frēan.
  Scyld gewāt ... | felahrōr fēran on *Frēan* wǣre;   27
  Habbað wē tō þǣm mǣran micel ǣrende | Deniga
  frēan;   271
  þæt þis is hold weorod | *frēan* Scyldinga.   291
  Ic þæs ..., | *frēan* Scildinga, frīnan wille,   351
  þæt hē for eaxlum gestōd | Deniga *frēan*;   359
  þe æt fōtum sæt *frēan* Scyldinga,   500
  ēode goldhroden | frēolicu folccwēn tō hire *frēan* sittan.   641
  æt fōtum sæt *frēan* Scyldinga;   1166
  þæt hē þone wīsan wordum *nǣgde* | *frēan* Ingwina,   1319
  hit on æht gehwearf | ... Denigea *frēan*,   1680
  gūð nimeð, | feorhbealu frēcne, *frēan* ēowerne.   2537

wīgheafolan bær | *frēan* on fultum,   2662
Ic ðāra frætwa *Frēan* ealles ðanc | ... secge,   2794
sæt | fēðecempa *frēan* eaxlum nēah,   2853
syððan hīe gefricgeað *frēan* ūserne | ealdorlēasne,   3002
ond þonne geferian *frēan* ūserne,   3107

Frēaware.

þā ic *Frēaware* fletsittende | nemnan hȳrde,   2022

frēawine.

frēawine folca Frēslondum on | ... swealt   2357
þā mec ... | *frēawine* folca æt mīnum fæder genam;   2429
syððan ... Hæðcyn ... | his *frēawine* flāne geswencte,   2438

frēawrāsnum.

befongen *frēawrāsnum,*   1451

freca.

Hē gefēng þā fetelhilt, *freca* Scyldinga,   1563

frēcnan.

gyf ... hwylc *frēcnan* spræce | ðæs morþorhetes
     myndgiend wære,   1104

frēcne.

āna genēðde | *frēcne* dæde;   889
frēcne genēðdon | eafoð uncūþes;   959
þæt him fēla lāfe *frēcne* ne meahton | scūrheard
     sceþðan,   1032
Hīe dȳgel lond | warigeað, ... | *frēcne* fengelād,   1359
Eard git ne const, | *frēcne* stōwe,   1378
frēcne gefērdon;   1691
gūðdēað fornam, | feorhbealo *frēcne,* fȳra gehwylcne,   2250
gūð nimeð, | feorhbealu *frēcnc,* frēan ēowerne.   2537
þā wæs ... | *frēcne* fȳrdraca fæhða gemyndig,   2689

fremde.

þæt wæs *fremde* þēod | ēcean Dryhtne;   1692

fremede.

þæt ic ... | mǣrðo *fremede;*   2134
folcrēd *fremede,*   3006

fremedon.

hū ðā æþelingas ellen *fremedon.*   3
Wē þæt ellenweorc ēstum miclum, | feohtan *fremedon,*   959
nalles fācenstafas | þēod-Scyldingas þenden *fremedon.*   1019

fremeð.

  sē þe sōð ond riht | *fremeð* on folce,   1701

fremman.

  ān ongan | fyrene *fre[m]man,* fēond on helle;   101
  þæt hē mec *fremman* wile | wordum ond weorcum, 1832
  tō aldre sceall | sæcce *fremman,*   2499
  ic wylle ... | mærðum *fremman,*   2514
  þæt hē gūðe ræs | ... *fremman* sceolde;   2627

fremmað.

  fremmað gēna | lēoda þearfe;   2800

fremme.

  fremme sē þe wille;   1003

fremu.

  Mōd Ðrȳðo wæg, | *fremu* folces cwēn,   1932

frēoburh.

  þæt hē þanon scolde | eft ... gesēcean | folc oþðe
    frēoburh,   693

frēode.

  Ongenðēowes eaferan ... | ... *frēode* ne woldon |
    ... healdan,   2476
  næs ðær māra fyrst | *frēode* tō friclan.   2556

frēodrihten. *See* **frēodryhten.**

frēodryhten.

  Onfōh þissum fulle, *frēodrihten* mīn,   1169
  þæt hē gūðe ræs | mid his *frēodryhtne* fremman
    sceolde;   2627

frēogan.

  Nū ic, Bēowulf, þec, | ... mē for sunu wylle | *frēogan*
    on ferhþe;   948

frēoge.

  þæt mon his winedryhten ... | ferhðum *frēoge,* 3176

frēolīc.

  ond þā *frēolīc* wīf ful gesealde | ... eþelwearde, 615

frēolicu.

  ēode goldhroden | *frēolicu* folccwēn   641

frēond.

  sēlre bið æghwæm | þæt hē his *frēond* wrece, 1385
  ge wið fēond ge wið *frēond* fæste geworhte, 1864
  Ēadgilse wearð | fēasceaftum *frēond,*   2393

frēonda.
þæt hīe on bā healfa bicgan scoldon | *frēonda* fēorum. 1306
hē mæg þǣr fela | *frēonda* findan; 1838
frēondlārum.
hwæðre hē hi*n*e on folce *frēondlārum* hēold, 2377
frēondlaðu.
Him wæs ful boren, ond *frēondlaþu* | wordum be-
wægned, 1192
frēondlīcor.
ne gefrægn ic *frēondlīcor* fēower mādmas | ...
gummanna fela | ... gesellan. 1027
frēondscipe.
þȳ ic ... ne telge ... | *frēondscipe* fæstne. 2069
frēondum.
wearð | mæg Higelāces ... | *frēondum* gefægra; 915
Heorot innan wæs | *frēondum* āfylled; 1018
Gewiton him ... | *frēondum* befeallen, Frȳsland gesēon, 1126
freoðe.
Ic þē sceal mīne gelǣstan | *freoðe,* 1707
freoðo.
wel bið þǣm þe mōt ... | ... tō Fæder fæþmum
freoðo wilnian. 188
nēan ond feorran þū nū [*freoðo*] hafast. 1174
freoðo-. See **freoðu-.**
freoðuburh.
ðonon hē gesōhte ... | *freoðoburh* fægere, 522
freoðusibb.
mǣru cwēn, | *friðusibb* folca, flet eall geondhwearf, 2017
freoðuwǣre.
Ðā hīe getrūwedon ... | fæste *frioðuwǣre;* 1096
frioðowǣre bæd | hlāford sīnne. 2282
freoðuwebbe.
þætte *freoðuwebbe* fēores onsæce | ... lēofne mannan. 1942
freoðuwong.
freoðowong þone forð oferēodon, 2959
frēowine.
þæt ðū mē ne forwyrne,... | *frēowine* folca, 430
Frēscyninge.
Nalles hē ðā frætwe *Frēscyning*[e], | ... bringan mōste, 2504

Frēsena. *See* **Frēsna.**

Frēsland.

Gewiton him... | frēondum befeallen, *Frȳsland* gesēon, 1126

Frēslondum.

syððan ... | frēawine folca *Frēslondum* on | ... swealt 2357

Frēsna.

swā hē *Frēsena* cyn | on bēorsele byldan wolde. 1093

gyf ... *Frȳsna* hwylc ... | ðæs morþorhetes mynd-
giend wǣre, 1104

syððan Higelāc cwōm | faran flotherge on *Frēsna* land, 2915

Frēsum.

syþðan hē for wlenco wēan āhsode, | fæhðe tō *Frȳsum.* 1207

syððan under[ne] | Froncum ond *Frȳsum* fyll cyninges |
wīde weorðeð. 2912

Frēswǣle.

Hnæf Scyldinga | in *Frēswǣle* feallan scolde. 1070

fretan.

þā sceall brond *fretan,* 3014

Nū sceal glēd *fretan* | ... wigena strengel, 3114

fricgean.

Higelāc ongan | sīnne geseldan ... | fægre *fricgean,* 1985

fricgende.

Gomela Scilding, | fela *fricgende,* feorran rehte; 2106

friclan.

næs ðǣr māra fyrst | frēode tō *friclan.* 2556

frīn.

Ne *frīn* þū æfter sǣlum; 1322

frīnan.

Ic þæs wine Deniga, | frēan Scildinga, *frīnan* wille, 351

frioðo-. *See* **freoðu-.**

friðu-. *See* **freoðu-.**

frōd.

hū hē *frōd* ond gōd fēond oferswȳðeþ, 279

þā wæs *frōd* cyning, | hār hilderinc, on hrēon mōde, 1306

Nō þæs *frōd* leofað | gumena bearna, 1366

ic þis gid be þē | āwræc wintrum *frōd.* 1724

þū eart mægenes strang ond on mōde *frōd,* 1844

þonne hē wintrum *frōd* worn gemunde. 2114

wæs ðā *frōd* cyning, | eald eþelweard, 2209

hē hǣðen gold | warað wintrum *frōd*;   2277
ic wylle, | *frōd* folces weard, fǣhðe sēcan,   2513
þā hē of ealdre gewāt | *frōd* on forðweg.   2625
Gewāt... | *frōd*, felagēomor, fǣsten sēcean,   2950

frōda.
Sōna him se *frōda* fæder Ōhtheres | ... *ondslyht*
    āgeaf,   2928

Frōdan.
Sīo gehāten [is], | geong, goldhroden, gladum suna
    Frōdan;   2025

frōdan.
þǣr wæs Æschere, | *frōdan* fyrnwitan, feorh ūðgenge.   2123

frōde.
Nū ic on māðma hord mīne bebohte | *frōde* feorhlege,   2800

frōfor.
him Dryhten forgeaf... | *frōfor* ond fultum,   698
Frōfor eft gelamp | sārigmōdum somod ǣrdǣge,   2941

frōfre.
hē þæs *frōfre* gebād,   7
þone God sende | folce tō *frōfre*;   14
frōfre ne wēnan,   185
þæt hēo on ǣnigne eorl gelȳfde | fyrena *frōfre*.   628
nō þǣr ǣnige... | fēasceaft guma *frōfre* gebohte;   973
him tō Anwaldan āre gelȳfde, | *frōfre* ond fultum;   1273
ðū scealt tō *frōfre* weorþan | ... lēodum þīnum,   1707

from.
Ic eom on mōde *from*,   2527

frome.
oþ ðæt semninga tō sele cōmon | *frome*, fyrdhwate,   1641
him Ongenðēowes eaferan wǣran | *frome*, fyrdhwate,   2476

fromum.
Swā sceal [geong g]uma gōde gewyrcean, | *fromum*
    feohgiftum,   21

Froncum.
syððan under[ne] | *Froncum* ond Frȳsum fyll cyninges |
    wīde weorðeð.   2912

fruma.
Wæs se *fruma* egeslīc | lēodum on lande,   2309

frumcyn.
   Nū ic ēower sceal | *frumcyn* witan,   252
frumgāre.
   Ne meahte hē... | on ðām *frumgāre* feorh gehealdan, 2856
frumsceaft.
   sē þe cūþe | *frumsceaft* fīra feorran reccan,   91
frumsceafte.
   þe hine æt *frumsceafte* forð onsendon   45
Frȳs-. *See* **Frēs-.**
fugle.
   Gewāt... | flota fāmiheals, *fugle* gelīcost,   218
fuglum.
   [*fuglum*] tō gamene.   2941
ful, *sb.*
   ond þā frēolīc wīf *ful* gesealde | ... ēþelwearde, 615
   Hē þæt *ful* geþeah,   628
   Bēowulf geþah | *ful* on flette.   1025
   Him wæs *ful* boren,   1192
   Hē... wæg, | eorclanstānas, ofer ȳða *ful*, 1208
ful, *adj.*
   sē wæs innan *full* | wrætta ond wīra. 2412
ful, *adv.*
   Ful oft gebēotedon bēore druncne | ... ōretmecgas, 480
   Ful oft ic for læssan lēan teohhode, 951
   swā him *ful* oft gelamp,   1252
full. *See* **ful.**
fullǣstu.
   ic ðē *fullǣstu.*   2668
fulle.
   Onfōh þissum *fulle*, frēodrihten mīn, 1169
fullēode.
   sceft... | feðergearwum fūs flāne *fullēode.* 3119
fultum.
   him Dryhten forgeaf... | frōfor ond *fultum,* 698
   him tō Anwaldan āre gelȳfde, | frōfre ond *fultum*; 1273
   þæt ic... | ... þē tō gēoce gārholt bere, | mægenes
     fultum,   1835
   wīgheafolan bær | frēan on *fultum,* 2662
funde.
   oþ þæt hē fǣringa fyrgenbēamas | ... *funde,* 1415
   þæt ic gumcystum gōdne *funde*   1486

funden.

syððan ǣrest wearð | fēasceaft *funden*;   7

fundiað.

þæt wē *fundiaþ* | Higelāc sēcan;   1819

fundode.

fundode wrecca, | gist of geardum;   1137

fundon.

Fundon ðā on sande sāwullēasne   3033

furðum.

þā hīe tō sele *furðum* | ... gangan cwōmon.   323
ðā ic *furþum* wēold folce Den*iga*,   465
swā wit *furðum* sprǣcon;   1707
Ic ðǣr *furðum* cwōm | tō ðām hringsele   2009

furður.

ǣr gē fyr heonan ... | *furþur* fēran.   254
eoten wæs ūtweard; eorl *furþur* stōp.   761
furður gēn | eorlscipe efnde.   3006

fūs.

Bēorscealca sum | *fūs* ond fǣge fletrǣste gebēag.   1241
nū ic eom sīðes *fūs*,   1475
sē þe ... lēofra manna | *fūs* æt faroðe feor wlātode;   1916
woruldcandel scān, | sigel sūðan *fūs*;   1966
sceall ... | ... se wonna hrefn | *fūs* ofer fǣgum fela
    reordian,   3025
sceft ... | *feðergearwum* *fūs* flāne fullēode.   3119

fūse.

wǣron æþelingas eft tō lēodum | *fūse* tō faren*ne*;   1805

fūslīc.

Horn stundum song | *fūslīc* f[yrd]lēoð.   1424
his māgum ætbǣr ... | fyrdsearo *fūslīc*;   2618

fūslicu.

beorhte randas, | fyrdsearu *fūslicu*;   232

fyll.

syððan under[ne] | ... *fyll* cyninges | wīde weorðeð.   2912

fylle.

næs hīe ðǣre *fylle* gefēan hæfdon,   562
Bugon þā tō bence blǣdāg*ende*, | *fylle* gefǣgon;   1014
eftsīðas tēah, | *fylle* gefrǣgnod.   1333
þæt hē on *fylle* wearð.   1544

fylwērigne.

þæt ðū hine selfne gesēon mōste, | fēond... *fylwērigne.* 962

fyr.

hēold hyne syðþan | *fyr* ond fæstor, 143
ǣr gē *fyr* heonan,... | furþur fēran. 252

fȳr.

þǣr mæg... nīðwundor sēon, | *fȳr* on flōde. 1366
þæt ðæt *fȳr* ongon | sweðrian syððan. 2701
fȳr unswīðor | wēoll of gewitte. 2881

fȳra.

gūðdēað fornam, | feorhbealo frēcne, *fȳra* gehwylcne, 2250

fȳrbendum.

duru sōna onarn, | *fȳrbendum* fæst, 722

fyrdgesteallum.

Nealles folccyning *fyrdgesteallum* | gylpan þorfte; 2873

fyrdhom.

þæt hēo þone *fyrdhom* ðurhfōn ne mihte, 1504

fyrdhrægl.

helm oft gescær, | fæges *fyrdhrægl*; 1527

fyrdhwate.

oþ ðæt semninga tō sele cōmon | frome, *fyrdhwate*, 1641
him Ongenðēowes eaferan wǣran | frome, *fyrdhwate*, 2476

fyrd-lēoð.

Horn stundum song | fūslīc *f[yrd]-lēoð.* 1424

fȳrdraca.

þā wæs... | frēcne *fȳrdraca,* fǣhða gemyndig, 2689

fyrdsearo. *See* **fyrdsearu.**

fyrdsearu.

beorhte randas, | *fyrdsearu* fūslicu; 232
gūðgewǣdu, | *fyrdsearo* fūslīc; 2618

fyrdwyrðe.

Gang ðā æfter flōre *fyrdwyrðe* man 1316

fȳre.

nihtes flēogeð | *fȳre* befangen; 2274
mid bǣle fōr, | *fȳre* gefȳsed. 2309
nearo ðrōwode | *fȳre* befongen, 2595

fyredon. *See* **feredon.**

fyren.

hine *fyren* onwōd. 915
Mōd Ðryðo wæg, | ... *firen* ondrysne; 1932

fyrena.

Swā fela *fyrena* fēond mancynnes, | ... oft gefremede,   164

þæt hēo on ænigne eorl gelȳfde | *fyrena* frōfre.   628

Sōna þæt onfunde *fyrena* hyrde,   750

fæhðe ond *fyrena*,   879

fyrendǣda.

Ic ... | ... *fyrendǣda* wræc,   1669

fyrendǣdum.

þā se āglǣca | *fyrendǣdum* fāg on flēam gewand,   1001

fyrene.

ān ongan | *fyrene* fre[m]man, fēond on helle;   101

nō mearn fore | fæhðe ond *fyrene*;   137

hetenīðas wæg, | *fyrene* ond fæhðe   153

sē þe fela ǣror ... | *fyrene* gefremede,   811

þæt mǣgwine mīne gewrǣcan, | fæhðe ond *fyrene*,   2480

fyrenðearfe.

fyrenðearfe ongeat,   14

fyrenum.

sē þe of flānbogan *fyrenum* scēoteð.   1744

þæt wæs feohlēas gefeoht, *fyrenum* gesyngad,   2441

fȳres.

ðe sceal | þurh slīðne nīð sāwle bescūfan | in *fȳres* fæþm,   185

oððe *fȳres* feng, oððe flōdes wylm,   1764

fyrgenbēamas.

oþ þæt hē fǣringa *fyrgenbēamas* | ... funde,   1414

fyrgenholt.

ne on foldan fæþm, ne on *fyrgenholt*,   1393

fyrgenstrēam.

ðǣr *fyrgenstrēam* | under næssa genipu niþer gewīteð,   1359

hīo þæt līc ætbær | ... [un]der *firgenstrēam*.   2128

fȳrheard.

Eoforlīc scionon | ofer hlēorber[g]an ... | fāh ond *fȳrheard*;   305

fȳrlēoht.

fȳrlēoht geseah, | blācne lēoman beorhte scīnan.   1516

fyrmest.

hē *fyrmest* læg, | gyrded cempa;   2077

9

fyrndagum.

swā hine *fyrndagum* | worhte wǣpna smið,   1451

fyrngeweorc.

Frēa scēawode | fīra *fyrngeweorc* forman sīðe.   2286

fyrngewinnes.

on ðǣm wæs ōr writen | *fyrngewinnes*,   1689

fyrnmanna.

orcas stondan, | *fyrnmanna* fatu,   2761

fyrnwitan.

þǣr wæs ... | frōdan *fyrnwitan* feorh ūðgenge.   2123

fyrst.

Nǣs hit lengra *fyrst*, | ac ymb āne niht   134
Fyrst forð gewāt;   210
gif þū Grendles dearst | nihtlongne *fyrst* nēan bīdan.   528
ætsomne on sǣ wǣron | fīf nihta *fyrst*,   545
næs ðǣr māra *fyrst* | frēode tō friclan.   2555

fyrste.

Him on *fyrste* gelomp | ... þæt hit wearð eal gearo,   76
ðǣr hē þȳ *fyrste* forman dōgore | wealdan mōste,   2573

fyrwet. *See* **fyrwyt.**

fȳrwylmum.

wyrm yrre cwōm ... | *fȳrwylmum* fāh fīonda nīos[i]an,   2671

fyrwyt.

hine *fyrwyt* bræc | mōdgehygdum,   232
hyne *fyrwet* bræc,   1985, 2784

G.

gā.

gā þǣr hē wille.   1394
Gā nū tō setle,   1782

gād.

Ne bið þē wilna *gād*,   660
Ne bið þē [n]ænigra *gād* | worolde wilna,   949

gædelinges.

his *gædelinges* gūðgewǣdu,   2617

gædelingum.

Gewāt him ðā se gōda mid his *gædelingum*,   2949

gæleð.

sorhlēoð *gæleð* | ān æfter ānum;   2460

gæst(-). *See* **gist(-).**

gǣst-. *See* **gāst-.**

gǣð.

Gǣð ā wyrd swā hīo scel.   455
Gǣþ eft sē þe mōt | tō medo mōdig,   603
þonne hē mid fǣmnan on flett *gǣð*,   2034
byre nāthwylces | frætwum hrēmig on flet *gǣð*,   2054

galan.

þe ... gehȳrdon | gryrelēoð *galan* Godes ondsacan,   786
bearhtm ongēaton, | gūðhorn *galan*.   1432

galdre. *See* **gealdre.**

galgan.

þæt his byre rīde | giong on *galgan*;   2446

galgmōd.

gīfre ond *galgmōd* gegān wolde | sorhfulne sīð,   1277

galgtrēowum.

sum[e] on *galgtrēowu*[m]   2940

gam-. *See* **gom-.**

gān.

hāt in *gān*   386
þā cwōm Wealhþēo forð | *gān* under gyldnum bēage,   1163
Ðā cōm in *gān* ealdor ðegna,   1644

gang. *See also* **gong(-).**

uton hraþe fēran, | Grendles māgan *gang* scēawigan.   1391
Lāstas wǣron | ... wīde gesȳne, | *gang* ofer grundas;   1404

ganotes.

gegrēttan ofer *ganotes* bæð;   1861

gār.

þæt ðe *gār* nymeð, | ... Hrēþles eaferan,   1846
sceall *gār* wesan | ... mundum bewunden,   3021

gāras.

gāras stōdon, | sǣmanna searo, samod ætgædere,
    æscholt ufan grǣg;   328

gārcēne.

geofum ond gūðum *gārcēne* man,   1958

gārcwealm.

gārcwealm gumena   2043

9*

Gār-Dena.

we *Gār-Dena* in gēardagum | þēodcyninga þrym
gefrūnon,   1

Gār-Denum.

secce ne wēneþ | tō *Gār-Denum.*   601
Gēata lēodum ond *Gār-Denum,*   1856
þæt hē ... tō *Gār-Denum* | ... sēcean þurfe | wyrsan
wīgfrecan,   2494

gāre.

hīe on gebyrd hruron | *gāre* wunde;   1075
his mæg ofscēt, | brōðor ōðerne, blōdigan *gāre.*   2440

gāres.

oððe gripe mēces, oððe *gāres* fliht,   1765

gārholt.

þæt ic ... | ... þē tō gēoce *gārholt* bere,   1834

Gārmundes.

nefa *Gārmundes,* nīða cræftig.   1962

gārsecg.

lēton holm beran, | gēafon on *gārsecg;*   49
þær git ... | glidon ofer *gārsecg;*   515
þæt wit on *gārsecg* ūt | aldrum nēðdon;   537

gārwigan.

byrne ne meahte | geongum *gārwigan* gēoce ge-
fremman;   2674
þegne gesealde, | geongum *gārwigan,* goldfāhne helm, 2811

gārwīgend.

þē hē ūsic *gārwīgend* gōde tealde,   2641

-gas.

þæt hīo hyre : : : : : : : *gas* hearde   3153

gāst.

hē þone fēond ofercwōm, | gehnægde helle *gāst.*   1274

gāsta.

Līg ealle forswealg, | *gāsta* gīfrost,   1123
hwæþer him ænig wæs ær ācenned | dyrnra *gāsta.*   1357

gāstbona.

wordum bædon | þæt him *gāstbona* gēoce gefremede   177

gāstes.

syðþan hīe þæs lāðan lāst scēawedon | wergan *gāstes;* 133
him bebeorgan ne con | wōm wundorbebodum wergan
gāstes;   1747

geador.
Þā wæs Gēatmæcgum *geador* ætsomne | ... benc
gerȳmed;   491
þǣr wæs eal *geador* | Grendles grāpe   835
gomele ymb gōdne on *geador* sprǣcon,   1595

geæfndon.
þæt *geæfndon* swā.   538

geæfned.
Āð wæs *geæfned,*   1107
Sīe sīo bǣr gearo | ǣdre *geæfned,*   3106

geæhted.
þā wæs on gange gifu Hrōðgāres | oft *geæhted.*   1885

geæhtlan.
Hȳ on wīggetāwum wyrðe þinceað | eorla *geæhtlan*;   369

geaf.
nallas bēagas *geaf* | Denum æfter dōme;   1719
ac hē mē [māðma]s *geaf,* | sunu Healfdenes,   2146
ðone þe him Wealhðēo *geaf,* | ðēod[nes] dohtor,   2173
geaf mē sinc ond symbel, sibbe gemunde;   2431
geaf him ðā mid Gēatum gūðgewǣda | ǣghwæs unrīm,   2623
ðe ūs ðās bēagas *geaf,*   2635
ond mē þās māðmas *geaf,*   2640
sē ēow ðā māðmas *geaf,*   2865
nalles frætwe *geaf* | ealdor dugoðe.   2919
þe him hringas *geaf*   3034

gēafon.
lēton holm beran, | *gēafon* on gārsecg;   49

geāhsod.
Hæbbe ic ēac *geāhsod,*   433

geald.
hordweard hæleþa heaþorǣsas *geald*   1047
Ic him þā māðmas ... | *geald* æt gūðe,   2491
geald þone gūðrǣs Gēata dryhten,   2991

gealdor.
syððan hīe Hygelāces horn ond bȳman | *gealdor*
ongēaton,   2944

gealdre.
īumonna gold, *galdre* bewunden,   3052

gealþ.
Hrēðsigora ne *gealþ* | goldwine Gēata;   2583

gēap.

reced hlīuade | *gēap* ond goldfāh;   1800

gēapne.

syþðan hildedēor hond ālegde... | ... under *gēapne*

hr[ōf].   836

gēar.

oþ ðæt ōþer cōm | *gēar* in geardas,   1134

gēara.

swā ðū on geoguðfēore *gēara* gecwǣde,   2664

gēardagum.

wē Gār-Dena in *gēardagum* | þēodcyninga þrym
gefrūnon,   1

þone on *gēardagum* Grendel nemdon | foldbūende; 1354

swā hȳ on *gēardagum* gumena nāthwylc | ... þǣr
gehȳdde,   2233

geardas.

oþ ðæt ōþer cōm | *gēar* in *geardas*,   1134

geardum.

Ðǣm eafera wæs æfter cenned | geong in *geardum*, 13

ǣr hē on weg hwurfe | gamol of *geardum*;   265

fundode wrecca, | gist of *geàrdum*;   1138

nis þǣr hearpan swēg, | gomen in *geardum*,   2459

geare. See also **gearwe**, *adv.*

con him land *geare*.   2062

þæt ðū *geare* cunne, | sinces brytta,   2070

Ic wāt *geare*, | þæt nǣron eald gewyrht,   2656

gearo, *adj.*

þæt hit wearð eal *gearo*,   77

Wiht unhǣlo, | grim ond grǣdig, *gearo* sōna wæs, 121

betst beadorinca wæs on bǣl *gearu*;   1109

þēod eal *gearo*.   1230

ic bēo *gearo* sōna.   1825

Hraþe wæs æt holme hȳðweard *gearu*,   1914

wæs eft hraðe | *gearo* gyrnwrǣce Grendeles mōdor, 2118

Beorh eall *gearo* | wunode on wonge   2241

Weard unhīore, | *gearo* gūðfreca, goldmāðmas hēold, 2414

Sīe sīo bǣr *gearo* | ǣdre geæfned,   3105

gearo, *adv.*

þæt ic... | ... *gearo* scēawige | swegle searogimmas, 2748

gearofolm.

hē mægnes rōf mīn costode, | grāpode *gearofolm.*   2085

gearu. *See* **gearo.**

gearwe, *adj. See also* **geare.**

Beornas *gearwe* | on stefn stigon;   211
gesacan sceal ... | grundbūendra *gearwe* stōwe,   1006
sīðfrome, searwum *gearwe,* | wīgend wǣron,   1813

gearwe, *adv.*

ne gē lēafnesword | ... *gearwe* ne wisson,   246
hine *gearwe* geman | witena welhwylc   265
þāra þe gumena bearn *gearwe* ne wiston,   878
wisse hē *gearwe,*   2339, 2725

gearwor.

gearwor hæfde | Āgendes ēst ǣr gescēawod.   3074

gearwost.

hē wīnreced, | goldsele gumena, *gearwost* wisse,   715

Gēat.

Gēat wæs glædmōd, gēong sōna tō, | setles nēosan,   1785
Gēat ungemetes wel, | rōfne randwigan, restan lyste;   1792

Gēata.

Hæfde se gōda *Gēata* lēoda | cempan gecorone,   205
Wē synt gumcynnes *Gēata* lēode   260
Hēr syndon ... feorran cumene | ... *Gēata* lēode;   362
ðǣm tō hām forgeaf Hrēþel *Gēata* | āngan dohtor;   374
þā ðe gifsceattas *Gēata* fyredon | þyder tō þance,   378
ic him *Gēata* sceal | eafoð ond ellen ... | gūþe ge-
beōdan.   601
grētte *Gēata* lēod, Gode þancode   625
Hūru *Gēata* lēod georne trūwode | mōdgan mægnes,   669
Gespræc þā se gōda gylpworda sum, | Bēowulf *Gēata,*   676
þǣr se gōda sæt, | Bēowulf *Gēata,*   1191
þone hring hæfde Higelāc *Gēata,*   1202
Gēata lēode | hrēawīc hēoldon.   1213
Sumne *Gēata* lēod | of flānbogan fēores getwǣfde,   1432
Mæg þonne ... ongitan *Gēata* dryhten,   1484
Hæfde ðā forsīðod ... | under gynne grund, *Gēata*
cempa,   1551
oþ ðæt ... cōmon | ... fēowertȳne | *Gēata* gongan;   1642
Ic on Hiġelāce wāt, | *Gēata* dryhten,   1831

Gif him þonne Hrēþrīc tō hofum *Gēata* | geþingeð,   1836
þæt . . . sceal; | *Gēata* lēodum ond Gār-Denum, | sib
     gemǣne,   1856
þæt hīe *Gēata* clifu ongitan meahton,   1911
næs hīo . . . | ne tō gnēað gifa *Gēata* lēodum,   1930
swā hyne *Gēata* bearn gōdne ne tealdon,   2184
hū se gūðsceaða *Gēata* lēode | hatode ond hȳnde.   2318
þæt . . . | bolda sēlest brynewylmum mealt, | gifstōl
     Gēata.   2327
syððan *Gēata* cyning gūðe rǣsum . . . | . . . swealt   2356
Gewāt . . . | dryhten *Gēata* dracan scēawian;   2402
þenden hǣlo ābēad heorðgenēatum, | goldwine *Gēata.*   2419
þā wæs synn ond sacu Swēona ond *Gēata,*   2472
Hæðcynne wearð, | *Gēata* dryhtne, gūð onsǣge.   2483
bordrand onswāf | wið ðām gryregieste, *Gēata*
     dryhten;   2560
Hond ūp ābrǣd | *Gēata* dryhten,   2576
Hrēðsigora ne gealp | goldwine *Gēata*;   2584
þæt hē āna scyle | *Gēata* duguðe gnorn þrōwian,   2658
Nū is . . . | dryhten *Gēata* dēaðbedde fæst,   2901
gesōhton | *Gēata* lēode Gūð-Scilfingas.   2927
Wæs sīo swātswaðu Sw[ē]ona ond *Gēata* | . . . wīde
     gesȳne,   2946
geald þone gūðrǣs *Gēata* dryhten,   2991
Him ðā gegiredan *Gēata* lēode | ād   3137
Swā begnornodon *Gēata* lēode | hlāfordes [hry]re,   3178
Gēatas.
Bēo wið *Gēatas* glæd, geofena gemyndig;   1173
Gēate.
wæs ōþer in ǣr geteohhod | . . . mǣrum *Gēate.*   1301
Gēatena.
Wēn ic þæt hē wille . . . | . . . *Gēatena* lēode | etan   443
Gēates.
Ðām wīfe þā word wel līcodon, | gilpcwide *Gēates*;   640
Gēatmæcgum.
þā wæs *Gēatmæcgum* geador ætsomne | . . . benc
     gerȳmed;   492
Gēatmecga.
Hæfde Ēast-Denum | *Gēatmecga* lēod gilp gelǣsted,   829

geatolīc.

secgas bǣron | ... beorhte frætwe, | gūðsearo *geatolīc*;　215
oþ þæt hȳ [s]æl timbred, | *geatolīc* ..., ongyton mihton;　308
wīsa fengel | *geatolīc* gen[g]de;　1401
þæt [wæs] wǣpna cyst, ... | gōd ond *geatolīc*, gīganta
　geweorc.　1562
Hēt ðā in beran eafor, hēafodsegn, ... | gūðsweord
　geatolīc,　2154

Gēatum.

þæt fram hām gefrægn Higelāces þegn, | gōd mid
　Gēatum,　195
tō *Gēatum* sprec | mildum wordum,　1171
næs mid *Gēatum* ðā | sincmāðþum sēlra　2192
lēt ... Bīowulf ... | *Gēatum* wealdan;　2390
geaf him ðā mid *Gēatum* gūðgewǣda | æghwæs unrīm,　2623

geatwa.

þæt eall geondseh, | recedes *geatwa*,　3088

gebād.

hē þæs frōfre *gebād*,　7
gebād wintra worn, ǣr hē on weg hwurfe　264
Līcsār *gebād* | atol æglǣca;　815
Fela ic lāþes *gebād*, | grynna æt Grendle;　929
sē þe ǣr æt sæcce *gebād* | wīghryre wrāðra,　1618
drēamlēas *gebād*,　1720
ðe ic on aldre *gebād*,　1779
sīo æt hilde *gebād* | ofer borda gebræc bite īrena,　2258
þone ðe oft *gebād* īsernscūre,　3116

gebǣded.

þonne his ðīodcyning þearfe hæfde, | bysigum *gebǣded*.　2580
Bona swylce læg, ... | bealwe *gebǣded*.　2826
þonne strǣla storm strengum *gebǣded* | scōc　3117

gebǣran.

Ne gefrǣgen ic þā mægþe ... | ... sēl *gebǣran*.　1012
þæt hē ... geseah | þone lēofestan ... | blēate *ge-
　bǣran*.　2824

gebǣted.

þā wæs Hrōðgāre hors *gebǣted*,　1399

geband.

þǣr ic fīfe *geband*,　420

gebannan.

Ðā ic wīde gefrægn weorc *gebannan*   74

gebarn.

sīo hand *gebarn* | mōdiges mannes,   2697

gebēacnod.

him *gebëacnod* wæs, | ... sweotolan tācne | heal-
ðegnes hete;   140

gebēad.

þær him Hygd *gebēad* hord ond rīce,   2369

gebēag. *See* **gebēah.**

gebēah.

hine ymb monig | snellīc særinc selereste *gebëah.*   690
Bēorscealca sum | fūs ond fæge fletræste *gebēag.*   1241
þæt hēo on flet *gebēah.*   1540
se wyrm *gebēah* | snūde tōsomne;   2567
ðā *gebēah* cyning,   2980

gebearg.

þæt *gebearh* fēore, | ... wið ecge ingang forstōd.   1549
Scyld wel *gebearg* | līfe ond līce ... | mærum þēodne, 2570

gebearh. *See* **gebearg.**

gebēaten.

syððan... | Hrēðles eafora...swealt | bille *gebēaten*; 2359

gebeddan.

wolde wīgfruma Wealhþēo sēcan, | cwēn tō *gebeddan.* 665

gebēodan.

ic him Gēata sceal | eafoð ond ellen... | gūþe
gebëodan.   603
Hēt ðā *gebēodan* byre Wihstānes, | hæle hildedīor,   3110

gebēotedon.

Ful oft *gebēotedon* bēore druncne | ... ōretmecgas,   480
Wit þæt gecwǣdon cniht-wesende | ond *gebēotedon*   536

gebētan.

wihte ne meahte | on ðām feorhbonan fǣghðe *gebētan*; 2465

gebĕtte.

swylce oncȳþðe ealle *gebĕtte,* | inwidsorge,   830

gebēttest.

ðū Hrōðgāre | wīdcūðne wēan wihte *gebĕttest,*   1991

gebīdan.

Ic ... sceal | ... endedæg | on þisse meoduhealle
mīnne *gebīdan*.　　　　　　　　　　　　　638

þæt ic ǽnigra mē | wēana ne wēnde ... | bōte *gebīdan*, 934

Fela sceal *gebīdan* | lēofes ond lāþes,　　　　1060

Ūre ǽghwylc sceal ende *gebīdan* | worolde līfes; 1386

Sceolde *lǽn*daga | æþeling ǽrgōd ende *gebīdan*, 2342

gebīdanne.

Swā bið gēomorlīc gomelum ceorle | tō *gebīdanne*, 2445

ōðres ne gȳmeð | tō *gebīdanne* burgum　　　2452

gebīde.

Gebīde gē on beorge byrnum werede,　　　　2529

gebiden.

þēah ðe wintra lȳt | ... *gebiden* hæbbe | Hæreþes dohtor; 1928

geblōdegod.

hē *geblōdegod* wearð | sāwuldrīore;　　　　2692

gebogen.

Gewāt ðā byrnende *gebogen* scrīðan,　　　　2569

gebohte.

nō þǽr ǽnige ... | fēasceaft guma frōfre *gebohte*; 973

þēah ðe ōðer his ealdre *gebohte*,　　　　　2481

þǽr is ... | ... sylfes fēore | bēagas [*geboh*]*te*; 3013

gebolgen.

ðā [hē *ge*]*bolgen* wæs,　　　　　　　　　723

þā hē *gebolgen* wæs,　　　　　　　　　1539

þæt hē *gebolge*[*n*] wæs.　　　　　　　　2220

wæs ðā *gebolgen* beorges hyrde,　　　　　2304

Gewāt þā twelfa sum, torne *gebolgen*, | dryhten Gēata 2401

ðā hē *gebolgen* wæs,　　　　　　　　　2550

gebolgne.

hīe on weg hruron | bitere ond *gebolgne*,　　1431

geboren.

þæt ðes eorl wǽre | *geboren* betera.　　　　1703

gebrǽc.

sīo æt hilde gebād | ofer borda *gebrǽc* bite īrena, 2259

him hildegrāp heortan wylmas, | bānhūs *gebrǽc*. 2508

gebrǽd.

hrēoh ond heorogrim hringmǽl *gebrǽgd*,　1564

þæt ic ðȳ wǣpne *gebrǣd*.   1664
Sweord ǣr *gebrǣd* | gōd gūðcyning,   2562
cyning |... wǣllseaxe *gebrǣd* | biter ond beaduscearp,   2703
gebrægd. *See* **gebrǣd.**
gebringan.
  þæt wē... |... þone *gebringan,...* | on ādfǣre.   3009
gebrocen.
  oð þæt hē ðā bānhūs *gebrocen* hæfde,   3147
gebrōden.
  scolde herebyrne hondum *gebrōden* |... sund cunnian,   1443
gebrōðrum.
  þǣr se gōda sæt, |... be þǣm *gebrōðrum* twǣm.   1191
gebulge.
  þæt hē Wealdende... | bitre *gebulge*;   2331
gebūn.
  hū hit Hring-Dene | æfter bēorþege *gebūn* hæfdon.   117
gebunden.
  word ōþer fand | sōðe *gebunden*.   871
  Wearp ðā wundenmǣl wrǣttum *gebunden* | yrre ōretta,   1531
  bið se slǣp tō fæst, | bisgum *gebunden*,   1743
  ongan eldo *gebunden*, |... gioguðe cwīðan | hilde-
  strengo;   2111
gebyrd.
  hīe on *gebyrd* hruron | gāre wunde;   1074
gecēapod.
  þǣr is... | gold unrīme grimme *gecēa[po]d*,   3012
gecēas.
  searonīðas flēah | Eormenrīces, *gecēas* ēcne rǣd.   1201
  Hē... | gumdrēam ofgeaf, Godes lēoht *gecēas*;   2469
  hē ūsic on herge *gecēas*   2638
gecēos.
  þē þæt sēlre *gecēos*, | ēce rǣdas;   1759
gecēosenne.
  þæt þē Sǣ-Gēatas sēlran næbben | tō *gecēosenne*   1851
gecnāwan.
  Meaht ðū, mīn wine, mēce *gecnāwan*,   2047
gecorone.
  Hæfde se gōda Gēata lēoda | cempan *gecorone*,   206

gecranc. *See* **gecrong.**
gecrang. *See* **gecrong.**
gecrong.

  hē under rande *gecranc.*   1209
  Hē æt wīge *gecrang* | ealdres scyldig,   1337
  hēo on flet *gecrong.*   1568
  ac in campe *gecrong* cumbles hyrde,   2505

gecwǣde.

  swā ðū on geoguðfēore gēara *gecwǣde,*   2664

gecwǣdon.

  Wit þæt *gecwǣdon* cniht-wesende   535

gecwæð.

  monig oft *gecwæð,* | þætte … | … ōþer nænig | …
    sēlra nǣre   857
    welhwylc *gecwæð,*   874
    æghwylc *gecwæð,*   987

gecynde.

  Him wæs bām samod | on ðām lēodscipe lond *gecynde,* 2197
  swā him *gecynde* wæs;   2696

gecȳpan.

  þæt hē … | … þurfe | wyrsan wīgfrecan, weorðe
    gecȳpan;   2496

gecyste.

  Gecyste þā cyning æþelum gōd | … ðegn betstan, 1870

gecȳðan.

  Ic … | … wille … | … þē þā ondsware ǣdre *gecȳðan,* 354

gecȳðanne.

  ofost is sēlest | tō *gecȳðanne,*   257

gecȳðed.

  Wæs mīn fæder folcum *gecȳþed,*   262
  wæs his mōdsefa manegum *gecȳðed,*   349
  sōð is *gecȳþed,*   700
  swylce self cyning … | tryddode … | cystum *gecȳþed,* 923
  Higelāce wæs | sīð Bēowulfes snūde *gecȳðed,* 1971
  þā wæs Bīowulfe brōga *gecȳðed*   2324

gedǣlan.

  wolde … | … þǣr on innan eall *gedǣlan*   71
  sundur *gedǣlan* | līf wið līce;   2422

gedǣlde.

    þæt hē *gedǣlde* ... | līf wið līce,   731

gedāl.

    þurh hwæt his worulde *gedāl* weorðan sceolde.   3068

gedēaf.

    þæt ðæt sweord *gcdēaf* | fāh ond fǣted,   2700

gedēfe.

    swā hit *gedēfe* wæs;   561, 1670

    Bēo þū suna mīnum | dǣdum *gedēfe,*   1227

    swā hit *gedē*[fe] bið,   3174

gedēð.

    gedēð him swā gewealdene worolde dǣlas,   1732

gedīgan.

    Swā mæg unfǣge ēaðe *gedīgan* | wēan ond wrǣcsīð,   2291

    hwæðer sēl mæge | æfter wælrǣse wunde *gedȳgan*   2531

    ne meahte horde nēah | unbyrnende ... | dēop *gedȳgan*   2549

gedīgde.

    hwæþere ic fāra feng fēore *gedīgde,*   578

    Ic þæt unsōfte ealdre *gedīgde,*   1655

    forðon hē ǣr fela, | nearo nēðende, nīða *gedīgde,*   2350

    sē ðe worna fela, | gumcystum gōd, gūða *gedīgde,*   2543

gedīgest.

    gif þū þæt ellenweorc aldre *gedīgest.*   661

gedīgeð.

    þæt þone hilderǣs hāl *gedīgeð.*   300

gedōn.

    Hē mec þǣr ..., | dīor dǣdfruma, *gedōn* wolde   2090

    ne hyne ... micles wyrðne | drihten wereda *gedōn*

        wolde;   2186

gedrǣg.

    wolde on heolster flēon, | sēcan dēofla *gedrǣg*;   756

gedrēfed.

    wæter under stōd | drēorig ond *gedrēfed.*   1417

gedrēosan.

    þæt ðū ne ālǣte be ðē lifigendum | dōm *gedrēosan*;   2666

gedrēoseð.

    þæt se līchoma lǣne *gedrēoseð,*   1754

gedriht. *See* **gedryht.**

gedrogen.

  þæt hē dæghwīla *gedrogen* hæfde | eorðan wynn[e]; 2726

gedryht.

  Fand þā ðǣr inne æþelinga *gedriht*   118
  Hrōðgār sæt | eald ond unhār mid his eorla *gedriht*; 357
  þæt...mōte...mīnra eorla *gedryht* | ...Heorot fǣlsian. 431
  Ic... | sǣbāt gesǣt mid mīnra secga *gedriht*,   633
  Ðā him Hrōþgār gewāt mid his hæleþa *gedryht*,   662
  þæt þū...mōst | ...swefan mid þīnra secga *gedryht*, 1672

gedȳgan. *See* **gedīgan.**

geēawed.

  wunden gold | ēstum *geēawed*,   1194

geendod.

  hyt lungre wearð | on hyra sincgifan sāre *geendod*. 2311

geēode.

  Eft þæt *geīode* ufaran dōgrum | hildehlæmmum,   2200
  se maga geonga under his mǣges scyld | elne *geēode*, 2676

geēodon.

  hī sīð drugon, | elne *geēodon*,   1967
  elne *geēodon* mid ofermægene,   2917

gefǣgon.

  Bugon þā tō bence blǣdāgende, | fylle *gefǣgon*;   1014
  ðrȳðlīc þegna hēap þēodnes *gefēgon*,   1627

gefægra.

  eallum wearð | mæg Higelāces... | frēondum *gefægra*; 915

gefǣlsod.

  Hæfde þā *gefǣlsod*, sē þe ǣr feorran cōm, | ...sele
    Hrōðgāres,   826
  Heorot is *gefǣlsod*, | bēahsele beorhta;   1176
  wǣron ȳðgebland eal *gefǣlsod*,   1620

gefandod.

  ðæt hæfde gumena sum goldes *gefandod*,   2301
  þonne se ān hafað | þurh dēaðes nȳd dǣda *gefondad*. 2454

gefaran.

  hū se mānscaða | under fǣrgripum *gefaran* wolde.   738

gefeah. *See* **gefeh.**

gefealleð.

  þæt se līchoma lǣne gedrēoseð, | fǣge *gefealleð*;   1755

gefēan.

   næs hīe ðǣre fylle *gefēan* hæfdon, | mānfordǣdlan,   562

   Ic ... mæg | feorhbennum sēoc *gefēan* habban;   2740

gefēgon. *See* **gefǣgon.**

gefeh.

   Ne *gefeah* hē þǣre fæhðe,   109

   nihtweorce *gefeh*, | ellenmǣrþum.   827

   Sweord wæs swātig; secg weorce *gefeh.*   1569

   sǣlāce *gefeah*, | mægenbyrþenne   1624

   Hwæðre hilde *gefeh*, | bea[du]weorces;   2298

gefēng.

   hē *gefēng* hraðe forman sīðe | slǣpendne rinc,   740

   Grāp þā tōgēanes, gūðrinc *gefēng*   1501

   Gefēng þā be eaxle ... | Gūð-Gēata lēod Grendles

   mōdor,   1537

   Hē *gefēng* þā fetelhilt, freca Scyldinga   1563

   gefēng | hæðnum horde   2215

   ne mihte ðā forhabban, hond rond *gefēng*,   2609

   Ic on ofoste *gefēng* | micle ... mægenbyrðenne   3091

gefeoht.

   Þæt wæs feohlēas *gefeoht*, fyrenum gesyngad,   2441

gefeohtan.

   þæt hē ne mehte ... | wīg Hengeste wiht *gefeohtan*,   1083

gefeohte.

   þone þīn fæder tō *gefeohte* bær   2048

gefēoll.

   hē hēan ðonan, | mōdes gēomor, meregrund *gefēoll.*   2100

   hē eorðan *gefēoll*   2834

gefeormod.

   sōna hæfde | unlyfigendes eal *gefeormod*,   744

gefērdon.

   frēcne *gefērdon*;   1691

gefēre.

   þonne | eorl ellenrōf ende *gefēre* | līfgesceafta,   3063

gefēred.

   Hafast þū *gefēred*,   1221, 1855

   hæfde ǣghwæðer ende *gefēred* | lǣnan līfes.   2844

geferede.

   Hēr syndon *geferede*, feorran cumene, | ... Gēata lēode;   361

geferedon.

þæt hī ofostlīc[e] ūt *geferedon* | dȳre māðmas. 3130

geferian.

fēower scoldon | ... *geferian* | ... Grendles hēafod, 1638
ond þonne *geferian* frēan ūserne, 3107

gefetian.

Hēt ðā eorla hlēo in *gefetian* | ... Hrēðles lāfe 2190

geflit.

Hwīlum heaþorōfe ... lēton | on *geflit* faran fealwe
mēaras, 865

geflȳmed.

hū hē, ... | fǣge ond *geflȳmed*, feorhlāstas bǣr. 846
Ðēah þe ... | heorot ... holtwudu sēce, | feorran *geflȳmed*, 1370

gefondad. *See* **gefandod.**

gefrǣge.

fram sylle ābēag | medubenc monig, mīne *gefrǣge*, 776
Ðā wæs on morgen, mīne *gefrǣge*, | ... gūðrinc monig; 837
ealles moncynnes, mīne *gefrǣge*, | þone sēlestan 1955
sē ðe mēca gehwane, mīne *gefrǣge*, | ... ofersōhte, 2685
Hūru þæt ... lȳt manna ðāh, | ... mīne *gefrǣge*, 2837

gefrǣge. (?)

Bēowulf Scyldinga ... | folcum *gefrǣge* 55
swā hyt *gefrǣge* wæs, 2480

gefrægen. *See also* **gefrægn.**

þāra þe ic on foldan *gefrægen* hæbbe. 1196

gefrægn.

Ðā ic wīde *gefrægn* weorc gebannan 74
þæt fram hām *gefrægn* Higelāces þegn, 194
Nō ic on niht *gefrægn* | ... heardran feohtan, 575
Ne *gefrægen* ic þā mǣgþe māran weorode | ... sēl
gebǣran. 1011
ne *gefrægn* ic frēondlīcor fēower mādmas | ... gum-
manna fela | ... gesellan. 1027
Ðā ic on morgne *gefrægn* mǣg ōðerne | ... stǣlan, 2484
ic ... [*gefrægn*] ... | ... eorl ellen cȳðan, 2694
Ðā ic snūde *gefrægn* sunu Wihstānes | ... dryhtne |
hȳran 2752
Ðā ic on hlǣwe *gefrægn* hord rēafian, | ... ānne mannan, 2773

10

gefrǣgnod.

   ic ne wāt hwæ*der* | atol . . . eftsīðas tēah, | fylle
     gefrǣgnod.   1333

gefrætwade.

   gefrætwade foldan scēatas | leomum ond lēafum;   96

gefrætwod.

   Ðā wæs hāten hreþe Heort innanweard | folmum
     gefrætwod;   992

gefremed.

   hwæt mē Grendel hafað . . . | færnīða *gefremed;*   476
   þū þē self hafast | dǣdum *gefremed,*   954

gefremede.

   eft *gefremede* | morðbeala māre   135
   Swā fela fyrena . . . | atol āngengea oft *gefremede,*   165
   wordum bǣdon | þæt him gāstbona gēoce *gefremede* 177
   þǣr mē . . . līcsyrce mīn, | heard hondlocen, helpe
     gefremede;   551
   Breca nǣfre git . . . | swā dēorlīce dǣd *gefremede* 585
   þæt nǣfre Gre[n]del swā fela gryra *gefremede,*   591
   sē þe fela ǣror . . . | fyrene *gefremede,*   811
   Nū scealc hafað | þurh Drihtnes miht dǣd *gefremede,* 940
   nemne him heaðobyrne helpe *gefremede,*   1552
   Ðēah þe hine mihtig God . . . | . . . ofer ealle men |
     forð *gefremede,*   1718
   þæt hīo lēodbealewa lǣs *gefremede,*   1946
   þǣr hē . . . | Sige-Scyldingum sorge *gefremede,* 2004
   forðam hē manna mǣst mǣrða *gefremede,*   2645

gefremedon.

   hwæt wit . . . | umbor-wesendum ǣr ārna *gefremedon.* 1187
   ymb Hreosnabeorh | eatolne inwitscear oft *gefremedon.* 2478

gefremman.

   Ic *gefremman* sceal | eorlīc ellen,   636
   hwæþre him A*l*walda æfre wille | . . . wyrpe *ge-*
     fremman.   1315
   þonne . . . | . . . hē him helpan ne mæg | . . . ǣnige
     gefremman.   2449
   byrne ne meahte | geongum gārwigan gēoce *ge-*
     fremman;   2674

gefremmanne.

> rǣd eahtedon | hwæt ... sēlest wǣre | ... tō *gefrem-*
> *manne.* 174
> þēah ðe hlāford ūs | ... āðōhte | tō *gefremmanne,* 2644

gefricge.

> Gif ic þæt *gefricge* ofer flōda begang, 1826

gefricgean.

> syððan æðelingas | feorran *gefricgean* flēam ēowerne, 2889

gefricgeað.

> syððan hīe *gefricgeað* frēan ūserne | ealdorlēasne, 3002

gefrūnen.

> ac hīe hæfdon *gefrūnen,* 694
> hæfde þā *gefrūnen,* hwanan sīo fǣhð ārās, 2403
> hæfde Higelāces hilde *gefrūnen,* 2952

gefrung-. *See* **gefrūn-.**

gefrūnon.

> wē Gār-Dena in gēardagum | þēodcyninga þrym
> *gefrūnon,* 2
> þon[n]e yldo bearn ǣfre *gefrūnon,* 70
> swā guman *gefrungon,* 666
> geongne gūðcyning gōdne *gefrūnon* | hringas dǣlan. 1969

gefyldan.

> Fēond *gefyldan,* ferh ellen wrǣc, 2706

gefyllan.

> nemne wē ǣror mǣgen | fāne *gefyllan,* 2655

gefyrðred.

> Ār wæs on ofoste, ... | frætwum *gefyrðred;* 2784

gefӯsed.

> Gewāt þā ofer wægholm winde *gefӯsed* | flota
> fāmiheals 217
> ond þā gyddode gūþe *gefӯsed;* 630
> mid bǣle fōr, | fӯre *gefӯsed.* 2309
> ðā wæs hringbogan heorte *gefӯsed* | sæcce tō sēceanne. 2561

gegān.

> his mōdor ... | gīfre ond galgmōd *gegān* wolde |
> sorhfulne sīð, 1277
> sē ðe gryresīðas *gegān* dorste, 1462
> þonne hē æt gūðe *gegān* þenceð | longsumne lof, 1535
> syððan hīe tōgædre *gegān* hæfdon. 2630

gegangan.
    Ic mid elne sceall | gold *gegangan,*   2536
gegangenne.
    næs þæt ȳðe cēap | tō *gegangenne* | gumena ænigum. 2416
gegangeð.
    gif þæt *gegangeð,*   1846
gegiredan. *See* **gegyredon.**
gegncwida.
    nō ðū him wearne getēoh | ðīnra *gegncwida,*   367
gegnum.
    þæt hīe him tō mihton | *gegnum* gangan;   314
    gegnum fōr | ofer myrcan mōr,   1404
gegongen.
    þæt his aldres wæs ende *gegongen,*   822
    Hæfde āglæca elne *gegongcn,*   893
    Ðā wæs *gegongen* guman unfrōdum | earfoðlīce,   2821
    wæs endedæg | gōdum *gegongen,*   3036
    Hord ys gescēawod, | grimme *gegongen;*   3085
gegrēttan.
    þæt...sceal... |...manig ōþerne | gōdum *gegrēttan* 1861
gegrētte.
    syððan mandryhten |... holdne *gegrētte*   1979
    Gegrētte ðā gumena gehwylcne,   2516
gegyred.
    beadohrægl brōden on brēostum læg, | golde *gegyrwed.* 553
    syðþan hē hine tō gūðe *gegyred* hæfde.   1472
    Glōf... |... wæs orðoncum eall *gegyrwed*   2087
gegyrede.
    ne gefrægn ic frēondlīcor ... mādmas | golde *gegyrede*
        gummanna fela |... gesellan.   1028
    Hēt ðā eorla hlēo in gefetian |... Hrēðles lāfe |
        golde *gegyrede;*   2192
gegyredon.
    Him ðā *gegiredan* Gēata lēode | ād   3137
gegyrwan.
    Ne hȳrde ic cymlīcor cēol *gegyrwan* | hildewǣpnum   38
    Hēt him ȳðlidan | gōdne *gegyrwan;*   199
gegyrwed. *See* **gegyred.**

gehāte.

Ic hit þē gehāte: 1392

Ic hit þē þonne gehāte,   1671

gehāten.

Sīo gehāten [is] | ... gladum suna Frōdan;   2024

geheald.

Hafa nū ond geheald hūsa sēlest,   658

gehealdan.

ond gehealdan hēt hildegeatwe.   674

þæt þæt ðēoðnes bearn ... scolde | ... folc gehealdan,   911

Ne meahte hē ... | on ðām frumgāre feorh gehealdan,   2856

gehealde.

Fæder alwalda | ... ēowic gehealde | sīða gesunde!   317

gehealdeð.

sē ðe Waldendes | hyldo gehealdeþ.   2293

geheaðerod.

þæt se secg wǣre ... | hergum geheaðerod,   3072

gehēawe.

þæt hē mē ongēan slēa, | rand gehēawe,   682

gehēdde.

þæt ænig ōðer man | æfre mærða þon mā ... | gehēdde   505

gehēgan.

sceal, | wið þām āglǣcan, āna gehēgan | ðing wið þyrse.   425

gehēold.

Hē gehēold tela | fīftig wintra   2208

Hē frætwe gehēold fela missera,   2620

ðe ǣr gehēold | wið hettendum hord ond rīce   3003

gehēt.

hē mē mēde gehēt.   2134

wēan oft gehēt | earmre teohhe   2937

Hē ... him fǣgre gehēt | lēana   2989

gehēton.

Hwīlum hīe gehēton æt hærgtrafum | wīgweorþunga,   175

þonne wē gehēton ussum hlāforde   2634

gehlēod.

sǣbāt gehlēod,   895

gehnǣgde.

ðȳ hē þone fēond ofercwōm, | gehnǣgde helle gāst.   1274

gehnǣgdon.

þǣr hyne Hetware hilde *gehnǣgdon*,   2916

gehogodest.

þā ðū fǣringa feorr *gehogodest* | sæcce sēcean   1988

gehroden.

Eoforlīc scionon | ofer hlēorber[g]an, *gehroden* golde, 304

gehðo. *See* giohðo.

gehwǣm. *See* gehwām.

gehwǣr.

ðēah þū heaðorǣsa *gehwǣr* dohte,   526

gehwǣre.

lofdǣdum sceal | in mǣgþa *gehwǣre* man geþēon.   25

gehwæs.

swā unc wyrd getēoð, | Metod manna *gehwæs*.   2527

þēah ðe hē dǣda *gehwæs* dyrstig wǣre,   2838

gehwæðer.

ne *gehwæþer* incer | swā dēorlīce dǣd gefremede   584

wæs *gehwæþer* ōðrum | lifigende lāð.   814

ge æt hām ge on herge, ge *gehwæþer* þāra   1248

gehwæðer ōðrum hrōþra gemyndig.   2171

gehwæðres.

bēga *gehwæþres* | eodor Ingwina onweald getēah,   1043

gehwæðrum.

sealde hiora *gehwæðrum* hund þūsenda | landes   2994

gehwām.

þæt hē dōgora *gehwām* drēam gehȳrde | hlūdne in
     healle;   88

swā hīe ā wǣron | æt nīða *gehwām* nȳdgesteallan; 882

þǣr mǣg nihta *gehwǣm* nīðwundor sēon,   1365

wæs... | oncȳð eorla *gehwǣm*,   1420

Mǣg þæs þonne ofþyncan... |... þegna *gehwām*

þāra lēoda,   2033

gehwane. *See* gehwone.

gehwearf.

Gehwearf þā in Francna fæþm feorh cyninges,   1210

hit on æht *gehwearf* |... Denigea frēan,   1679

on geweald *gehwearf* woroldcyninga | ðǣm sēlestan 1684

syððan Bēowulfe brāde rīce | on hand *gehwearf*.   2208

gehwelcne. *See* **gehwylcne.**

gehwone.

ic maguþegnas ... hāte | wið fēonda *gehwone* flotan
... | ... healdan,   294
ond on healfa *gehwone* hēawan þōhton,   800
Swā hē nīða *gehwane* genesen hæfde,   2397
sē ðe mēca *gehwane* ... | swenge ofersōhte,   2685
mæg | gold ... gumcynnes *gehwone* | oferhīgian, 2765

gehwylc.

wæs steda nægla *gehwylc* stȳle gelīcost,   985
gehwylc hiora his ferhþe trēowde,   1166
þæt þū ... mōst | sorhlēas swefan ... | ond þegna
gehwylc   1673
gemunde ... | folcrihta *gehwylc,* swā his fæder āhte; 2608

gehwylce.

þæt ... | ... Folcwaldan sunu | dōgra *gehwylce* Dene
weorþode,   1090
Blæd is ārǣred ... | ðīn ofer þēoda *gehwylce.*   1705
myndgað mǣla *gehwylce* | sārum wordum,   2057
bið gemyndgad morna *gehwylce* | eaforan ellorsīð; 2450

gehwylces.

þæt hē gedǣlde ... | ... ānra *gehwylces* | līf wið līce, 732
Ðȳs dōgor þū geþyld hafa | wēana *gehwylces,*   1396
hū i[c] ... | yfla *gehwylces* hondlēan forgeald; 2094
Edwenden cwōm | tīrēadigum menn torna *gehwylces.* 2189

gehwylcne.

geþolode | wine Scyldinga wēana *gehwelcne,*   148
wēa wīdscofen witena *gehwylcne,*   936
gūðdēað fornam, | feorhbealo frēcne, fȳra *gehwylcne,* 2250
Gegrētte ðā gumena *gehwylcne,*   2516

gehwylcre.

ac hē sigewǣpnum forsworen hæfde, | ecga *gehwylcre.* 805

gehwylcum.

līf ēac gescēop | cynna *gehwylcum,*   98
þæt þes sele stande | ... rinca *gehwylcum* | īdel ond
unnyt,   412
wearð | ceasterbūendum, cēnra *gehwylcum,* | ... ealu-
scerwen.   768

Norð-Denum stōd | atelīc egesa, ānra *gehwylcum*,   784
Goldfāg scinon | ... wundorsīona fela | secga *ge-*
     hwylcum,   996
Wolde dōm Godes dǣdum rǣdan | gumena *gehwylcum*, 2859
Dēað bið sēlla | eorla *gehwylcum* þonne edwītlīf. 2891
gehȳdde.
gumena nāthwylc, | eormenlāfe æðelan cynnes, | ...
     gehȳdde,   2235
ðe unrihte inne *gehȳdde* | wrǣte   3059
gehygd.
onginneð ... cempan | þurh hreðra *gehygd* higes
     cunnian,   2045
gehyld.
hē is manna *gehyld*   3056
gehȳrað.
Nū gē feorbūend, | merelīðende, mīn[n]e *gehȳrað* |
     ... geþōht;   255
gehȳrde.
þæt hē dōgora gehwām drēam *gehȳrde* | hlūdne in healle; 88
gehȳrde on Bēowulfe | folces hyrde fæstrǣdne geþōht. 609
gehȳrdon.
þāra þe of wealle wōp *gehȳrdon*,   785
gehȳre.
Ic þæt *gehȳre*, þæt þis is hold weorod | frēan Scyldinga. 290
geīode. *See* **geēode.**
gelāc.
ðonne sweorda *gelāc* sunu Healfdenes | efnan wolde; 1040
gelācum.
þēah þe hē his māgum nǣre | ārfæst æt ecga *gelācum*. 1168
gelād.
Oferēode þā æþelinga bearn ... | ... uncūð *gelād*, 1410
gelǣded.
þǣr wæs mādma fela, | of feorwegum frætwa *gelǣded*. 37
gelæg.
windblond *gelæg*,   3146
gelǣran.
Ic þæs Hrōðgār mæg | þurh rūmne sefan rǣd *gelǣran*, 278
Ne meahton wē *gelǣran* lēofne þēoden | ... rǣd ænigne, 3079

gelǣrdon.

þā mē þæt *gelǣrdon* lēode mīne,   415

gelǣstan.

Ic þē sceal mīne *gelǣstan* | freoðe,   1706

gelǣste.

Bēot eal wið þē | sunu Bēanstānes sōðe *gelǣste.*   524
þæt mec ǣr ond sīð oft *gelǣste,*   2500
Hē ... him ... gehēt | lēana ... ond *gelǣste* swā;   2990

gelǣsted.

Hæfde Ēast-Denum | Gēatmecga lēod gilp *gelǣsted,*   829

gelǣsten.

þæt hine ... gewunigen | wilgesīþas, ... | lēode *ge-*
lǣsten;   24

gelafede.

þegn ungemete till, | winedryhten his, wǣtere *gelafede*   2722

gelamp.

Him on fyrste *gelomp* | ... þæt hit wearð eal gearo,   76
þæs ðe hire se willa *gelamp,*   626
swā him ful oft *gelamp,*   1252
Frōfor eft *gelamp* | sārigmōdum somod ǣrdǣge,   2941

gelang.

Nū is se rǣd *gelang* | eft æt þē ānum.   1376
Gēn is eall æt ðē | lissa *gelong;*   2150

gelēah.

him sēo wēn *gelēah.*   2323

gelenge.

þǣr mē gifeðe swā | ǣnig yrfeweard ... wurde |
līce *gelenge.*   2732

gelīce.

þæt ... fēower mēaras | lungre *gelīce* lāst weardode,   2164

gelīcost.

Gewāt ... winde gefȳsed | flota fāmiheals fugle
gelīcost,   218
him of ēagum stōd | ligge *gelīcost* lēoht unfǣger.   727
wæs steda nægla gehwylc stȳle *gelīcost,*   985
þæt hit eal gemealt īse *gelīcost,*   1608

gelimpe.

Ðisse ansȳne Alwealdan þanc | lungre *gelimpe.*   929

gelimpeð.

Hit on endestæf eft *gelimpeð,*   1753

gelocen.

hē siomian geseah segn ... | *gelocen* leoðocræftum;   2769

gelōme.

Swā mec *gelōme* lāðgetēonan | þrēatedon þearle.   559

gelomp. *See* **gelamp.**

gelong. *See* **gelang.**

gelumpe.

gif him þyslicu þearf *gelumpe,*   2637

gelumpen.

Denum eallum wearð | ... willa *gelumpen.*   824

gelȳfan.

ðǣr *gelȳfan* sceal | Dryhtnes dōme   440

gelȳfde.

gēoce *gelȳfde* | brego Beorht-Dena;   608

þæt hēo on ǣnigne eorl *gelȳfde* | fyrena frōfre.   627

sē þe him bealwa tō bōte *gelȳfde,*   909

ond him tō Anwaldan āre *gelȳfde,*   1272

gemǣnden.

þæt ... | ne þurh inwitsearo ǣfre *gemǣnden,*   1101

gemǣne.

þæt þām folcum sceal ... | sib *gemǣne,* ond sacu restan,   1857

māþmas *gemǣne;*   1860

wæs ... | ofer [w]īd wæter wrōht *gemǣne,*   2473

ūrum sceal ... | byrne ond byrduscrūd, bām *gemǣne.*   2660

gemǣnra.

unc sceal worn fela | māþma *gemǣnra,*   1784

gemæt.

his cwēn mid him | medostīg *gemæt* mægþa hōse.   924

geman. *See* **gemon.**

gemealt.

wyrm hāt *gemealt.*   897

þæt hit eal *gemealt* īse gelīcost,   1608

sweord ǣr *gemealt,*   1615

ne *gemealt* him se mōdsefa,   2628

gemearcod.

hē ... gewāt, | morþre *gemearcod*, 1264

Swā wæs ... | þurh rūnstafas rihte *gemearcod*, 1695

gemēdu.

ne gē ... | ... gearwe ne wisson | māga *gemēdu*. 247

gemenged.

atol ȳða geswing eal *gemenged* | ... heorodrēore, wēol; 848

þæt wæs ȳðgeblond eal *gemenged*, 1593

gemet.

swā him *gemet* þince. 687

Nis þæt ... | ... *gemet* mannes nefn[e] mīn ānes, 2533

Ic ... | ... ongan ... | ofer mīn *gemet* mæges helpan. 2879

swā him *gemet* ðūhte. 3057

gemete.

þæt hit ā mid *gemete* manna ænig | ... tōbrecan meahte, 779

gemēting.

[mære] *gemēting*, monegum fīra, 2001

gemētte.

ne wæs his drohtoð þær, | swylce hē ... ær *gemētte*. 757

hwæðer collenferð cwicne *gemētte* | ... Wedra þēoden, 2785

gemētton.

þæt ðā āglǣcean hȳ eft *gemētton*. 2592

gemon.

hine gearwe *geman* | witena welhwylc 265

gif hē þæt eal *gemon*, 1185

ic þē þæs lēan *geman*. 1220

feor eal *gemon*, | eald ēðelweard, 1701

sē ðe eall *gem[an]*, 2042

ic þæt eall *gemon*. 2427

Ic ðæt mǣl *geman*, þær wē medu þēgun, 2633

gemonge.

mōdig on *gemonge*, 1643

gemunde.

Gemunde þā se gōda mǣg Higelāces | æfensprǣce, 758

sē ðe ealfela ealdgesegena | worn *gemunde*, 870

Hengest ðā ... | ... eard *gemunde*, 1129

þæt hē Eotena bearn inne *gemunde*. 1141

Grendles mōdor, | ides, āglǣcwīf, yrmþe *gemunde*, 1259

hwæþre hē *gemunde* mægenes strenge, 1270

helm ne *gemunde,* | byrnan sīde,   1290
Hūru ne *gemunde* mago Ecglāfes | ... þæt hē ær
    gespræc   1465
hreðer inne wēoll, | þonne hē wintrum frōd worn
    gemunde.   2114
Sē ðæs lēodhryres lēan *gemunde* | uferan dōgrum;   2391
Hrēðel cyning | ... sibbe *gemunde;*   2431
hond *gemunde* | fæhðo genōge,   2488
gemunde ðā ðā āre, þe hē him ær forgeaf,   2606
þā gēn gūðcyning | m[ærða] *gemunde,*   2678

gemundon.
helle *gemundon* | in mōdsefan,   179
gemyndgad.
Symble bið *gemyndgad* ... | eaforan ellorsīð;   2450
gemyndig.
Ēode Wealhþēow forð, | cwēn Hrōðgāres, cynna
    gemyndig,   613
guma gilphlæden, gidda *gemyndig,*   868
Bēo wið Gēatas glæd, geofena *gemyndig;*   1173
nalas elnes læt, | mærða *gemyndig,* mæg Hy[ge]lāces.   1530
Nō ... | bona blōdigtōð, bealewa *gemyndig,* | ...
    gongan wolde;   2082
wæs ... | ... gehwæðer ōðrum hrōþra *gemyndig.*   2171
þā wæs ... | frēcne fȳrdraca fæhða *gemyndig,*   2689

gemyndum.
sē scel tō *gemyndum* mīnum lēodum | hēah hlīfian   2804
sceall ... | ... nalles eorl wegan | māððum tō *ge-*
    myndum,   3016

gemyne.
gemyne mærþo, mægenellen cȳð,   659

gēna.
cwico wæs þā *gēna,*   3093

genǣgdan.
Heaðo-Scilfingas, | nīða *genǣgdan* nefan Hererīces —   2206

genǣged.
Hræðe weard on ȳðum ... | nīða *genǣged*   1439

genǣs.
hrōf āna *genǣs* | ealles ansund,   999

sē ðā sæcce *genæs,* 1977
Fela ic on giogoðe gūðrǣsa *genæs,* 2426

genam.

on ræste *genam* | þrītig þegna; 122
hēo under heolfre *genam* | cūþe folme ; 1302
Gecyste þā cyning ... | ... ðegn betstan, | ond be
healse *genam* ; 1872
þā mec ... | frēawine folca æt mīnum fæder *genam*; 2429
segn ēac *genōm,* 2776

geneahhe.

Swēg ūp āstāg | nīwe *geneahhe*; 783
sorgcearig sælðe *geneahhe,* 3152

genearwod.

Hræþe wearð on ȳðum ... | ... hearde *genearwod,* 1438

genehost.

þær *genehost* brægd | eorl Bēowulfes ealde lāfe, 794

genered.

genered wið nīðe; 827

genesen.

Swā hē nīða gehwane *genesen* hæfde, 2397

genēðan.

ne dorste | under ȳða gewin aldre *genēþan,* 1469
nænig þæt dorste dēor *genēþan* 1933

genēðde.

hē ..., | æþelinges bearn, āna *genēðde* | frēcne dæde; 888
wigge under wætere weorc *genēþde* | earfoðlice; 1656
þæt ic ... | eorlscipe efnde, ealdre *genēðde,* 2133
Ic *genēðde* fela | gūða on geogoðe; 2511

genēðdon.

frēcne *genēðdon* | eafoð uncūþes; 959

gengde.

wīsa fengel | geatolīc *gen[g]de*; 1401
hē fēara sum beforan *gengde* | ... wong scēawian, 1412

genipu.

ðær fyrgenstrēam | under næssa *genipu* niþer gewīteð, 1360
ðā ðe brentingas | ofer flōda *genipu* ... drīfað. 2808

genīwad. *See* **genīwod.**

genīwod.

    cearu wæs *genīwod,* | geworden in wīcun.   1303

    sorh is *genīwod* | Denigea lēodum.   1322

    þā se wyrm onwōc, wrōht wæs *genīwad;*   2287

genōge.

    hond gemunde | fǣhðo *genōge,*   2489

    þæt gē *genōge* nēon scēawiað | bēagas   3104

genōm. *See* **genam.**

genumen.

    swylce ... | nīðhēdige men *genumen* hæfdon;   3165

gēnunga.

    þæt hē *gēnunga* gūðgewǣdu | wrāðe forwurpe,   2871

genȳdde.

    gesācan sceal ..., | nȳde *genȳdde,* niþða bearna |

    ... gearwe stōwe,   1005

genȳded.

    þæt hyt on heafolan stōd | nīþe *genȳded;*   2680

genyttod.

    hæfde eorðscrafa ende *genyttod.*   3046

gēo.

    hwæt wit *gēo* sprǣcon :   1476

    swylce ðǣr *īu* wǣron.   2459

    swā ic *gīo* wið Grendle dyde;   2521

gēoce.

    wordum bǣdon, | þæt him gāstbona *gēoce* gefremede   177

    gēoce gelȳfde | brego Beorht-Dena;   608

    þæt ic ... | ... þē tō *gēoce* gārholt bere,   1834

    byrne ne meahte | geongum gārwigan *gēoce* gefremman; 2674

gēocor.

    þæt wæs *gēocor* sīð,   765

geofena.

    Bēo wið Gēatas glæd, *geofena* gemyndig;   1173

geofenes.

    Hēr syndon ..., feorran cumene | ofer *geofenes*

    begang, Gēata lēode;   362

    nō hē on helm losað, ... | ne on *gyfenes* grund,   1394

geofon.

    geofon ȳþum wēol,   515

    syðþan flōd ofslōh, | *gifen* gēotende, gīganta cyn;   1690

geofum.

Offa wæs | *geofum* ond gūðum gārcēne man,   1958

geogoð.

oðð þæt sēo *geogoð* gewēox,   66

þǣr … wǣron | … hæleþa bearn, | *giogoð* ætgædere; 1190

geogoðe.

[Atol] æglǣca ēhtende wæs, | … duguþe ond *geogoþe,* 160

hæbbe ic mǣrða fela | ongunnen on *geogoþe.*   409

on *geogoðe* hēold gimmerīce | hordburh hæleþa.   466

Ymbēode þā ides … | duguþe ond *geogoþe* dǣl
    æghwylcne,   621

þæt hē þā *geogoðe* wile | ārum healdan,   1181

þegna gehwylc þīnra lēoda, | duguðe ond *iogoþe;* 1674

ongan … | gomel gūðwiga *gioguðe* cwīðan | hilde-
    strengo;   2113

Fela ic on *giogoðe* gūðrǣsa genæs,   2426

Ic genēðde fela | gūða on *geogoðe;*   2512

geogoðfēore.

wǣron bēgen þā git | on *geogoðfēore,*   537

swā ðū on *geoguðfēore* gēara gecwǣde,   2664

geolorand.

þæt ic sweord bere oþðe … | *geolorand* tō gūþe;   438

geolwe.

hond rond gefēng, | *geolwe* linde,   2610

ḡeomēowle. See **īomēowle.**

ḡeomor.

him wæs *ḡeomor* sefa, | murnende mōd.   49

hē hēan ðonan, | mōdes *ḡeomor,* meregrund gefēoll. 2100

Him wæs *ḡeomor* sefa, | wǣfre ond wælfūs,   2419

him wæs sefa *ḡeomor:*   2632

swylce *gīomor* gyd [sīo gēo-] mēowle … | … sǣlðe
    geneahhe,   3150

ḡeomore.

wearð | ylda bearnum … cūð, | gyddum *ḡeomore,* 151

ḡeormorlīc.

Swā bið *ḡeomorlīc* gomelum ceorle | tō gebīdanne, 2444

ḡeomormōd.

onginneð *ḡeomormōd* geong[um] cempan | … higes
    cunnian,   2044

Swā *gīomormōd* giohðo mænde | ān æfter eallum, 2267
ac sceal *gēomormōd*, golde berēafod, | ... elland tredan, 3018

gēomrode.

earme ... ides gnornode, | *gēomrode* giddum. 1118

gēomuru.

þæt wæs *gēomuru* ides. 1075

geondbrǣded.

hit *geondbrǣded* wearð | beddum ond bolstrum. 1239

geondhwearf.

mǣru cwēn, | friðusibb folca, flet eall *geondhwearf*, 2017

geondseh.

Ic wæs þǣr inne ond þæt eall *geondseh*, 3087

geondwlītan.

þæt hē ... meahte | wrǣte *giondwlītan*. 2771

geong, *adj.*

Ðǣm eafera wæs æfter cenned | *geong* in geardum, 13
Swā sceal [*geong* g]uma gōde gewyrcean, 20
Þanon eft gewiton ealdgesīðas, | swylce *geong* manig 854
þēah ðe hē *geong* sȳ, 1831
Bold wæs betlīc, ... | hēa healle, Hygd swīðe *geong*, 1926
Sīo gehāten [is], | *geong*, ... gladum suna Frōdan; 2025
þæt his byre rīde | *giong* on galgan; 2446

geong, *vb.*

Nū ðū lungre *geong* | hord scēawian 2743

gēong.

hē tō healle *gēong*, 925
Gēat ... *gēong* sōna tō, | setles nēosan, 1785
ǣr hīo tō setle *gēong*. 2019
Þǣr on innan *gīong* | niða nāthwylc 2214
Hē ofer willan *gīong*, 2409
Ðā se æðeling *gīong*, 2715
þā hē bī sesse *gēong*, 2756
sē ðe on orde *gēong*. 3125

geonga.

ac se maga *geonga* under his mǣges scyld | elne
geēode, 2675

geongan.

þā wæs forma sīð | *geongan* cempan, 2626

geonge.

   mæru cwēn,... | bædde byre *geonge*;   2018

geongne.

   geongne gūðcyning gōdne gefrūnon | hringas dǣlan.   1969

geongum.

   wolde... | ... eall gedǣlan | *geongum* ond ealdum,   72
   ne hȳrde ic... | on swā *geongum* fēore guman
    þingian;   1843
   syððan ǣrest wearð | gyfen goldhroden *geongum*
    cempan,   1948
   onginneð gēomormōd *geong*[*um*] cempan | ... higes
    cunnian,   2044
   byrne ne meahte | *geongum* gārwigan gēoce ge-
    fremman;   2674
   þegne gesealde, | *geongum* gārwigan, goldfāhne helm,   2811
   þā wæs æt ðām *geongum* grim ondswaru | ēðbegēte,   2860

georn.

   Ār wæs on ofoste, eftsīðes *georn*,   2783

georne.

   þæt him his winemāgas | *georne* hȳrdon,   66
   Hūru Gēata lēod *georne* trūwode | mōdgan mægnes,   669
   nō ic him þæs *georne* ætfealh,   968
   Hordweard sōhte | *georne* æfter grunde,   2294

geornor.

   wiste þē *geornor*, | þæt his aldres wæs ende gegongen,   821

gēosceaft.

   wyrd ne cūþon, | *gēosceaft* grimme,   1234

gēosceaftgāsta.

   þanon wōc fela | *gēosceaftgāsta*;   1266

gēotende.

   syðþan flōd ofslōh, | gifen *gēotende*, gīganta cyn;   1690

gerād.

   sē ðe næs *gerād*,   2898

gerāde.

   Secg eft ongan... | ... on spēd wrecan spel *gerāde*,   873

geræhte.

   þæt ic āglǣcan orde *geræhte*,   556
   Hyne yrringa | Wulf Wonrēding wǣpne *geræhte*,   2965

11

geræsde.
þæt hē wið attorsceaðan oreðe geræsde,   2839

geregnad.
fram sylle ābēag | medubenc monig... | golde geregnad, 777

gereorded.
þā wæs... ellenrōfum | fletsittendum fægere gereorded 1788

gerīmed. See gerȳmed.

gerūmlīcor.
þe him elles hwær | gerūmlīcor ræste [sōhte],   139

gerȳmdon.
þæt hīe him ōðer flet eal gerȳmdon,   1086

gerȳmed.
Ðæm fēower bearn forð gerīmed | ... wōcun,   59
þā wæs Gēatmæcgum... | on bēorsele benc gerȳmed; 492
Hraðe wæs gerȳmed... | fēðegestum flet innanweard. 1976
ricone ārærdon, ðā him gerȳmed wearð,   2983
mē gerȳmed wæs, | ... sīð ālȳfed | inn   3088

gerysne.
Ne þynceð mē gerysne,   2653

gesacan.
ac gesacan sceal sāwlberendra... | ... gearwe stōwe, 1004
þæt ic mē ænigne | ... gesacan ne tealde.   1773

gesacu.
ne gesacu ōhwær, | ecghete, ēoweð,   1737

gesæd. See gesægd.

gesægd.
him ... wæs | gesægd sōðlīce sweotolan tācne |
healðegnes hete;   141
Swā wæs... | ...rihte gemearcod, | geseted ond gesæd, 1696

gesægde.
þæt ic his ærest ðē ēst gesægde;   2157

gesæged.
hæfdon ealfela eotena cynnes | sweordum gesæged. 884

gesælde.
Hwæþere mē gesælde, þæt ic ... ofslōh | niceras nigene. 574
hwæþre him gesælde, ðæt þæt swurd þurhwōd |
wrætlīcne wyrm,   890

efne swylce mǣla, swylce hira mandryhtne | þearf
　　gesǣlde;　　　　　　　　　　　　　　　　1250
gesǣled.
　　Þǣr wæs... | ... earmbēaga fela | searwum *gesǣled.*　2764
gesæt.
　　Monig oft *gesæt* | rīce tō rūne,　　　　　　171
　　Ic ... | sǣbāt *gesæt* mid mīnra secga gedriht,　　633
　　hē onfēng hraþe | inwitþancum ond wið earm *gesæt.*　749
　　Fēþa eal *gesæt*;　　　　　　　　　　　1424
　　Gesæt þā wið sylfne, sē ðā sæcce genæs,　　1977
　　Gesæt ðā on næsse nīðheard cyning,　　　2417
　　þæt hē bī wealle wīshycgende | *gesæt* on sesse,　2717
gesaga.
　　gesaga him ēac wordum, þæt hīe sint wilcuman　388
gesāwon.
　　þæt ðā līðende land *gesāwon,*　　　　　　221
　　mǣre māðþumsweord manige *gesāwon* | beforan
　　　beorn beran.　　　　　　　　　　　1023
　　þæt hīe *gesāwon* swylce twēgen | ... mōras healdan,　1347
　　gesāwon ðā æfter wætere wyrmcynnes fela,　1425
　　Sōna þæt *gesāwon* snottre ceorlas,　　　　1591
　　þæt hīe heora winedrihten | selfne *gesāwon.*　1605
　　gesāwon seledrēam.　　　　　　　　　2252
gescād.
　　Ǣghwæþres sceal | scearp scyldwiga *gescād* witan,　288
gescæphwīle.
　　Him ðā Scyld gewāt tō *gescæphwīle* | felahrōr fēran　26
gescǣr.
　　helm oft *gescǣr,*　　　　　　　　　　1526
　　helm ǣr *gescer,*　　　　　　　　　　2973
gesceaft.
　　se ellorgāst | oflēt ... þās lǣnan *gesceaft.*　1622
gesceapu.
　　scaduhelma *gesceapu* scrīðan cwōman,　　650
gescēat.
　　Hord eft *gescēat,* | dryhtsele dyrnne,　　2319

11*

gescēawod.

gearwor hæfde | Āgendes ēst ǣr *gescēawod*.   3075

Hord ys *gescēawod*, | grimme gegongen;   3084

gescēd.

rodera Rǣdend hit on ryht *gescēd*   1555

gescēod. *See* **gescōd.**

gescēop.

līf ēac *gescēop* | cynna gehwylcum,   97

gescer. *See* **gescǣr.**

gesceððan.

þæt him ... ne mihte, | eorres inwitfeng aldre *gesceþðan*; 1447

gescipe.

Gewāt ðā byrnende ... | tō *gescipe* scyndan.   2570

gescōd.

nō þȳ ǣr in *gescōd* | hālan līce;   1502

swā him ǣr *gescōd* | hild æt Heorote.   1587

sē ðe him sāre *gescēod*;   2223

Bill ǣr *gescōd* | ... eald-hlāfordes | þām ðāra māðma

mund-bora wæs   2777

gescrāf.

swā him wyrd ne *gescrāf* | hrēð æt hilde.   2574

geseah.

þā of wealle *geseah* weard Scildinga,   229

Nǣfre ic māran *geseah* | eorla ofer eorþan,   247

Geseah hē in recede rinca manige,   728

stōd on stapole, *geseah* stēapne hrōf   926

fȳrlēoht *geseah*, | blācne lēoman beorhte scīnan.   1516

Geseah ðā on searwum sigeēadig bil,   1557

hē on ræste *geseah* | gūðwērigne Grendel licgan,   1585

þēh hē þǣr monige *geseah*,   1613

þæt ic on wāge *geseah* wlitig hangian | eald sweord 1662

[þā hyne] se fǣr begeat, | sincfæt [*geseah*].   2231

Geseah ðā be wealle, ... | sto[n]dan stānbogan,   2542

geseah his mondryhten | under heregrīman hāt

þrōwian;   2604

Geseah ðā sigehrēðig ... | ... māððumsigla fealo,   2756

Swylce hē siomian *geseah* segn eallgylden   2767

þæt hē on eorðan *geseah* | þone lēofestan ... | blēate

gebǣran.   2822

gesealde.

ond þā frēolīc wīf ful *gesealde* | ... ēþelwearde, 615

drihten ... | on þǣre medubence māþðum *gesealde*, 1052

Ðā git him eorla hlēo inne *gesealde*, | ... māþmas
twelfe, 1866

Hē þǣm bātwearde bunden golde | swurd *gesealde*, 1901

mē eorla hlēo eft *gesealde* | māðma menigeo, 2142

Hȳrde ic, þæt hē ðone healsbēah Hygde *gesealde*, 2172

him *gesealde* seofan þūsendo, | bold ond bregostōl. 2195

þegne *gesealde*, | geongum gārwigan, goldfāhne helm, 2810

þonne hē on ealubence oft *gesealde* | ... helm 2867

gesēcanne.

næs him feor þanon | tō *gesēcanne* sinces bryttan, 1922

gesēcean.

gif hē *gesēcean* dear | wīg ofer wǣpen, 684

þæt hē þanon scolde | eft eardlufan ǣfre *gesēcean*, 692

Hē *gesēcean* sceall | [ho]r[d on] hrūsan, 2275

gesēceð.

gif mec se mānsceaða | of eorðsele ūt *gesēceð*. 2515

gesēgan. *See* **gesēgon.**

gesēgon.

Ǣr hī þǣr *gesēgan* syllīcran wiht, 3038

syððan ... ǣnigne dǣl | secgas *gesēgon* on sele wunian, 3128

geseldan.

Higelāc ongan | sīnne *geseldan* ... | fægre fricgean, 1984

gesellan.

ne gefrægn ic frēondlīcor ... māðmas | ... gummanna
fela | ... *gesellan*. 1029

gesēon.

Nū gē mōton gangan ... | under heregrīman Hrōðgār
gesēon; 396

þæt ic sǣnæssas *gesēon* mihte, 571

siððan hīe sunnan lēoht *gesēon* [ne] meahton, 648

þæt ðū hine selfne *gesēon* mōste, 961

ðā hēo under swegle *gesēon* meahte | morþorbealo
māga, 1078

Gewiton ... | frēondum befeallen Frȳsland *gesēon*, 1126

Mæg þonne ... | *gesēon* sunu Hrēðles,   1485
þæs þe hī hyne gesundne *gesēon* mōston.   1628
þæt h[ī]e seoððan *gesēon* mōston, | mōdige on meþle. 1875
ic þanc secge, | þæs ðe ic ðē gesundne *gesēon* mōste. 1998

geseted.
    Swā wæs ... | ... rihte gemearcod, | *geseted* ond gesæd, 1696

geseten.
    syððan ... | ... wē tō symble *geseten* hæfdon.   2104

gesette.
    gesette sigehrēþig sunnan ond mōnan | lēoman   94
    þæt hē mid ðȳ wīfe wælfæhða dǣl, | sæcca, *gesette.* 2029

gesīgan.
    þæt hē āna scyle | Gēata duguðe ... | *gesīgan* æt sæcce; 2659

gesīða.
    nænig þæt dorste dēor genēþan | swæsra *gesīða,*   1934

gesīðas.
    hī hyne þā ætbæron tō brimes faroðe, | swǣse *gesīþas,* 29
    oð ðæt hīe forlæddan ... | swǣse *gesīðas*   2040
    Gegrētte ðā gumena gehwylcne, ... | swǣse *gesīðas*: 2518

gesīðes.
    Sē wæs Hrōþgāre hæleþa lēofost | on *gesīðes* hād   1297

gesīðum.
    ēode eorla sum, æþele cempa | self mid *gesīðum,*   1313
    Higelāc ... wunað | selfa mid *gesīðum* sǣwealle nēah. 1924
    Wīglāf maðelode ... | sægde *gesīðum*   2632

geslōgon.
    syðða[n] hīe ðā mærða *geslōgon*;   2996

geslōh.
    Geslōh þīn fæder fæhðe mǣste,   459

geslyhta.
    Swā hē nīða gehwane genesen hæfde, | slīðra *geslyhta,* 2398

gesōhtan. *See* **gesōhton.**

gesōhte.
    þanon hē *gesōhte* Sūð-Dena folc   463
    ðonon hē *gesōhte* swæsne ēðel,   520
    þæt hē Hrōþgāres hām *gesōhte.*   717
    feorcȳþðe bēoð | sēlran *gesōhte,*   1839

syððan hīo Offan flet . . . | sīðe *gesōhte*;   1951
þæt hē þone wīdflogan weorode *gesōhte*,   2346

gesōhton.

ðā hyne *gesōhtan* on sigeþēode | hearde hildefrecan,   2204
gesōhton | Gēata lēode Gūð-Scilfingas.   2926

gespræc.

Gespræc þā se gōda gylpworda sum,   675
Gode þancode, | . . . þæs se man *gespræc.*   1398
Hūru ne gemunde mago Ecglāfes | . . . þæt hē ær
   gespræc   1466
Worn eall *gespræc* | gomol on gehðo,   3094

gesprang. *See* **gesprong.**

gesprong.

Sigemunde *gesprong* | æfter dēaðdæge dōm unlȳtel,   884
swā þæt blōd *gesprang*, | hātost heaþoswāta.   1667

gestǣled.

ge feor hafað fæhðe *gestǣled*,   1340

gestāh.

Ic þæt hogode, þā ic on holm *gestāh*,   632

gestēpte.

folce *gestēpte* | ofer sæ sīde sunu Ōhteres,   2393

gestōd.

þæt hē for eaxlum *gestōd* | Deniga frēan;   358
þæt hē on hēoðe *gestōd*.   404
Stīðmōd *gestōd* wið stēapne rond | winia bealdor,   2566

gestōdon.

Nealles him . . . | æðelinga bearn ymbe *gestōdon*   2597

gestōp.

hē tō forð *gestōp* | . . . dracan hēafde nēah.   2289

gestrēon.

Hēt þā ūp beran æþelinga *gestrēon*,   1920
on him gladiað gomelra lāfe | . . . Heaðobear[d]na
   gestrēon,   2037
forlēton eorla *gestrēon* eorðan healdan,   3167

gestrȳnan.

ðe ic mōste . . . | ær swyltdæge swylc *gestrȳnan*.   2798

gestsele. *See* **gistsele.**

gesunde.

Fæder alwalda | ... ēowic gehealde | sīða *gesunde!* 318
ðǣr wē *gesunde* sæl weardodon. 2075

gesundne.

þæs þe hī hyne *gesundne* gesēon mōston. 1628
ic þanc secge, | þæs ðe ic ðē *gesundne* gesēon mōste. 1998

geswāc.

ac sēo ecg *geswāc* | ðēodne æt þearfe; 1524
gūðbill *geswāc* | nacod æt nīðe, 2584
geswāc æt sæcce sweord Bīowulfes, 2681

geswearc.

Nihthelm *geswearc* | deorc ofer dryhtgumum. 1789

geswenced.

nō þȳ leng leofað lāðgetēona | synnum *geswenced;* 975
Ðēah þe hǣðstapa hundum *geswenced,* | ... holtwudu
sēce, 1368

geswencte.

syððan hyne Hǣðcyn ..., | his frēawine, flāne *ge-*
swencte, 2438

geswing.

atol ȳða *geswing* ... | ... heorodrēore wēol; 848

gesyhð.

cwið ... sē ðe bēah *gesyhð,* | eald æscwiga, 2041
Gesyhð sorhcearig on his suna būre | wīnsele wēstne, 2455

gesȳne.

þæt *gesȳne* wearþ, | wīdcūþ werum, 1255
Lāstas wǣron | æfter waldswaþum wīde *gesȳne,* 1403
Wæs þæs wyrmes wīg wīde *gesȳne,* 2316
Wæs ... | wælrǣs weora wīde *gesȳne,* 2947
þā wæs *gesȳne,* þæt se sīð ne ðāh 3058
sē wæs ... | [wæ]glīðendum wīde *g[e]sȳne,* 3158

gesyngad.

þæt wæs feohlēas gefeoht, fyrenum *gesyngad,* 2441

gesyntum.

hēt [h]ine ... lēode swǣse | sēcean on *gesyntum,* 1869

getǣhte.

Him þā hildedēor [h]of mōdigra | torht *getǣhte,* 313
mē se mǣra mago Healfdenes, ... | ... setl *getǣhte.* 2013

getǽse.

frægn gif him wǽre | . . . niht getǽse.   1320

gētan.

cwæð, hē on mergenne mēces ecgum | gētan wolde,   2940

getēah.

Bēowulfe bēga gehwæþres | eodor Ingwina onweald
getēah,   1044

Ofsæt þā þone selegyst, ond hyre seax getēah   1545

hē him ēst getēah | mēara ond māðma.   2165

hond rond gefēng, | . . . gomel swyrd getēah.   2610

getenge.

Geseah ðā sigehrēðig . . . | gold glitinian grunde
getenge,   2758

getēode.

þe him on sweofote sāre getēode;   2295

getēoh.

nō ðū him wearne getēoh | ðīnra gegncwida,   366

geteohhod.

ac wæs ōþer in ǽr geteohhod | . . . mǽrum Gēate.   1300

getēoð.

ac unc sceal weorðan æt wealle, swā unc wyrd getēoð,   2526

geðǽgon.

fægere geþǽgon | medoful manig māgas   1014

geðah. See geðeah.

geðeah.

hē on lust geþeah | symbel ond seleful,   618

Hē þæt ful geþeah,   628

Bēowulf geþah | ful on flette.   1024

geðearfod.

þā him swā geþearfod wæs;   1103

geðenc.

Geþenc nū, se mǽra maga Healfdenes,   1474

geðencean.

þæt hē his selfa ne mæg | . . . ende geþencean.   1734

geðēoh.

geþēoh tela;   1218

geðēon.

lofdǽdum sceal | in mǽgþa gehwǽre man geþēon.   25

þæt þæt ðēodnes bearn geþēon scolde,   910

geðingea.

Ðonne wēne ic tō þē wyrsan *geþingea,*   525

geðinged.

wiste þǣm āhlǣcan | tō þǣm hēahsele hilde *geþinged,*   647

wæs | æfter mundgripe mēce *geþinged,*   1938

geðinges.

lǣtað ... onbīdan | wudu, wælsceaftas, worda *geþinges.* 398

hē ... | bād bolgenmōd beadwa *geþinges.*   709

geðingeð.

Gif him þonne Hrēþrīc tō hofum Gēata | *geþingeð,* 1837

geðingo.

hig him *geþingo* budon,   1085

geðōht.

Nū gē ... | merelīðende, mīn[n]e gehȳrað | ānfealdne

   geþōht;   256

gehȳrde on Bēowulfe | folces hyrde fæstrǣdne *geþōht.* 610

geðolian.

þǣr hē ... sceal | on ðæs Waldendes wǣre *geþolian.* 3109

geðolianne.

wæs | ... weorce on mōde | tō *geþolianne* ðegne

   monegum,   1419

geðolode.

Ðā se ellengǣst earfoðlīce | þrāge *geþolode,*   87

torn *geþolode* | wine Scyldinga, wēana gehwelcne,   147

geðoncum.

brēost innan wēoll | þēostrum *geþoncum,*   2332

geðrang.

cēol ūp *geþrang* | lyftgeswenced, on lande stōd.   1912

geðring.

þæt ic on holma *geþring* | eorlscipe efnde,   2132

geðungen.

þæt hīo Bēowulfe, ... | mōde *geþungen,* medoful ætbær; 624

geðuren.

heoru ... hamere *geþuren,* | ... swīn ofer helme |

   ... andweard scireð.   1285

geðwǣre.

þegnas syndon *geþwǣre,* þēod eal gearo.   1230

geðyld.

Ðȳs dōgor þū *geþyld* hafa | wēana gehwylces,   1395

geðyldum.

Eal þū hit *geþyldum* healdest,   1705

geðȳwe.

swā him *geþȳwe* ne wæs.   2332

getīdde.

Sōna *getī*[*d*]*de*, | þæt :::::: ðām gyst[e gryre]brōga
stōd;   2226

getīðad.

wæs ... | ... bēne *getīðad* | fēasceaftum men.   2284

getrume.

swylce self cyning... | tryddode tīrfæst *getrume* micle,   922

getrūwedon.

Ðā hīe *getrūwedon* on twā healfa | fæste frioðuwære;   1095

getrūwode.

strenge *getrūwode*, | mundgripe mægenes.   1533
beorges *getrūwode*, | wīges ond wealles;   2322
strengo *getrūwode* | ānes mannes;   2540

getrȳwe.

Hēr is æghwylc eorl ōþrum *getrȳwe*,   1228

getwǣfan.

God ēaþe mæg | þone dolsceaðan dǣda *getwǣfan*.   479

getwǣfde.

Sumne Gēata lēod | of flānbogan fēores *getwǣfde*,   1433
nō þǣr wēgflotan wind ofer ȳdum | sīðes *getwǣfde*;   1908

getwǣfed.

ætrihte wæs | gūð *getwǣfed*,   1658

getwǣfeð.

þæt þec ādl oððe ecg eafoþes *getwǣfeð*,   1763

getwǣman.

ic hine ne mihte ... | ganges *getwǣman*;   968

geunnan.

gif hē ūs *geunnan* wile,   346

geūðe.

ac mē *geūðe* ylda Waldend,   1661

gewāc.

þæt sīo ecg *gewāc* | brūn on bāne,   2577
ne his mǣges lāf | *gewāc* æt wīge;   2629

gewaden.

oð þæt ... | wundenstefna *gewaden* hæfde,   220

gewǣdu.

Gewītaþ forð beran | wǣpen ond *gewǣdu*,   292

gewand.

þā se āglǣca | fyrendǣdum fāg on fléam *gewand*,   1001

gewanod.

is mīn fletwerod, | wīghéap, *gewanod*;   477

gewāt.

Him ðā Scyld *gewāt* tō gescæphwīle | felahrōr féran   26
Gewāt ðā néosian, . . . | héan húses,   115
þanon eft *gewāt* | húðe hrémig tō hām faran,   123
Fyrst forð *gewāt*;   210
Gewāt þā ofer wǣgholm winde gefȳsed | flota fāmiheals   217
Gewāt him þā tō waroðe wicge rīdan | þegn Hrōðgāres,   234
Ðā him Hrōþgār *gewāt* mid his hæleþa gedryht,   662
ond him Hrōþgār *gewāt* tō hofe sīnum,   1236
hé þā fāg *gewāt*, | morþre gemearcod,   1263
hé héan *gewāt*, | dréame bedǣled,   1274
gewāt him hām þonon | goldwine gumena.   1601
Gewāt him on nacan | drēfan dēop wǣter,   1903
Gewāt him ðā se hearda mid his hondscole   1963
gewāt Ongenðīoes bearn | hāmes nīosan,   2387
Gewāt þā twelfa sum, torne gebolgen, | dryhten Géata   2401
þā hé of līfe *gewāt*.   2471
Gewāt ðā byrnende gebogen scrīðan,   2569
þā hé of ealdre *gewāt* | frōd on forðweg.   2624
him of hreðre *gewāt* | sāwol   2819
Gewāt him ðā se gōda mid his gædelingum,   2949
nyðer eft *gewāt* | dennes nīosian;   3044

gewealc.

ofer ȳða *gewealc*,   464

geweald.

sē þe his wordes *geweald* wīde hæfde.   79
him hǣl ābéad, | wīnærnes *geweald*,   654
wiste his fingra *geweald* | on grames grāpum.   764
Scolde... |... se ellorgāst | on féonda *geweald* feor
  sīðian.   808
hé mid eotenum wearð | on féonda *geweald* forð
  forlācen,   903
ic *geweald* hæbbe.   950

þæt hīe healfre *geweald* | ... āgan mōston,   1087
sē *geweald* hafað | sǣla ond mǣla;   1610
on *geweald* gehwearf woroldcyninga | ðǣm sēlestan 1684
hē āh ealra *geweald*.   1727

gewealdan.
swā hē ne mihte nō ... | wǣpna *gewealdan*;   1509

gewealdene.
gedēð him swā *gewealdene* worolde dǣlas,   1732

gewealdum.
Nealles mid *gewealdum* wyrmhorda cræft | [sōhte],   2221

gewearð.
þā ðæs monige *gewearð*,   1598
sīo fǣhð *gewearð* | gewrecen wrāðlīce.   3061

gewegan.
þe hē wið þām wyrme *gewegan* sceolde.   2400

gewendan.
Wā bið ... | ... frōfre ne wēnan, | wihte *gewendan*;   186

gewende.
gūðbeorna sum | wicg *gewende,*   315

gewēold.
hālig God | *gewēold* wīgsigor,   1554
þā gēn sylf cyning | *gewēold* his gewitte,   2703

geweorc.
þæt is Hrēðlan lāf, | Wēlandes *geweorc.*   455
þæt [wæs] ... | gōd ond geatolīc, gīganta *geweorc.*   1562
hit on æht gehwearf | ... frēan, | wundorsmiþa *ge-
    weorc;*   1681
seah on enta *geweorc,*   2717
ic ... gefrægn ... rēafian, | eald enta *geweorc,* ānne
    mannan,   2774

geweorces.
þæt ... wæs | sīðas[t] sigehwīle ... | worlde *geweorces.* 2711

geweorðad.
nis þæt seldguma | wǣpnum *geweorðad,*   250
wæs se īrenþrēat | wǣpnum *gewurþad.*   331
þāra ānum stōd | sadol searwum fāh, since *gewurþad;* 1038
sē þe ... scolde | sēcan sundgebland since *geweorðad,* 1450
Ðā cōm ... | dǣdcēne mon dōme *gewurþad,*   1645

Forðam Offa wæs ... | wīde *geweorðod*;   1959
hyre syððan wæs, | æfter bēahðege, br[ē]ost *geweorðod*. 2176
geweorðan.
  þæt ðū ... | lēte Sūð-Dene sylfe *geweorðan* | gūðe   1996
gewēox.
  oðð þæt sēo geogoð *gewēox*,   66
  ne *gewēox* hē him tō willan, ac tō wælfealle   1711
gewērgad.
  Hē *gewērgad* sæt,   2852
gewidru.
  þonne wind styreþ | lāð *gewidru*,   1375
gewin.
  wæs þæt *gewin* tō strang, | lāð ond longsum.   133
  wæs þæt *gewin* tō swȳð, | lāþ ond longsum,   191
  Hīe þæt ne wiston, þā hīe *gewin* drugon,   798
  Wælsinges *gewin*, wīde sīðas,   877
  ne dorste | under ȳða *gewin* aldre genēþan,   1469
  þæt ic on þone hafelan ... | ofer eald *gewin* ...
    starige.   1781
gewindan.
  Mynte se mæra, ... | wīdre *gewindan*   763
gewinna.
  Grendel wearð, | eald *gewinna*, ingenga mīn;   1776
gewinnes.
  þæt hē þæs *gewinnes* weorc þrōwade,   1721
gewiofu.
  him Dryhten forgeaf | wīgspēda *gewiofu*,   697
gewislīcost.
  þæs þe hīe *gewislīcost* gewitan meahton,   1350
gewitan.
  þæs þe hīe gewislīcost *gewitan* meahton,   1350
gewītan.
  þā ... scoldon | on flōdes æht feor *gewītan*.   42
gewītað.
  Gewītaþ forð beran | wǣpen ond gewǣdu,   291
gewitenum.
  forð *gewitenum* on fæder stæle.   1479
gewīteð.
  ðǣr fyrgenstrēam | under næssa genipu niþer *gewīteð*, 1360
  Gewīteð þonne on sealman,   2460

gewitnad.
þæt se secg wære ... | wommum *gewitnad*, 3073
gewiton.
Gewiton him þā fēran; 301
þanon eft *gewiton* ealdgesīðas, 853
Gewiton him ðā wīgend wīca nēosian 1125
gewitte.
þā gēn sylf cyning | gewēold his *gewitte*, 2703
fȳr unswīðor, | wēoll of *gewitte*. 2882
gewittig.
cwico wæs þā gēna, | wīs ond *gewittig*. 3094
geworden.
cearu wæs genīwod, | *geworden* in wīcun. 1304
[h]afað þæs *geworden* wine Scyldinga, 2026
geworht.
þæt sweord *geworht*, | ... ærest wære, 1696
geworhte.
þæt ic ānunga ēowra lēoda | willan *geworhte*, 635
þe hē *geworhte* tō West-Denum 1578
Ic þā lēode wāt | ... fæste *geworhte*, 1864
þe him se eorðdraca ær *geworhte*, 2712
geworhton.
þæt gē *geworhton* æfter wines dædum | ... beorh
þone hēan, 3096
Geworhton ðā Wedra lēode | hl[æw] 3157
gewræc.
In Caines cynne þone cwealm *gewræc* | ēce Drihten, 107
ic ðæt eall *gewræc*, 2005
Wīf unhȳre | hyre bearn *gewræc*, 2121
hē *gewræc* syððan | cealdum cearsīðum, 2395
þæt hē hyne sylfne *gewræc* 2875
gewrǣcan.
þæt mǣgwine mīne *gewrǣcan*, | fæhðe ond fyrene, 2479
gewrecen.
sīo fæhð gewearð | *gewrecen* wrāðlīce. 3062
gewrixle.
Ne wæs þæt *gewrixle* til, | þæt hīe ... bicgan scoldon 1304
gewunigen.
þæt hine on ylde eft *gewunigen* | wilgesīþas, 22

gewurðad. *See* **geweorðad.**

gewyrcan. *See* **gewyrcean.**

gewyrce.

ic mē mid Hruntinge | dōm *gewyrce,*   1491

gewyrcean.

Swā sceal [geong g]uma gōde *gewyrcean,*   20

þæt ... hātan wolde, | medoærn micel, men *gewyrcean,* 69

Ne meahte ic æt hilde mid Hruntinge | wiht *gewyrcan,* 1660

Heht him þā *gewyrcean* wīgendra hlēo ... | wīgbord

wrætlīc;   2337

Hātað heaðomǣre hlæw *gewyrcean*   2802

ne meahte | on ðām āglǣcean... | wunde *gewyrcean.* 2906

gewyrpte.

ac hē hyne *gewyrpte,*   2976

geȳwan.

ðā ic ðē ... bringan wylle, | ēstum *geȳwan.*   2149

gid.

Þær wæs... | gomenwudu grēted, *gid* oft wrecen,   1065

Lēoð wæs āsungen, | glēomannes *gyd.*   1160

ic þis *gid* be þē | āwræc wintrum frōd.   1723

þær wæs *gidd* ond glēo.   2105

hwīlum *gyd* āwræc | sōð ond sārlīc;   2108

gyd æfter wræc: 2154

þonne hē *gyd* wrece, | sārigne sang,   2446

swylce gīomor *gyd*   3150

gidd. *See* **gid.**

gidda.

guma gilphlæden, *gidda* gemyndig,   868

giddode.

ond þā *gyddode* gūþe gefȳsed;   630

giddum.

wearð | ylda bearnum ... cūð, | *gyddum* gēomore,   151

earme ... ides gnornode, | gēomrode *giddum.*   1118

gifa. *See also* **geofena.**

næs hīo ... | ... tō gnēað *gifa* Gēata lēodum,   1930

gifan.

Ne meahte se snella sunu Wonrēdes | ... ondslyht

giofan,   2972

gife.

hwæþre hē gemunde mægenes strenge, | gimfæste *gife*,   1271
hē ... | ginfæstan *gife*, ... | hēold hildedēor.   2182

gifen. *See also* **geofones.**

syðþan flōd ofslōh, | *gifen* gēotende, gīganta cyn;   1690

gifen.

þā wæs Hrōðgāre herespēd *gyfen*,   64
Ðā wæs gylden hilt gamelum rince | ... *gyfen*,   1678
syððan ærest wearð | *gyfen* goldhroden ... cempan,   1948

gifeðe.

Gōdfremmendra swylcum *gifeþe* bið,   299
hwæþre mē *gyfeþe* wearð, | þæt ic āglæcan ... ge-
ræhte,   556
Bēowulfe wearð | gūðhrēð *gyfeðe*;   819
Ic him þā māðmas ... | geald ... swā mē *gifeðe* wæs,   2491
Him þæt *gifeðe* ne wæs,   2682
þær mē *gifeðe* swā | ænig yrfeweard æfter wurde |
līce gelenge.   2730
wæs þæt *gifeðe* tō swīð,   3085

gifhealle.

Ðā wæs on morgen ... | ymb þā *gifhealle* gūðrinc
monig;   838

gīfre.

his mōdor ... | *gīfre* ond galgmōd gegān wolde |
sorhfulne sīð,   1277

gīfrost.

Līg ealle forswealg, | gæsta *gīfrost*,   1123

gifsceattas.

þā ðe *gifsceattas* Gēata fyredon | þyder tō þance,   378

gifstōl.

nō hē þone *gifstōl* grētan mōste,   168
þæt ... | bolda sēlest brynewylmum mealt, | *gifstōl*
Gēata.   2327

Gifðum.

þæt hē tō *Gifðum* ... | ... sēcean þurfe | wyrsan
wīgfrecan,   2494

gifu.

þā wæs on gange *gifu* Hrōðgāres | oft geæhted.   1884

12

gīganta.

þæt [wæs] wǣpna cyst,... | gōd ond geatolīc, *gīganta*
geweorc.   1562
syðþan flōd ofslōh, | gifen gēotende, *gīganta* cyn; 1690
gīgantas.

Đanon ... onwōcon ... | swylce *gīgantas,*   113
gilp. *See* **gylp.**

gilpcwide. *See* **gylpcwide.**

gilphlæden. *See* **gylphlæden.**

gim.

Syððan heofones *gim* | glād ofer grundas, 2072
gimfæste.

hwæþre hē gemunde mægenes strenge, | *gimfæste*
gife,   1271
gimmerīce.

on geogoðe hēold *gimmerīce* | hordburh hæleþa. 466
ginfæstan.

hē ... | *ginfæstan* gife,... | hēold hildedēor. 2182
gingæste.

Þæt wæs þām gomelan *gingæste* word 2817
gīo-. *See* **gēo-.**

giofan.

Ne meahte se snella sunu Wonrēdes |... *ond*slyht
giofan,   2972
giogoð-. *See* **geoguð-.**

giohðe.

[Bēowulf maðelode,] | gomel on *giohðe* 2793
giohðo.

Swā gīomormōd *giohðo* mænde | ān æfter eallum, 2267
Worn eall gespræc | gomol on *gehðo,* 3095
giond-. *See* **geond-.**

gīong. *See* **gēong.**

gist.

wæs se grimma *gæst* Grendel hāten, 102
fundode wrecca, | *gist* of geardum; 1138
weras scēawedon | gryrelīcne *gist.* 1441
Đā se *gist* onfand, | þæt se beadolēoma bītan nolde, 1522
gæst inne swæf,   1800
gæst yrre cwōm, | eatol æfengrom, ūser nēosan, 2073
Đā se *gæst* ongan glēdum spīwan, 2312

gistas.

Gistas sē*tan* | mōdes sēoce,   1602
nō hē mid hearme of hliðes nosan | gæs[*tas*] grētte, 1893

giste.

þæt :::: : ðām *gyst*[*e* gryre]brōga stōd;   2227

gistsele.

þe þæt wīnreced, | *gestsele*, gyredon.   994

glād.

Syððan heofones gim | *glād* ofer grundas,   2073

gladiað.

on him *gladiað* gomelra lāfe   2036

gladum.

Sīo gehāten [is], | ... goldhroden, *gladum* suna
Frōdan;   2025

glæd.

Bēo wið Gēatas *glæd*, geofena gemyndig;   1173

glæde.

hēold þenden lifde, | gamol ond gūðrēouw, *glæde*
Scyldingas.   58

glædman.

nō ðū him wearne getēoh | ... *glædman* Hrōðgār.   367

glædmōd.

Gēat wæs *glædmōd*, gēong sōna tō, | setles nēosan, 1785

glædne.

Ne hīe hūru winedrihten wiht ne lōgon, | *glædne*
Hrōðgār,   863
Ic mīnne can | *glædne* Hrōþulf,   1181

glēd.

þæt mīnne līchaman | ... *glēd* fæðmi*e*.   2652
Nū sceal *glēd* fretan | ... wigena strengel,   3114

glēdegesa.

þenden hyt sȳ, | *glēdegesa* grim.   2650

glēdum.

Đā se gæst ongan *glēdum* spīwan,   2312
Hæfde līgdraca lēoda fæsten, ... | *glēdum* forgrunden; 2335
þā his āgen w[æs] | *glēdum* forgrunden.   2677
wæs se lēgdraca | ... *glēdum* beswæled.   3041

glēo.

þær wæs gidd ond *glēo*.   2105

glēobēames.

    Nis hearpan wyn, | gomen *glēobēames,*   2263

glēodrēam.

    se herewīsa . . . ālegde, | gamen ond *glēodrēam.*   3021

glēomannes.

    Lēoð wæs āsungen, | *glēomannes* gyd.   1160

glidon.

    þær git . . . | *glidon* ofer gārsecg;   515

glitinian.

    Geseah ðā sigehrēðig, . . . | gold *glitinian* grunde
        getenge,   2758

glōf.

    Glōf hangode | sīd ond syllīc,   2085

gnēað.

    næs hīo . . . | . . . tō *gnēað* gifa Gēata lēodum,   1930

gnorn.

    þæt hē āna scyle | Gēata duguðe *gnorn* þrōwian,   2658

gnornode.

    earme on eaxle ides *gnornode,*   1117

God.

    þone *God* sende | folce tō frōfre;   13

    wolde . . . | . . . eall gedælan | . . . swylc him *God* sealde,   72

    ne wiston hīe Drihten *God,*   181

    Hine hālig *God* | for ārstafum ūs onsende,   382

    God ēaþe mæg | þone dolsceaðan dæda getwæfan.   478

    siþðan wītig *God* | on swā hwæþere hond, . . . |

        mærðo dēme,   685

    þæt mihtig *God* manna cynnes | wēold *w*īdeferhð.   701

    hē fāg wið *God,*   811

    ā mæg *God* wyrcan | wunder æfter wundre,   930

    nefne him wītig *God* wyrd forstōde,   1056

    hē gemunde . . . | gimfæste gife, ðe him *God* sealde,   1271

    hālig *God* | gewēold wīgsigor, wītig Drihten,   1553

    nymðe mec *God* scylde.   1658

    Ðēah þe hine mihtig *God* mægenes wynnum, |
        eafeþum, stēpte   1716

    hū mihtig *God* manna cynne | . . . snyttru bryttað,   1725

    him ær *God* sealde, | wuldres Waldend, weorðmynda
        dæl.   1751

hē ... | ginfæstan gife, þe him *God* sealde, | hēold   2182
God wāt on mec,   2650
hwæðre him *God* ūðe,   2874
nefne *God* sylfa | ... sealde ... | ... hord openian,   3054

gōd.

þæt wæs *gōd* cyning.   11, 863, 2390
þæt fram hām gefrægn Higelāces þegn, | *gōd* mid
  Gēatum,   195
wes þū ūs lārena *gōd*.   269
hū hē frōd ond *gōd* fēond oferswȳðeþ,   279
þæt [wæs] ... | *gōd* ond geatolīc, gīganta geweorc.   1562
Gecyste þā cyning æþelum *gōd*, | ... ðegn betstan,   1870
ne *gōd* hafoc | geond sǣl swingeð,   2263
sē ðe worna fela, | gumcystum *gōd*, gūða gedīgde,   2543
Sweord ǣr gebrǣd | *gōd* gūðcyning,   2563

gōda.

Hæfde se *gōda* Gēata lēoda | cempan gecorone,   205
ðe mē se *gōda* āgifan þenceð.   355
Gespræc þā se *gōda* gylpworda sum,   675
Nāt hē þāra *gōda*, þæt hē mē ongēan slēa,   681
Gemunde þā se *gōda* mǣg Higelāces | æfensprǣce,   758
þǣr se *gōda* sæt, | Bēowulf Gēata,   1190
Ongeat þā se *gōda* grundwyrgenne,   1518
þā se *gōda* cōm | ... on lāst faran.   2944
Gewāt him ðā se *gōda* mid his gædelingum,   2949

gōdan.

ic þǣm *gōdan* sceal | for his mōdþrǣce mādmas bēodan.   384
þǣr þā *gōdan* twēgen | sǣton suhtergefæderan;   1163
þæt ðām *gōdan* wæs | hrēow on hreðre,   2327

Gode.

þā wið *Gode* wunnon | lange þrāge;   113
Gode þancedon, | þæs þe him ȳþlāde ēaðe wurdon.   227
Gode þancode | wīsfæst wordum,   625
Āhlēop ðā se gomela, *Gode* þancode,   1397
Eodon him þā tōgēanes, *Gode* þancodon, | ðrȳðlīc
  þegna hēap,   1626
Gode ic þanc secge,   1997

gōde.

Swā sceal [geong g]uma *gōde* gewyrcean,   20

Alwalda þec | *gōde* forgylde,   956
þæt hē mid *gōde* gyldan wille | uncran eaferan,   1184
hīo ... | in gumstōle, *gōde* mǣre, | līfgesceafta ...
    brēac,   1952
hyt ǣr on ðē | *gōde* begēaton;   2249
þē hē ūsic gārwīgend *gōde* tealde,   2641
Godes.
Lēoht ēastan cōm, | beorht bēacen *Godes*;   570
Godes yrre bǣr;   711
þe ... gehȳrdon, | gryrelēoð galan *Godes* ondsacan, 786
þā þās worold ofgeaf | gromheort guma, *Godes* ondsaca, 1682
Hē ... | gumdrēam ofgeaf, *Godes* lēoht gecēas;   2469
Wolde dōm *Godes* dǣdum rǣdan | gumena gehwylcum, 2858
gōdfremmendra.
Gōdfremmendra swylcum gifeþe bið,   299
gōdne.
Hēt him ȳðlidan | *gōdne* gegyrwan;   199
þæt wē hine swā *gōdne* grētan mōton.   347
þæt ic gumcystum *gōdne* funde   1486
gomele ymb *gōdne* on geador sprǣcon,   1595
cwæð, hē þone gūðwine *gōdne* tealde,   1810
geongne gūðcyning *gōdne* gefrūnon | hringas dǣlan. 1969
swā hyne Gēata bearn *gōdne* ne tealdon,   2184
gōdra.
þæt ūre mandryhten mǣgenes behōfað | *gōdra*
    gūðrinca;   2648
gōdum.
þæt ... sceal ... | ... manig ōþerne | *gōdum* gegrēttan
    ofer ganotes bæð;   1861
bealdode bearn Ecgðēowes, | guma ... cūð, *gōdum*
    dǣdum,   2178
wæs endedæg | *gōdum* gegongen,   3036
þæt hīe bǣlwudu | ... feredon, ... | *gōdum* tōgēnes: 3114
gold.
Āð wæs geæfned, ond icge *gold* | āhæfen of horde. 1107
Him wæs ... | ... wunden *gold* | ēstum geēawed,   1193
hē hæðen *gold* | warað wintrum frōd;   2276
Ic mid elne sceall | *gold* gegangan,   2536
Geseah ðā ... | *gold* glitinian grunde getenge,   2758

mǽg | *gold* on grund[e], gumcynnes gehwone | ofer-
hīgian,   2765
[Bēowulf maðelode], | ... *gold* scēawode: 2793
þǽr is ... | *gold* unrīme grimme gecēa[po]d,   3012
wæs þæt ... | īumonna *gold* galdre bewunden,   3052
þæt gē ... scēawiað | bēagas ond brād *gold.*   3105
þǽr wæs wunden *gold* on wǽn hladen,   3134
forlēton ... eorðan healdan, | *gold* on grēote,   3167

goldǽht.
þæt ic ǽrwelan, | *goldǽht* ongite,   2748

golde.
Eoforlīc scionon | ofer hlēorber[g]an, gehroden *golde,* 304
beadohrægl brōden on brēostum lǽg, | *golde* gegyrwed.   553
fram sylle ābēag | medubenc monig ... | *golde* geregnad, 777
geseah ... hrōf | *golde* fāhne ond Grendles hond: 927
ne gefrægn ic ... mādmas | *golde* gegyrede gummanna
fela | ... gesellan.   1028
þone ænne heht | *golde* forgyldan,   1054
Ic þē þā fǽhðe fēo lēanige, ... | wund*num golde,*   1382
Mǽg þonne on þǽm *golde* ongitan Gēata dryhten,   1484
Hē þǽm bātwearde bunden *golde* | swurd gesealde,   1900
Mē þone wælrǽs wine Scildunga | fǽttan *golde* ...
lēanode,   2102
Hēt ðā eorla hlēo in gefetian, | ... Hrēðles lāfe |
golde gegyrede;   2192
Sceal se hearda helm [hyr]sted *golde* | fǽtum be-
feallen;   2255
āhēorde | gomela īomēowlan *golde* berofene,   2931
ac sceal gēomormōd, *golde* berēafod, | ... elland tredan, 3018

goldes.
þæt ... | ... Folcwaldan sunu ... | Hengestes hēap
... wenede | ... sincgestrēomum | fǽttan *goldes,*   1093
Swā wæs on ðǽm scennum scīran *goldes* | ... rihte
gemearcod,   1694
bǽr ... | hringa hyrde hardfyrdne dǽl, | fǽttan *goldes,* 2246
ðæt hæfde gumena sum *goldes* gefandod,   2301

goldfāg. *See* **goldfāh.**
goldfāh.
oþ þæt hȳ [s]ǽl timbred, | ... *goldfāh,* ongyton mihton; 308

Goldfāg scinon | web æfter wāgum,   994
reced hlīuade | gēap ond *goldfāh*;   1800
goldfāhne.
þegne gesealde, | geongum gārwigan, *goldfähne* helm, 2811
goldgyfan.
þæt mīnne līchaman | mid mīnne *goldgyfan* glēd
fæðmie.   2652
goldhroden.
grētte *goldhroden* guman on healle;   614
ēode *goldhroden* | frēolicu folccwēn   640
syððan ærest wearð | gyfen *goldhroden* ... cempan, 1948
Sīo gehāten [is], | ... *goldhroden,* gladum suna Frōdan; 2025
goldhwæt.
Næs hē *goldhwæt*;   3074
goldmāðmas.
Weard unhīore, | gearo gūðfreca, *goldmāðmas* hēold, 2414
goldsele.
hē wīnreced, | *goldsele* gumena, gearwost wisse,   715
siþðan *goldsele* Grendel warode,   1253
fēower scoldon | ... geferian | tō þæm *goldsele*
Grendles hēafod,   1639
Nō ... | bona blōdigtōð ... | of ðām *goldsele* gongan
wolde;   2083
goldweard.
þæt hē ne grētte *goldweard* þone,   3081
goldwine.
þū on sælum wes, | *goldwine* gumena,   1171
Geþenc nū, ... | *goldwine* gumena, hwæt wit gēo
spræcon: 1476
gewāt him hām þonon | *goldwine* gumena.   1602
þenden hǣlo ābēad heorðgenēatum, | *goldwine* Gēata. 2419
Hrēðsigora ne gealp | *goldwine* Gēata;   2584
goldwlanc.
gūðrinc *goldwlanc* græsmoldan træd   1881
gomban.
oð þæt him æghwylc ... | ofer hronrāde ... scolde |
gomban gyldan;   11
gomel.
hēold ..., | *gamol* ond gūðrēouw, glæde Scyldingas.   58

ǣr hē on weg hwurfe | *gamol* of geardum;   265
ongan ... | *gomel* gūðwiga gioguðe cwīðan | hilde-
    strengo;   2112
hond rond gefēng, | ... *gomel* swyrd getēah.   2610
geswāc ... sweord Bīowulfes, | *gomol* ond grǣgmǣl.   2682
[Bēowulf maðelode,] | *gomel* on giohðe   2793
Worn eall gesprǣc | *gomol* on gehðo,   3095

gomela.
Āhlēop ðā se *gomela*, Gode þancode,   1397
wolde blondenfeax beddes nēosan, | *gamela* Scylding.   1792
Gomela Scilding, | fela fricgende, feorran rehte;   2105
gomela Scylfing | hrēas [heoro]blāc;   2487
þǣr se *gomela* lǣg;   2851
āhēorde, | *gomela* īomēowlan golde berofene,   2931
Nǣs hē forht swā ðēh, | *gomela* Scilfing,   2968

gomelan.
sē ðone *gomelan* grētan sceolde,   2421
þæt wæs þām *gomelan* gingæste word   2817

gomele.
gomele ymb gōdne on geador sprǣcon,   1595
gebrǣd | gōd gūðcyning *gomele* lāfe, | ecgum unslāw; 2563

gomelra.
on him gladiað *gomelra* lāfe   2036

gomelum.
Ðā wæs gylden hilt *gamelum* rince | ... gyfen,   1677
Swā bið gēomorlīc *gomelum* ceorle | tō gebīdanne,   2444

gomen.
Gamen eft āstāh, | beorhtode bencswēg;   1160
Nis hearpan wyn, | *gomen* glēobēames,   2263
nis þǣr hearpan swēg, | *gomen* in geardum,   2459
se herewīsa ... ālegde, | *gamen* ond glēodrēam.   3021

gomene.
edwenden cwōm, | gyrn æfter *gomene*,   1775
cwæð, hē ... | gētan wolde, sum[e] ... | [fuglum] tō
gamene.   2941

gomenwāðe.
Þanon eft gewiton ealdgesīðas | ... of *gomenwāþe*,   854

gomenwudu.
þǣr wæs ... | *gomenwudu* grēted, gid oft wrecen,   1065
hwīlum hildedēor hearpan wynne, | *gomenwudu* grētte, 2108

gomolfeax.

Þā wæs ... sinces brytta | *gamolfeax* ond gūðrōf;   608

gong.

Þæt tō healle *gang* Healfdenes sunu;   1009
Þā hēo tō fenne *gang.*   1295
Gang ðā æfter flōre fyrdwyrðe man   1316

gongan.

Þæt hīe him tō mihton | gegnum *gangan*;   314
Þā hīe tō sele furðum | in hyra gryregeatwum *gangan*
cwōmon.   324
Nū gē mōton *gangan* in ēowrum gūðgeatawum |
... Hrōðgār gesēon;   395
Ðā cōm ... | Grendel *gongan,*   711
Þonne scyldfreca | ongēan gramum *gangan* scolde.   1034
oÞ ðæt ... cōmon | ... fēowertȳne | Gēata *gongan*;   1642
Þæt ... | lindgesteälla ... cwōm | heaðolāces hāl tō
hofe *gongan.*   1974
Nō ... | bona blōdigtōð ... | of ðām goldsele *gongan*
wolde;   2083
wutun *gongan* tō, | helpan hildfruman,   2648

gonge.

Þā wæs on *gange* gifu Hrōðgāres | oft geæhted.   1884

gonges.

ic hine ne mihte ... | *ganges* getwǣman;   968

grǣdig.

Wiht unhǣlo, | grim ond *grǣdig,* gearo sōna wæs,   121
sē ðe flōda begong | ... behēold ... | grim ond *grǣdig,*   1499
Þæt ... hringmǣl āgōl | *grǣdig* gūðlēoð.   1522

grǣg.

gāras stōdon, ... | æscholt ufan *grǣg*;   330

grǣge.

Hwanon ferigeað gē ... | *grǣge* syrcan ond grīmhelmas,   334

grǣgmǣl.

geswāc ... sweord Bīowulfes, | gomol ond *grǣgmǣl.* 2682

græsmoldan.

Bēowulf Þanan, | gūðrinc goldwlanc, *grǣsmoldan* træd 1881

graman.

Þǣr Þā *graman* wunnon;   777

grames.

wiste his fingra geweald | on *grames* grāpum. 765

gramheort.

þā þās worold ofgeaf | *gromheort* guma, 1682

gramhȳdig.

gȳtsað *gromhȳdig*, 1749

gramum.

forgrand *gramum*; 424

þonne scyldfreca | ongēan *gramum* gangan scolde. 1034

grāp.

Grāp þā tōgēanes, gūðrinc gefēng 1501

grāpe.

ic mid *grāpe* sceal | fōn wið fēonde, 438

fæste hæfde | grim on *grāpe*; 555

þær wæs eal geador | Grendles *grāpe* 836

grāpode.

þæt hire wið halse heard *grāpode*, 1566

hē mægnes rōf mīn costode, | *grāpode* gearofolm. 2085

grāpum.

wiste his fingra geweald | on grames *grāpum*. 765

Hēo him ... handlēan forgeald | grimman *grāpum*, 1542

Grendel.

wæs se grimma gæst *Grendel* hāten, 102

Grendel wan | hwīle wið Hrōþgār, 151

wið *Grendel* sceal | ... āna gehēgan | ðing wið þyrse. 424

hwæt mē *Grendel* hafað | hȳnðo ... | ... gefremed; 474

þæt næfre *Gre[n]del* swā fela gryra gefremede, 591

Nō ic mē ... hnāgran talige | ... þonne *Grendel* hine; 678

Ðā cōm ... | *Grendel* gongan, 711

scolde *Grendel* þonan | feorhsēoc flēon 819

þone ðe *Grendel* ær | māne ācwealde, 1054

siþðan goldsele *Grendel* warode, 1253

wæs þæra *Grendel* sum, | heorowearh hetelīc, 1266

þe þū gystran niht *Grendel* cwealdest 1334

þone on gēardagum *Grendel* nemdon | foldbūende; 1354

hē ... geseah | gūðwērigne *Grendel* licgan, 1586

seoþðan *Grendel* wearð, | eald gewinna, ingenga mīn; 1775

þæt ðū ... | lēte Sūð-Dene ... geweorðan | gūðe

wið *Grendel*. 1997

Ic sceal forð sprecan | gēn ymbe *Grendel*,   2070
   him *Grendel* wearð, | mǣrum maguþegne, tō mūð-
   bonan,   2078

Grendeles. *See* **Grendles.**

Grendle.

   Hæfde kyning[a] wuldor | *Grendle* tōgēanes, . . . |
     seleweard āseted;   666
   Fela ic lāþes gebād, | grynna æt *Grendle*;   930
   hē hraþe wolde | *Grendle* forgyldan gūðrǣsa fela,   1577
   swā ic gīo wið *Grendle* dyde;   2521

Grendles.

   Ðā wæs . . . | *Grendles* gūðcræft gumum undyrne;   127
   þæt . . . gefrægn Higelāces þegn | . . . *Grendles* dæda;   195
   Hine hālig God | . . . us onsende . . . | wið *Grendles*
     gryre;   384
   Mē wearð *Grendles* þing | . . . undyrne cūð;   410
   hīe wyrd forswēop | on *Grendles* gryre.   478
   þæt hīe . . . bīdan woldon | *Grendles* gūþe   483
   gif þū *Grendles* dearst | . . . nēan bīdan.   527
   þǣr wæs eal geador | *Grendles* grāpe   836
   geseah . . . | . . . *Grendles* hond: 927
   Grendles mōdor, | ides, āglǣcwīf, yrmþe gemunde,   1258
   siþðan inne fealh | *Grendles* mōdor.   1282
   uton hraþe fēran, | *Grendles* māgan gang scēawigan.   1391
   Gefēng þā be eaxle . . . | Gūð-Gēata lēod *Grendles*
     mōdor,   1538
   fēower scoldon . . . | tō þǣm goldsele *Grendles* hēafod, 1639
   þā wæs be feaxe on flet boren | *Grendles* hēafod,   1648
   hwylc [orleg]hwīl uncer *Grendles* | wearð on ðām
     wange,   2002
   swā [ne] gylpan þearf *Grendeles* māga | . . . ūhthlem
     þone,   2006
   wæs eft hraðe | gearo gyrnwrǣce *Grendeles* mōdor, 2118
   ic hēafde becearf | . . . *Grendeles* mōdor | ēacnum
     ecgum;   2139
   syððan hē . . . | . . . æt gūðe forgrāp *Grendeles* mǣgum 2353

grēote.

   forlēton . . . eorðan healdan, | gold on *grēote*,   3167

grēoteð.

sē þe æfter sincgyfan on sefan *grēoteþ,*   1342

grēow.

him on ferhþe *grēow* | brēosthord blōdrēow;   1718

grētan.

nō hē þone gifstōl *grētan* mōste,   168
þæt wē hine ... *grētan* mōton.   347
þone synscaðan ... | gūðbilla nān *grētan* nolde;   803
Ðā cōm ... | hæle hildedēor Hrōðgār *grētan.*   1646
Ic ... cwōm | tō ðām hringsele Hrōðgār *grētan*;   2010
sē ðone gomelan *grētan* sceolde,   2421
þe mec gūðwinum *grētan* dorste,   2735
gomol on gehðo ... ēowic *grētan* hēt,   3095

grēted.

þær wæs ... | gomenwudu *grēted*, gid oft wrecen,   1065

grētte.

grētte goldhroden guman on healle;   614
grētte Gēata lēod, Gode þancode   625
grētte þā guma ōþerne,   652
hæle hildedēor Hrōðgār *grētte.*   1816
nō hē mid hearme of hliðes nosan | gæs[tas] *grētte,*   1893
þæt ðū þone wælgæst wihte ne *grētte,*   1995
hwīlum hildedēor hearpan wynne, | gomenwudu *grētte,*   2108
þæt hē ne *grētte* goldweard þone,   3081

grim.

Wiht unhǣlo, | *grim* ..., gearo sōna wæs,   121
fæste hæfde | *grim* on grāpe;   555
sē ðe flōda begong | ... behēold ... | *grim* ond
grǣdig,   1499
him bið *grim* sefa,   2043
þenden hyt sȳ, | glēdegesa *grim.*   2650
Ðā wæs æt ðām geongum *grim* ondswaru | ēðbegēte,   2860

grīmhelmas.

Hwanon ferigeað gē ... | grǣge syrcan ond *grīmhelmas,*   334

grimlīc.

wæs se ... | *grimlīc* gryr[e] glēdum beswæled.   3041

grimma.

wæs se *grimma* gǣst Grendel hāten,   102

grimman.

Hēo him eft hraþe handlēan forgeald | *grimman*
grāpum,   1542

grimme.

wyrd ne cūþon, | gēosceaft *grimme*,   1234
þǣr is . . . | gold unrīme *grimme* gecēa[po]d,   3012
Hord ys gescēawod, | *grimme* gegongen;   3085

grimne.

siþðan *grimne* gripe Gūðlāf ond Ōslāf | . . . mǣndon,   1148
Ic . . . | *grimne*, gryrelīcne grundhyrde fond.   2136

grimre.

ðēah þū heaðorǣsa gehwǣr dohte, | *grimre* gūðe,   527

gripe.

siþðan grimne *gripe* Gūðlāf ond Ōslāf | . . . mǣndon,   1148
þæt þec . . . | . . . *gripe* mēces, oððe gāres fliht, . . . |
forsiteð   1765

gromheort. *See* **gramheort.**

gromhȳdig. *See* **gramhȳdig.**

grummon.

Gūþmōd *grummon*, guman ōnetton,   306

grund.

þæt þone *grund* wite.   1367
nō hē on helm losaþ, . . . | ne on gyfenes *grund*,   1394
Hæfde ðā forsīðod sunu Ecgþēowes | under gynne
grund,   1551

grundas.

Lāstas wǣron | . . . wīde gesȳne, | gang ofer *grundas*;   1404
ðā cōm beorht scacan | [sunne ofer *grundas*].   1803
Syððan heofones gim | glād ofer *grundas*,   2073

grundbūendra.

gesacan sceal . . . | *grundbūendra* gearwe stōwe,   1006

grunde.

Mē tō *grunde* tēah | fāh fēondscaða,   553
Hordweard sōhte | georne æfter *grunde*,   2294
Geseah ðā sigehrēðig . . . | gold glitinian *grunde*
getenge,   2758
mæg | gold on *grund*[e] gumcynnes gehwone |
oferhīgian,   2765

grundhyrde.

Ic . . . | *grimne*, gryrelīcne *grundhyrde* fond.   2136

grundsele.

ic hēafde becearf | in ðām [grund]sele Grendeles mōdor   2139

grundwong.

ǣr hē þone grundwong ongytan mehte.   1496

þæt se ... maga ... | grundwong þone ofgyfan wolde;   2588

þæt hē þone grundwong ongitan meahte,   2770

grundwyrgenne.

Ongeat þā se gōda grundwyrgenne,   1518

grynna.

Fela ic lāþes gebād, | grynna æt Grendle;   930

gryra.

þæt nǣfre Gre[n]del swā fela gryra gefremede,   591

gryre.

Hine hālig God | ... ūs onsende ... | wið Grendles

gryre;   384

hīe wyrd forswēop | on Grendles gryre.   478

Wæs se gryre lǣssa | ... swā bið mægþa cræft,   1282

wæs se lēgdraca, | grimlīc gryr[e], glēdum beswǣled.   3041

gryrebrōga.

þæt :: :: : ðām gyst[e gryre]brōga stōd;   2227

gryrefāhne.

Gēata dryhten gryrefāhne slōh   2576

gryregeatwum.

þā hīe... | in hyra gryregeatwum gangan cwōmon.   324

gryregieste.

Biorn ... bordrand onswāf | wið ðām gryregieste,   2560

gryrelēoð.

þe ... gehȳrdon | gryrelēoð galan Godes ondsacan,   786

gryrelīcne.

weras scēawedon | gryrelīcne gist.   1441

Ic ... | grimne, gryrelīcne grundhyrde fond.   2136

gryresīðas.

sē ðe gryresīðas gegān dorste,   1462

gryrum.

þæt hīe... bīdan woldon | ...gūþe mid gryrum ecga.   483

guma.

Swā sceal [geong g]uma gōde gewyrcean,   20

grētte þā guma ōþerne,   652

guma gilphlæden, gidda gemyndig,   868

nō . . . | fēasceaft *guma* frōfre gebohte;   973
Ne sorga, snotor *guma*;   1384
þā þās worold ofgeaf | gromheort *guma*,   1682
Swā bealdode bearn Ecgðēowes, | *guma* gūðum cūð, 2178

guman.

guman ūt scufon, | . . . wudu bundenne.   215
Gūþmōd grummon, *guman* ōnetton,   306
grētte goldhroden *guman* on healle;   614
swā *guman* gefrungon,   666
þǣr *guman* druncon,   1648
ne hȳrde ic snotorlīcor | . . . *guman* þingian;   1843
Hordweard . . . | . . . wolde *guman* findan,   2294
Ðā wæs gegongen *gum*an unfrōdum   2821

gumcynnes.

Wē synt *gumcynnes* Gēata lēode   260
Sinc ēaðe mæg | . . . *gumcynnes* gehwone | oferhīgian, 2765

gumcynnum.

swā ðone magan cende | æfter *gumcynnum*,   944

gumcyste.

Ðū þē lǣr be þon, | *gumcyste* ongit;   1723

gumcystum.

þæt ic *gumcystum* gōdne funde   1486
sē ðe . . . | *gumcystum* gōd, gūða gedīgde,   2543

gumdrēam.

Hē ðā mid þǣre sorhge, . . . | *gumdrēam* ofgeaf,   2469

gumdryhten.

gumdryhten mid, | mōdig on gemonge, meodowongas
 træd.   1642

gumena.

wolde . . . | . . . eall gedǣlan . . . | būton . . . fēorum
 gumena.   73
byrnan hringdon, | gūðsearo *gumena*;   328
Sorh is mē tō secganne . . . | *gumena* ǣngum,   474
hē wīnreced, | goldsele *gumena*, gearwost wisse,   715
þāra þe *gumena* bearn gearwe ne wiston,   878
Metod eallum wēold | *gumena* cynnes,   1058
þū on sǣlum wes, | goldwine *gumena*,   1171
Nō þæs frōd leofað | *gumena* bearna,   1367

Geþenc nū,... | goldwine *gumena*, hwæt wit gēo
sprǣcon: 1476
þæt þǣr *gumena* sum | ælwihta eard ufan cunnode. 1499
gewāt him hām þonon | goldwine *gumena*.   1602
Gif ic ... mǣg | þīnre mōdlufan ... tilian, | *gumena*
dryhten,   1824
sē ðe eall gem[an], | gārcwealm *gumena*   2043
hȳ ... *gumena* nāthwylc ... | þanchycgende þǣr
gehȳdde,   2233
ðæt hæfde *gumena* sum goldes gefandod,   2301
næs þæt ȳðe cēap | tō gegangenne *gumena* ǣnigum. 2416
Gegrētte ðā *gumena* gehwylcne,   2516
Wolde dōm Godes dǣdum rǣdan | *gumena* gehwylcum, 2859
þæt ðām hringsele hrīnan ne mōste | *gumena* ǣnig, 3054
gumfēða.
gumfēþa stōp | lindhæbbendra.   1401
gummanna.
ne gefrægn ic frēondlīcor ... mādmas | ... *gummanna*
fela | ... gesellan.   1028
gumstōle.
hīo ... | in *gumstōle*, gōde mǣre, | līfgesceafta ...
brēac,   1952
gumum.
Ðā wæs ... | Grendles gūðcræft *gumum* undyrne;   127
Strǣt wæs stānfāh, stīg wīsode | *gumum* ætgædere. 321
gūð.
ðe þǣr *gūð* fornam | bēga folces;   1123
ætrihte wæs | *gūð* getwǣfed,   1658
Hæðcynne wearð, | Gēata dryhtne, *gūð* onsǣge.   2483
gūð nimeð, | ... frēan ēowerne.   2537
gūða.
Ic genēðde fela | *gūða* on geogoðe;   2512
sē ðe ... | gumcystum gōd, *gūða* gedīgde,   2543
gūðbeorna.
gūðbeorna sum | wicg gewende,   314
gūðbill.
gūðbill geswāc | nacod æt nīðe,   2584
gūðbilla.
þone synscaðan ... | *gūðbilla* nān grētan nolde; 803

13

gūðbyrne.

   Gūðbyrne scān | heard hondlocen,   321

gūðceare.

   þætte wrecend ... | lifde ... lange þrāge | æfter

      gūðceare;   1258

gūðcræft.

   Ðā wæs ... | Grendles *gūðcræft* gumum undyrne;   127

gūðcyning.

   hē *gūðcyning* | ofer swanrāde sēcean wolde,   199

   geongne *gūðcyning* gōdne gefrūnon | hringas dǣlan. 1969

   him ðæs *gūðkyning,* | ... wrǣce leornode.   2335

   Sweord ǣr gebrǣd | gōd *gūðcyning,*   2563

   þā gēn *gūðcyning* | m[ǣrða] gemunde,   2677

   þæt se *gūðcyning,* | ... wundordēaðe swealt.   3036

gūðdēað.

   gūðdēað fornam, | feorhbealo frēcne, fȳra gehwylcne, 2249

gūðe.

   þæt ic sweord bere ... | geolorand tō *gūþe;*   438

   þæt hīe ... bīdan woldon | Grendles *gūþe*   483

   ðēah þū heaðorǣsa gehwǣr dohte, | grimre *gūðe,*   527

   ic him Gēata sceal | eafoð ond ellen ... | *gūþe* ge-

      bēodan.   603

   ond þā gyddode *gūþe* gefȳsed;   630

   syðþan hē hine tō *gūðe* gegyred hæfde.   1472

   þonne hē æt *gūðe* gegān þenceð | longsumne lof, 1535

   þæt ðū ... | lēte Sūð-Dene ... geweorðan | *gūðe*

      wið Grendel.   1997

   syððan hē ... | ... æt *gūðe* forgrāp Grendeles mǣgum 2353

   syððan Gēata cyning *gūðe* rǣsum ... | ... swealt   2356

   Ic him þā māðmas ... | geald æt *gūðe,*   2491

   þæt hē *gūðe* rǣs | ... fremman sceolde;   2627

   Ic him līfwraðe lȳtle meahte | ætgifan æt *gūðe,*   2878

gūðflogan.

   þæt ic wið þone *gūðflogan* gylp ofersitte.   2528

gūðfreca.

   Weard unhīore, | gearo *gūðfreca,* goldmāðmas hēold, 2414

gūðfremmendra.

   ne gē lēafnesword | *gūðfremmendra* ... ne wisson,   246

Gūð-Gēata.

Gefēng ... | *Gūð-Gēata* lēod Grendles mōdor,   1538

gūðgeatawum.

Nū gē mōton gangan in ēowrum *gūðgeatawum*,   395

gūðgetāwa.

þæt wē him ðā *gūðgetāwa* gyldan woldon,   2636

gūðgewǣda.

geaf him ðā ... *gūðgewǣda* | æghwæs unrīm,   2623

gūðgewǣdo. *See* **gūðgewǣdu.**

gūðgewǣdu.

syrcan hrysedon, | *gūðgewǣdo*;   227
his māgum ætbær ... | his gædelinges *gūðgewǣdu*,   2617
Nū ic suna mīnum syllan wolde | *gūðgewǣdu*,   2730
hȳ scamiende scyldas bǣran, | *gūðgewǣdu*,   2851
þæt hē gēnunga *gūðgewǣdu* | wrāðe forwurpe,   2871

gūðgeweorca.

Nō ic mē ... hnāgran talige | *gūþgeweorca*   678
on gylpsprǣce *gūðgeweorca*,   981
Gif ic þonne on eorþan ōwihte mæg | ... tilian, ... |
   gūðgeweorca ic bēo gearo sōna.   1825

gūðhelm.

gūðhelm tōglād, gomela Scylfing | hrēas [heoro]blāc; 2487

gūðhorn.

bearhtm ongēaton, | *gūðhorn* galan.   1432

gūðhrēð.

Bēowulfe wearð | *gūðhrēð* gyfeþe;   819

gūðkyning. *See* **gūðcyning.**

Gūðlāf.

siþðan grimne gripe *Gūðlāf* ond Ōslāf | ... mǣndon, 1148

gūðlēoð.

þæt ... hringmǣl āgōl | grǣdig *gūðlēoð*.   1522

gūðmōd.

Gūþmōd grummon, guman ōnetton,   306

gūðrǣs.

geald þone *gūðrǣs* Gēata dryhten,   2991

gūðrǣsa.

hē hraþe wolde | Grendle forgyldan *gūðrǣsa* fela,   1577
Fela ic on giogoðe *gūðrǣsa* genæs,   2426

gūðrēouw.

heold þenden lifde, | ... *gūðrēouw,* glæde Scyldingas.   58

gūðrinc.

Ðā wæs... | ymb þā gifhealle *gūðrinc* monig;   838

Gūðrinc āstāh.   1118

Grāp þā tōgēanes, *gūðrinc* gefēng   1501

Bēowulf þanan, | *gūðrinc* goldwlanc, græsmoldan træd 1881

gūðrinca.

þæt ūre mandryhten mægenes behōfað | ... *gūðrinca*; 2648

gūðrōf.

þā wæs... sinces brytta | gamolfeax ond *gūðrōf*;   608

gūðsceare.

wyrsan wīgfrecan wæl rēafed*on* | æfter *gūðsceare*;   1213

gūðsceaða.

hū se *gūðsceaða* Gēata lēode | hatode ond hȳnde.   2318

Gūð-Scilfingas.

gesōhton | Gēata lēode *Gūð-Scilfingas.*   2927

gūðsearo.

secgas bǣron | on bearm nacan... | *gūðsearo* geatolīc; 215

byrnan hringdon, | *gūðsearo* gumena;   328

gūðsele.

þæt hē wille, ... | in þǣm *gūðsele* Gēatena lēode |

etan   443

gūðsweord.

Hēt ðā in beran... | *gūðsweord* geatolīc,   2154

gūðum.

Forðam Offa wæs | ... *gūðum* gārcēne man,   1958

Swā bealdode bearn Ecgðēowes, | guma *gūðum* cūð,   2178

gūðwērigne.

hē ... geseah | *gūðwērigne* Grendel licgan,   1586

gūðwiga.

ongan ... | gomel *gūðwiga* gioguðe cwīðan | hilde-

strengo;   2112

gūðwine.

hē þone *gūðwine* gōdne tealde,   1810

gūðwinum.

þe mec *gūðwinum* grētan dorste,   2735

gyd-. *See* **gid-.**

gyfen. *See* **gifen.**

gyfenes. *See* **geofenes.**
gyfeðe. *See* **gifeðe.**
gyldan.

oð þæt him æghwylc . . . | . . . scolde | gomban *gyldan*; 11
þæt hē mid gōde *gyldan* wille | uncran eaferan, 1184
þæt wē him ðā gūðgetāwa *gyldan* woldon, 2636

gylden.

Ðā wæs *gylden* hilt gamelum rince | . . . gyfen, 1677

gyldenne.

þā gyt hīe him āsetton segen *g[yl]denne* 47
Forgeaf þā Bēowulfe *bearn* Healfdenes | segen *gyldenne* 1021
Dyde him of healse hring *gyldenne* | þīoden 2809

gyldnum.

þā cwōm Wealhþēo forð | gān under *gyldnum* bēage, 1163

gylp.

Hæfde Ēast-Denum | Gēatmecga lēod *gilp* gelǣsted, 829
nallas on *gylp* seleð | fætte bēagas, 1749
þæt ic wið þone gūðflogan *gylp* ofersitte. 2528

gylpan.

swā [ne] *gylpan* þearf Grendeles māga 2006
Nealles folccyning fyrdgesteallum | *gylpan* þorfte; 2874

gylpcwide.

Ðām wīfe þā word wel līcodon, | *gilpcwide* Gēates; 640

gylpe.

nō ic þæs [fela] *gylpe* 586
hū | wið ðām āglǣcean . . . meahte | *gylpe* wiðgrīpan, 2521

gylpeð.

byre . . . | morðres *gylpe[ð]*, 2055

gylphlæden.

guma *gilphlæden*, gidda gemyndig, 868

gylpsprǣce.

on *gylpsprǣce* gūðgeweorca, 981

gylpworda.

Gespræc þā se gōda *gylpworda* sum, 675

gȳm.

oferhȳda ne *gȳm*, | mǣre cempa. 1760

gȳmeð.

egesan ne *gȳmeð*. 1757
ōðres ne *gȳmeð* | tō gebīdanne burgum in innan 2451

gynne.

Hæfde ðā forsīðod sunu Ecgþēowes | under *gynne*
    grund,   1551

gyrded.

hē fyrmest læg, | *gyrded* cempa;   2078

gyrede.

Gyrede hine Bēowulf | eorlgewǣdum,   1441

gyredon.

þe þæt wīnreced, | gestsele, *gyredon.*   994

gyrn.

edwenden cwōm, | *gyrn* æfter gomene,   1775

gyrnwræce.

hē tō *gyrnwræce* | swīðor þōhte, þonne tō sǣlāde, 1138
wæs eft hraðe | gearo *gyrnwræce* ... mōdor,   2118

gyste. *See* **giste.**

gystran.

þe þū *gystran* niht Grendel cwealdest   1334

gȳtsað.

gȳtsað gromhȳdig,   1749

H.

hād.

Sē wæs Hrōþgāre hæleþa lēofost | on gesīðes *hād* 1297
þe þū ... Grendel cwealdest | þurh hǣstne *hād* 1335
næs ... | sincmāðþum sēlra on sweordes *hād*; 2193

hador.

siððan æfenlēoht | under heofenes *hador* beholen
    weorþeð.   414

hādor.

Scop hwīlum sang | *hādor* on Heorote;   497

hādre.

efne swā of hefene *hādre* scīneð | rodores candel. 1571

hæfen. *See* **hafen.**

hæft.

hæft hygegīomor sceolde hēan ðonon | wong wīsian. 2408

hæftmēce.

wæs þǣm *hæftmēce* Hrunting nama;   1457

hægstealdra.

Cwōm ... fela mōdigra | *hægstealdra*; 1889

hǣl.

hwetton hige[r]ōfne, *hǣl* scēawedon. 204

grētte þā guma ōþerne, | ... ond him *hǣl* ābēad, 653

hæle.

Nǣfre hē ... | heardran *hæle* healðegnas fand. 719

Đā cōm ... | *hæle* hildedēor Hrōðgār grētan. 1646

hæle hildedēor Hrōðgār grētte. 1816

Hēt ðā gebēodan byre Wihstānes, | *hæle* hildedīor, 3111

hǣle.

Brūc ðisses bēages, ... | hyse, mid *hǣle*, 1217

hæleð.

Men ne cunnon ..., | *hæleð* under heofenum, 52

ne mihte snotor *hæleð* | wēan onwendan; 190

þā ... *hæleð* | ōretmecgas æfter æþelum frægn: 331

hæleð Healf-Dena ... | ... feallan scolde. 1069

Heald þū nū, hrūse, nū *hæleð* ne mōstan, | eorla æhte. 2247

rīdend swefað, | *hæleð* in hoðman; 2458

ālegdon ... | *hæleð* hīofende, hlāford lēofne. 3142

hæleða.

on geogoðe hēold gimmerīce | hordburh *hæleþa*. 467

þǣr wæs *hæleða* drēam, 497

Đǣr wæs *hæleþa* hleahtor, 611

Đā him Hrōþgār gewāt mid his *hæleþa* gedryht, 662

þæt þæt ðēodnes bearn ... scolde | ... gehealdan |

... *hæleþa* rīce, 912

hordweard *hæleþa* heaþoræsas geald 1047

þǣr ... wǣron | Hrēðrīc ond Hrōðmund, ond *hæleþa*

bearn, 1189

Nǣnigne ic ... sēlran hȳrde | hordmāðmum *hæleþa*, 1198

Sē wæs Hrōþgāre *hæleþa* lēofost 1296

ic ðē þūsenda þegna bringe | *hæleþa* tō helpe. 1830

tō gecēosenne cyning ænigne, | hordweard *hæleþa*, 1852

hīo ... | hīold hēahlufan wið *hæleþa* brego, 1954

syððan Wiðergyld læg, | æfter *hæleþa* hryre, 2052

tō hwan syððan wearð | hondrǣs *hæleða*. 2072

þ[ēow] nāthwylces | *hæleða* bearna heteswengeas flēah, 2224

200   COOK,   [hæleðum-hæðenra

ðe ǣr gehēold... | æfter *hæleða* hryre, hwate
    Scilfingas,   3005
Hēt ðā gebēodan byre... | ... *hæleða* monegum,   3111
hæleðum.
    ðū scealt... weorþan... | *hæleðum* tō helpe.   1709
    þonon Ēomǣr wōc | *hæleðum* tō helpe,   1961
    þǣr hīo [næ]gled sinc | *hæleðum* sealde.   2024
    ne mæg byrnan hring | ... wīde fēran | *hæleðum*
        be healfe.   2262
hǣlo.
    þenden *hǣlo* ābēad heorðgenēatum | goldwine Gēata. 2418
hælum.
    Hǣreðes dohtor | ... līðwǣge bǣr | *hǣlum* tō handa. 1983
Hǣreðes.
    þēah ðe wintra lȳt | ... gebiden hæbbe | *Hǣreþes*
        dohtor;   1929
    hwearf | geond þæt *heal*receda *Hǣreðes* dohtor,   1981
hærgtrafum.
    Hwīlum hīe gehēton æt hærg*trafum* | wīgweorþunga, 176
hǣstne.
    þe þū gystran niht Grendel cwealdest | þurh *hǣstne*
        hād   1335
Hæðcyn.
    næs ic him ... laðra ōwihte | ... þonne... | Here-
        beald ond *Hæðcyn,*   2434
    syððan hyne *Hæðcyn* of hornbogan, | ... flāne ge-
        swencte,   2437
    þætte Ongenðīo ealdre besnyðede | *Hæðcen* Hrēþling 2925
Hæðcynne.
    Hæðcynne wearð, | Gēata dryhtne,. gūð onsǣge.   2482
hæðen.
    hē *hæðen* gold | warað wintrum frōd;   2276
hæðene.
    siððan drēama lēas | ... feorh ālegde, | *hǣþene* sāwle; 852
hæðenes.
    wæs... gehwylc stȳle gelīcost, | *hǣþenes* handsporu, 986
hæðenra.
    Swylc wæs þēaw hyra, | *hǣþenra* hyht;   179

hǣðnum.
  gefēng | *hǣðnum* horde   2216
hǣðstapa.
  Ðēah þe *hǣðstapa* hundum geswenced | ...holtwudu
  sēce,   1368
hafelan.
  Nā þū mīnne þearft | *hafalan* hȳdan,   446
  Ðā hē him of dyde īsernbyrnan, | helm of *hafelan*,   672
  hafelan multon, | bengeato burston;   1120
  ðonne wē on orlege | *hafelan* weredon,   1327
  ǣr hē feorh seleð, | ... ǣr hē in wille | *hafelan* [hȳdan]. 1372
  syðþan Æscheres | on þām holmclife *hafelan* mētton.   1421
  ac se hwīta helm *hafelan* werede,   1448
  þæt hire on *hafelan* hringmǣl āgōl | ... gūðlēoð.   1521
  Ne nōm hē ... | māðm-æhta mā, ... | būton þone
  hafelan   1614
  from þǣm holmclife *hafelan* bǣron   1635
  þæt ic on þone *hafelan* heorodrēorigne | ...starige.   1780
  þæt hyt on *heafolan* stōd | nīþe genȳded;   2679
  ne hēdde hē þæs *heafolan*   2697
hafen.
  Ðā wæs... | ...sīdrand manig | *hafen* handa fæst;   1290
  sceall gār wesan... | *hæfen* on handa,   3023
hafenade.
  wǣpen *hafenade* | heard be hiltum Higelāces ðegn   1573
hafoc.
  ne gōd *hafoc* | geond sæl swingeð,   2263
hagan.
  Heht ðā þæt heaðoweorc tō *hagan* bīodan   2892
  syððan Hrēðlingas tō *hagan* þrungon.   2960
hāl.
  þæt þone hilderǣs *hāl* gedīgeð.   300
  Wæs þū, Hrōðgār, *hāl*!   407
  þæt... | lindgestealla ... cwōm, | headolāces *hāl*
  tō hofe gongan.   1974
hālan.
  nō þȳ ǣr in gescōd | *hālan* līce;   1503
Hālga.
  weoroda rǣswa | Heorogār, ond Hrōðgār ond *Hālga* til;   61

hālig.

Hine *hālig* God | for ārstafum ūs onsende,   381
siþðan wītig God | ..., *hālig* Dryhten, | mærðo dēme,   686
hālig God | gewēold wīgsigor, wītig Drihten,   1553

halse. *See* **healse.**

hām.

þanon eft gewāt | hūðe hrēmig tō *hām* faran,   124
þæt fram *hām* gefrægn Higelāces þegn,   194
ðǣm tō *hām* forgeaf Hrēþel Gēata | āngan dohtor;   374
þæt hē Hrōþgāres *hām* gesōhte.   717
Fin eft begeat | sweordbealo ... æt his selfes *hām*,   1147
swylce hīe æt Finnes *hām* findan meahton   1156
þæt hīe oft wǣron an wīg gearwe | ... æt *hām*   1248
þāra þe mid Hrōðgāre *hām* eahtode.   1407
gewāt him *hām* þonon | goldwine gumena.   1601
þǣr æt *hām* wunað   1923
þā hē tō *hām* becōm,   2992

Hāma.

syþðan *Hāma* ætwæg | tō þǣre... byrig Brōsinga mene, 1198

hāmas.

Gewiton him ðā wīgend... | ... gesēon | *hāmas* ond
heaburh.   1127

hamer-. *See* **homer-.**

hāmes.

lȳt eft becwōm | fram þǣm hildfrecan *hāmes* nīosan. 2366
gewāt Ongenðīoes bearn | *hāmes* nīosan,   2388

hāmweorðunge.

Iofore forgeaf āngan dohtor, | *hāmweorðunge*,   2998

han-. *See* **hon-.**

hār.

þā wæs ... | *hār* hilderinc on hrēon mōde,   1307
þǣr wæs ... | ... boren | *hār* hilde[rinc] tō Hrones
næsse.   3136

hard-. *See* **heard-.**

hāre.

Hēt ðā in beran ... | ... *hāre* byrnan,   2153

hāres.

hāres hyrste Higelāce bær.   2988

hārne.

hē under *hārne* stān | ... genēðde | frēcne dǣde;   887
þæt hē ... fyrgenbēamas | ofer *hārne* stān hleonian
   funde,   1415
stefn in becōm | heaðotorht hlynnan under *hārne* stān; 2553
ðū ... geong | hord scēawian under *hārne* stān,   2744

hārum.

Ðā wæs gylden hilt... | *hārum* hildfruman ... gyfen, 1678

hāt, *sb.*

geseah his mondryhten | under heregrīman *hāt*
   þrōwian;   2605

hāt, *adj.*

wyrm *hāt* gemealt.   897
wæs þæt blōd tō þæs *hāt*,   1616
hāt ond hrēohmōd hlǣw oft ymbehwearf   2296
wæs þǣre burnan wælm | heaðofȳrum *hāt*;   2547
cwōm | oruð āglǣcean..., | *hāt* hildeswāt;   2558
rǣsde on ðone rōfan,... | *hāt* ond heaðogrim,   2691
oð þæt hē ðā bānhūs gebrocen hæfde, | *hāt* on hreðre. 3148

hāt, *vb.*

hāt in gān | sēon sibbegedriht samod ætgædere;   386

hātan, *adj.*

Flōd blōde wēol,... | *hātan* heolfre.   1423

hātan, *vb.*

þæt healreced *hātan* wolde | ... men gewyrcean,   68

hātað.

Hātað heaðomǣre hlǣw gewyrcean   2802

hāte, *adj.*

ǣr hē bǣl cure, | *hāte* heaðowylmas;   2819

hāte, *vb.*

swylce ic maguþegnas mīne *hāte* | ... flotan ēowerne
   ... | ārum healdan,   293

hāten.

wæs se grimma gǣst Grendel *hāten*,   102
Wæs mīn fæder... | æþele ordfruma Ecgþēow *hāten*; 263
wæs his eald fæder Ecgþēo *hāten*,   373
Ðā wæs *hāten* hreþe Heort... | folmum gefrætwod; 991
Wīglāf wæs *hāten*,   2602
þæt hit sǣlīðend syððan *hātan* | Bīowulfes biorh, 2806

hātes.
ac ic ðǣr heaðufȳres *hātes* wēne,   2522
hatian.
nō ðȳ ǣr hē þone heaðorinc *hatian* ne meahte   2466
hātne.
līgegesan wǣg | *hātne* for horde,   2781
hatode.
hū se gūðsceaða Gēata lēode | *hatode* ond hȳnde.   2319
hāton.
atol ȳða geswing eal gemenged | *hāton* heolfre,   849
hātost.
swā þæt blōd gesprang, | *hātost* heaþoswāta.   1668
hēa. *Sec* hēah.
hēaburh.
Gewiton him ðā wīgend... | ... gesēon | hāmas
ond *hēa-burh.*   1127
hēafde.
hine þā *hēafde* becearf.   1590
ic *hēafde* becearf | ... Grendeles mōdor | ēacnum
ecgum;   2138
hē ... gestōp | dyrnan cræfte dracan *hēafde* nēah.   2290
ac hē him on *hēafde* helm ǣr gescer,   2973
hēafdon.
Setton him tō *hēafdon* hilderandas,   1242
heafo.
eaferan... | ... frēode ne woldon | ofer *heafo* healdan,   2477
hēafod.
hīe him āsetton segen g[yl]denne | hēah ofer *hēafod,*   48
fēower scoldon | ... geferian | ... Grendles *hēafod,*   1639
þā wæs be feaxe on flet boren | Grendles *hēafod,*   1648
hēafodbeorge.
hēafodbeorge | ... wala ūtan hēold,   1031
hēafodmǣgum.
þēah ðū þīnum brōðrum tō banan wurde, | *hēafod-*
mǣgum;   588
hēafodmāga.
ic lȳt hafo | *hēafodmāga* nefne, Hygelāc, ðec.   2151
hēafod-segn.
Hēt ðā in beran eafor, *hēafod-segn,*   2152

hēafodwearde.

healdeð higemæðum *hēafodwearde*   2909

heafolan. *See* **hafelan.**

hēah.

hīe him āsetton segen g[yl]denne | *hēah* ofer hēafod,   48
oþ þæt him eft onwōc | *hēah* Healfdene;   57
Sele hlīfade | *hēah* ond horngēap;   82
Bold wæs betlīc, ... | *hēa* healle, Hygd swīðe geong,   1926
hē siomian geseah segn ... | *hēah* ofer horde,   2768
sē scel tō gemyndum mīnum lēodum | *hēah* hlīfian   2805
hēold on *hēah* gesceap.   3084
sē wæs *hēah* ond brād,   3157

hēahcyninges.

þæt wæs hildesetl *hēahcyninges,*   1039

hēahgestrēona.

ðæt hæfde gumena sum ... gefandod, | *hēahgestrēona.*   2302

hēahlufan.

hīo ... | hīold *hēahlufan* wið hæleþa brego,   1954

hēahsele.

wiste ... | tō þæm *hēahsele* hilde geþinged,   647

hēahsetl.

þæt hīe him ōðer flet eal gerȳmdon, | ... *hēahsetl,*   1087

hēahstede.

þenden þær wunað | on *hēahstede* hūsa sēlest.   285

heal.

Ðonne wæs ... | ... drēorfāh ... | *heall* heorudrēore; 487
Ðā wæs *heal* hroden | fēonda fēorum,   1151
Heal swēge onfēng.   1214

healærna.

þæt hit wearð eal gearo, | *healærna* mæst;   78

heald.

heald forð tela | nīwe sibbe.   948
Heald þū nū, hrūse, nū hæleð ne mōstan, | eorla
  æhte.   2247

healdan.

sē þe holmclifu *healdan* scolde,   230
ic maguþegnas mīne hāte | ... flōtan ... | ārum
  healdan,   296
Ic ... wille | wið wrāð werod wearde *healdan.*   319

þā þæt hornreced *healdan* scoldon,   704
þæt hē þā geogoðe wile | ārum *healdan*,   1182
þæt hīe gesāwon... |... mearcstapan mōras *healdan*,   1348
gyf þū *healdan* wylt | māga rīce.   1852
þæt hē wið ælfylcum ēþelstōlas | *healdan* cūðe,   2372
lēt ðone bregostōl Bīowulf *healdan*,   2389
frēode ne woldon |... *healdan*,   2477
Fundon... sāwullēasne | hlimbed *healdan*,   3034
forlēton eorla gestrēon eorðan *healdan*,   3166

healdanne.
seleð him... | tō *healdanne* hlēoburh wera,   1731

healde.
hū ðā stānbogan... | ēce eorðreced innan *healde*.   2719

healdende.
Bēo þū suna mīnum | dædum gedēfe, drēam *healdende*. 1227

healdest.
Eal þū hit geþyldum *healdest*,   1705

healdeð.
healdeð higemæðum hēafodwearde   2909

healfa.
ond on *healfa* gehwone hēawan þōhton,   800
Ðā hīe getrūwedon on twā *healfa* |... frioðuwǣre; 1095
þæt hīe on bā *healfa* bicgan scoldon | frēonda fēorum. 1305

Healf-Dena.
hæleð *Healf-Dena*, Hnæf Scyldinga, |... feallan scolde. 1069

Healfdene.
oþ þæt him eft onwōc | hēah *Healfdene*;   57

Healfdenes.
Swā ðā mælceare maga *Healfdenes* | singala sēað;   189
Wē... | sunu *Healfdenes* sēcean cwōmon,   268
Wille ic āsecgan sunu *Healfdenes*, |... mīn ærende,   344
Ðā wæs Heregār dēad,... | bearn *Healfdenes*;   469
sunu *Healfdenes* sēcean wolde | æfenræste;   645
þæt tō healle gang *Healfdenes* sunu;   1009
Forgeaf þā Bēowulfe bearn *Healfdenes* | segen   1020
ðonne sweorda gelāc sunu *Healfdenes* | efnan wolde; 1040
þær wæs sang... | fore *Healfdenes* hildewīsan,   1064
Geþenc nū, se mǣra maga *Healfdenes*,   1474

wē þē þās sǣlāc, sunu *Healfdenes*, | ... brōhton   1652
se wīsa sprǣc | sunu *Healfdcnes*;   1699
him ... gesealde | mago *Healfdenes* māþmas twelfe,   1867
sōna mē se mǣra mago *Healfdenes* ... | ... setl
    getǣhte.   2011
mē ... gesealde | māðma menigeo maga *Healfdenes*.   2143
hē mē [māðma]s geaf, | sunu *Healfdenes*,   2147

healfe.
    þæt þū him ondrǣdan ne þearft, | ... on þā *healfe*
        | aldorbealu   1675
    þonne bīoð brocene on bā *healfe* | āðsweord eorla,   2063
    ne mæg byrnan hring | ... fēran | hæleðum be *healfe*. 2262

healfre.
    þæt hīe *healfre* geweald | ... āgan mōston,   1087

healgamen.
    ðonne *healgamen* Hrōþgāres scop | ... mǣnan scolde: 1066

heall. *See* **heal.**

healle.
    þæt hē ... drēam gehȳrde | hlūdne in *healle*;   89
    [þā wið duru *healle* | Wulfgār ēode,]   389
    grētte goldhroden guman on *healle*;   614
    þā wæs ... on *healle* | þrȳðword sprecen,   642
    Ðā him Hrōþgār gewāt ... | ... ūt of *healle*;   663
    hē tō *healle* gēong,   925
    þæt tō *healle* gang Healfdenes sunu;   1009
    þæt hīe him ōðer flet eal gerȳmdon, | *healle*   1087
    Ðā wæs on *healle* heardecg togen   1288
    Bold wæs betlīc, ... | hēa *healle*, Hygd swīðe geong, 1926

healp.
    þǣr hē his mǣg*es* *healp*   2698

healreced.
    þæt *healreced* hātan wolde, | ... men gewyrcean,   68
    hwearf | geond þæt heal*reced* Hæreðes dohtor,   1981

heals.
    heals ealne ymbefēng | biteran bānum;   2691

healsbēaga.
    Him wæs ... | ... wunden gold | ēstum geēawed, ... |
        ... *healsbēaga* mǣst,   1195

healsbēah.
 Hȳrde ic, þæt he ðone *healsbēah* Hygde gesealde, 2172
healse.
 þæt hire wið *halse* heard grāpode, 1566
 Gecyste þā cyning ... | ... ðegn betstan, | ond be
  healse genam; 1872
 Dyde him of *healse* hring gyldenne | þīoden 2809
 sceall ... | ... ne mægð ... | habban on *healse*
  hringweorðunge, 3017
healsgebedda.
 Elan cwēn [Ongenþēowes wæs] | Heaðo-Scilfingas
  healsgebedda. 63
healsittendra.
 ne seah ic ... | ... *healsittendra* | medudrēam māran. 2015
healsittendum.
 þonne hē ... gesealde | *healsittendum* helm 2868
healsode.
 se ðēoden mec ðīne līfe | *healsode* hrēohmōd, 2132
healðegnas.
 Næfre hē ... | heardran hæle *healðegnas* fand. 719
healðegnes.
 him gebēacnod wæs | ... sweotolan tācne | *heal-*
  ðegnes hete; 142
healwudu.
 healwudu dynede 1317
hēan (*abject*).
 hē *hēan* gewāt, | drēame bedæled, 1274
 hē *hēan* ðonan, | ... meregrund gefēoll. 2099
 Hēan wæs lange, 2183
 hæft hygegīomor sceolde *hēan* ðonon | wong wīsian. 2408
hēan (*high*).
 Gewāt ðā nēosian ... | *hēan* hūses, 116
 mynte se mānscaða ... | sumne besyrwan in sele
  þām *hēan.* 713
 Ēode scealc monig | ... tō sele þām *hēan* 919
 fægere geþægon | medoful ... | ... on sele þām *hēan,* 1016
 Higelāc ongan | ... geseldan in sele þām *hēan* |
  fægre fricgcean, 1984
 þæt gē geworhton ... | in bælstede beorh þone *hēan,* 3097

hēanne.

siþðan æþelingas... | ofer *hēanne* hrōf hand scēawedon, 983

hēap.

Hwanon ferigeað gē... | heresceafta *hēap*?   335
Ārās þā se rīca, ymb hine... | þrȳðlīc þegna *hēap*; 400
þæt... mōte... | þes hearda *hēap*, Heorot fǣlsian.   432
Geseah hē in recede rinca manige,... | magorinca
    hēap.   730
þæt... | ...Folcwaldan sunu... | Hengestes *hēap*
    hringum wenede,   1091
Gode þancodon | ðrȳðlīc þegna *hēap*,   1627

hēape.

Nealles him on *hēape* handgesteallan | ...ymbe
    gestōdon   2596

heard.

Gūðbyrne scān | *heard* hondlocen,   322
lēod word æfter spræc, | *heard* under helme: 342
is his eafora nū | *heard* hēr cumen,   376
[hygerōf ēode,] | *heard* under helme,   404
Hæfdon swurd nacod... | *heard* on handa;   540
mē... līcsyrce mīn, | *heard* hondlocen, helpe gefremede; 551
syþðan wīges *heard* wyrm ācwealde,   886
brægd þā beadwe *heard* | ...feorhgenīðlan,   1539
þæt hire wið halse *heard* grāpode,   1566
wǣpen hafenade | *heard* be hiltum Higelāces ðegn   1574
on him gladiað gomelra lāfe | *heard* ond hringmǣl,   2037
sceall... | hond ond *heard* sweord ymb hord wīgan.   2509
Ārās... rōf ōretta, | *heard* under helme,   2539
helmas ond *heard* sweord.   2638
þonne hē tō sæcce bǣr | wǣpen wund[r]um *heard*;   2687
Wæs sīo wrōht scepen | *heard* wið Hūgas,   2914
nam on Ongenðīo... | *heard* swyrd hilted   2987

hearda.

swā him se *hearda* bebēad.   401
mīnra eorla gedryht, | þes *hearda* hēap,   432
þæt him on aldre stōd | herestrǣl *hearda*;   1435
Heht þā se *hearda* Hrunting beran | sunu Ecglāfes, 1807
Gewāt him ðā se *hearda* mid his hondscole   1963
Sceal se *hearda* helm [hyr]sted golde | fǣtum befeallen; 2255

14

herenīð *hearda,*   2474
Lēt se *hearda* Higelāces þegn | brād[n]e mēce,... |
    ... entiscne helm | brecan   2977
heardan.
    Ic hine hrædlīce *heardan* clammum | ... wrīþan þōhte, 963
    þēah ðe ōðer his ealdre gebohte, | *heardan* cēape;   2482
hearde.
    sē þe ... on sefan grēoteþ, | hreþerbealo *hearde*;   1343
    Hræþe wearð on ȳðum ... | ... *hearde* genearwod,   1438
    nemne him heaðobyrne helpe gefremede, | herenet
        hearde,   1553
    ðā hyne gesōhtan on sigeþēode | *hearde* hildefrecan, 2205
    hine ... fornāmon | *hearde,* heaðoscearde homera lāfe, 2829
    þæt hīo hyre : : : : : : : gas *hearde*   3153
heardecg.
    Ðā wæs on healle *heardecg* togen   1288
    þū ... læt ... | ... wīdcūðne man | *heardecg* habban; 1490
heardfyrdne.
    bær eorlgestrēona | hringa hyrde *hardfyrdne* dæl,   2245
heardhicgende.
    gē him syndon ..., | *heardhicgende,* hider wilcuman. 394
    þā hīe gewin drugon, | *heardhicgende* hildemecgas,   799
heardne.
    drepe þrōwade, | heorosweng *heardne*;   1590
heardra.
    Swā fela ... fēond mancynnes | ... oft gefremede |
        heardra hȳnða;   166
    þæt him *heardra* nān hrīnan wolde | īren ærgōd,   988
heardran.
    Nō ic ... gefrægn | ... *heardran* feohtan,   576
    Næfre hē ... | *heardran* hæle, healðegnas fand.   719
Heardrēd.
    syððan *Heardrēd* læg,   2388
Heardrēde.
    Hear[dr]ēde hildemēceas | ... tō bonan wurdon,   2203
    þæt hē *Heardrēde* hlāford wære,   2375
heardum.
    þū ... Grendel cwealdest | ... *heardum* clammum,   1335
    Hygelāce wæs | nīða *heardum* nefa swȳðe hold,   2170

hearme.

nō hē mid *hearme* of hliðes nosan | gæs[tas] grētte,   1892
hearmscaða.

þæt se *hearmscaþa* tō Heorute ātēah.   766
hearpan.

þǣr wæs *hearpan* swēg, | swutol sang scopes.   89
hwīlum hildedēor *hearpan* wynne, | gomenwudu
grētte,   2107
Nis *hearpan* wyn, | gomen glēobēames,   2262
nis þǣr *hearpan* swēg,   2458
sceall... |... nalles *hearpan* swēg | wīgend weccean,   3023
hēaðo.

sceall hringnaca ofer *hēaþu* bringan | lāc   1862
Heaðobeardna.

Mæg þæs þonne ofþyncan ðēoden *Heaðobeardna*   2032
on him gladiað gomelra lāfe | ..., *Heaðobear[d]na*
gestrēon,   2037
Þȳ ic *Heaðobear[d]na* hyldo ne telge, | ... Denum
unfǣcne,   2067
heaðobyrne.

nemne him *heaðobyrne* helpe gefremede,   1552
heaðodēor.

Hylde hine þā *heaþodēor*,   688
heaðodēorum.

þæt se wīnsele | wiðhæfde *heaþodēorum*,   772
heaðofȳres.

ac ic ðǣr *heaðufȳres* hātes wēne,   2522
heaðofȳrum.

wæs þǣre burnan wælm | *heaðofȳrum* hāt;   2547
heaðogrim.

norþan wind, | *heaðogrim*   548
rǣsde on ðone rōfan, ... | hāt ond *heaðogrim*,   2691
heaðolāce.

Breca nǣfre git | æt *heaðolāce*... | ... dǣd gefremcde   585
heaðolāces.

lifigende cwōm, | *heaðolāces* hāl   1974
Heaðolāfe.

wearþ hē *Heaþolāfe* tō handbonan   460

hēaðolīðende.

swylce þȳ dōgore | *hēaþolīðende* habban scoldon.   1798

hēaðolīðendum.

þæt hē ... onsacan mihte | *hēaðolīðendum,*   2955

heaðomǣre.

Hātað *heaðomǣre* hlǣw gewyrcean   2802

Heaðo-Rǣmas.

þā hine on morgentīd | on *Heaþo-Rǣmas* holm ūp
   ætbær;   519

heaðorǣs.

heaþorǣs fornam | mihtig meredēor þurh mīne hand.   558

heaðorǣsa.

ðēah þū *heaðorǣsa* gehwǣr dohte,   526

heaðorǣsas.

hordweard hæleþa *heaþorǣsas* geald   1047

heaðorēaf.

sume þǣr bidon, | *heaðorēaf* hēoldon,   401

heaðorinc.

nō ðȳ ǣr hē þone *heaðorinc* hatian ne meahte   2466

heaðorincum.

sē þǣm *heaðorincum* hider wīsade.   370

heaðorōf.

þæt hē þrittiges | manna mægencræft ... | *heaþorōf*
   hæbbe.   381

Hēt ðā ... in gefetian | *heaðorōf* cyning Hrēðles lāfe 2191

heaðorōfe.

Hwīlum *heaþorōfe* hlēapan lēton | ... fealwe mēaras,   864

heaðoscearde.

hine ... fornāmon | hearde, *heaðoscearde* homera lāfe, 2829

Heaðo-Scilfingas.

Elan cwēn [Ongenþēowes wæs] | *Heaðo-Scilfingas*
   healsgebedda.   63

ðā hyne gesōhtan on sigeþēode | ... *Heaðo-Scilfingas,* 2205

heaðosīocum.

ic ... gefrægn sunu Wihstānes | ... wundum dryhtne |
   hȳran *heaðosīocum,*   2754

heaðostēapa.

heaþostēapa helm, hringed byrne,   1245

heaðostēapne.

Hēt ðā in beran... | *heaðostēapne* helm, hāre byrnan,   2153

heaðoswāta.

swā þæt blōd gesprang, | hātost *heaþoswāta.*   1668

heaðoswāte.

ecg wæs īren,... | āhyrded *heaþoswāte*;   1460
þæt sweord ongan | æfter *heaþoswāte*... | ... wanian;   1606

heaðoswenge.

wæs beorges weard | æfter *heaðuswenge* on hrēoum
   mōde,   2581

heaðotorht.

stefn in becōm | *heaðotorht* hlynnan under hārne stān;   2553

heaðowǣdum.

Ne hȳrde ic cymlīcor cēol gegyrwan | ... *heaðowǣdum,*   39

heaðoweorc.

Heht ðā þæt *heaðoweorc* tō hagan bīodan   2892

heaðowylma.

heaðowylma bād | lāðan līges.   82

heaðowylmas.

ǣr hē bǣl cure, | hāte *heaðowylmas*;   2819

hēaðu, heaðu-. *See* **hēoðo, heaðo-.**

hēaum.

sē ðe on *hēa[um]* hlǣwe hord beweotode,   2212

hēawan.

ond on healfa gehwone *hēawan* þōhton,   800

hebban.

siþðan ic hond ond rond *hebban* mihte,   656

hēdde.

ne *hēdde* hē þæs heafolan.   2697

hefene. *See* **heofone.**

heht.

Hēt him ȳðlidan | gōdne gegyrwan;   198
Ēow *hēt* secgan sigedrihten mīn,   391
ond gehealdan *hēt* hildegeatwe.   674
Heht ðā eorla hlēo eahta mēaras | ... tēon,   1035
hēt hine wel brūcan.   1045
þone ænne *heht* | golde forgyldan,   1053
Hēt ðā Hildeburh ... | hire ... sunu sweoloðe be-
   fǣstan,   1114

swā se snottra *heht.*   1786
Heht þā se hearda Hrunting beran | sunu Ecglāfes,   1807
heht his sweord niman,   1808
hēt [h]ine mid þǣm lācum lēode swǣse | sēcean   1868
Hēt þā ūp beran æþelinga gestrēon,   1920
Hēt ðā in beran eafor, hēafodsegn,   2152
sume worde *hēt,*   2156
Hēt ðā eorla hlēo in gefetian | ... Hrēðles lāfe   2190
Heht him þā gewyrcean wīgendra hlēo ... | wīgbord   2337
hēt hyne brūcan well.   2812
Heht ðā þæt heaðoweorc tō hagan bīodan   2892
ēowic grētan *hēt,*   3095
Hēt ðā gebēodan byre Wihstānes,   3110
hel.
þǣr him *hel* onfēng.   852
hellbendum.
þæt se secg wǣre ... | ... *hellbendum* fæst,   3072
helle.
ān ongan | fyrene fre[m]man, | fēond on *helle*;   101
helle gemundon | in mōdsefan,   179
þæs þū in *helle* scealt | werhðo drēogan,   588
sār wānigean | *helle* hæfton.   788
ðȳ hē þone fēond ofercwōm, | gehnǣgde *helle* gāst.   1274
helm.
ne hīe hūru heofena *Helm* herian ne cūþon,   182
Hrōðgār maþelode, *helm* Scyldinga: 371, 456, 1321
Ðā hē him of dyde īsernbyrnan, | *helm* of hafelan,   672
helm ond byrnan;   1022
heaþostēapa *helm,* hringed byrne,   1245
helm ne gemunde, | byrnan sīde,   1290
nō hē on *helm* losaþ,   1392
ac se hwīta *helm* hafelan werede,   1448
ðolode ǣr fela | hondgemōta, *helm* oft gescǣr,   1526
Cōm þā tō lande lidmanna *helm*   1623
Ðā wæs of þǣm hrōran *helm* ... | lungre ālȳsed.   1629
þonne bið ... under *helm* drepen | biteran strǣle;   1745
Hēt ðā in beran ... | heaðostēapne *helm,* hāre byrnan, 2153
Sceal se hearda *helm* ... | fǣtum befeallen;   2255
hæfdon hȳ forhealden *helm* Scylfinga,   2381

Wedra *helm* | . . . heortan sorge | weallinde wæg;   2462
his māgum ætbær | brūnfāgne *helm*,   2615
sweord ond *helm*,   2659
forwrāt Wedra *helm* wyrm on middan.   2705
his *hel*[m] onspēon.   2723
Þær wæs *helm* monig | eald ond ōmig,   2762
þegne gesealde | . . . goldfāhne *helm*,   2811
þonne hē . . . gesealde | . . . *helm* ond byrnan,   2868
ac hē him on hēafde *helm* ǣr gescer,   2973
Lēt se . . . þegn . . . | . . . entiscne *helm* | brecan   2979
nam on Ongenðīo . . . | . . . his *helm*   2987
helmas.
helmas ond heard sweord.   2638
helmberend.
hwate *helmberend*,   2517, 2642
helme.
lēod word æfter spræc, | heard under *helme*:   342
[hygerōf ēode] | heard under *helme*,   404
þonne . . . | sweord . . . swīn ofer *helme* | . . . and-
weard scireð.   1286
Ārās . . . rōf ōretta, | heard under *helme*,   2539
helmes.
Ymb þæs *helmes* hrōf hēafodbeorge | . . . wal*a* . . . hēold,   1030
Helminga.
Ymbēode þa ides *Helminga* | . . . dæl æghwylcne,   620
helmum.
helm[um] behongen, hildebordum,   3139
helpan.
þæt him boltwudu *he*[lpan] ne meahte,   2340
hē him *helpan* ne mæg,   2448
wutun gongan tō, | *helpan* hildfruman,   2649
þæt him īrenna ecge mihton | *helpan* æt hilde;   2684
ongan . . . | ofer mīn gemet mæges *helpan*.   2879
helpe.
þær mē . . . līcsyrce mīn | . . . *helpe* gefremede;   551
nemne him heaðobyrne *helpe* gefremede,   1552
ðū scealt . . . weorþan . . . | hæleðum tō *helpe*.   1709
ic ðē þūsenda þegna bringe | hæleþa tō *helpe*.   1830
þonon Ēom*ǣr* wōc | hæleðum tō *helpe*,   1961

helrūnan.

men ne cunnon, | hwyder *helrūnan* hwyrftum scrīþað.   163

Hemminges,

þæt onhōhsnod[e] *Hemminges* mæg.   1944

Þonon Ēomǣr wōc | ..., *Hem[m]inges* mæg,   1961

Hengest.

Hengest ðā gyt | wælfāgne winter wunode mid Finn   1127

Hengeste.

þæt hē ne mehte ... | wīg *Hengeste* wiht gefeohtan,   1083
Fin *Hengeste* | elne unflitme āðum benemde,   1097

Hengestes.

Hengestes hēap hringum wenede,   1091

heofen-. *See* **heofon-.**

hēofende.

ālegdon ... | hæleð *hīofende,* hlāford lēofne.   3142

heofon.

Heofon rēce swe[a]lg.   3155

heofona.

ne hīe hūru *heofena* Helm herian ne cūþon,   182

heofone.

efne swā of *hefene* hādre scīneð | rodores candel.   1571

heofones.

siððan æfenlēoht | under *heofenes* hador beholen
weorþeð.   414

Nō ic ... gefrægn | under *heofones* hwealf heardran
feohtan,   576

oþ þæt hrefn blaca *heofones* wynne | ... bodode;   1801

under *heofones* hwealf   2015

Syððan *heofones* gim | glād ofer grundas,   2072

heofonum.

hæleð under *heofenum,*   52

þæt ænig ōðer man ... | gehēdde under *heofenum*   505

hēold.

hēold þenden lifde | ... glæde Scyldingas.   57

sē þe mōras *hēold,* | fen ond fæsten;   103

hēold hyne syðþan | fyr ond fæstor,   142

sinnihte *hēold* | mistige mōras;   161

Ic wæs endesǣta, ǣgwearde *hēold,*   241

ferh wearde *hēold.*   305

on geogoðe *hēold* gimmerīce | hordburh hæleþa.   466
Hēold hine fæste,   788
hēafodbeorge | wīrum bewunden wal*a* ūtan hēold,   1031
þær hē[o] ǽr mǽste *hēold* | worolde wynne.   1079
þinceð him tō lȳtel, þæt hē lange *hēold*;   1748
hīold hēahlufan wið hæleþa brego,   1954
wīsdōme *hēold* | ēðel sīnne.   1959
ginfæstan gife ... | *hēold* hildedēor.   2183
se ðēodsceaða ... | *hēold* on hrūsa*n* hordærna sum   2279
hwæðre hē hi*ne* on folce frēondlārum *hēold*,   2377
Weard unhīore, | gearo gūðfreca, goldmāðmas *hēold*,   2414
hēold mec ond hæfde Hrēðel cyning,   2430
Ic ðās lēode *hēold* | fīftig wintra;   2732
hēold mīn tela,   2737
þone ic longe *hēold*.   2751
lyftwynne *hēold* | nihtes hwīlum,   3043
hēold on hēah gesceap.   3084
sceft nytte *hēold*,   3118

hēolde.
þæt hē þā wēalāfe weotena dōme | ārum *hēolde*,   1099
þēah ðe hordwelan *hēolde* lange.   2344

hēoldon.
sume þǽr bidon, | heaðorēaf *hēoldon*,   401
Gēata lēode | hrēawīc *hēoldon*.   1214

heolfre.
eal gemenged | hāton *heolfre*,   849
hēo under *heolfre* genam | cūþe folme;   1302
Flōd blōde wēol ... , | hātan *heolfre*.   1423
holm *heolfre* wēoll,   2138

heolster.
Hyge wæs him hinfūs, wolde on *heolster* flēon,   755

heorde.
...... [b]unden *heorde*   3151

heoroblāc.
gomela Scylfing | hrēas [*heoro*]*blāc*;   2488

heorodrēore.
eal bencþelu blōde bestȳmed, | heall *heorudrēore*;   487
eal gemenged | hāton heolfre, *heorodrēore*, wēol;   849

heorodrēorig.

þonne blōde fāh, | hūsa sēlest *heorodrēorig* stōd;   935

heorodrēorigne.

þæt ic on þone hafelan *heorodrēorigne* | ... starige.   1780

Hyne ... *heorodrēorigne* | ... þegn ... | ... wætere
gelafede   2720

heorodryncum.

Hrēðles eafora *hiorodryncum* swealt   2358

Heorogār.

weoroda ræswa | *Heorogār,* ond Hrōðgār ond Hālga til;   61

Ðā wæs *Heregār* dēad,   467

cwæð þæt hyt hæfde *Hiorogār* cyning,   2158

heorogīfre.

sē ðe flōda begong | *heorogīfre* behēold   1498

heorogrim.

hrēoh ond *heorogrim* hringmæl gebrægd,   1564

heorogrimme.

þæt ðē gār nymeð, | hild *heorugrimme,* Hrēþles eaferan,   1847

heorohōcyhtum.

Hræþe wearð ... mid eofersprēotum | *heorohōcyhtum*
hearde genearwod,   1438

heorosercean.

hiorosercean bær | under stāncleofu,   2539

heorosweng.

syþðan hē ... drepe þrōwade, | *heorosweng* heardne;   1590

heorot.

Ðēah þe ... | *heorot* hornum trum holtwudu sēce,   1369

Heorot.

scōp him *Heort* naman,   78

Heorot eardode, | sincfāge sel sweartum nihtum;   166

þæt ic mōte āna ... | ... *Heorot* fǣlsian.   432

Ðā wæs hāten hreþe *Heort* ... | folmum gefrætwod;   991

Heorot innan wæs | frēondum āfylled;   1017

Heorot is gefǣlsod, | bēahsele beorhta;   1176

Heorote.

hwæt mē Grendel hafað | hȳnðo on *Heorote* ... |
... gefremed;   475

Scop hwīlum sang | hādor on *Heorote*;   497

þæt næfre Gre[n]del swā fela ... gefremede ... |
    hȳnðo on *Heorote*,   593
þæt se hearmscaþa tō *Heorute* ātēah.   766
sē æt *Heorote* fand | wæccendne wer wīges bīdan.   1267
cōm þā tō *Heorote*,   1279
Hrēam wearð in *Heorote*;   1302
Wearð him on *Heorote* tō handbanan | wælgæst
    wæfre;   1330
swā him ǣr gescōd | hild æt *Heorote*.   1588
þæt þū on *Heorote* mōst | sorhlēas swefan   1671
ðū ... gehogodest | sæcce sēcean ... | hilde tō *Hiorote*? 1990
him sīo swīðre swaðe weardade | hand on *Hiorte*,   2099

Heorotes.
Snyredon ætsomne ... | under *Heorotes* hrōf;   403

heoroweallende.
līgegesan wæg | hātne ... *hioroweallende* | middel-
    nihtum,   2781

Heorowearde.
nō ... syllan wolde | hwatum *Heorowearde* ... |
    brēostgewǣdu.   2161

heorowearh.
wæs þǣra Grendel sum, | *heorowearh* hetelīc,   1267

heorras.
Wæs þæt ... bold tōbrocen ... | ... *heorras* tōhlidene;   999

Heort.   *See* **Heorot.**

heortan.
oð ðæt dēaðes wylm | hrān æt *heortan*.   2270
Wedra helm | ... *heortan* sorge | weallinde wæg;   2463
ac him hildegrāp *heortan* wylmas, | bānhūs gebræc.   2507

heorte.
ðā wæs hringbogan *heorte* gefȳsed   2561

heorðgenēatas.
Wē synt ... | ... Higelāces *heorðgenēatas*.   261
þonne hē Hrōðgāres *heorðgenēatas* | slōh on sweofote,   1580
nealles druncne slōg | *heorðgenēatas*;   2180
Swā begnornodon ... | hlāfordes [hry]re *heorðgenēatas*; 3179

heorðgenēatum.
þenden hǣlo ābēad *heorðgenēatum*,   2418

Here-Scyldinga.

Here-Scyldinga | betst beadorinca wæs on bæl gearu; 1108

herespēd.

þā wæs Hrōðgāre *herespēd* gyfen, 64

herestrǣl.

þæt him on aldre stōd | *herestrǣl* hearda; 1435

heresyrcan.

sǣdēor monig | hildetuxum *heresyrcan* bræc, 1511

herewǣdum.

þā wæs ... sǣgēap naca | hladen *herewǣdum,* 1897

herewǣsmun.

Nō ic mē an *herewǣsmun* hnāgran talige 677

herewīsa.

nū se *herewīsa* hleahtor ālegde, 3020

herge, *sb.*

þæt hīe oft wǣron an wīg gearwe | ... on *herge,* 1248

þæt hē þone wīdflogan weorode gesōhte, | sīdan *herge;* 2347

hē ūsic on *herge* gecēas 2638

herge, *vb. See* **herige.**

hergum.

þæt se secg wǣre ... | *hergum* geheaðerod, 3072

herian.

ne hīe hūru heofena Helm *herian* ne cūþon, 182

Ne hūru Hildeburh *herian* þorfte | Eotena trēowe; 1071

herige.

þæt ic þē wel *herige,* 1833

þæt mon his winedryhten wordum *herge,* 3175

hēt. *See* **heht.**

hete.

him gebēacnod wæs | ... sweotolan tācne | heal-

ðegnes *hete;* 142

hete wæs onhrēred, 2554

hetelīc.

wæs þǣra Grendel sum, | heorowearh *hetelīc,* 1267

hetende.

swā þec *hetende* hwīlum dydon, 1828

heteniðas.

heteniðas wæg, | fyrene ond fǣhðe 152

heteswengeas.

þ[ēow] nāthwylces | hæleða bearna *heteswengeas* flēah, 2224

heteðancum.

mid his *heteþancum,*   475

hettendum.

ðe ǣr gehēold | wið *hettendum* hord ond rīce   3004

Hetware.

Nealles *Hetware* hrēmge þorf[t]on | fēðewīges,   2363
þǣr hyne *Hetware* hilde gehnǣgdon,   2916

hig-. *See* **hyg-.**

hild.

gif mec *hild* nime,   452, 1481
Siððan Heremōdes *hild* sweðrode,   901
swā him ǣr gescōd | *hild* æt Heorote.   1588
þæt ðe gār nymeð, | *hild* heorugrimme, Hrēþles eaferan, 1847
þǣr wæs Hondscīo *hild* onsǣge,   2076

hilde.

wiste þǣm āhlǣcan | ... *hilde* geþinged,   647
nǣfre hit æt *hilde* ne swāc | manna ǣngum,   1460
Ne meahte ic æt *hilde* mid Hruntinge | wiht ge-
   wyrcan,   1659
ðū ... gehogodest | sæcce sēcean ..., | *hilde* tō Hiorote? 1990
sīo æt *hilde* gebād | ofer borda gebræc bite īrena,   2258
Hwæðre *hilde* gefeh, | bea[du]weorces;   2298
swā him wyrd ne gescrāf | hrēð æt *hilde.*   2575
þæt him īrenna ecge mihton | helpan æt *hilde;*   2684
þǣr hyne Hetware *hilde* gehnǣgdon,   2916
hǣfde Higelāces *hilde* gefrūnen,   2952

hildebil.

þæt *hildebil* | forbarn, brogden mǣl,   1666

hildebille.

þæt ic āglǣcan ... gerǣhte | *hildebille;*   557
mægenrǣs forgeaf | *hildebille,*   1520
mægenstrengo slōh | *hildebille,*   2679

hildebord.

lǣtað *hildebord* hēr onbīdan | ... worda geþinges.   397

hildebordum.

ād ... | ... behongen *hildebordum,*   3139

Hildeburh.

    Ne hūru *Hildeburh* herian þorfte | Eotena trēowe; 1071

    Hēt ðā *Hildeburh* ... | hire selfre sunu sweoloðe

        befæstan, 1115

hildecystum.

    ymbe gestōdon | *hildecystum,* 2598

hildedēor.

    Him þā *hildedēor* [h]of mōdigra | torht getæhte, 312

    syþðan *hildedēor* hond ālegde, 834

    Ðā cōm ... | hæle *hildedēor* Hrōðgār grētan. 1646

    hæle *hildedēor* Hrōðgār grētte. 1816

    hwīlum *hildedēor* hearpan wynne, | gomenwudu

        grētte, 2107

    ginfæstan gife ... | hēold *hildedēor.* 2183

    Hēt ðā gebēodan byre Wihstānes, | hæle *hildedīor,* 3111

hildedēore.

    þā ymbe hlǣw riodan *hildedēore* 3169

hildefrecan.

    ðā hyne gesōhtan on sigeþēode | hearde *hildefrecan,* 2205

    lȳt eft becwōm | fram þām *hildfrecan* hāmes nīosan. 2366

hildegeatwa.

    hæfde him on earme [āna] þrittig | *hildegeatwa,* 2362

hildegeatwe.

    ond gehealdan hēt *hildegeatwe.* 674

hildegicelum.

    þæt sweord ongan | ... *hildegicelum* | ... wanian; 1606

hildegrāp.

    þæt him *hildegrāp* hreþre ne mihte | ... gesceþðan; 1446

    ac him *hildegrāp* heortan wylmas, | bānhūs gebræc. 2507

hildehlæmmum.   *See* **hildehlemmum.**

hildehlemma.

    forðon hē ǣr fela | ... nīða gedīgde, | *hildehlemma,* 2351

    sē ðe worna fela | ... gūða gedīgde, | *hildehlemma,* 2544

hildehlemmum.

    Eft þæt geīode ufaran dōgrum | *hildehlæmmum,* 2201

hildeléoman.

    þonne him Hūnlāfing *hildeléoman* | ... on bearm dyde; 1143

    wīde sprungon | *hildeléoman.* 2583

hildemēceas.

Hear[dr]ēde *hildemēceas* | ... tō bonan wurdon,   2202

hildemecgas.

þā hīe gewin drugon, | heardhicgende *hildemecgas*,   799

hilderǣs.

þæt þone *hilderǣs* hāl gedīgeð.   300

hilderandas.

Setton him tō hēafdon *hilderandas*,   1242

hilderinc.

þā wæs ... | hār *hilderinc* on hrēon mōde,   1307
hilderinc sum on handa bær | æledlēoman,   3124
þǣr wæs ... | ... boren | hār *hilde*[*rinc*] tō Hrones
    næsse.   3136

hilderince.

brimwylm onfēng | *hilderince.*   1495
Næs sēo ecg fracod | *hilderince,*   1576

hilderinces.

wæs ... | ... *hilderinces* | egl unhēoru;   986

hildesædne.

wætere gelafede | *hildesædne,*   2723

hildesceorp.

Mē ðis *hildesceorp* Hrōðgār sealde,   2155

hildesetl.

þæt wæs *hildesetl* hēahcyninges,   1039

hildestrengo.

ongan ... | gomel gūðwiga gioguðe cwīðan | *hilde-
    strengo*;   2113

hildeswāt.

cwōm | oruð āglǣcean ..., | hāt *hildeswāt*;   2558

hildetuxum.

sǣdēor monig | *hildetuxum* heresyrcan bræc,   1511

hildewǣpnum.

Ne hȳrde ic cymlīcor cēol gegyrwan | *hildewǣpnum*   39

hildewīsan.

þǣr wæs sang ... | fore Healfdenes *hildewīsan,*   1064

hildfrecan. *See* **hildefrecan.**

hildfruman.

Ðā wæs gylden hilt... | hārum *hildfruman*...gyfen,   1678

wutun gongan tō, | helpan *hildfruman,*   2649
hē eorðan gefēoll | for ðæs *hildfruman* hondgeweorce.   2835
hildlatan.
   þæt ðā *hildlatan* holt ofgēfan,   2846
hilt.
   būton þone hafelan ond þā *hilt*   1614
   Ic þæt *hilt* þanan | fēondum ætferede,   1668
   Ðā wæs gylden *hilt* gamelum rince | ... gyfen,   1677
   Hrōðgār maðelode, *hylt* scēawode,   1687
hiltecumbor.
   hroden *hiltecumbor,*   1022
hilted.
   nam on Ongenðīo ... | heard swyrd *hilted*   2987
hiltum.
   wǣpen hafenade | heard be *hiltum* Higelāces ðegn   1574
hindeman.
   þone þīn fæder tō gefeohte bær | ... *hindeman* sīðe,   2049
   Gegrētte ... | hwate helmberend *hindeman* sīðe,   2517
hinfūs.
   Hyge wæs him *hinfūs,* wolde on heolster flēon,   755
hio-, hīo-. *See* **heo-, hēo-.**
hioro-. *See* **heoro-.**
hladan.
   on bæl *hladan* | lēofne mannan;   2126
   him on bearm *hladon* būnan ond discas   2775
hladen.
   þā wæs ... sǣgēap naca | *hladen* herewǣdum,   1897
   þǣr wæs wunden gold on wǣn *hladen,*   3134
hladon. *See* **hladan.**
hlæste.
   hwā þæm *hlæste* onfēng.   52
hlǣw.
   hlǣw oft ymbehwearf | ealne ūtanweardne;   2296
   hlǣw under hrūsan holmwylme nēh,   2411
   Hātað heaðomǣre *hlǣw* gewyrcean   2802
   Geworhton ðā Wedra lēode | *hl[ǣw]* on [h]liðe,   3157
   þā ymbe *hlǣw* riodan hildedēore   3169
hlǣwe.
   Wand tō wolcnum wælfȳra mǣst, | hlynode for *hlāwe;*   1120

sē ðe on hēa[um] *hlǣwe* hord beweotode, 2212
Ðā ic on *hlǣwe* gefrægn hord rēafian, 2773
hlāford.
Wē ... *hlāford* þīnne, | sunu Healfdenes, sēcean cwōmon, 267
frioðowǣre bæd | *hlāford* sīnne. 2283
þæt hē Heardrēde *hlāford* wǣre, 2375
þēah ðe *hlāford* ūs | ... āðōhte | tō gefremmanne, 2642
ālegdon ... | hæleð hīofende, *hlāford* lēofne. 3142
hlāforde.
þonne wē gehēton ussum *hlāforde* 2634
hlāfordes.
Swā begnornodon ... | *hlāfordes* [hry]re, heorð-
genēatas; 3179
hlāfordlēase.
oð ðæt hī oðēodon ... | ... *hlāfordlēase.* 2935
hlāwe. *See* **hlǣwe.**
hleahtor.
Ðǣr wæs hæleþa *hleahtor*, hlyn swynsode, 611
nū se herewīsa *hleahtor* ālegde, 3020
hlēapan.
Hwīlum heaþorōfe *hlēapan* lēton | ... fealwe mēaras, 864
hlēat.
hē þǣr orfeorme feorhwunde *hlēat* 2385
hlēo.
þæt ðū mē ne forwyrne, wīgendra *hlēo*, 429
Nolde eorla *hlēo* ... | þone cwealmcuman ... forlǣtan, 791
Sē wæs wreccena wīde mǣrost | ..., wīgendra *hlēo*, 899
Heht ðā eorla *hlēo* eahta mēaras | ... tēon, 1035
Ðā git him eorla *hlēo* inne gesealde, | ... māþmas
twelfe, 1866
eorla *hlēo* ... | ... gefrūnon | hringas dǣlan. 1967
þæt ðǣr on worðig wīgendra *hlēo* | ... lifigende cwōm, 1972
mē eorla *hlēo* eft gesealde | māðma menigeo, 2142
Hēt ðā eorla *hlēo* in gefetian | ... Hrēðles lāfe 2190
Heht him þā gewyrcean wīgendra *hlēo* ... | , wīgbord 2337
hlēoburh.
hord ond *hlēoburh*, 912
seleð him ... | tō healdanne *hlēoburh* wera, 1731

hleonian.

þæt hē ... fyrgenbēamas | ofer hārne stān *hleonian*
funde,   1415

hlēorbergan.

Eoforlīc scionon | ofer *hlēorber[g]an,* gehroden golde,   304

hlēorbolster.

hlēorbolster onfēng | eorles andwlitan,   688

hlēoðorcwyde.

syððan mandryhten | þurh *hlēoðorcwyde* holdne
gegrētte   1979

hlīfade.

Sele *hlīfade* | hēah ond horngēap;   81
reced *hlīuade* | gēap ond goldfāh;   1799
mæst *hlīfade* | ofer Hrōðgāres hordgestrēonum.   1898

hlīfian.

sē scel tō gemyndum mīnum lēodum | hēah *hlīfian*   2805

hlimbed.

Fundon ... sāwullēasne | *hlimbed* healdan,   3034

hliðe.

Geworhton ðā Wedra lēode | hl[æw] on [*h*]*liðe,*   3157

hliðes.

nō hē mid hearme of *hliðes* nosan | gæs[tas] grētte,   1892

hlīuade. *See* **hlīfade.**

hlūdne.

þæt hē ... drēam gehȳrde | *hlūdne* in healle;   89

hlyn.

Ðǣr wæs hæleþa hleahtor, *hlyn* swynsode,   611

hlynnan.

stefn in becōm | heaðotorht *hlynnan* under hārne stān;   2553

hlynode.

Wand tō wolcnum wælfȳra mǣst, | *hlynode* for hlāwe;   1120

hlynsode.

Reced *hlynsode;*   770

hlytme.

Næs ðā on *hlytme,* hwā þæt hord strude,   3126

Hnæf.

hæleð Healf-Dena, *Hnæf* Scyldinga,   1069

Hnæfes.

Hēt ðā Hildeburh æt *Hnæfes* āde | hire ... sunu
... befæstan,   1114

15*

hnāgran. *See* **hnāhran.**
hnāh.
> næs hīo *hnāh* swā þeah,   1929

hnāhran.
> Nō ic mē an herewǣsmun *hnāgran* talige   677
> ic for lǣssan lēan teohhode, | hordweorþunge,
>   *hnāhran* rince,   952

hnitan. *See* **hniton.**
hniton.
> þonne *hniton* fēþan,   1327
> þonne *hnitan* fēðan,   2544

Hōces.
> Nalles hōlinga *Hōces* dohtor | meotodsceaft bemearn, 1076

hof.
> Him þā hildedēor [h]of mōdigra | torht getǣhte,   312

hofe.
> ond him Hrōþgār gewāt tō *hofe* sīnum,   1236
> Bǣr þā sēo brimwyl[f]... | hringa þengel tō *hofe*
>   sīnum,   1507
> tō *hofe* gongan.   1974

hofu.
> se gǣst ongan... | beorht *hofu* bǣrnan;   2313

hofum.
> Gif him þonne Hrēþrīc tō *hofum* Gēata | geþingeð,   1836

hogode.
> Ic þæt *hogode,* þā ic on holm gestāh,   632

hold.
> þæt þis is *hold* weorod | frēan Scyldinga.   290
> Hēr is ǣghwylc eorl... | mōdes milde, mandrihtne
>   *hol[d];*   1229
> þēah hē him *hold* wǣre,   2161
> Hygelāce wæs | nīða heardum nefa swȳðe *hold,*   2170

holdne.
> Wē þurh *holdne* hige hlāford þīnne |... sēcean cwōmon, 267
> sōhte *holdne* wine.   376
> syððan mandryhten | þurh hlēoðorcwyde *holdne*
>   gegrētte   1979

holdra.
> āhte ic *holdra* þȳ lǣs,   487

hōlinga.

Nalles *hōlinga* Hōces dohtor | meotodsceaft bemearn, 1076

holm.

lēton *holm* beran, | gēafon on gārsecg; 48
þā hine on morgentīd | ... *holm* ūp ætbær; 519
Ic þæt hogode, þā ic on *holm* gestāh, 632
holm storme wēol, | won wið winde; 1131
þā ðe mid Hrōðgāre on *holm* wliton, 1592
holm heolfre wēoll, 2138

holma.

þæt ic on *holma* geþring | eorlscipe efnde, 2132

holmas.

hider ofer *holmas* 240

holmclife.

syðþan Æscheres | on þām *holmclife* hafelan mētton. 1421
from þǣm *holmclife* hafelan bǣron 1635

holmclifu.

sē þe *holmclifu* healdan scolde, 230

holme.

Nō hē ... | ... feor flēotan meahte, | hraþor on *holme*; 543
hē on *holme* wæs | sundes þē sǣnra, 1435
Hraþe wæs æt *holme* hȳðweard gear*u*, 1914
þā hē tō *holme* [st]āg. 2362

holmwylme.

hlǣw under hrūsan *holmwylme* nēh, 2411

holt.

hȳ on *holt* bugon, | ealdre burgan. 2598
þæt ðā hildlatan *holt* ofgēfan, 2846
oð ðæt hī oðēodon ... | in Hrefnes *holt* 2935

holtwudu.

Ðēah þe ... | heorot hornum trum *holtwudu* sēce, 1369
þæt him *holtwudu* he[lpan] ne meahte, 2340

homera.

fornāmon | hearde, heaðoscearde *homera* lāfe, 2829

homere.

heoru bunden, *hamere* geþuren, 1285

hond.

heaþorǣs fornam | mihtig meredēor þurh mīne *hand*. 558
siþðan ic *hond* ond rond hebban mihte, 656

hondgemōta.

   ðolode ǣr fela | *hondgemōta*, helm oft gescǣr,   1526

hondgesellum.

   Wes þū mundbora mīnum magoþegnum, | *hondgesellum*, 1481

hondgesteallan.

   Swā sceal mǣg dōn, | nealles ... | ... dēað rēn[ian] |
     hondgesteallan.   2169
   Nealles him on hēape *handgesteallan* | ... ymbe
     gestōdon   2596

hondgeweorce.

   hē eorðan gefēoll | for ðæs hildfruman *hondgeweorce*. 2835

hondgewriðene.

   ac him wælbende weotode tealde | *handgewriþene*; 1937

hondlēan.

   Hēo him eft hraðe *handlēan* forgeald | grimman
     grāpum,   1541
   hū i[c] ... | yfla gehwylces *hondlēan* forgeald;   2094

hondlocen.

   Gūðbyrne scān | heard *hondlocen*,   322
   līcsyrce mīn, | heard *hondlocen*,   551

hondrǣs.

   tō hwan syððan wearð | *hondrǣs* hæleða.   2072

Hondscīo.

   þǣr wæs *Hondscīo* hild onsǣge,   2076

hondscole.

   Gang ... fyrdwyrðe man | mid his *handscole*   1317
   Gewāt him ðā se hearda mid his *hondscole*   1963

hondsporu.

   wæs steda nægla gehwylc stȳle gelīcost, | hæþenes
     handsporu,   986

hondum.

   scolde herebyrne *hondum* gebrōden | ... sund cunnian, 1443
   oððe hringsele *hondum* styrede,   2840

hondwundra.

   hē siomian geseah segn ..., | ... *hondwundra* mǣst, 2768

hongað.

   þonne his sunu *hangað* | hrefne tō hrōðre,   2447

hongian.

   þæt ic ... geseah wlitig *hangian* | eald sweord   1662

hongiað.

ofer þǽm *hongiað* hrīmge bearwas,   1363

hongode.

Glōf *hangode* | sīd ond syllīc,   2086

hord.

hord ond hlēoburh,   912
sē ðe on hēa[um] hlǽwe *hord* beweotode,   2212
Hē gesēcean sceall | [*ho*]*r*[*d* on] hrūsan,   2276
Ðā wæs *hord* rāsod, | onboren bēaga *hord*;   2284
Hord eft gescēat, | dryhtsele dyrnne,   2319
þǽr him Hygd gebēad *hord* ond rīce,   2369
sēcean sāwle *hord*,   2422
hond ond heard sweord,   2509
ðū ... geong | *hord* scēawian under hārne stān,   2744
Ðā ic on hlǽwe gefrægn *hord* rēafian | ... ānne
  mannan,   2773
Nū ic on māðma *hord* mīne bebohte | frōde feorhlege,   2799
þæt hē ... mihte | ... *hord* forstandan,   2955
ðe ǽr gehēold | wið hettendum *hord* ond rīce   3004
þǽr is māðma *hord*, | gold unrīme, grimme ge-
  cēa[po]d,   3011
nefne God sylfa | ... sealde ... | ... *hord* openian,   3056
Hord ys gescēawod, | grimme gegongen;   3084
Næs ðā on hlytme, hwā þæt *hord* strude,   3126

hordærna.

se ðēodsceaða ... | hēold on hrūsan *hordærna* sum   2279

hordærne.

þæt se wīdfloga ... | hrēas on hrūsan *hordærne* nēah;   2831

hordburh.

on geogoðe hēold gimmerīce | *hordburh* hæleþa.   467

horde.

Āð wæs geæfned, ond icge gold | āhæfen of *horde*.   1108
gefēng | hæðnum *horde*   2216
ne meahte *horde* nēah | unbyrnende ... | dēop gedȳgan   2547
hē siomian geseah segn ... | hēah ofer *horde*,   2768
līgegesan wǽg | hātne for *horde*,   2781
swylce on *horde* ǽr ┆ ... men genumen hæfdon;   3164

hordes.

syþðan wīges heard wyrm ācwealde, | *hordes* hyrde;   887

hordgestrēona.

Ic...gefēng | micle...mægenbyrðenne | *hordgestrēona,* 3092

hordgestrēonum.

mæst hlīfade | ofer Hrōðgāres *hordgestrēonum.* 1899

hordmādmum.

Nænigne ic under swegle sēlran hȳrde | *hordmādmum*
hæleþa, 1198

hordweard.

hordweard hæleþa heaþoræsas geald 1047
tō gecēosenne cyning ænigne, | *hordweard* hæleþa, 1852
Hordweard sōhte | georne æfter grunde, 2293
Hordweard onbād | earfoðlīce, 2302
hordweard oncnīow | mannes reorde; 2554
Hyrte hyne *hordweard,* hreðer æðme wēoll, 2593

hordwelan.

þēah ðe *hordwelan* hēolde lange. 2344

hordweorðunge.

Ful oft ic for læssan ... teohhode | *hordweorþunge* 952

hordwynne.

Hordwynne fond | eald ūhtsceaða opene standan, 2270

horn.

Horn stundum song | fūslīc f[yrd]lēoð. 1423
syððan hīe Hygelāces *horn* ond bȳman | gealdor
ongēaton, 2943

hornbogan.

syððan hyne Hæðcyn of *hornbogan* |...flāne ge-
swencte, 2437

horngēap.

Sele hlīfade | hēah ond *horngēap;* 82

hornreced.

Scēotend swæfon, | þā þæt *hornreced* healdan scoldon, 704

hornum.

Ðēah þe ... | heorot *hornum* trum holtwudu sēce, 1369

hors.

þā wæs Hrōðgāre *hors* gebæted, 1399

hōse.

his cwēn mid him | medostīg gemæt mægþa *hōse.* 924

hoðman.

rīdend swefað, | hæleð in *hoðman;* 2458

hrā.

Hrā wīde sprong,   1588

hrædlīce.

Hwearf þā *hrædlīce*, þær Hrōðgār sæt   356
Ic hin*c* *hrædlīce* heardan clammum | ... wrīþan þōhte, 963

hrægl.

hrægl ond hringas,   1195

hrægla.

Onsend Higelāce ... | *hrægla* sĕlest;   454

hrægles.

Brūc ðisses bēages, ... | ... ond þisses *hrægles* nēot, 1217

hræðe. *See* **hraðe.**

hrāfyl.

hȳnðu ond *hrāfyl*.   277

hrān.

duru sōna onarn, | ...syþðan hē hire folmum [*hr*]*ān*; 722
oð ðæt dēaðes wylm | *hrān* æt heortan.   2270

hraðe.

Þanon ūp *hraðe* | Wedera lēode on wang stigon, 224
Raþe æfter þon | on fāgne flōr fēond treddode, 724
hē gefēng *hraðe* forman sīðe | slǣpendne rinc, 740
hē onfēng *hraþe* | inwitþancum   748
Ðā wæs hāten *hreþe* Heort... | folmum gefrætwod; 991
hraðe hēo æþelinga ānne hæfde | fæste befangen; 1294
Hraþe wæs tō būre Bēowulf fetod,   1310
uton *hraþe* fēran, | Grendles māgan gang scēawigan. 1390
Hræþe wearð on ȳðum mid eofersprēotum | ... ge-
    nearwod,   1437
Hēo him eft *hraðe* handlēan forgeald | grimman
    grāpum,   1541
hē *hraþe* wolde | Grendle forgyldan gūðrǣsa fela, 1576
Hraþe wæs æt holme hȳðweard gear*u*,   1914
hraþe seoþðan wæs | æfter mundgripe mēce geþinged, 1937
Hraðe wæs gerȳmed... | fēðegestum flet innanweard. 1975
wæs eft *hraðe* | gearo gyrnwrǣce Grendeles mōdor, 2117
forgeald *hraðe* | wyrsan wrixle wælhlem þone, 2968

hraðor.

Nō hē... | ...feor flēotan meahte, | *hraþor* on holme; 543

hrēam.

Hrēam wearð in Heorote;　　　　　　　　　　1302

hrēas.

gomela Scylfing | *hrēas* [heoro]blāc;　　　　2488
þæt se wīdfloga ... | *hrēas* on hrūsan　　　　2831

hrēawīc.

Gēata lēode | *hrēawīc* hēoldon.　　　　　　1214

hrefn.

oþ þæt *hrefn* blaca heofones wynne | ... bodode;　1801
se wonna *hrefn*　　　　　　　　　　　　3024

Hrefnawudu.

þætte Ongenðīo ealdre besnyðede | Hæðcen ... wið
Hrefnawudu,　　　　　　　　　　　　2925

hrefne.

þonne his sunu hangað | *hrefne* tō hrōðre,　　2448

Hrefnes.

oð ðæt hī oðēodon ... | in *Hrefnes* holt　　　2935

hrēmge.

Nealles Hetware *hrēmge* þorf[t]on | fēðewīges,　2363

hrēmig.

þanon eft gewāt | hūðe *hrēmig* tō hām faran,　124
græsmoldan træd | since *hrēmig*;　　　　　1882
byre ... | frætwum *hrēmig* on flet gæð,　　　2054

hrēo. *See* **hrēoh.**

hrēoh.

hrēo wæron ȳþa.　　　　　　　　　　　548
hrēoh ond heorogrim hringmæl gebrægd,　　1564
næs him *hrēoh* sefa,　　　　　　　　　2180

hrēohmōd.

se ðēoden mec ðīne līfe | healsode *hrēohmōd,*　2132
hāt ond *hrēohmōd* hlǣw oft ymbehwearf　　2296

hrēon.

þā wæs frōd cyning, | hār hilderinc, on *hrēon* mōde, 1307

Hreosnabeorh.

ymb *Hreosnabeorh* | eatolne inwitscear oft ge-
fremedon.　　　　　　　　　　　　2477

hrēoum.

wæs beorges weard | ... on *hrēoum* mōde,　　2581

hrēow.

þæt ðām gōdan wæs | *hrēow* on hreðre,   2328

hrēowa.

þæt wæs Hrōðgāre *hrēowa* tornost,   2129

hrēð.

swā him wyrd ne gescrāf | *hrēð* æt hilde.   2575

hreðe. *See* **hraðe.**

Hrēðel.

ðǣm tō hām forgeaf *Hrēþel* Gēata | āngan dohtor;   374
hēold mec ond hæfde *Hrēðel* cyning,   2430
syððan *Hrēðel* swealt;   2474

hreðer.

hreðer inne wēoll,   2113
hreðer ǣðme wēoll,   2593

hreðerbealo.

on sefan grēoteþ, | *hreþerbealo* hearde;   1343

Hrēðlan.

þæt is *Hrēðlan* lāf, | Wēlandes geweorc.   454

Hrēðles.

Mǣg þonne ... | gesēon sunu *Hrēðles*,   1485
gār nymeð, | hild heorugrimme, *Hrēþles* eaferan,   1847
Hrēðles lāfe | golde gegyrede;   2191
Hrēðles eafora hiorodryncum swealt   2358
geald þone gūðrǣs ... | *Hrēðles* eafora,   2992

Hrēðling.

Higelāc *Hrēþling*,   1923
þætte Ongenðīo ealdre besnyðede | Hǣðcen *Hrēþling* 2925

Hrēðlingas.

syððan *Hrēðlingas* tō hagan þrungon.   2960

Hrēðmanna.

swā hē oft dyde | mægen *Hrēðmanna*.   445

hreðra.

onginneð ... cempan | þurh *hreðra* gehygd higes
cunnian,   2045

hreðre.

ne meahte wǣfre mōd | forhabban in *hreþre*.   1151
þæt him hildegrāp *hreþre* ne mihte | ... gesceþðan; 1446
þonne bið on *hreþre* ... drepen | biteran strǣle;   1745

ac him on *hreþre* ... | ... dyrne langað | bearn
wið blōde.   1878
þæt ðām gōdan wæs | hrēow on *hreðre*,   2328
þæt wæs feohlēas gefeoht, ... | *hreðre* hygemēðe;   2442
him of *hreðre* gewāt | sāwol   2819
oð þæt hē ðā bānhūs gebrocen hæfde, | hāt on *hreðre*.   3148

Hrēðrīc.

þær hyre byre wǣron, | *Hrēðrīc* ond Hrōðmund,   1189
Gif him þonne *Hrēþrīc* tō hofum Gēata | geþingeð,   1836

Hrēðsigora.

Hrēðsigora ne gealp | goldwine Gēata;   2583

hrīmge.

ofer þǣm hongiað *hrīmge* bearwas,   1363

hrīnan.

þæt him heardra nān *hrīnan* wolde | īren ærgōd,   988
ne him ... *hrīnan* ne mehte | fǣrgripe flōdes;   1515
þæt ðām hringsele *hrīnan* ne mōste | gumena ǣnig,   3053

hrine.

þēah ðe him wund *hrine*.   2976

hring.

þone *hring* hæfde Higelāc Gēata,   1202
hring ūtan ymbbearh,   1503
ne mæg byrnan *hring* | æfter wīgfruman wīde fēran   2260
Dyde him of healse *hring* gyldenne | þīoden   2809

hringa.

Bær þā sēo brimwyl[f] ... | *hringa* þengel   1507
bær eorlgestrēona | *hringa* hyrde hardfyrdne dæl,   2245
Oferhogode ðā *hringa* fengel,   2345

hringas.

hrægl ond *hringas*,   1195
geongne gūðcyning gōdne gefrūnon | *hringas* dǣlan.   1970
þe him *hringas* geaf | ærran mǣlum;   3034

hringbogan.

ðā wæs *hringbogan* heorte gefȳsed | sæcce tō sēceanne.   2561

hringde.

his māgum ætbær | brūnfāgne helm, *hringde* byrnan,   2615

Hring-Dena.

Swā ic *Hring-Dena* hund missera | wēold   1769

Hring-Dene.

hū hit *Hring-Dene* | æfter bēorþege gebūn hæfdon.   116

ðǣr *Hring-Dene* | geond þæt sǣld swǣfun.   1279

hringdon.

byrnan *hringdon*, | gūðsearo gumena;   327

hringed.

heaþostēapa helm, *hringed* byrne,   1245

hringedstefna.

þǣr æt hȳðe stōd *hringedstefna*   32

þā wæs ... | hladen ... *hringedstefna* | mēarum ond

māðmum;   1897

hringedstefnan.

lǣdan cwōmon | hider ofer holmas [*hringedstefnan*]?   240

þēah þe hē [ne] meahte ... drīfan | *hringedstefnan*;   1131

hringīren.

hringīren scīr | song in searwum,   322

hringmǣl.

þæt hire ... *hringmǣl* āgōl | grǣdig gūðlēoð.   1521

hrēoh ond heorogrim *hringmǣl* gebrægd,   1564

on him gladiað gomelra lāfe | heard ond *hringmǣl*,   2037

hringnaca.

sceall *hringnaca* ofer hēaþu bringan | lāc   1862

hringnet.

hringnet bǣron, | locene leoðosyrcan.   1889

ic ... gefrægn sunu Wihstānes ... | ... *hringnet* beran,   2754

hringsele.

Ic ... cwōm | tō ðām *hringsele* Hrōðgār grētan;   2010

oððe *hringsele* hondum styrede,   2840

þæt ðām *hringsele* hrīnan ne mōste | gumena ǣnig,   3053

hringum.

Hengestes hēap *hringum* wenede,   1091

hringweorðunge.

ne mægð scȳne | habban on healse *hringweorðunge*,   3017

hroden.

sē þe on handa bǣr *hroden* ealowǣge,   495

hroden hiltecumbor,   1022

Ðā wæs heal *hroden* | fēonda fēorum,   1151

hrōf.

Snyredon ætsomne ... | under Heorotes *hrōf*;   403

syþðan hildedēor hond ālegde... | ... under gēapne
  hr[ōf].   836
stōd on stapole, geseah stēapne hrōf   926
siþðan æþelingas... | ofer hēanne hrōf hand scēawedon,   983
hrōf āna genæs | ealles ansund,   999
Ymb þæs helmes hrōf hēafodbeorge | ... wala ūtan
  hēold,   1030
under beorges hrōf.   2755

hrōfsele.
ne him for hrōfsele hrīnan ne mehte | færgripe flōdes;   1515

Hrones.
sē scel... | hēah hlīfian on Hrones næsse,   2805
þǣr wæs... | æþeling boren, | hār hilde[rinc], tō
  Hrones næsse.   3136

hronfixas.
wit unc wið hronfixas | werian þōhton.   540

hronrāde.
æghwylc þāra ymbsittendra | ofer hronrāde hȳran
  scolde,   10

hrōran.
Ðā wæs of þǣm hrōran helm... | lungre ālȳsed.   1629

Hrōðgār.
weoroda rǣswa | Heorogār, ond Hrōðgār ond Hālga til;   61
þætte Grendel wan | hwīle wið Hrōþgār,   152
Ic þæs Hrōðgār mæg | þurh rūmne sefan rǣd gelǣran,   278
þæt gē... | ... for higeþrymmum Hrōðgār sōhton.   339
Hwearf þā hrædlīce, þǣr Hrōðgār sæt   356
nō ðū him wearne getēoh | ðīnra gegncwida, glǣd-
  man Hrōðgār.   367
Hrōðgār maþelode, helm Scyldinga: 371, 456, 1321
Nū gē mōton gangan... | ... Hrōðgār gesēon;   396
Wæs þū, Hrōðgār, hāl!   407
þā mē þæt gelǣrdon lēode mīne,... | þēoden Hrōðgār,   417
grētte þā guma ōþerne, | Hrōðgār Bēowulf,   653
Ðā him Hrōþgār gewāt mid his hæleþa gedryht,   662
Ne hīe hūru winedrihten wiht ne lōgon, | glædne
  Hrōðgār,   863
Hrōðgār maþelode;   925
Hrōðgār ond Hrōþulf.   1017

him *Hrōþgār* gewāt tō hofe sīnum,   1236
swylce þū ðā mādmas,... | *Hrōðgār* lēofa, Higelāce
    onsend.   1483
Ðā cōm ... | hæle hildedēor *Hrōðgār* grētan.   1646
Hrōðgār maðelode, hylt scēawode,   1687
hǣle hildedēor *Hrōðgār* grētte.   1816
Hrōðgār maþelode him on ondsware: 1840
Ic ... cwōm | tō ðām hringsele *Hrōðgār* grētan;   2010
Mē ðis hildesceorp *Hrōðgār* sealde,   2155
Hrōðgāre.

þā wæs *Hrōðgāre* herespēd gyfen,   64
Sē wæs *Hrōþgāre* hæleþa lēofost   1296
þā wæs *Hrōðgāre* hors gebæted,   1399
þāra þe mid *Hrōðgāre* hām eahtode.   1407
þā ðe mid *Hrōðgāre* on holm wliton,   1592
ðū *Hrōðgāre* | wīdcūðne wēan wihte gebēttest,   1991
þæt wæs *Hrōðgāre* hrēowa tornost,   2129
Hrōðgāres.

Gewāt him þā ... wicge rīdan | þegn *Hrōðgāres*,   235
Ic eom *Hrōðgāres* | ār ond ombiht.   335
Ēode Wealhþēow forð, | cwēn *Hrōðgāres*   613
þæt hē *Hrōþgāres* hām gesōhte.   717
Hæfde þā gefælsod,... | ... swȳðferhð sele *Hrōðgāres*,   826
ðonne healgamen *Hrōþgāres* scop | ... mǣnan scolde: 1066
þæt him on ðearfe lāh ðyle *Hrōðgāres*;   1456
þonne hē *Hrōðgāres* heorðgenēatas | slōh   1580
þā wæs on gange gifu *Hrōðgāres* | oft geæhted.   1884
mǣst hlīfade | ofer *Hrōðgāres* hordgestrēonum.   1899
Hwīlum for [d]uguðe dohtor *Hrōðgāres* | ... ealu-
    wǣge bǣr,   2020
syððan hē *Hrōðgāres* | ... sele fælsode,   2351
Hrōðmund.

þǣr hyre byre wǣron, | Hrēðrīc ond *Hrōðmund*,   1189
hrōðra.

wæs ... | ... gehwæðer ōðrum *hrōþra* gemyndig.   2171
hrōðre.

þonne his sunu hangað | hrefne tō *hrōðre*,   2448
Hrōðulf.

Hrōðgār ond *Hrōþulf*.   1017
Ic mīnne can | glædne *Hrōþulf*,   1181

Hrunting.

wæs þæm hæftmēce *Hrunting* nama;   1457
Heht þā se hearda *Hrunting* beran   1807

Hruntinge.

ic mē mid *Hruntinge* | dōm gewyrce,   1490
Ne meahte ic æt hilde mid *Hruntinge* | wiht ge-
    wyrcan,   1659

hruron.

hīe on gebyrd *hruron* | gāre wunde;   1074
hīe on weg *hruron* | bitere ond gebolgne,   1430
hruron him tēaras | blondenfeaxum.   1872

hrūsan.

þæt hē on *hrūsan* ne fēol,   772
Hē gesēcean sceall | [ho]r[d on] *hrūsan*,   2276
se ðēodsceaða... | hēold on *hrūsan* hordærna sum   2279
hlǣw under *hrūsan* holmwylme nēh,   2411
þæt se wīdfloga... | hrēas on *hrūsan*   2831

hrūse.

Heald þū nū, *hrūse*, nū hæleð ne mōstan, | eorla
    ǣhte.   2247
hrūse dynede.   2558

hrycg.

sende ic Wylfingum ofer wæteres *hrycg* |... mādmas;   471

hryre.

hit on ǣht gehwearf, | æfter dēofla *hryre*, Denigea
    frēan,   1680
syððan Wiðergyld læg, | æfter hæleþa *hryre*,   2052
ðe ǣr gehēold... | æfter hæleða *hryre*,... Scil*f*ingas, 3005
Swā begnornodon... | hlāfordes [*hry*]*re* heorðgenēatas; 3179

hrysedon.

syrcan *hrysedon*, | gūðgewǣdo;   226

Hūga.

syððan ic... Dæghrefne wearð | tō handbonan, *Hūga*
    cempan.   2502

Hūgas.

Wæs sīo wrōht scepen | heard wið *Hūgas*,   2914

hundum.

Ðēah þe hæðstapa *hundum* geswenced |... holt-
    wudu sēce,   1368

16

Hūnlāfing.

þonne him *Hūnlāfing* hildelēoman | ...on bearm dyde; 1143

hūru.

ne hīe *hūru* heofena Helm herian ne cūþon,   182
hūru se aldor dēah,   369
Hūru Gēata lēod georne trūwode | mōdgan mægnes,   669
Ne hīe *hūru* winedrihten wiht ne lōgon,   862
Ne *hūru* Hildeburh herian þorfte | Eotena trēowe;   1071
Hūru ne gemunde mago Ecglāfes   1465
Hūru þæt onhōhsnōd[e] Hemminges mæg.   1944
Hūru þæt on lande lȳt manna ðāh   2836
Hūru se snotra sunu Wihstānes | ācīgde ... þegnas   3120

hūsa.

oð þæt īdel stōd | *hūsa* sēlest.   146
þenden þǣr wunað | on hēahstede *hūsa* sēlest.   285
Hafa nū ond geheald *hūsa* sēlest,   658
hūsa sēlest heorodrēorig stōd;   935

hūses.

Gewāt ðā nēosian ... | hēan *hūses*,   116
Ofslōh ðā æt þǣre sæcce ... | *hūses* hyrdas.   1666

hūðe.

þanon eft gewāt | *hūðe* hrēmig tō hām faran,   124

hwæt.

Hwæt! wē Gār-Dena in gēardagum   1
Hwæt! þū worn fela, wine mīn *Un*ferð, | ...sprǣce,   530
Hwæt! þæt secgan mæg | efne swā hwylc mægþa,   942
Hwæt! wē þē þās sǣlāc ... | ... brōhton   1652
Hwæt! mē þæs on ēþle edwenden cwōm,   1774
Hwæt! hyt ǣr on ðē | gōde begēaton;   2248

hwæðer.

hwæþer him ǣnig wæs ǣr ācenned | dyrnra gāsta.   1356
hwæðer sēl mǣge | æfter wælrǣse wunde gedȳgan   2530
hwæðer collenferð cwicne gemētte | ...Wedra þēoden,   2785

hwæðere.

Hwæþere mē gesǣlde,   574
hwæþere ic fāra feng fēore gedīgde,   578
on swā *hwæþere* hond,   686
Hwæþere hē his folme forlēt   970
hwæþere him on ferhþe grēow | brēosthord blōdrēow;   1718

hwæðre.

hwæþre mē gyfeþe wearð,   555
hwæþre him gesælde,   890
hwæþre hē gemunde mægenes strenge,   1270
hwæþre him Alwalda æfre wille | ... wyrpe ge-
  fremman.   1314
hwæþre him sīo swīðre swaðe weardade | hand   2098
hwæðre [earm]sceapen   2228
Hwæðre hilde gefeh, | bea[du]weorces;   2298
hwæðre hē hine on folce frēondlārum hēold,   2377
sceolde hwæðre ... | æðeling unwrecen ealdres linnan.   2442
hwæðre him God ūðe,   2874

hwata.

Swā se secg hwata secgende wæs   3028

hwate.

næs ofgēafon | hwate Scyldingas;   1601
þær hyne Dene slōgon, ... | ... hwate Scyldungas?   2052
Gegrētte ... | hwate helmberend hindeman sīðe,   2517
hē ūsic ... gōde tealde, | hwate helmberend,   2642
ðe ær gehēold ... | æfter hæleða hryre hwate Scil-
  fingas,   3005

hwatum.

nō ... syllan wolde | hwatum Heorowearde ... |
  brēostgewædu.   2161

hwealf.

Nō ic ... gefrægn | under heofones hwealf heardran
  feohtan,   576
ne seah ic ... | under heofones hwealf ... | medu-
  drēam māran.   2015

hwearf.

fæder ellor hwearf, | aldor of earde   55
Hwearf þā hrædlīce, þær Hrōðgār sæt   356
Hwearf þā bī bence, þær hyre byre wæron,   1188
hwearf þā be wealle;   1573
oþ þæt hē āna hwearf | ... mondrēamum from.   1714
Meoduscencum hwearf | ... Hæreðes dohtor,   1980
sē ðær lengest hwearf,   2238
nalles æfter lyfte lācende hwearf   2832

16*

hwēne.

þæt hē þone nīðgæst nioðor *hwēne* slōh,   2699

hwēop.

unblīðe *hwē*[*op*] | dæges ond nihtes,   2268

hweorfan.

Hwīlum hē on lufan læteð *hworfan* | monnes mōd-
     geþonc   1728
londrihtes mōt | ... monna æghwylc | īdel *hweorfan*,   2888

hwergen.

sceolde [ofer] willan wīc eardian | elles *hwergen*,   2590

hwette.

swā þīn sefa *hwette*.   490

hwetton.

hwetton hige[r]ōfne, hæl scēawedon.   204

hwīl.

Wæs sēo *hwīl* micel;   146
Ðā wæs *hwīl* dæges,   1495

hwīle.

þæt hīe ær drugon aldor[lē]ase | lange *hwīle*.   16
fīfelcynnes eard | wonsæli wer weardode *hwīle*,   105
þætte Grendel wan | *hwīle* wið Hrōþgār,   152
Nū is þīnes mægnes blǣd | āne *hwīle*;   1762
æfter lēodhryre lȳtle *hwīle* | bongār būgeð,   2030
Hē on weg losade, | lȳtle *hwīle* līfwynna br[ēa]c;   2097
þǣr unc *hwīle* wæs handgemǣne;   2137
cwæð þæt hyt hæfde Hiorogār cyning | ... lange
     hwīle;   2159
Hord eft gescēat | ... ǣr dæges *hwīle*;   2320
ne meahte horde nēah | ... ǣnige *hwīle* | dēop ge-
     dȳgan   2548
Scyld wel gebearg | līfe ond līce lǣssan *hwīle*   2571
þām ðāra māðma mundbora wæs | longe *hwīle*,   2780

hwīlum.

Hwīlum hīe gehēton æt *hærg*trafum | wīgweorþunga,   175
Scop *hwīlum* sang | hādor on Heorote;   496
Hwīlum heaþorōfe hlēapan lēton | ... fealwe mēaras,   864
Hwīlum cyninges þegn ... | ... word ōþer fand   867
Hwīlum flītende fealwe strǣte | mēarum mǣton.   916

Hwīlum hē on lufan lǣteð hworfan | monnes mōd-
    geþonc   1728

swā þec hetende *hwīlum* dydon,   1828

Hwīlum mǣru cwēn | ... flet eall geondhwearf,   2016

Hwīlum for [d]uguðe dohtor Hrōðgāres | ... ealu-
    wǣge bær,   2020

hwīlum hildedēor ... | gomenwudu grētte, *hwīlum*
    gyd āwræc | ...; *hwīlum* syllīc spell | rehte ...; |

hwīlum eft ongan ... | ... gūðwiga gioguðe cwīðan 2107,
                                  2108, 2109, 2111

hwīlum on beorh æthwearf, | sincfæt sōhte;   2299

lyftwynne hēold | nihtes *hwīlum*,   3044

hwīta.

ac se *hwīta* helm hafelan werede,   1448

hworfan. *See* **hweorfan.**

hwurfe.

gebād wintra worn, ǣr hē on weg *hwurfe*   264

hwyrfað.

þāra ðe cwice *hwyrfaþ*.   98

hwyrftum.

men ne cunnon, | hwyder helrūnan *hwyrftum* scrīþað. 163

hȳdan.

Nā þū mīnne þearft | hafalan *hȳdan*,   446

ǣr hē feorh seleð, | ... ǣr hē in wille | hafelan
    [*hȳdan*].   1372

hȳde.

hȳde sē ðe wylle.   2766

Hygd.

Bold wæs betlīc, ... | ... *Hygd* swīðe geong,   1926

þǣr him *Hygd* gebēad hord ond rīce,   2369

Hygde.

Hȳrde ic, þæt hē ðone healsbēah *Hygde* gesealde, 2172

hyge.

Wē þurh holdne *hige* hlāford þīnne | ... sēcean
    cwōmon,   267

gif þīn *hige* wǣre | ... swā searogrim swā þū self
    talast;   593

Hyge wæs him hinfūs, wolde on heolster flēon, 755

246   COOK,   [hygebendum - Hygeláces

hygebendum.

ac him... *hygebendum* fæst | ...dyrne langað | bearn
wið blōde.   1878

hygegīomor.

hæft *hygegīomor* sceolde hēan ðonon | wong wīsian.   2408

Hygelāc.

hæfde *Higeláces* hilde gefrūnen, 2952
þā wæs æht boden | Swēona lēodum, segn *Higeláce[s]*; 2958
Lēt se hearda *Higeláces* þegn | brād[n]e mēce ... |
  brecan 2977
hygemǣðum.
  healdeð *higemǣðum* hēafodwearde 2909
hygemēðe.
  þæt wæs feohlēas gefeoht, ... | hreðre *hygemēðe*; 2442
hygerōf.
  [*hygerōf* ēode,] | heard under helme, 403
hygerōfne.
  hwetton *hige[r]ōfne*, hæl scēawedon. 204
hyges.
  onginneð gēomormōd geong[um] cempan | ... *higes*
  cunnian, 2045
hygesorga.
  þæt ðām gōdan wæs | ... *hygesorga* mæst; 2328
hygeðihtigne.
  nam þā mid handa *higeþihtigne* | rinc 746
hygeðrymmum.
  þæt gē ... | ... for *higeþrymmum* Hrōðgār sōhton. 339
hygum.
  Higum unrōte | ... mændon mondryhtnes cw[e]alm; 3148
hyht.
  Swylc wæs þēaw hyra, | hæþenra *hyht*; 179
hylde.
  Hylde hine þā heaþodēor, 688
hyldo.
  Hūru Gēata lēod georne trūwode | ... Metodes *hyldo*. 670
  þȳ ic Heaðobear[d]na *hyldo* ne telge, | ... Denum
  unfæcne, 2067
  sē ðe Waldendes | *hyldo* gehealdeþ. 2293
  Iofore forgeaf āngan dohtor | ... *hyldo* tō wedde. 2998
hylt. *See* **hilt.**
hȳnde.
  hū se gūðsceaða Gēata lēode | hatode ond *hȳnde*. 2319
hȳnða.
  Swā fela ... fēond mancynnes | ... oft gefremede |
  heardra *hȳnða*; 166

hȳnðo.

deogol dædhata... | eaweð... | *hȳnðu* ond hrāfyl.   277
hwæt mē Grendel hafað | *hȳnðo*... |... gefremed;   475
þæt næfre Gre[n]del swā fela... gefremede... |
    hȳnðo on Heorote,   593

hȳnðu. *See* **hȳnðo.**

hȳran.

oð þæt him æghwylc þāra ymbsittendra |... *hȳran*
    scolde,   10
ic... gefrægn sunu Wihstānes |... wundum dryhtne |
    hȳran heaðosīocum,   2754

hyrdas.

Ofslōh ðā æt þære sæcce,... | hūses *hyrdas.*   1666

hyrde.

gehȳrde... | folces *hyrde* fæstrædne geþōht.   610
Sōna þæt onfunde fyrena *hyrde,*   750
syþðan wīges heard wyrm ācwealde, | hordes *hyrde*;   887
ā mæg God wyrcan | wunder..., wuldres *Hyrde.*   931
þonne se weard swefeð, | sāwele *hyrde*;   1742
þēah ðe hē geong sȳ, | folces *hyrde,*   1832
þæt ðe gār nymeð... |... ealdor ðīnne, | folces
    hyrde,   1849
[h]afað þæs geworden wine Scyldinga, | rīces *hyrde,*   2027
bær eorlgestrēona | hringa *hyrde*... dæl,   2245
wæs ðā gebolgen beorges *hyrde,*   2304
ac in campe gecrong cumbles *hyrde,*   2505
þēah ðe hlāford ūs |... āðōhte | tō gefremmanne,
    folces *hyrde,*   2644
ðā gebēah cyning, | folces *hyrde,*   2981
Ne meahton wē gelæran... | rīces *hyrde* ræd
    ænigne,   3080
lēton... | flōd fæðmian frætwa *hyrde.*   3133

hȳrde.

Ne *hȳrde* ic cymlīcor cēol gegyrwan | hildewæpnum   38
hȳrde ic, þæt Elan cwēn [Ongenþēowes wæs]   62
Nō ic wiht fram þē |... searonīða secgan *hȳrde,*   582
þæt hē fram Sigemunde[s] secgan *hȳrde* | ellendædum,   875
Nænigne ic under swegle sēlran *hȳrde* | hordmāðmum
    hæleþa,   1197

Ic þæt ... lēode mīne, | selerǣdende, secgan *hȳrde,*   1346
ne *hȳrde* ic snotorlīcor | ... guman þingian;   1842
þā ic Frēaware fletsittende | nemnan *hȳrde,*   2023
Hȳrde ic, þæt þām frætwum fēower mēaras | ...
  lāst weardode,   2163
Hȳrde ic, þæt hē ðone healsbēah Hygde gesealde,   2172
hȳrdon.
  þæt him his winemāgas | georne *hȳrdon,*   66
  swā wē sōþlīce secgan *hȳrdon,*   273
hyrsta.
  Hī on beorg dydon ... | eall swylce *hyrsta,*   3164
hyrste.
  hāres *hyrste* Higelāce bǣr.   2988
hyrsted.
  sealde his *hyrsted* sweord, | īrena cyst, ombihtþegne,   672
  Sceal se hearda helm [*hyr*]*sted* golde | fǣtum be-
    feallen;   2255
hyrstum.
  Geseah ðā sigehrēðig ... | ... fatu, feormendlēase, |
    hyrstum behrorene.   2762
hyrte.
  Hyrte hyne hordweard, hreðer ǣðme wēoll,   2593
hyse.
  Brūc ðisses bēages ..., | *hyse,* mid hǣle,   1217
hyt.
  þenden *hyt* sȳ, | glēdegesa grim.   2649
hyðo.
  hyðo : h : : : : : d.   3155
hȳðe.
  þǣr æt *hȳðe* stōd hringedstefna   32
hȳðweard.
  Hraþe wæs æt holme *hȳðweard* gearu,   1914

I.

icge.
  Āð wæs geæfned, ond *icge* gold | āhæfen of horde.   1107
īdel.
  oð þæt *īdel* stōd | hūsa sēlest.   145

þæt þes sele stande ... | ... rinca gehwylcum | *īdel*   413
londrihtes mōt | ... monna æghwylc | *īdel* hweorfan,   2888
īdelhende.

Nō ðȳ ǣr ūt ðā gēn *īdelhende* | bona ... | ... gongan
wolde;   2081
ides.

Ymbēode þa *ides* Helminga | ... dǣl æghwylcne,   620
þæt wæs gēomuru *ides.*   1075
earme on eaxle *ides* gnornode,   1117
Sprǣc ðā *ides* Scyldinga: 1168
Grendles mōdor, | *ides,* āglǣcwīf, yrmþe gemunde,   1259
idese.

ðǣra ōðer wæs ... | *idese* onlīcnes;   1351
ond þǣre *idese* mid;   1649
Ne bið swylc cwēnlīc þēaw | *idese* tō efnanne,   1941
in.

ac wæs ōþer *in* ǣr geteohhod | ... mǣrum Gēate.   1300
incge.

Hond ūp ābrǣd | Gēata dryhten, gryrefāhne slōh |
incge lāfe,   2577
infrōd.

hē him helpan ne mæg, | ... *infrōd,* ænige gefremman. 2449
infrōdum.

Him wæs bēga wēn, | ealdum, *infrōdum,*   1874
ingang.

wið ord ond wið ecge *ingang* forstōd.   1549
Ingelde.

[syð]ðan *Ingelde* | weallað wælnīðas,   2064
ingenga.

seoþðan Grendel wearð, | eald gewinna, *ingenga* mīn;   1776
ingesteald.

Scēotend Scyldinga ... feredon | eal *ingesteald* eorð-
cyninges,   1155
Ingwina.

Bēowulfe bēga ... | eodor *Ingwina* onweald getēah,   1044
þæt hē þone wīsan wordum *nǣgde* | frēan *Ingwina,*   1319
innanweard.

Đā wæs hāten hreþe Heort *innanweard* | folmum
gefrætwod;   991

Hraðe wæs gerȳmed ... | fēðegestum flet *innanweard*. 1976
inneweard.

Wæs þæt ... bold ... | eal *inneweard* īrenbendum
fæst,   998
inwidsorge. *See* **inwitsorge.**
inwitfeng.

þæt him ... ne mihte, | eorres *inwitfeng* aldre ge-
scepðan;   1447
inwitgæst.

wyrm yrre cwōm, | atol *inwitgæst*,   2670
inwithrōf.

ēode eahta sum under *inwithrōf*;   3123
inwitnet.

Swā sceal mæg dōn, | nealles *inwitnet* ōðrum bregdon, 2167
inwitnīða.

þæt hīo lēodbealewa læs gefremede, | *inwitnīða*,   1947
inwitnīðas.

þæt þām folcum sceal ... | ... sacu restan, | *inwit-
nīþas*,   1858
inwitscear.

ymb Hreosnabeorh | eatolne *inwitscear* oft gefremedon. 2478
inwitsearo.

þæt ... | ne þurh *inwitsearo* æfre gemænden,   1101
inwitsorge.

swylce oncȳþðe ealle gebētte, | *inwidsorge*,   831
inwitsorh.

ne him *inwitsorh* | on sefa[n] sweorceð,   1736
inwitðancum.

hē onfēng hraþe | *inwitþancum* ond wið earm gesæt. 749
Iofore. *See* **Eofore.**
iogoðe. *See* **geogoðe.**
īomēowlan.

brȳd āhēorde, | gomela *īomēowlan* golde berofene, 2931
īomēowle.

[sīo *gēo*]*mēowle*   3150
īomonna.

īumonna gold,   3052
īren.

þæt hit on wealle ætstōd, | dryhtlīc *īren*;   892

þæt him heardra nān hrīnan wolde | *iren* ærgōd,   989
ecg wæs *iren*,   1459, 2778
heht his sweord niman, | lēoflīc *iren*;   1809
þæt ðe gār nymeð,... | ādl oþðe *iren* ealdor ðīnne, 1848
Meaht ðū, mīn wine, mēce gecnāwan,... | dȳre *iren*, 2050
swā hyt nō sceolde, | *iren* ærgōd.   2586

īrena.

sealde his hyrsted sweord, | *īrena* cyst, ombihtþegne, 673
þone synscaðan | ænig... *īrenna* cyst |... grētan
   nolde;   802
hwām... geworht | *īrena* cyst ærest wære,   1697
sīo æt hilde gebād | ofer borda gebræc bite *īrena*, 2259
þæt him *īrenna* ecge mihton | helpan æt hilde;   2683
ac hine *īrenna* ecga fornāmon,   2828

īrenbendum.

hē þæs fæste wæs |... *īrenbendum* | searoþoncum
   besmiþod.   774
Wæs þæt... bold... | eal inneweard *īrenbendum*
   fæst,   998

īrenbyrnan.

nam on Ongenðīo *īrenbyrnan*,   2986

īrenheard.

æt þǣm āde wæs ēþgesȳne... | eofer *īrenheard*,   1112

īrenna. See **īrena.**

īrenðrēat.

wæs se *īrenþrēat* | wǣpnum gewurþad.   330

īse.

þæt hit eal gemealt *īse* gelīcost,   1608

īsernbyrnan.

Ðā hē him of dyde *īsernbyrnan*,   671

īsernscūre.

þone ðe oft gebād *īsernscūre*,   3116

īsgebinde.

winter ȳþe belēac | *īsgebinde*,   1133

īsig.

þǣr æt hȳðe stōd hringedstefna | *īsig* ond ūtfūs,   33

īu-. See **īo-.**

K.

kyning-. *See* **cyning-.**

L.

lā.
 þæt, *lā!* | mæg secgan,   1700, 2864
lāc.
 ōðer swylc ūt offerede, | lāðlicu *lāc*.   1584
 sceall hringnaca ofer hēaþu bringan | *lāc* 1863
lācan.
 ðā ne dorston ær dareðum *lācan*   2848
lācende.
 nalles æfter lyfte *lācende* hwearf   2832
lācum.
 Nalæs hī hine læssan *lācum* tēodan,   43
 hēt [h]ine mid þæm *lācum* lēode swæse | sēcean 1868
lāde.
 ymb brontne ford brimlīðende | *lāde* ne letton. 569
 Hū lomp ēow on *lāde,* lēofa Bīowulf,   1987
lǣdan.
 þe þus brontne cēol | ... *lǣdan* cwōmon, 239
lǣddon.
 Hīe ... | drihtlīce wīf ... | *lǣddon* tō lēodum. 1159
lǣf.
 þīnum māgum *lǣf* | folc ond rīce,   1178
lǣfan.
 nō ðǣr āht cwices | lāð lyftfloga *lǣfan* wolde. 2315
lǣfde.
 eaferum *lǣfde* ... | lond ond lēodbyrig, 2470
læg.
 him on bearme *læg* | mādma mænigo,   40
 beadohrægl brōden on brēostum *læg,*   552
 næfre on ōre *læg* | wīdcūþes wīg,   1041
 þæt hit on eorðan *læg,* | stīð ond stȳlecg; 1532
 Him on eaxle *læg* | brēostnet brōden; 1547
 syððan Wiðergyld *læg,* | æfter hæleþa hryre, 2051
 hē fyrmest *læg,* | gyrded cempa;   2077
 syððan Hygelāc *læg,*   2201

stīg under *lǣg* | eldum uncūð. 2213
syððan Heardrēd *lǣg*, 2388
Bona swylce *lǣg*, 2824
þǣr se gomela *lǣg*; 2851
þā his brōðor *lǣg*, 2978

lǣgon.
mēcum wunde | be ȳðlāfe uppe *lǣgon*, 566
discas *lāgon* ond dȳre swyrd, 3048

lǣnan.
se ellorgāst | oflēt ... þās *lǣnan* gesceaft. 1622
hæfde ǣghwæðer ende gefēred | *lǣnan* līfes. 2845

lǣndaga.
Sceolde *lǣndaga* | æþeling ǣrgōd ende gebīdan, 2341

lǣndagas.
swā sceal ǣghwylc mon | ālǣtan *lǣndagas.* 2591

lǣne.
þæt se līchoma *lǣne* gedrēoseð, 1754
syððan ... ǣnigne dǣl | secgas gesēgon ... | *lǣne*
  licgan; 3129
þonne hē forð scile | of līchaman [*lǣne*] weorðan. 3177

lǣr.
Ðū þē *lǣr* be þon, | gumcyste ongit; 1722

lǣs.
āhte ic holdra þȳ *lǣs*, 487
þȳ *lǣs* hym ȳða ðrym | wudu ... forwrecan meahte. 1918
þæt hīo lēodbealewa *lǣs* gefremede, 1946

lǣsest.
Nō þæt *lǣsest* wæs | hondgemōt, 2354

lǣssa.
Wæs se gryre *lǣssa* | ... swā bið mægþa cræft, 1282

lǣssan.
Nalæs hī hine *lǣssan* lācum tēodan, 43
Ful oft ic for *lǣssan* lēan teohhode, 951
Scyld wel gebearg | ... *lǣssan* hwīle | mǣrum þēodne, 2571

lǣst.
Lēofa Bīowulf, *lǣst* eall tela, 2663

lǣstan.
þæt him se līchoma *lǣstan* nolde, 812

læt.

Eft wæs ānrǣd, nalas elnes *læt*, | ... mǣg Hy[ge]lāces. 1529

lǣt.

Ond þū *Un*ferð *lǣt* ealde lāfe, | ... wīdcūðne man |
   ... habban;   1488

lǣtað.

lǣtað hildebord hēr onbīdan, | ... worda geþinges.   397

lǣteð.

Hwīlum hē on lufan *lǣteð* hworfan | monnes mōd-
   geþonc   1728

lāf.

þæt is Hrēðlan *lāf*, | Wēlandes geweorc.   454
Þæt wæs mid eldum Ēanmundes *lāf*,   2611
ne his mǣg*es* *lāf* | gewāc æt wīge;   2628

lāfe.

Þǣr genehost brǣgd | eorl Bēowulfes ealde *lāfe*,   795
þæt him fēla *lāfe* frēcne ne meahton | ... sceþðan, 1032
Ond þū *Un*ferð lǣt ealde *lāfe*, | ... wīdcūðne man |
   ... habban;   1488
hylt scēawode, | ealde *lāfe*,   1688
on him gladiað gomelra *lāfe*   2036
Hēt ðā ... in gefetian, | heaðorōf cyning, Hrēðles
   lāfe   2191
Sweord ǣr gebrǣd | gōd gūðcyning, gomele *lāfe*, |
   ecgum unslāw;   2563
Gēata dryhten gryrefāhne slōh | incge *lāfe*,   2577
fornāmon | hearde, heaðoscearde homera *lāfe*,   2829
Besæt ðā sinherge sweorda *lāfe*   2936
bronda *lāfe* | wealle beworhton,   3160

lāgon. *See* **lǣgon.**

lagu.

Lagu drūsade, | wæter under wolcnum,   1630

lagucræftig.

secg wīsade, | *lagucræftig* mon, landgemyrcu.   209

lagustrǣte.

þe þus brontne cēol | ofer *lagustrǣte* lǣdan cwōmon, 239

lagustrēamas.

byreð | ofer *lagustrēamas* lēofne mannan | wudu
   wundenhals   297

lāh.

þæt him on ðearfe *lāh* ðyle Hrōðgāres; 1456

lan-. *See* **lon-.**

lāra.

þyssum cnyhtum wes | *lāra* līðe; 1220

lāre.

syððan hīo Offan flet | ... be fæder *lāre* | sīðe ge-
sōhte; 1950

lārena.

wes þū ūs *lārena* gōd. 269

lāst.

syðþan hīe þæs lāðan *lāst* scēawedon 132
hē his folme forlēt | tō līfwraþe *lāst* weardian, 971
þæt ... fēower mēaras | lungre gelīce *lāst* weardode, 2164
þā se gōda cōm | lēoda dugoðe on *lāst* faran. 2945

lāstas.

fērdon folctogan ... | ... wundor scēawian, | lāþes
lāstas. 841
Lāstas wǣron | æfter waldswaþum wīde gesȳne, 1402

lāð.

wæs þæt gewin tō strang, | *lāð* ond longsum. 134
wæs þæt gewin tō swȳð, | *lāþ* ond longsum, 192
ic ... sceal | ... ymb feorh sacan | *lāð* wið lāþum; 440
Ne inc ænig mon, | ne lēof ne *lāð*, belēan mihte |
... sīð, 511
wæs gehwæþer ōðrum | lifigende *lāð*. 815
þonne wind styreþ | *lāð* gewidru, 1375
nō ðǣr āht cwices | *lāð* lyftfloga lǣfan wolde. 2315

lāða.

wolde *se* *lāða* līge forgyldan | drincfæt dȳre. 2305

lāðan.

heaðowylma bād | *lāðan* līges. 83
syðþan hīe þæs *lāðan* lāst scēawedon 132
þæt hēo þone fyrdhom ðurhfōn ne mihte, | ... *lāþan*
fingrum. 1505
sē þe lengest leofað *lāðan* cynnes | f[enne] bifongen. 2008
syððan hē ... | ... forgrāp Grendeles mǣgum |
lāðan cynnes. 2354

lāðbite.
blōd ætspranc | *lāðbite* līces. 1122
lāðes.
fērdon folctogan ... | ... wundor scēawian, | *lāþes*
lāstas. 841
Fela ic *lāþes* gebād, | grynna æt Grendle; 929
Fela sceal gebīdan | lēofes ond *lāþes*, 1061
healdeð ... hēafodwearde | lēofes ond *lāðes*. 2910
lāðgetēonan.
Swā mec gelōme *lāðgetēonan* | prēatedon pearle. 559
nō þȳ leng leofað *lāðgetēona* 974
lāðlicu.
ōðer swylc ūt offerede, | *lāðlicu* lāc. 1584
lāðne.
Ǣr hī þǣr gesēgan ... | wyrm ... | *lāðne* licgean; 3040
lāðra.
þē on land Dena *lāðra* nǣnig | ... sceþðan ne meahte. 242
næs ic him ... *lāðra* ōwihte | ... þonne his bearna
hwylc, 2432
fīonda nīos[i]an, | *lāðra* manna. 2672
se secg ... secgende wæs | *lāðra* spella; 3029
lāðum.
ic ... sceal | ... ymb feorh sacan | lāð wið *lāþum*; 440
þǣr mē wið *lāðum* līcsyrce mīn, | ... helpe gefremede; 550
þæt hīe wīdeferhð | lēoda landgeweorc *lāþum* be-
weredon 938
þætte wrecend þā gyt | lifde æfter *lāþum*, 1257
hē þone heaðorinc hatian ne meahte | *lāðum* dǣdum, 2467
lēafnesword.
ne gē *lēafnesword* | gūðfremmendra ... ne wisson, 245
lēafum.
gefrætwade foldan scēatas | leomum ond *lēafum*; 97
lēag.
hē ne *lēag* fela | wyrda ne worda. 3029
lēan.
hē him ðæs *lēan* forgeald. 114
Ful oft ic for læssan *lēan* teohhode, 951
ic þē þæs *lēan* geman. 1220
Hē him þæs *lēan* forgeald, | rēþe cempa, 1584

17

Sē ðæs lēodhryres *lēan* gemunde   2391
ne ðorfte him ðā *lēan* oðwītan | mon   2995
lēana.
   Hē ... fægre gehēt | *lēana* [for] lēodum,   2990
lēane.
   Forgeaf ... *bearn* Healfdenes | segen ... sigores tō
      lēane,   1021
lēanige.
   Ic þē þā fæhðe fēo *lēanige,*   1380
lēanode.
   Mē þone wælrǣs wine Scildunga | ... fela *lēanode,*   2102
lēanum.
   nealles ic ðām *lēanum* forloren hæfde,   2145
lēas.
   siððan drēama *lēas* | in fenfreoðo feorh ālegde,   850
lēase.
   ǣr gē ... | *lēas*[e] scēaweras ... | furþur fēran.   253
lēasum.
   oftost wīsode | winigea *lēasum*   1664
lēg-. *See* **līg-.**
legerbedde.
   þǣr his līchoma *legerbedde* fæst | swefeþ   1007
legere.
   Sē wæs fīftiges fōtgemearces | lang on *legere;*   3043
lemede.
   Hine sorhwylmas | *lemede* tō lange;   905
leng.
   nō ðū ymb mīnes ne þearft | līces feorme *leng* sorgian.   451
   nō þȳ *leng* leofað lāðgetēona   974
   Mē þīn mōdsefa | līcað *leng* swā wel,   1854
   nō on wealle *leng* | bīdan wolde,   2307
   ne mæg ic hēr *leng* wesan.   2801
   Bēahhordum *leng* | wyrm wōhbogen wealdan ne mōste,   2826
   þonne *leng* ne mæg | mon ... meduseld būan.   3064
lenge.
   Ne wæs hit *lenge* þā gēn,   83
lengest.
   sē þe *lengest* leofað lāðan cynnes | f[enne] bifongen.   2008
   sē ðǣr *lengest* hwearf,   2238

lengra.

Næs hit *lengra* fyrst, | ac ymb āne niht　　134

lēod.

wlanc Wedera *lēod* word æfter spræc,　　341
þæt wæs Wendla *lēod,*　　348
grētte Gēata *lēod,* Gode þancode　　625
Hūru Gēata *lēod* georne trūwode | mōdgan mægnes,　　669
Hæfde Ēast-Denum | Gēatmecga *lēod* gilp gelǣsted,　　829
Sumne Gēata *lēod* | of flānbogan fēores getwǣfde,　　1432
Æfter þǣm wordum Weder-Gēata *lēod* | efste mid elne, 1492
Gefēng þā be eaxle ... | Gūð-Gēata *lēod* Grendles
　　mōdor,　　1538
Ne nōm hē ..., Weder-Gēata *lēod,* | māðm-æhta mā, 1612
wē þē þās sǣlāc, ... | *lēod* Scyldinga, lustum brōhton 1653
cwæð þæt hyt hæfde ... | *lēod* Scyldunga,　　2159
Lēt ... | Weder-Gēata *lēod* word ūt faran,　　2551
Wīglāf wæs hāten, Weoxstānes sunu, | ... *lēod*
　　Scylfinga,　　2603

lēoda.

Hæfde se gōda Gēata *lēoda* | cempan gecorone,　　205
þæt ic ānunga ēowra *lēoda* | willan geworhte,　　634
ne his līfdagas *lēoda* ænigum | nytte tealde.　　793
þæt hīe wīdeferhð | *lēoda* landgeweorc lāþum be-
　　weredon　　938
þæt þū ... mōst | ... swefan ... | ond þegna gehwylc
　　þīnra *lēoda,*　　1673
Mæg þæs þonne ofþyncan ... | ... þegna gehwām
　　þāra *lēoda,*　　2033
se ān ðā gēn | *lēoda* duguðe, ... | wearð winegēomor, 2238
gūðdēað fornam, | ... fȳra gehwylcne, | *lēoda* mīnra, 2251
Hæfde līgdraca *lēoda* fæsten, | ... glēdum forgrunden; 2333
fremmað gēna | *lēoda* þearfe;　　2801
Nū is wilgeofa Wedra *lēoda,* | ... dēaðbedde fæst,　　2900
þā se gōda cōm | *lēoda* dugoðe on lāst faran.　　2945
þe ūs sēceað tō Swēona *lēoda,*　　3001

lēodbealewa.

þæt hīo *lēodbealewa* lǣs gefremede,　　1946

lēodbealo.

þæt hē þæs gewinnes weorc þrōwade, | *lēodbealo* longsum. 1722

lēodbyrig.

eaferum læfde ... | lond ond *lēodbyrig,*   2471

lēodcyning.

Bēowulf Scyldinga, | lēof *lēodcyning,*   54

lēode.

þæt hine ... gewunigen | wilgesīþas, ... | *lēode* ge-
læsten;   24

wæs þæt gewin tō swȳð, | ... þe on ðā *lēode* becōm,   192

þanon ūp hraðe | Wedera *lēode* on wang stigon,   225

Wē synt gumcynnes Gēata *lēode*   260

Hēr syndon ... feorran cumene | ... Gēata *lēode*;   362

þā mē þæt gelærdon *lēode* mīne,   415

Wēn ic þæt hē wille ... | ... Gēatena *lēode* | etan   443

þæt hē þā fæhðe ne þearf, | ... ēower *lēode* | swīðe
onsittan,   596

nǣnegum ārað | *lēode* Deniga,   599

þæt hīe ... | ... wælðēað fornam, | Denigea *lēode.*   696

Gēata *lēode* | hrēawīc hēoldon.   1213

forþan hē tō lange *lēode* mīne | wanode ond wyrde. 1336

Ic þæt londbūend, *lēode* mīne, | ... secgan hȳrde,   1345

Ic þā *lēode* wāt | ... fæste geworhte,   1863

hēt [h]ine mid þǣm lācum *lēode* swǣse | sēcean   1868

Hæreðes dohtor | lufode ðā *lēode,*   1982

þǣr ic, þēoden mīn, þīne *lēode* | weorðode weorcum. 2095

ne mōston ... | dēaðwērigne Denia *lēode* | bronde
forbærnan,   2125

hū se gūðsceaða Gēata *lēode* | hatode ond hȳnde.   2318

Ic ðās *lēode* hēold | fīftig wintra;   2732

gesōhton | Gēata *lēode* Gūð-Scilfingas.   2927

Him ðā gegiredan Gēata *lēode* | ād   3137

Geworhton ðā Wedra *lēode* | hl[ǣw]   3157

Swā begnornodon Gēata *lēode* | hlāfordes [hry]re,   3178

lēodfruman.

þe *lēodfruman* lange begēate.   2130

lēodgebyrgean.

Wē ... hlāford þīnne, | ... sēcean cwōmon, | *lēod-*
gebyrgean;   269

lēodhryre.

æfter *lēodhryre* lȳtle hwīle | bongār būgeð,   2030

lēodhryres.
Sē ðæs *lēodhryres* lēan gemunde   2391
lēodsceaðan.
hū i[c ð]ām *lēodsccaðan* | ... hondlēan forgeald;   2093
lēodscipe.
Him wæs bām samod | on ðām *lēodscipe* lond ge-
cynde,   2197
þæt ic ðȳ sēft mæge | ... mīn ālætan | līf ond
lēodscipe,   2751
lēodum.
þæt hīe sint wilcuman | Deniga *lēodum.*   389
ðonon hē gesōhte ... | lēof his *lēodum* lond Brondinga,   521
bæd hine blīðne æt þære bēorþege, | *lēodum* lēofne;   618
Dryhten forgeaf | ... Wedera *lēodum* | frōfor   697
hē his *lēodum* wearð | ... tō aldorceare.   905
Hīe ... | drihtlīce wīf ... | læddon tō *lēodum.*   1159
sorh is genīwod | Denigea *lēodum.*   1323
ðū scealt tō frōfre weorþan | ... *lēodum* þīnum,   1708
gewēox hē him ... | ... tō dēaðcwalum Deniga
lēodum;   1712
wæron æþelingas eft tō *lēodum* | fūse tō farenne;   1804
þæt þām folcum sceal, | Gēata *lēodum* ond Gār-
Denum, | sib gemæne,   1856
þæt wilcuman Wedera *lēodum* | scaþan scīrhame...
fōron.   1894
næs hīo ... | ... tō gnēað gifa Gēata *lēodum,*   1930
Wæs se fruma egeslīc | *lēodum* on lande,   2310
Oferswam ... bīgong sunu Ecgðēowes | ... eft tō
lēodum,   2368
ðe ic mōste mīnum *lēodum* | ... swylc gestrȳnan.   2797
sē scel tō gemyndum mīnum *lēodum* | hēah hlīfian   2804
Nū ys *lēodum* wēn | orleghwīle,   2910
þā wæs æht boden | Swēona *lēodum,*   2958
Hē ... him fægre gehēt | lēana [for] *lēodum,*   2990
þæt hē wære ... | *lēodum* līðost ond lofgeornost.   3182
lēof.
lēof landfruma lange āhte.   31
Bēowulf Scyldinga, | *lēof* lēodcyning,   54
þēah hē him *lēof* wære;   203

Ne inc ænig mon, | ne *lēof* ne lāð, belēan mihte |

... sīð,   511

ðonon hē gesōhte... | *lēof* his lēodum lond Brondinga, 521

Wæs him se man tō þon *lēof,*   1876

þēah him *lēof* ne wæs.   2467

lēofa.

Brūc ðisses bēages, Bēowulf *lēofa,*   1216

swylce þū ðā mādmas,... | Hrōðgār *lēofa,* Higelāce

onsend.   1483

Bebeorh þē ðone bealonīð, Bēowulf *lēofa,*   1758

Mē þīn mōdsefa | līcað..., *lēofa* Bēowulf.   1854

Hū lomp ēow on lāde, *lēofa* Bīowulf,   1987

Lēofa Bīowulf, læst eall tela,   2663

Nū ðū lungre geong... | Wīglāf *lēofa,*   2745

leofað.

nō þȳ leng *leofað* lāðgetēona   974

Nō þæs frōd *leofað* | gumena bearna,   1366

sē þe lengest *leofað* lāðan cynnes | f[enne] bifongen. 2008

lēofes.

Fela sceal gebīdan | *lēofes* ond lāþes,   1061

Ic... | ... sīðe ne trūwode | *lēofes* mannes.   1994

Grendel... | *lēofes* mannes līc eall forswealg.   2080

on wēnum | ... eftcymes | *lēofes* monnes.   2897

healdeð... hēafodwearde | *lēofes* ond lāðes.   2910

lēofestan.

þæt hē... geseah | þone *lēofestan*... | blēate ge-

bæran.   2823

lēoflīc.

heht his sweord niman, | *lēoflīc* īren;   1809

Wīglāf wæs hāten, Weoxstānes sunu, | *lēoflīc* lind-

wiga,   2603

lēofne.

ālēdon þā *lēofne* þēoden, | ... on bearm scipes,   34

byreð | ... *lēofne* mannan | wudu wundenhals   297

bæd hine blīðne æt þære bēorþege, | lēodum *lēofne*;   618

þætte freoðuwebbe fēores onsæce | ... *lēofne* mannan. 1943

hȳ... ne mōston... | ... on bæl hladan | *lēofne*

mannan;   2127

Ne meahton wē gelǣran *lēofne* þēoden | ... rǣd
ǣnigne, 3079
geferian frēan ūserne, | *lēofne* mannan, 3108
ālegdon ... | hǣleð hīofende, hlāford *lēofne*. 3142

lēofost.

Sē wæs Hrōþgāre hæleþa *lēofost* 1296

lēofra.

sē þe ǣr lange tīd *lēofra* manna | ... wlātode; 1915

lēofre.

þæt mē is micle *lēofre*, 2651

lēofum.

unsynnum wearð | beloren *lēofum* 1073

lēoge.

nis þæt seldguma | ... næf*ne* him his wlite *lēoge*, 250

lēoht.

Lēoht ēastan cōm, | beorht bēacen Godes; 569
siððan hīe sunnan *lēoht* gesēon [ne] meahton, 648
him of ēagum stōd | ligge gelīcost *lēoht* unfæger. 727
Līxte se lēoma, *lēoht* inne stōd, 1570
Hē ... | gumdrēam ofgeaf, Godes *lēoht* gecēas; 2469

lēohtan.

Ic him þā māðmas, ... | geald æt gūðe, ... | *lēohtan*
sweorde; 2492

lēohte.

gesette sigehrēþig ... | lēoman tō *lēohte* 95

lēoma.

līxte se *lēoma* 311
Līxte se *lēoma*, 1570
of ðām *lēom*a stōd, 2769

lēoman.

gesette sigehrēþig sunnan ond mōnan | *lēoman* 95
fȳrlēoht geseah, | blācne *lēoman* beorhte scīnan. 1517

leomum.

gefrætwade foldan scēatas | *leomum* ond lēafum; 97

leornode.

him ðæs ... | Wedera þīoden wræce *leornode*. 2336

lēoð.

Lēoð wæs āsungen, | glēomannes gyd. 1159

leoðocræftum.

hē siomian geseah segn... | gelocen *leoðocræftum*;   2769

leoðosyrcan.

þæt hēo ... ðurhfōn ne mihte, | locene *leoðosyrcan*,   1505
hringnet bǣron, | locene *leoðosyrcan*.   1890

lēt.

lēt ðone bregostōl Bīowulf healdan,   2389
Lēt ... | Weder-Gēata lēod word ūt faran,   2550
Lēt se hearda Higelāces þegn | brād[n]e mēce, ... |
    brecan   2977

lēte.

þæt ðū ... | *lēte* Sūð-Dene sylfe geweorðan | gūðe   1996
þæt hē ... | *lēte* hyne licgean,   3082

lēton.

lēton holm beran, | gēafon on gārsecg;   48
Hwīlum heaþorōfe hlēapan *lēton*, | ... fealwe mēaras,   864

letton.

ymb brontne ford brimlīðende | lāde ne *letton*.   569

līc.

þæt hē ... | ... būtan his *līc* swice;   966
Grendel ... | lēofes mannes *līc* eall forswealg.   2080
hīo þæt *līc* ætbǣr | ... [un]der firgenstrēam.   2127

līcað.

Mē þīn mōdsefa | *līcað* leng swā wel,   1854

līce.

þæt hē gedǣlde ... | līf wið *līce*,   733
nō þȳ ǣr in gescōd | hālan *līce*;   1503
wyrd ... | ... sceolde | ... sundur gedǣlan | līf wið
    līce;   2423
Scyld wel gebearg | līfe ond *līce* ... | mǣrum þēodne,   2571
þǣr mē gifeðe swā | ǣnig yrfeweard ... wurde |
    līce gelenge.   2732
þonne mīn sceaceð | līf of *līce*.   2743

līces.

nō ðū ymb mīnes ne þearft | *līces* feorme ... sorgian.   451
blōd ætspranc | lāðbite *līces*.   1122

licgan. *See* **licgean.**

licgean.

þæt hē for *mundgripe* mīnum scolde | *licgean* līfbysig,   966

gesāwon ... | swylce on næshleoðum nicras *licgean*,   1427
hē ... geseah | gūðwērigne Grendel *licgan*,   1586
Ǣr hī ... gesēgan ... | wyrm ... | lāðne *licgean*;   3040
þæt hē ... | lēte hyne *licgean*,   3082
syððan ... ǣnigne dǣl | secgas gesēgon ... | lǣne
     licgan;   3129

līchaman.

þæt mīnne *līchaman* | ... glēd fæðmie.   2651
þonne hē forð scile | of *līchaman* [lǣne] weorðan.   3177

līchoma.

þæt him se *līchoma* lǣstan nolde,   812
þǣr his *līchoma* legerbedde fæst | swefeþ   1007
þæt se *līchoma* lǣne gedrēoseð,   1754

līcodon.

Ðām wīfe þā word wel *līcodon*,   639

līcsār.

Līcsār gebād | atol æglǣca;   815

līcsyrce.

þǣr mē ... *līcsyrce* mīn | ... helpe gefremede;   550

liden.

þā wæs sund *liden* | eoletes æt ende.   223

lidmanna.

Cōm þā tō lande *lidmanna* helm   1623

līf.

līf ēac gescēop | cynna gehwylcum,   97
þæt hē gedælde ... | *līf* wið līce,   733
nā ymb his *līf* cearað.   1536
þāra ðe þis [līf] ofgeaf;   2251
wyrd ... | ... sceolde | ... sundur gedǣlan | *līf*
     wið līce;   2423
þonne mīn sceaceð | *līf* of līce.   2743
þæt ic ðȳ sēft mǣge | ... mīn ālǣtan | *līf* ond
     lēodscipe,   2751

lifað.

gyf hēo gyt *lyfað*,   944
þæt þīn [dōm] *lyfað* | āwa tō aldre.   954
þǣr hit nū gēn *lifað*   3168

līfbysig.

þæt hē for *mu*ndgripe mīnum scolde | licgean *līfbysig*,   966

līfdagas.

  ne his *līfdagas* lēoda ænigum | nytte tealde.   793
  se ellorgāst | oflēt *līfdagas*   1622

lifde.

  hēold þenden *lifde* | ... glæde Scyldingas.   57
  þætte wrecend þā gyt | *lifde* æfter·lāþum,   1257
  Swā se ðēodkyning þēawum *lyfde*;   2144

lifdon.

  Swā ðā drihtguman drēamum *lifdon* | ēadiglīce,   99

līfe.

  þā se ðēoden mec ðīne *līfe* | healsode hrēohmōd,   2131
  næs ic him tō *līfe* lāðra ōwihte   2432
  þā hē of *līfe* gewāt.   2471
  Scyld wel gebearg | *līfe* ond līce... | mærum þēodne, 2571

līfes.

  on þæm [ðæm] dæge þysses *līfes*,   197, 790, 806
  Ūre æghwylc sceal ende gebīdan | worolde *līfes*;   1387
  Sceolde... | æþeling...ende gebīdan, | worulde *līfes*, 2343
  þæt hē... geseah | þone lēofestan *līfes* æt ende   2823
  hæfde æghwæðer ende gefēred | lænan *līfes*.   2845

Līffrēa.

  Him þæs *Līffrēa*, | wuldres Wealdend, woroldāre forgeaf; 16

līfgedāl.

  Nō his *līfgedāl* | sārlīc þūhte secga ænegum,   841

līfgesceafta.

  hīo... | *līfgesceafta* lifigende brēac,   1953
  þonne | eorl ellenrōf ende gefēre | *līfgesceafta*, 3064

lifige.

  Wes, þenden þū *lifige*, | æþeling ēadig;   1224

lifigende.

  wæs gehwæþer ōðrum | *lifigende* lāð.   815
  hīo... | līfgesceafta *lifigende* brēac,   1953
  þæt ðær... | lindgestealla *lifigende* cwōm,   1973
  him se ōðer þonan | losað [*li*]*figende*,   2062

lifigendum.

  þæt ðū ne ālæte be ðē *lifigendum* | dōm gedrēosan; 2665

līfwraðe.

  hē his folme forlēt | tō *līfwraþe* lāst weardian,   971
  Ic him *līfwraðe* lӯtle meahte | ætgifan   2877

līfwynna.

   Hē on weg losade, | lȳtle hwīle *līfwynna* br[ēa]c;   2097

līg.

   Līg ealle forswealg, | gǣsta gīfrost,   1122

   weaxan wonna *lēg*   3115

   āstāh | ... swōgende *lēg* | wōpe   3145

līgdraca.

   Hæfde *līgdraca* lēoda fæsten, ... | glēdum forgrunden;   2333

   wæs se *lēgdraca* | ... glēdum beswǣled.   3040

līge.

   him of ēagum stōd | *ligge* gelīcost lēoht unfæger.   727

   wolde ... *līge* forgyldan | drincfæt dȳre.   2305

   hæfde landwara *līge* befangen,   2321

   þæt him holtwudu he[lpan] ne meahte, | lind wið *līge*.   2341

   ne meahte ... | dēop gedȳgan for dracan *lēge*.   2549

līgegesan.

   līgegesan wæg | hātne for horde,   2780

līges.

   heaðowylma bād | lāðan *līges*.   83

   nymþe *līges* fæþm | swulge on swaþule.   781

līgetorne.

   fēores onsæce | æfter *līgetorne* lēofne mannan.   1943

ligeð.

   nū sēo hand *ligeð*,   1343

   se wyrm *ligeð*, | swefeð sāre wund,   2745

   Him on efn *ligeð* ealdorgewinna   2903

līgȳðum.

   Līgȳðum forborn | bord wið rond;   2672

lind.

   þæt him holtwudu he[lpan] ne meahte, | *lind* wið līge.   2341

linde.

   þe him foran ongēan | *linde* bǣron;   2365

   hond rond gefēng, | geolwe *linde*,   2610

lindgestealla.

   þæt ðǣr ... | *lindgestealla* lifigende cwōm,   1973

lindhæbbende.

   Nō hēr cūðlīcor cuman ongunnon | *lindhæbbende*;   245

lindhæbbendra.

   gumfēþa stōp | *lindhæbbendra*.   1402

lindplegan.

wearð | beloren lēofum æt þām lin*dplegan,*   1073
oð ðæt hīe forlǽddan tō ðām *lindplegan* | ...gesīðas 2039

lindwiga.

Wīglāf wæs hāten, Weoxstānes sunu, | lēoflīc *lind-
wiga,*   2603

linnan.

gif ic æt þearfe þīnre scolde | aldre *linnan,*   1478
sceolde ... | æðeling unwrecen ealdres *linnan.*   2443

lissa.

Gēn is eall æt ðē | *lissa* gelong;   2150

listum.

þæt hit ā... manna ǽnig | ...meahte | *listum* tōlūcan, 781

līðe.

þyssum cnyhtum wes | lāra *līðe;*   1220

līðende.

þæt ðā *līðende* land gesāwon,   221

līðost.

þæt hē wǽre ... | lēodum *līðost* ond lofgeornost.   3182

līðwǽge.

Hæreðes dohtor | ...*līðwǽge* bær | hælum tō handa. 1982

līxte.

līxte se lēoma ofer landa fela.   311
þonne dæg *līxte,*   485
Līxte se lēoma, lēoht inne stōd,   1570

lōcast.

þe þū hēr tō *lōcast.*   1654

locene.

þæt hēo ... ðurhfōn ne mihte, | *locene* leoðošyrcan, 1505
hringnet bǽron, | *locene* leoðosyrcan.   1890

locenra.

sealde ... hund þūsenda | landes ond *locenra* bēaga; 2995

lof.

þonne hē æt gūðe gegān þenceð | longsumne *lof,* 1536

lofdǽdum.

lofdǽdum sceal | in mǽgþa gehwǽre man geþēon. 24

lofgeornost.

þæt hē wǽre ... | lēodum līðost ond *lofgeornost.* 3182

lōg.

nales wordum *lōg* | mēces ecge. 1811

lōgon.

Ðone sīðfæt him snotere ceorlas | lȳthwōn *lōgon*, 203
Ne hīe hūru winedrihten wiht ne *lōgon*, 862

lomp.

Hū *lomp* ēow on lāde, lēofa Bīowulf, 1987

lond.

þæt ðā līðende *land* gesāwon, 221
þē on *land* Dena lāðra nǣnig | ... sceðþan ne meahte. 242
ǣr gē ... | ... on *land* Dena | furþur fēran. 253
ðonon hē gesōhte ... | ... *lond* Brondinga, 521
Ðā mec sǣ oþbær, | ... on Finna *land*, 580
Hīe dȳgel *lond* | warigeað, 1357
Gewāt him on nacan | ..., Dena *land* ofgeaf. 1904
him se ōðer ... | losað [li]figende, con him *land* geare. 2062
Him wæs bām samod | on ðām lēodscipe *lond* gecynde, 2197
eaferum lǣfde ... | *lond* ond lēodbyrig, 2471
hē mē *lond* forgeaf, | eard, ēðelwyn. 2492
syððan Higelāc cwōm | faran flotherge on Frēsna
    land, 2915

londa.

līxte se lēoma ofer *landa* fela. 311

londbūend.

Ic þæt *londbūend*, lēode mīne, | ... secgan hȳrde, 1345

londbūendum.

gesette sigehrēþig ... | lēoman tō lēohte *landbūendum*, 95

londe.

Cōm þā tō *lande* lidmanna helm 1623
cēol ūp geþrang | lyftgeswenced, on *lande* stōd. 1913
Wæs se fruma egeslīc | lēodum on *lande*, 2310
Hūru þæt on *lande* lȳt manna ðāh 2836

londes.

sealde ... hund þūsenda | *landes* ond locenra bēaga; 2995

londfruma.

lēof *landfruma* lange āhte. 31

londgemyrcu.

secg wīsade, | lagucræftig mon, *landgemyrcu*. 209

londgeweorc.

þæt hīe wīdeferhð | lēoda *landgeweorc* lāþum be-
weredon   938

londrihtes.

londrihtes mōt | ... monna æghwylc | īdel hweorfan, 2886

londwara.

hæfde *landwara* līge befangen,   2321

londweard.

Landweard onfand | eftsīð eorla,   1890

long.

Tō *lang* ys tō reccenne,   2093
Næs ðā *long* tō ðon,   2591
Næs ðā *lang* tō ðon,   2845
Sē wæs fīftiges fōtgemearces | *lang*   3043

longað.

him ... | æfter dēorum men dyrne *langað* | bearn
wið blōde.   1879

longe, *adj.*

þæt hīe ǣr drugon aldor[lē]ase | *lange* hwīle.   16
Ðā wæs ... Bēowulf Scyldinga | ... *longe* þrāge |
folcum gefrǣge   54
þā wið Gode wunnon | *lange* þrāge;   114
þætte wrecend ... | lifde ... *lange* þrāge | æfter
gūðceare;   1258
cwæð þæt hyt hæfde Hiorogār cyning | ... *lange*
hwīle;   2159
þām ðāra māðma mundbora wæs | *longe* hwīle,   2780

longe, *adv.*

lēof landfruma *lange* āhte.   31
Hine sorhwylmas | lemede tō *lange*;   905
sē þe *longe* hēr | on ... windagum worolde brūceð.   1061
forþan hē tō *lange* lēode mīne | wanode ond wyrde.   1336
þinceð him tō lȳtel, þæt hē *lange* hēold;   1748
sē þe ǣr *lange* tīd lēofra manna | ... wlātode;   1915
Ic ðē *lange* bæd,   1994
þe lēodfruman *lange* begēate.   2130
Hēan wæs *lange*,   2183
þēah ðe hordwelan hēolde *lange*.   2344
nō þon *lange* wæs | feorh æþelinges flǣsce bewunden. 2423

þone ic *longe* hēold. 2751
þǣr hē *longe* wæs, 3082
þǣr hē *longe* sceal | ... geþolian. 3108

longgestrēona.
þæt hē lȳtel fǣc *longgestrēona* | brūcan mōste. 2240

longsum.
wæs þæt gewin tō strang, | lāð ond *longsum*. 134
wæs þæt gewin tō swȳð, | lǣþ ond *longsum*, 192
þæt hē þæs gewinnes weorc þrōwade, | lēodbealo
longsum. 1722

longsumne.
þonne hē æt gūðe gegān þenceð | *longsumne* lof, 1536

longtwidig.
ðū scealt tō frōfre weorþan | eal *langtwidig* lēodum 1708

losade.
Hē on weg *losade,* | lȳtle hwīle līfwynna br[ēa]c; 2096

losað.
nō hē on helm *losaþ,* 1392
him se ōðer þonan | *losað* [li]figende, 2062

lufan.
hē on *lufan* lǣteð hworfan | monnes mōdgeþonc 1728

lufen.
Nū sceal ... | ... ēowrum cynne | *lufen* ālicgean; 2886

lufode.
Hæreðes dohtor | *lufode* ðā lēode, 1982

luftācen.
sceall hringnaca ofer hēaþu bringan | lāc ond *luftācen.* 1863

lungre.
Ðisse ansȳne Alwealdan þanc | *lungre* gelimpe. 929
Ðā wæs of þǣm hrōran helm ond byrne | *lungre*
ālȳsed. 1630
þæt ... fēower mēaras | *lungre* gelīce lāst weardode, 2164
hyt *lungre* wearð | on hyra sincgifan sāre geendod. 2310
Nū ðū *lungre* geong 2743

lust.
hē [on] *lust* wīgeð, | swefeð ond sendeþ, 599
hē on *lust* geþeah | symbel ond seleful, 618

lustum.
wē þē þās sǣlāc, ... | lēod Scyldinga, *lustum* brōhton 1653

lyfað. *See* **lifað.**
lyfde. *See* **lifde.**
lyft.
> oð ðæt *lyft* drysmaþ, | roderas rēotað.   1375

lyfte.
> nalles æfter *lyfte* lācende hwearf   2832

lyftfloga.
> nō ðær āht cwices | lāð *lyftfloga* læfan wolde.   2315

lyftgeswenced.
> cēol ūp geþrang | *lyftgeswenced*, on lande stōd.   1913

lyftwynne.
> *lyftwynne* hēold | nihtes hwīlum,   3043

lyhð.
> swā hȳ næfre man *lyhð*,   1048

lyste.
> Gēat un*g*emetes wel, | rōfne randwigan, restan *lyste*;   1793

lȳt.
> þēah ðe wintra *lȳt* | ... gebiden hæbbe | Hæreþes
>   dohtor;   1927
> ic *lȳt* hafo | hēafodmāga nefne, Hygelāc, ðec.   2150
> *lȳt* eft becwōm | fram þām hildfrecan hāmes nīosan.   2365
> Hūru þæt on lande *lȳt* manna ðāh   2836
> *W*ergendra tō *lȳt* | þrong ymbe þēoden,   2882
> *Lȳt* swīgode | nīwra spella,   2897
> *lȳt* ænig mearn,   3129

lȳtel.
> þinceð him tō *lȳtel*, þæt hē lange hēold;   1748
> þæt hē *lȳtel* fæc longgestrēona | brūcan mōste.   2240

lȳthwon.
> Ðone sīðfæt him snotere ceorlas | *lȳthwōn* lōgon,   203

lȳtle.
> æfter lēodhryre *lȳtle* hwīle | bongār būgeð,   2030
> Hē on weg losade, | *lȳtle* hwīle līfwynna br[ēa]c;   2097
> Ic him līfwraðe *lȳtle* meahte | ætgifan   2877

M.

mā.
> þæt ænig ōðer man | æfre mærða þon *mā* ... |
>   gehēdde   504

þæt hē *mā* mōste manna cynnes | ðicgean   735
swā hē hyra *mā* wolde,   1055
Ne nōm hē in þǣm wīcum, ... | māðm-æhta *mā*,   1613

mādm-. *See* mā∂m-.

mæg.

Ic þæs Hrōðgār *mæg* | ... rǣd gelǣran,   277
God ēaþe *mæg* | þone dolsceaðan dæda getwǣfan.   478
ā *mæg* God wyrcan | wunder æfter wundre,   930
þæt secgan *mæg* | efne swā hwylc mægþa,   942
þæs þe þincean *mæg* þegne monegum,   1341
þǣr *mæg* nihta gehwǣm nīðwundor sēon,   1365
Mæg þonne ... ongitan Gēata dryhten,   1484
þæt, lā! | *mæg* secgan, sē þe sōð ond riht | fremeð   1700
þæt hē his selfa ne *mæg* | ... ende geþencean.   1733
Gif ic ... ōwihte *mæg* | þīnre mōdlufan māran tilian,   1822
hē *mæg* þǣr fela | frēonda findan;   1837
Mæg þæs þonne ofþyncan ðēoden Heaðobeardna   2032
ne *mæg* byrnan hring | æfter wīgfruman wīde fēran   2261
Swā *mæg* unfæge ēaðe gedīgan | wēan ond wræcsīð,   2291
þonne ... | ... hē him helpan ne *mæg* | ... ænige
    gefremman.   2448
sibb æfre ne *mæg* | wiht onwendan,   2600
Ic ðæs ealles *mæg* | ... gefēan habban;   2739
Sinc ēaðe *mæg* | ... gumcynnes gehwone | ofer-
    hīgian,   2764
ne *mæg* ic hēr leng wesan.   2801
þæt lā! *mæg* secgan, sē ðe wyle sōð specan,   2864
þonne leng ne *mæg* | mon ... meduseld būan.   3064

mǣg.

Ic eom Higelāces | *mǣg* ond magoðegn;   408
Ðā wæs Heregār dēad, | mīn yldra *mǣg* unlifigende,   468
þrȳðswȳð behēold | *mǣg* Higelāces,   737
Gemunde þā se gōda *mǣg* Higelāces | æfensprǣce,   758
hine se mōdega *mǣg* Hygelāces | hæfde be honda;   813
wearð | *mǣg* Higelāces ... | ... gefægra;   914
nū ōþer cwōm | ... wolde hyre *mǣg* wrecan,   1339
nalas elnes læt, | mærða gemyndig, *mǣg* Hy[ge]lāces.   1530
Hūru þæt onhōhsnod[e] Hemminges *mǣg*.   1944

þonon Ēomǣr wōc | hæleðum tō helpe, Hem[m]inges
  mǣg,   1961
Gesæt þā wið sylfne,... | *mǣg* wið mǣge,   1978
Swā sceal *mǣg* dōn,   2166
miste mercelses ond his *mǣg* ofscēt,   2439
þā ic on morgne gefrægn *mǣg* ōðerne | ... stǣlan,   2484
Wīglāf wæs hāten, Weoxstānes sunu,... | *mǣg*
  Ælfheres;   2604
Ðā wǣron monige, þe his *mǣg* wriðon,   2982
mǣgburge.
  mōt | þǣre *mǣgburge* monna æghwylc | īdel hweorfan, 2887
mǣge.
  þēah ic eal *mǣge*.   680
  hwæðer sēl *mǣge* | æfter wælrǣse wunde gedȳgan   2530
  þæt ic ðȳ sēft *mǣge* | ... mīn ālǣtan | līf ond
    lēodscipe,   2749
mǣge.
  Gesæt þā wið sylfne,... | mǣg wið *mǣge*,   1978
mǣgen, *sb.*
  swā hē oft dyde | *mǣgen* Hrēðmanna.   445
  hē þē æt sunde oferflāt, | hæfde māre *mǣgen*.   518
  þū hit geþyldum healdest, | *mǣgen* mid mōdes
    snyttrum.   1706
mǣgen, *vb.*
  nemne wē æror *mǣgen* | fāne gefyllan,   2654
mǣgenāgendra.
  Hūru þæt ... lȳt manna ðāh | *mǣgenāgendra*,   2837
mǣgenbyrðenne.
  sǣlāce gefeah, | *mǣgenbyrþenne*   1625
  Ic ... gefēng | micle mid mundum *mǣgenbyrðenne*   3091
mǣgencræft.
  þæt hē þrittiges | manna *mǣgencræft*... | ... hæbbe. 380
mǣgene.
  sē þe manna wæs *mǣgene* strengest   789
  scealt ... | ... ealle *mǣgene* | feorh ealgian;   2667
mǣgenellen.
  gemyne mǣrþo, *mǣgenellen* cȳð,   659
mǣgenes.
  wið manna hwone *mǣgenes* Deniga   155

sē wæs moncynnes *mægenes* strengest 196
forþan hīe *mægenes* cræft mīn[n]e cūþon; 418
Hūru Gēata lēod georne trūwode | mōdgan *mægnes*, 670
hwæþre hē gemunde *mægenes* strenge, 1270
strenge getrūwode, | mundgripe *mægenes*. 1534
Đēah þe hine mihtig God *mægenes* wynnum, | . . .
   stēpte 1716
Nū is þīnes *mægnes* blæd | āne hwīle; 1761
þæt ic . . . | . . . þē tō gēoce gārholt bere, | *mægenes*
   fultum, 1835
þū eart *mægenes* strang ond on mōde frōd, 1844
oþ þæt hine yldo benam | *mægenes* wynnum, 1887
ac hē *mægnes* rōf mīn costode, 2084
nealles ic . . . forloren hæfde | *mægnes* mēde, 2146
þæt ūre mandryhten *mægenes* behōfað | gōdra
   gūðrinca; 2647
mægenfultuma.
   Næs þæt þonne mætost *mægenfultuma*, 1455
mægenrǣs.
   mægenrǣs forgeaf | hildebille, 1519
mægenstrengo.
   þā gēn gūðcyning | . . . *mægenstrengo* slōh 2678
mægenwudu.
   þrymmum cwehte | *mægenwudu* mundum, 236
mǣges.
   Wæs . . . | *mǣges* dædum morþorbed strēd, 2436
   ne his *mǣges* lāf | gewāc æt wīge; 2628
   ac se maga geonga under his *mǣges* scyld | elne
      geēode, 2675
   þær hē his *mǣges* healp 2698
   Ic . . . | . . . ongan . . . | ofer mīn gemet *mǣges* helpan. 2879
mægnes. *See* **mægenes.**
mægð.
   sceall . . . | . . . ne *mægð* scȳne | habban . . . hring-
      weorðunge, 3016
mægða.
   his cwēn mid him | medostīg gemæt *mægþa* hōse. 924
   þæt secgan mæg | efne swā hwylc *mægþa*, 943
   Wæs se gryre læssa | . . . swā bið *mægþa* cræft, 1283

18*

mǣgða.

lofdǣdum sceal | in *mǣgþa* gehwǣre man geþēon.   25
ic ... | ... hig wigge belēac | manigum *mǣgþa*   1771

mǣgðe.

Ðā ic wīde gefrǣgn weorc gebannan | manigre *mǣgþe*   75
Ne gefrǣgen ic þā *mǣgþe* māran weorode | ... sēl
    gebǣran.   1011

mǣgðum.

Oft Scyld Scēfing ... | monegum *mǣgþum* meodo-
    setla oftēah.   5

mǣgum.

syððan hē ... | ... æt gūðe forgrāp Grendeles *mǣgum* 2353

mǣgwine.

þæt *mǣgwine* mīne gewrǣcan, | fæhðe ond fyrene,   2479

mǣl (*sword*).

sweord ǣr gemealt, | forbarn brōden *mǣl*;   1616
þā þæt hildebil | forbarn, brogden *mǣl*,   1667

mǣl (*time*).

Mǣl is mē tō fēran;   316
þā wæs sǣl ond *mǣl*,   1008
Ic ðæt *mǣl* geman, þǣr wē medu þēgun,   2633

mǣla.

efne swylce *mǣla*, swylce hira mandryhtne | þearf
    gesælde;   1249
sē geweald hafað | sǣla ond *mǣla*;   1611
myndgað *mǣla* gehwylce | sārum wordum,   2057

mǣlceare.

Swā ðā *mǣlceare* maga Healfdenes | singala sēað;   189

mǣlgesceafta.

Ic on earde bād | *mǣlgesceafta*,   2737

mǣlum.

Swylce oft bemearn ǣrran *mǣlum* | ... sīð ... ceorl
    monig,   907
Ealle hīe dēað fornam | ǣrran *mǣlum*,   2237
þe him hringas geaf | ǣrran *mǣlum*;   3035

mǣnan.

healgamen ... scop | æfter medobence *mǣnan* scolde: 1067
woldon [ceare] cwīðan, kyning *mǣnan*,   3171

mǣnde.

Swā gīomormōd giohðo *mǣnde* | ān æfter eallum,   2267

mǣndon.

grimne gripe Gūðlāf ond Oslāf | ... *mǣndon,*   1149
mōdceare *mǣndon* mondryhtnes cw[e]alm;   3149

mǣned.

Ðǣr wæs Bēowulfes | mǣrðo *mǣned;*   857

mǣnigo. *See* **menigeo.**

mǣra.

Mynte se *mǣra,* ... | wīdre gewindan   762
Geþenc nū, se *mǣra* maga Healfdenes,   1474
sōna mē se *mǣra* mago Healfdenes, ... | ... setl
getǣhte.   2011
þæt se *mǣra* maga ... | grundwong þone ofgyfan
wolde;   2587

mǣran.

Habbað wē tō þǣm *mǣran* micel ǣrende | ... frēan;   270
monnes mōdgeþonc *mǣran* cynnes,   1729

mǣre.

wæs se grimma gǣst Grendel hāten, | *mǣre* mearc-
stapa,   103
Mǣre þēoden | ... unblīðe sæt,   129
mǣre māðþumsweord manige gesāwon   1023
Swā manlīce *mǣre* þēoden | ... heaþorǣsas geald   1046
oþ þæt hē āna hwearf, | *mǣre* þēoden,   1715
oferhȳda ne gȳm, | *mǣre* cempa.   1761
hīo ... | in gumstōle, gōde *mǣre,* | līfgesceafta ...
brēac,   1952
þæt is undyrne, ... | [*mǣre*] gemēting, monegum fīra,   2001
him tō bearme cwōm | māðþumfæt *mǣre*   2405
hit ... dīope benemdon | þēodnas *mǣre,*   3070

mǣres.

wolde frēadrihtnes feorh ealgian, | *mǣres* þēodnes,   797

mǣrne.

ālēdon þā lēofne þēoden, ... | *mǣrne* be mǣste.   36
hē gūðcyning | ... sēcean wolde, | *mǣrne* þēoden,   201
Ic þæs ... | ... frīnan wille, ... | þēoden *mǣrne,*
ymb þīnne sīð,   353
þæt hē sigehrēðig sēcean cōme | *mǣrne* þēoden,   1598

hæfdon hȳ forhealden helm Scylfinga,... | *mǣrne*
þēoden.   2384

þēoden *mǣrne*, þegn ungemete till, | ... wætere
gelafede   2721

Hē ðā mid þām māðmum *mǣrne* þīoden | ... fand   2788

þæt gē geworhton ... | ... beorh þone hēan, |
micelne ond *mǣrne*,   3098

ālegdon ðā tōmiddes *mǣrne* þēoden   3141

mǣrost.

Sē wæs wreccena wīde *mǣrost*   898

mǣrða.

hæbbe ic *mǣrða* fela | ongunnen on geogoþe.   408

þæt ænig ōðer man | æfre *mǣrða* þon mā... |
gehēdde   504

mǣrða gemyndig, mæg Hy[ge]lāces.   1530

onmunde ūsic *mǣrða*, ond mē þās māðmas geaf,   2640

forðam hē manna mæst *mǣrða* gefremede,   2645

þā gēn gūðcyning | m[*ǣrða*] gemunde,   2678

syðða[n] hīe ðā *mǣrða* geslōgon;   2996

mǣrðo.

gemyne *mǣrþo*, mægenellen cȳð,   659

siþðan wītig God | on swā hwæþere hond,... |
mǣrðo dēme,   687

Ðǣr wæs Bēowulfes | *mǣrðo* mæned;   857

þæt ic on holma geþring ... | *mǣrðo* fremede;   2134

mǣrðum.

ic wylle ... | *mǣrðum* fremman,   2514

mǣru.

Hwīlum *mǣru* cwēn, | ... flet eall geondhwearf,   2016

mǣrum.

Wille ic āsecgan ... | *mǣrum* þēodne mīn ærende,   345

wæs ōþer in ǣr geteohhod | ... *mǣrum* Gēate.   1301

ðū Hrōðgāre | wīdcūðne wēan ... gebēttest, | *mǣrum*
ðēodne?   1992

him Grendel wearð, | *mǣrum* maguþegne, tō mūð-
bonan,   2079

Scyld wel gebearg ... | *mǣrum* þēodne,   2572

mǣst.

mǣst hlīfade | ofer Hrōðgāres hordgestrēonum.   1898

mǣst.

þæt hit wearð eal gearo, | healærna *mǣst*;   78
nȳdwracu nīþgrim, nihtbealwa *mǣst*.   193
Wand tō wolcnum wælfȳra *mǣst*,   1119
Him wæs... |... wunden gold | ēstum geēawed,
... |... healsbēaga *mǣst*,   1195
þæt ðām gōdan wæs | hrēow on hreðre, hygesorga
mǣst;   2328
forðam hē manna *mǣst* mærða gefremede,   2645
hē siomian geseah segn... |... hondwundra *mǣst*,   2768
Ongunnon þā on beorge bǣlfȳra *mǣst* | wīgend
weccan;   3143

mæste.

ālēdon þā lēofne þēoden,... | mærne be *mæste*.   36
þā wæs be *mæste* merehrægla sum, | segl sāle fæst;   1905

mǣste.

Geslōh þīn fæder fæhðe *mǣste*,   459
þær hē[o] ǣr *mǣste* hēold | worolde wynne.   1079
hē mancynnes *mǣste* cræfte |... gife... | hēold
hildedēor.   2181

mǣton.

þær git... | *mǣton* merestrǣta,   514
Hwīlum flītende fealwe strǣte | mēarum *mǣton*.   917
foldweg *mǣton*, | cūþe strǣte,   1633

mǣtost.

Næs þæt þonne *mǣtost* mægenfultuma,   1455

maga.

Swā ðā mælceare *maga* Healfdenes | singala sēað;   189
ābīdan sceal | *maga* māne fāh miclan dōmes,   978
Geþenc nū, se mǣra *maga* Healfdenes,   1474
mē... gesealde | māðma menigeo, *maga* Healfdenes.   2143
þæt se... *maga* Ecgðēowes | grundwong þone of-
gyfan wolde;   2587
ac se *maga* geonga under his mǣges scyld | elne
geēode,   2675

māga.

ne gē... |... gearwe ne wisson, | *māga* gemēdu.   247
ðā hēo under swegle gesēon meahte | morþorbealo
māga,   1079

280   COOK,

gyf þū healdan wylt | *māga* rīce.   1853
swā [ne] gylpan þearf Grendeles *māga* | ... ūhthlem
þone,   2006
forðam mē wītan ne ðearf Waldend ... | morðor-
bealo *māga*,   2742

magan.

swā ðone *magan* cende | æfter gumcynnum,   943

māgan.

uton hraþe fēran, | Grendles *māgan* gang scēawigan. 1391

māgas.

fægere geþægon | medoful manig *māgas* þāra,   1015
ealle wyrd fors*wē*op | mīne *māgas* tō metodsceafte, 2815

mago.

Hūru ne gemunde *mago* Ecglāfes   1465
him ... gesealde | *mago* Healfdenes māþmas twelfe, 1867
sōna mē se mæra *mago* Healfdenes ... | ... setl
getæhte.   2011

magodriht.

oðð þæt sēo geogoð gewēox, | *magodriht* micel.   67

magorinca.

Geseah hē in recede rinca manige, ... | *magorinca*
hēap.   730

magoðegn.

Ic eom Higelāces | mæg ond *magoðegn*;   408
Geseah ... | *magoþegn* mōdig māððumsigla fealo, 2757

magoðegna.

magoþegna bær | þone sēlestan sāwollēasne,   1405

magoðegnas.

swylce ic *maguþegnas* mīne hāte | ... flotan ēowerne,
... | ārum healdan,   293

magoðegne.

him Grendel wearð, | mærum *maguþegne*, tō mūð-
bonan,   2079

magoðegnum.

Wes þū mundbora mīnum *magoþegnum*,   1480

māgum.

þēah þe hē his *māgum* nære | ārfæst   1167
þīnum *māgum* læf | folc ond rīce,   1178
his *māgum* ætbær | brūnfāgne helm,   2614

þonne ... ne mæg | mon mid his [mā]gum meduseld
    būan. 3065
maguðegn-. *See* magoðegn-.

man-. *See* mon-.

māne.

    hē hine feor forwræc, | Metod for þȳ *māne,* 110
    ābīdan sceal | maga *māne* fāh miclan dōmes, 978
    þone ðe Grendel ær | *māne* ācwealde, 1055

mānfordǣdlan.

    næs hīe ðære fylle gefēan hæfdon, | *mānfordǣdlan,* 563

mānscaða.

    mynte se *mānscaða* manna cynnes | sumne besyrwan 712
    hū se *mānscaða* | under færgripum gefaran wolde. 737
    nū ōþer cwōm | mihtig *mānscaða,* 1339
    gif mec se *mānsceaða* | of eorðsele ūt gesēceð. 2514

mānsceaða. *See* mānscaða.

māra.

    næfne hē wæs *māra* þonne ænig man ōðer, 1353
    næs ðær *māra* fyrst | frēode tō friclan. 2555

māran.

    Næfre ic *māran* geseah | eorla ofer eorþan, 247
    þæt ic merestrengo *māran* āhte, 533
    þæt hē ne mētte ... | mundgripe *māran*; 753
    Ne gefrægen ic þā mægþe *māran* weorode | ... sēl
        gebǣran. 1011
    Gif ic ... mæg | þīnre mōdlufan *māran* tilian, 1823
    ne seah ic ... | ... healsittendra | medudrēam *māran.* 2016

māre.

    eft gefremede | morðbeala *māre* 136
    hē þē æt sunde oferflāt, | hæfde *māre* mægen. 518
    hit wæs *māre* ðonne ænig mon ōðer | ... ætberan
        meahte, 1560

maðelade. *See* maðelode.

maðelode.

    Weard *maþelode,* ðær on wicge sæt, 286
    Wulfgār *maþelode* (þæt wæs Wendla lēod,) 348
    Wulfgār *maðelode* tō his winedrihtne: 360
    Hrōðgār *maþelode,* helm Scyldinga: 371, 456, 1321
    Bēowulf *maðelode* (on him byrne scān,) 405

Unferð *maþelode*, Ecgláfes bearn,   499
Bēowulf *maþelode*, bearn Ecgþēowes: 529, 631, 957,
                                      1383, 1473, 1651, 1817
Hrōðgār *maþelode*; hē tō healle gēong,   925
Wealhðēo *maþelode*, hēo fore þǣm werede sprǣc: 1215
Hrōðgār *maðelode*, hylt scēawode,   1687
Hrōðgār *maþelode* him on ondsware: 1840
Bīowulf *maðelode*, bearn Ecgðīoes: 1999
Bīowulf *maþelade*, bearn Ecgðēowes: 2425
Bēowulf *maðelode*, bēotwordum sprǣc,   2510
Wīgláf *maðelode* wordrihta fela,   2631
Bīowulf *maþelode*: hē ofer benne sprǣc,   2724
[Bēowulf *maðelode*,] | gomel on giohðe   2792
Wīgláf *maðelode*, Weohstānes sunu,   2862
Wīgláf *maðelode*, Wihstānes sunu: 3076

māðma.

þǣr wæs *mādma* fela, | ... frætwa gelǣded.   36
him on bearme læg | *mādma* mænigo,   41
unc sceal worn fela | *māþma* gemǣnra,   1784
mē eorla hlēo eft gesealde | *māðma* menigeo,   2143
hē him ēst getēah | mēara ond *māðma*.   2166
þām ðāra *māðma* mundbora wæs   2779
Nū ic on *māðma* hord mīne bebohte | frōde feorhlege, 2799
þǣr is *māðma* hord,   3011

māðm-ǣhta.

Ne nōm hē in þǣm wīcum, ... | *māðm-ǣhta* mā,   1613
nalles ... | ... *māðm-ǣhta* wlonc | ansȳn ȳwde,   2833

māðmas.

ic þǣm gōdan sceal | for his mōdþrǣce *mādmas*
    bēodan.   385
sende ic Wylfingum ofer wæteres hrycg | ealde
    mādmas;   472
ne gefrægn ic frēondlīcor fēower *mādmas* | ...
    gummanna fela | ... gesellan.   1027
swylce þū ðā *mādmas*, ... | ... Higelāce onsend.   1482
sē þe unmurnlīce *mādmas* dǣleþ,   1756
þām folcum sceal ... | wesan ... | *māþmas* gemǣne;   1860
him ... gesealde | mago Healfdenes *māþmas* twelfe, 1867
hē mē [*māðma*]s geaf, | sunu Healfdenes,   2146

gumena nāthwylc | eormenlāfe... | ... gehȳdde,
dēore *māðmas*.   2236

Ic him þā *māðmas*,... | geald æt gūðe,   2490
onmunde ūsic mærða, ond mē þās *māðmas* geaf,   2640
sē ēow ðā *māðmas* geaf,   2865
þæt hī ofostlīc[e] ūt geferedon | dȳre *māðmas*.   3131

māðme.

ðā wæs forma sīð | dēorum *mādme*, þæt his dōm ālæg.   1528
þæt hē syðþan wæs | on meodubence *māþme* þȳ
weorþra,   1902

māðmgestrēona.

næs hīo... | ... tō gnēað gifa... | *māþmgestrēona*.   1931

māðmum.

hordweard hæleþa heaþorǣsas geald | ... *mādmum*,   1048
þā wæs... | hladen ... hringedstefna | mēarum ond
māðmum;   1898
Mē þone wælrǣs wine Scildunga | ... lēanode, |
manegum *māðmum*,   2103
Hē ðā mid þām *māðmum* mærne þīoden | ... fand   2788

māððum.

nō hē þone gifstōl grētan mōste, | *māþðum* for
Metode,   169
drihten... | on þǣre medubence *māþðum* gesealde,   1052
byre... | morðres gylpe[ð], ond þone *māðþum* byreð,   2055
sceall... | ... nalles eorl wegan | *māððum* tō gemyndum,   3016

māððumfæt.

him tō bearme cwōm | *māðþumfæt* mære   2405

māððumgife.

wæs ōþer in ǣr geteohhod | æfter *māþðumgife*   1301

māððumsigla.

Geseah... | magoþegn mōdig *māððumsigla* fealo,   2757

māððumsweord.

mǣre *māðþumsweord* manige gesāwon | beforan
beorn beran.   1023

māððumwelan.

þæt ic... mǣge | æfter *māððumwelan* mīn ālǣtan | līf   2750

meaglum.

syððan mandryhten | ... holdne gegrētte | *meaglum*
wordum.   1980

meaht.

ðǣr þū findan *miht* | felasinnigne secg;	1378
Meaht ðū, mīn wine, mēce gecnāwan,	2047

meahte.

ne *mihte* snotor hæleð | wēan onwendan;	190
þāra þe hē cēnoste | findan *mihte*;	207
þē ... lāðra nǣnig | ... sceðþan ne *meahte*.	243
hine *Wede*ra cyn | for herebrōgan habban ne *mihte*.	462
Ne inc ǣnig mon | ... belēan *mihte* | sorhfullne sīð,	511
Nō hē wiht fram mē | ... flēotan *meahte*,	542
þæt ic sǣnæssas gesēon *mihte*,	571
siþðan ic hond ond rond hebban *mihte*,	656
nō þȳ ǣr fram *meahte*.	754
Mynte se mǣra, *hwǣr* hē *meahte* swā, | wīdre gewindan	762
þæt hit ā ... manna ǣnig, | ... bānfāg, tōbrecan *meahte*,	780
ic hine ne *mihte*, ... | ganges getwǣman;	967
ðā hēo ... gesēon *meahte* | morþorbealo māga,	1078
þæt hē ne *mehte* on þǣm meðelstede | ... gefeohtan,	1082
þēah þe hē [ne] *meahte* on mere drīfan | hringedstefnan;	1130
gif hē torngemōt þurhtēon *mihte*,	1140
ne *meahte* wǣfre mōd | forhabban in hreþre.	1150
þæt him hildegrāp hreþre ne *mihte* | ... gesceþðan;	1446
ǣr hē þone grundwong ongytan *mehte*.	1496
þæt hēo þone fyrdhom ðurhfōn ne *mihte*,	1504
swā hē ne *mihte* nō ... | wǣpna gewealdan;	1508
ne him for hrōfsele hrīnan ne *mehte* | fǣrgripe flōdes;	1515
ðonne ǣnig mon ōðer | ... ætberan *meahte*,	1561
Ne *meahte* ic æt hilde mid Hruntinge | wiht gewyrcan,	1659
þæt hē þone brēostwylm forberan ne *mehte*,	1877
þȳ lǣs hym ȳþa ðrym | wudu ... forwrecan *meahte*.	1919
hyt ne *mihte* swā,	2091
þæt him holtwudu he[lpan] ne *meahte*,	2340
wihte ne *meahte* | ... fǣghðe gebētan;	2464
nō ðȳ ǣr hē þone heaðorinc hatian ne *meahte*	2466
hū | wið ðām āglǣcean elles *meahte* | gylpe wiðgrīpan,	2520
ne *meahte* horde nēah | unbyrnende ... | dēop gedȳgan	2547
ne *mihte* ðā forhabban, hond rond gefēng,	2609
oð ðæt his byre *mihte* | eorlscipe efnan	2621
byrne ne *meahte* | geongum gārwigan gēoce ge- fremman;	2673

þæt hē þone grundwong ongitan *meahte*,   2770
Ne *meahte* hē on eorðan ... | ... feorh gehealdan,   2855
swylce hē ... | ... feor oððe nēah findan *meahte*,   2870
Ic him līfwraðe lȳtle *meahte* | ætgifan   2877
sweorde ne *meahte* ... | wunde gewyrcean.   2904
þæt hē sǣmannum onsacan *mihte*,   2954
Ne *meahte* se snella sunu Wonrēdes | ... ondslyht
    giofan,   2971

meahton.

oþ þæt hȳ [s]æl timbred, | geatolīc ..., ongyton *mihton*; 308
þæt hīe him tō *mihton* | gegnum gangan;   313
siððan hīe sunnan lēoht gesēon [ne] *meahton*,   648
wolde frēadrihtnes feorh ealgian, | ... ðǣr hīe
    meahton swā.   797
ðe wē ealle ǣr ne *meahton* | snyttrum besyrwan.   941
þæt him fēla lāfe frēcne ne *meahton* | scūrheard
    sceþðan,   1032
swylce hīe æt Finnes hām findan *meahton*   1156
þæs þe hīe gewislīcost gewitan *meahton*,   1350
þæt hine ... nō | brond ne beadomēcas bītan ne
    meahton.   1454
þæt hīe Gēata clifu ongitan *meahton*,   1911
Nō ðȳ ǣr fēasceafte findan *meahton*   2373
þæt him īrenna ecge *mihton* | helpan æt hilde;   2683
Ne *meahton* wē gelǣran lēofne þēoden | ... rǣd
    ǣnigne,   3079
hyt ... | foresnotre men findan *mihton*.   3162

mealt.

þæt ... | bolda sēlest brynewylmum *mealt*, | gifstōl
    Gēata.   2326

mēara.

hē him ēst getēah | *mēara* ond māðma.   2166

mēaras.

Hwīlum heaþorōfe ... lēton | ... faran fealwe *mēaras*,   865
Heht ðā eorla hlēo eahta *mēaras* | ... tēon,   1035
þæt þām frætwum fēower *mēaras* | ... lāst weardode, 2163

mearcað.

eteð āngenga unmurnlīce, | *mearcað* mōrhopu;   450

mearce.

    Him þæt tō *mearce* wearð;   2384

mearcstapa.

    wæs se grimma gæst Grendel hāten, | mǣre *mearc-*
       stapa,   103

mearcstapan.

    þæt hīe gesāwon ... | micle *mearcstapan* mōras
       healdan,   1348

mearh.

    ne se swifta *mearh* | burhstede bēateð.   2264

mearn.

    nō *mearn* fore | fǣhðe ond fyrene;   136
    nalles for ealdre *mearn*;   1442
    nalas for fǣhðe *mearn*   1537
    lȳt ǣnig *mearn,*   3129

mēarum.

    Þanon eft gewiton ... | ... *mēarum* rīdan,   855
    Hwīlum flītende fealwe strǣte | *mēarum* mǣton.   917
    hordweard hæleþa heaþorǣsas geald | *mēarum*   1048
    Þā wæs ... | hladen ... hringedstefna | *mēarum* ond
       māðmum;   1898

mēca.

    sē ðe *mēca* gehwane ... | swenge ofersōhte,   2685

mēce.

    wæs | æfter mundgripe *mēce* geþinged,   1938
    Meaht ðū, mīn wine, *mēce* gecnāwan,   2047
    Lēt se ... þegn | brād[n]e *mēce,* ... | brecan ofer
       bordweal;   2978

mēces.

    þæt þec ... | ... gripe *mēces* ... | forsiteð ond for-
       sworceð;   1765
    nales wordum lōg | *mēces* ecge.   1812
    þām ... wearð | ... Weohstān bana | *mēces* ecgum,   2614
    cwæð, hē on mergenne *mēces* ecgum | gētan wolde,   2939

mēcum.

    ac on mergenne *mēcum* wunde | ... lǣgon,   565

mēda.

    brūc þenden þū mōte | manigra *mēda,*   1178

mēde.

hē mē *mēde* gehēt.   2134

nealles ic ... forloren hæfde, | mægnes *mēde*,   2146

medo.

Gǣþ eft sē þe mōt | tō *medo* mōdig,   604

Ic ðæt mǣl geman, þǣr wē *medu* þēgun,   2633

medoærn.

þæt ... hātan wolde | *medoærn* micel men gewyrcean,   69

medobenc.

fram sylle ābēag | *medubenc* monig,   776

medobence.

drihten ... | on þǣre *medubence* māþðum gesealde,   1052

healgamen ... scop | æfter *medobence* mǣnan scolde: 1067

þæt hē syðþan wæs | on *meodubence* māþme þȳ weorþra,   1902

ne hyne on *medobence* micles wyrðne | drihten ...

gedōn wolde;   2185

medodrēam.

ne seah ic ... | ... healsittendra | *medudrēam* māran. 2016

medoful.

þæt hīo Bēowulfe, ... | mōde geþungen, *medoful*
ætbær;   624

fægere geþǣgon | *medoful* manig māgas þāra,   1015

medoheal.

Ðonne wæs þēos *medoheal* ... | drihtsele drēorfāh,   484

medohealle.

Ic ... sceal | ... endedæg | on þisse *meoduhealle*
mīnne gebīdan.   638

medoscencum.

Meoduscencum hwearf | ... Hæreðes dohtor,   1980

medoseld.

þonne leng ne mæg | mon ... *meduseld* būan.   3065

medosetla.

Oft Scyld Scēfing ... | monegum mǣgþum *meodo-
setla* oftēah.   5

medostīg.

his cwēn mid him | *medostīg* gemæt mǣgþa hōse.   924

medowongas.

gumdryhten mid, | mōdig on gemonge, *meodowongas*
trǣd.   1643

medu-.   *See* **medo-.**
mehte.   *See* **meahte.**
meldan.
  him ... cwōm | māðþumfæt mǣre þurh ðæs *meldan*
  hond.   2405
meltan.
  Ne scel ānes hwæt | *meltan* mid þām mōdigan,   3011
mene.
  syþðan Hāma ætwæg | ... Brōsinga *mene*,   1199
mengan.
  sē þe meregrundas *mengan* scolde,   1449
menigeo.
  him on bearme læg | mādma *mœnigo*,   41
  ac mē eorla hlēo eft gesealde | māðma *menigeo*,   2143
meodo-.   *See* **medo-.**
meodu-.   *See* **medo-.**
meoto.
  Site nū tō symle ond onsæl *meoto*, | sigehrēð secgum, 489
meotod-.   *See* **metod-.**
mercelses.
  miste *mercelses* ond his mæg ofscēt,   2439
mere.
  hū hē ... | ... on nicera *mere* | ... feorhlāstas bær. 845
  þanon eft gewiton ... | fram *mere* mōdge mēarum
    rīdan,   855
  þēah þe hē [ne] meahte on *mere* drīfan | hringed-
    stefnan;   1130
  Nis þæt feor heonon | ... þæt se *mere* standeð,   1362.
  Gistas sē*tan* | ... ond on *mere* staredon;   1603
meredēor.
  heaþorǣs fornam | mihtig *meredēor* þurh mīne hand.   558
merefaran.
  wæs him Bēowulfes sīð, | mōdges *merefaran*, micel
    æfþunca,   502
merefixa.
  Wæs *merefixa* mōd onhrēred;   549
meregrund.
  hē hēan ðonan, | mōdes gēomor, *meregrund* gefēoll.   2100

meregrundas.
sē þe *meregrundas* mengan scolde, 1449
merehrægla.
þā wæs ... *merehrægla* sum, | segl sāle fæst; 1905
merelīðende.
Nū gē feorbūend, | *merelīðende*, mīn[n]e gehȳrað |
... geþōht; 255
merestrǣta.
þǣr git ... | mǣton *merestrǣta*, 514
merestrengo.
þæt ic *merestrengo* māran āhte, 533
merewīf.
Ongeat þā se gōda grundwyrgenne, | *merewīf* mihtig; 1519
Merewīoingas.
Ūs wæs ... | *Merewīoingas* milts ungyfeðe. 2921
mergen-. *See* **morgen-.**
Metod.
hine feor forwrǣc | *Metod* ... mancynne fram. 110
Metod hīe ne cūþon, | dǣda Dēmend, 180
þā *Metod* nolde, 706
þæt hyre eald *Metod* ēste wǣre | bearngebyrdo. 945
þā *Metod* nolde, 967
hū him scīr *Metod* scrīfan wille. 979
Metod eallum wēold | gumena cynnes, 1057
þæt is sōð *Metod*. 1611
swā unc wyrd getēoð, | *Metod* manna gehwæs. 2527
Metode.
nō hē þone gifstōl grētan mōste, | māþðum for *Metode*, 169
þæs sig *Metode* þanc, | ēcean Dryhtne, 1778
Metodes.
Hūru Gēata lēod georne trūwode | ... *Metodes* hyldo. 670
metodsceaft.
Nalles hōlinga Hōces dohtor | *meotodsceaft* bemearn, 1077
þonne ðū forð scyle | *metodsceaft* sēon. 1180
metodsceafte.
ealle wyrd forswēop | mīne māgas tō *metodsceafte*, 2815
mētte.
þæt hē ne *mētte* middangeardes... | mundgripe māran; 751

19

mētton.

syðþan Æscheres | on þām holmclife hafelan *mētton.* 1421

meðelstede.

þæt hē ne mehte on þǣm *meðelstede* | wīg...gefeohtan, 1082

meðelwordum.

þegn Hrōðgāres... | ... *meþelwordum* frægn: 236

meðle.

þæt h[ī]e seoððan gesēon mōston, | mōdige on *meþle.* 1876

micel.

oðð þæt sēo geogoð gewēox, | magodriht *micel.*   67
þæt ... hātan wolde | medoærn *micel* men gewyrcean, 69
þā wæs ... wōp ūp āhafen, | *micel* morgenswēg.   129
Wæs sēo hwīl *micel*;   146
þæt wæs wræc *micel* wine Scyldinga,   170
Habbað wē tō þǣm mǣran *micel* ǣrende | Deniga
    frēan;   270
wæs him Bēowulfes sīð | ... *micel* æfþunca,   502
þā wæs wundor *micel,*   771
þæt hē hæfde mōd *micel,*   1167

micelne.

þæt gē geworhton... | ... beorh þone hēan, |
    micelne ond mǣrne,   3098

miclan.

ābīdan sceal | maga māne fāh *miclan* dōmes,   978
on hyra mandryhtnes *miclan* þearfe;   2849

micle.

swylce self cyning... | tryddode tīrfæst getrume *micle,* 922
efne swā *micle,* swā bið mægþa cræft,   1283
þæt hīe gesāwon... | *micle* mearcstapan mōras healdan, 1348
þe hē geworhte... | oftor *micle* ðonne on ænne sīð, 1579
ic þǣre sōcne singales wæg | mōdceare *micle.*   1778
þæt mē is *micle* lēofre,   2651
Ic ... gefēng | *micle* mid mundum mægenbyrðenne   3091

micles.

þæt hīe ǣr tō fela *micles* | ... wǣldēað fornam,   694
ne hyne... *micles* wyrðne | drihten...gedōn wolde; 2185

miclum.

Wē þæt ellenweorc ēstum *miclum,* | feohtan fremedon, 958

middan.

forwrāt Wedra helm wyrm on *middan.*   2705

middangeard.

ic ... gefrǣgn weorc gebannan | ... geond þisne
middangeard,   75
ic... | ...hig...belēac | ...geond þysne *middangeard* 1771

middangearde.

ne ðorfte him ðā lēan oðwītan | mon on *middangearde,* 2996

middangeardes.

þæt ænig ōðer man | ... mærða þon mā *middan-
geardes* | gehēdde   504
þæt hē ne mētte *middangeardes* | ... mundgripe māran; 751

middelnihtum.

līgegesan wæg | hātne ..., hioroweallende | *middel-
nihtum,*   2782
nalles ... lācende hwearf | *middelnihtum,*   2833

miht. *See also* **meaht.**

Nū scealc hafað | þurh Drihtnes *miht* dæd gefremede, 940

mihte. *See* **meahte.**

mihtig.

heaþorǣs fornam | *mihtig* meredēor þurh mīne hand. 558
þæt *mihtig* God manna cynnes | wēold *w*īdeferhð.   701
nū ōþer cwōm | *mihtig* mānscaða,   1339
Ongeat þā se gōda grundwyrgenne, | merewīf *mihtig*; 1519
Ðēah þe hine *mihtig* God mægenes wynnum, |
eafeþum, stēpte   1716
hū *mihtig* God manna cynne | þurh sīdne sefan
snyttru bryttað,   1725

mihtigan.

Gode þancode, | *mihtigan* Drihtne,   1398

mihton. *See* **meahton.**

mihtum.

þæt hīe fēond heora | ... ealle ofercōmon | selfes
mihtum;   700

milde.

Hēr is æghwylc eorl... | mōdes *milde,* mandrihtne
hol[d];   1229

mildum.

tō Gēatum sprec | *mildum* wordum,   1172

mildust.

þæt hē wære… | manna *mildust* ond mon[ðw]ǣrust,   3181

mīlgemearces.

Nis þæt feor heonon | *mīlgemearces*,   1362

milts.

Ūs wæs… | Merewīoingas *milts* ungyfeðe.   2921

missera.

wæg | fyrene ond fæhðe fela *missera*,   153

sē ðe flōda begong | heorogīfre behēold hund *missera*,   1498

Swā ic Hring-Dena hund *missera* | wēold   1769

Hē frætwe gehēold fela *missera*,   2620

miste.

miste mercelses ond his mæg ofscēt,   2439

misthleoðum.

Ðā cōm of mōre under *misthleoþum* | Grendel gongan,   710

mistige.

sinnihte hēold | *mistige* mōras;   162

mōd.

him wæs gēomor sefa, | murnende *mōd*.   50

Him on *mōd* bearn,   67

Wæs merefixa *mōd* onhrēred;   549

þā his *mōd* āhlōg;   730

nefne him witig God wyrd forstōde, | ond ðæs
mannes *mōd*.   1057

ne meahte wæfre *mōd* | forhabban in hreþre.   1150

þæt hē hæfde *mōd* micel,   1167

Mōd Ðrȳðo wæg, | fremu folces cwēn,   1931

mōdceare.

ic þǣre sōcne singales wæg | *mōdceare* micle.   1778

Ic ðæs *mōdceare* | sorhwylmum sēað,   1992

mōdceare mǣndon mondryhtnes cw[e]alm;   3149

mōde.

þæt hīo Bēowulfe,… | *mōde* geþungen, medoful ætbær;   624

hē on *mōde* wearð | forht, on ferhðe;   753

þā wæs… | hār hilderinc on hrēon *mōde*,   1307

Denum eallum wæs | … weorce on *mōde*   1418

þū eart mægenes strang ond on *mōde* frōd,   1844

oð ðæt hyne ān ābeal*h* | mon on *mōde*;   2281

Ic eom on *mōde* from, 2527
wæs beorges weard | ... on hrēoum *mōde*, 2581
mōdega. *See* **mōdiga.**
mōdes.
þæt wæs wræc micel wine Scyldinga, | *mōdes* brecða. 171
swā mē Higelāc sīe, | mīn mondrihten, *mōdes* blīðe, 436
sē þe fela æror | *mōdes* myrðe... | fyrene gefremede, 810
Hēr is æghwylc eorl ... | *mōdes* milde, 1229
Gistas sētan | *mōdes* sēoce, 1603
þū hit geþyldum healdest, | mægen mid *mōdes*
snyttrum. 1706
hē hēan ðonan, | *mōdes* gēomor, meregrund gefēoll. 2100
mōdgan. *See* **mōdigan.**
mōdge. *See* **mōdige.**
mōdgehygdum.
hine fyrwyt bræc | *mōdgehygdum*, 233
mōdges. *See* **mōdiges.**
mōdgeðonc.
hē on lufan lǣteð hworfan | monnes *mōdgeþonc* 1729
mōdgīomor.
þær ... | morgenlongne dæg *mōdgīomor* sæt 2894
mōdig.
Gǣþ eft sē þe mōt | tō medo *mōdig*, 604
hē þēah *mōdig* wæs 1508
gumdryhten... | *mōdig*...meodowongas træd. 1643
þæt wæs *mōdig* secg. 1812
Geseah ... | magoþegn *mōdig* māððumsigla fealo, 2757
mōdiga.
hine se *mōdega* mæg Hygelāces | hæfde be honda; 813
mōdigan.
Hūru Gēata lēod georne trūwode | *mōdgan* mægnes, 670
Ne scel ānes hwæt | meltan mid þām *mōdigan*, 3011
mōdige.
þanon eft gewiton ... | fram mere *mōdge* mēarum
rīdan, 855
þæt h[ī]e seoððan gesēon mōston, | *mōdige* on meþle. 1876
mōdiges.
wæs him ... sīð | *mōdges* merefaran micel æfþunca, 502
sīo hand gebarn | *mōdiges* mannes, 2698

mōdiglīcran.
Ne seah ic elþēodige | þus manige men *mōdiglīcran.*   337
mōdigra.
Him þā hildedēor [h]of *mōdigra* | torht getæhte,   312
Cwōm þā tō flōde fela *mōdigra* | hægstealdra;   1888
mōdlufan.
Gif ic . . . mæg | þīnre *mōdlufan* māran tilian,   1823
mōdor.
Grendles *mōdor,* | ides, āglæcwīf, yrmþe gemunde,   1258
his *mōdor* . . . | . . . gegān wolde | sorhfulne sīð,   1276
siþðan inne fealh | Grendles *mōdor.*   1282
Gefēng þā be eaxle . . . | Gūð-Gēata lēod Grendles
mōdor,   1538
þā þās worold ofgeaf | gromheort guma, . . . | . . .
ond his *mōdor* ēac,   1683
wæs eft hraðe | gearo gyrnwræce Grendeles *mōdor,*   2118
ic hēafde becearf | . . . Grendeles *mōdor* | ēacnum
ecgum;   2139
āhēorde, | gomela . . . | Onelan *mōdor* ond Ōhtheres,   2932
mōdsefa.
wæs his *mōdsefa* manegum gecȳðed,   349
Mē þīn *mōdsefa* | līcað leng swā wel,   1853
ne gemealt him se *mōdsefa,*   2628
mōdsefan.
helle gemundon | in *mōdsefan,*   180
syððan hē *mōdsefan* mīnne cūðe,   2012
mōððræce.
ic þǣm gōdan sceal | for his *mōdþrǣce* māðmas bēodan.   385
mōnan.
gesette sigehrēþig sunnan ond *mōnan* | lēoman   94
monað.
Manað swā ond myndgað . . . | sārum wordum,   2057
moncynne.
hē hine feor forwræc, | Metod . . . , *mancynne* fram.   110
moncynnes.
Swā fela fyrena fēond *mancynnes* | . . . oft gefremede,   164
sē wæs *moncynnes* mægenes strengest   196
hē hēan gewāt, . . . | *mancynnes* fēond.   1276
ealles *moncynnes* . . . | þone sēlestan   1955
mancynnes mǣste cræfte   2181

mondrēam.

hē ... gewāt, | morþre gemearcod, *mandrēam* flēon,   1264

mondrēamum.

oþ þæt hē āna hwearf | ... *mondrēamum* from.   1715

mondriht-. *See* **mondryht-.**

mondryhten.

swā mē Higelāc sīe, | mīn *mondrihten*, mōdes blīðe,   436
syððan *mandryhten* | þurh hlēoðorcwyde holdne
   gegrētte   1979
geseah his *mondryhten* | under heregrīman hāt
   þrōwian;   2604
þæt ūre *mandryhten* mægenes behōfað | gōdra gūðrinca; 2647
þæt se *mondryhten* ... | ... gēnunga gūðgewædu |
   wrāðe forwurpe,   2865

mondryhtne.

Hēr is æghwylc eorl ... | mōdes milde, *mandrihtne*
   hol[d];   1229
efne swylce mæla, swylce hira *mandryhtne* | þearf
   gesælde;   1249
mandryhtne bær | fæted wæge,   2281

mondryhtnes.

on hyra *mandryhtnes* miclan þearfe;   2849
mōdceare mændon *mondryhtnes* cw[e]alm;   3149

monlīce.

Swā *manlīce* mære þēoden | ... heaþoræsas geald   1046

monðwǣrust.

þæt hē wære... | manna mildust ond *mon[ðw]ǣrust,* 3181

mōr.

gegnum fōr | ofer myrcan *mōr,*   1405

mōras.

sē þe *mōras* hēold, | fen ond fæsten;   103
sinnihte hēold | mistige *mōras*;   162
þæt hīe gesāwon ... | micle mearcstapan *mōras*
   healdan,   1348

mōre.

Ðā cōm of *mōre* under misthleoþum | Grendel gongan,   710

morgen.

Ðā wæs on *morgen*, mīne gefrǣge, | ... gūðrinc
   monig;   837

syþðan *morgen* cōm,   1077
siþðan *morgen* bið.   1784
syððan *mergen* cōm,   2103
syððan *mergen* cwōm,   2124
morgenceald.
  sceall gār wesan, | monig *morgenceald,* mundum be-
    wunden,   3022
morgenlēoht.
  siþþan *morgenlēoht* | ... ōþres dōgores | ... sūþan
    scīneð.   604
  Ðā wæs *morgenlēoht* | scofen ond scynded.   917
morgenlongen.
  þær ... | *morgenlongne* dæg mōdgīomor sæt   2894
morgenna.
  bið gemyndgad *morna* gehwylce | eaforan ellorsīð;   2450
morgenne.
  ac on *mergenne* mēcum wunde | ... lǣgon,   565
  þā ic on *morgne* gefrægn mǣg ōðerne | ... stǣlan,   2484
  cwæð, hē on *mergenne* mēces ecgum | gētan wolde,   2939
morgenswēg.
  þā wæs ... wōp ūp āhafen, | micel *morgenswēg.*   129
morgentīd.
  Ðonne wæs þēos medoheal on *morgentīd* | ... drēorfāh, 484
  þā hine on *morgentīd* | ... holm ūp ætbær;   518
morgne. *See* **morgenne.**
mōrhopu.
  eteð āngenga unmurnlīce, | mearcað *mōrhopu;*   450
morna. *See* **morgenna.**
morðbeala.
  eft gefremede | *morðbeala* māre   136
morðorbealu.
  ðā hēo ... gesēon meahte | *morþorbealo* māga,   1079
  forðam mē wītan ne ðearf Waldend ... | *morðor-*
    bealo māga,   2742
morðorbed.
  Wæs ... | mǣges dǣdum *morþorbed* strēd,   2436
morðorhetes.
  gyf ... hwylc ... | ðæs *morþorhetes* myndgiend wǣre, 1105

morðre.

draca *morðre* swealt.	892

hē ... gewāt, | *morþre* gemearcod, mandrēam flēon,	1264

oð þæt hē *morðre* swealt.	2782

morðres.

þā þās worold ofgeaf | ... Godes ondsaca, | *morðres*
scyldig,	1683

byre... | *morðres* gylpe[ð], ond þone māðþum byreð,	2055

mōst.

þæt þū on Heorote *mōst* | sorhlēas swefan	1671

mōstan. *See* **mōston.**

mōste.

nō hē þone gifstōl grētan *mōste,*	168

þæt hīe ne *mōste* ... | se synscaþa ... bregdan;	706

þæt hē mā *mōste* manna cynnes | ðicgean	735

þæt hē bēahhordes brūcan *mōste* | selfes dōme;	894

þæt ðū hine selfne gesēon *mōste,*	961

þæt ic gumcystum gōdne funde | ..., brēac þonne
mōste.	1487

þæt hit scēadenmǣl scȳran *mōste,* | cwealmbealu cȳðan.	1939

þæs ðe ic ðē gesundne gesēon *mōste.*	1998

þæt hē lȳtel fǣc longgestrēona | brūcan *mōste.*	2241

Nalles hē ... | brēostweorðunge bringan *mōste,*	2504

ðǣr hē þȳ fyrste forman dōgore | wealdan *mōste,*	2574

ðe ic *mōste* mīnum lēodum | ... swylc gestrȳnan.	2797

Bēahhordum leng | wyrm wōhbogen wealdan ne *mōste,*	2827

þæt ðām hringsele hrīnan ne *mōste* | gumena ǣnig,	3053

mōston.

þæt hīe healfre geweald | ... āgan *mōston,*	1088

þæs þe hī hyne gesundne gesēon *mōston.*	1628

þæt h[ī]e seoððan gesēon *mōston,* | mōdige on meþle.	1875

þenden hīe ðām wǣpnum wealdan *mōston,*	2038

Nōðer hȳ hine ne *mōston,* ... | bronde forbærnan,	2124

Heald þū nū, hrūse, nū hæleð ne *mōstan,* | eorla ǣhte.	2247

þæt hīe wælstōwe wealdan *mōston,*	2984

mōt.

þe *mōt* | æfter dēaðdæge Drihten sēcean,	186

Wēn ic þæt hē wille, gif hē wealdan *mōt,* | ...
Gēatena lēode | etan	442

Gǣþ eft sē þe *mōt* | tō medo mōdig, 603
londrihtes *mōt* | ... monna ǣghwylc | īdel hweorfan, 2886
mōte.
þæt ic *mōte* āna [ond] mīnra eorla gedryht | ...
Heorot fǣlsian. 431
brūc þenden þū *mōte* | manigra mēda, 1177
wyrce sē þe *mōte* | dōmes ǣr dēaþe; 1387
mōton.
þæt wē hine swā gōdne grētan *mōton.* 347
þæt hīe ... wið þē *mōton* | wordum wrixlan; 365
Nū gē *mōton* gangan in ēowrum gūðgeatawum | ...
Hrōðgār gesēon; 395
multon.
hafelan *multon,* | bengeato burston; 1120
mundbora.
Wes þū *mundbora* mīnum magoþegnum, 1480
þām ðāra māðma *mundbora* wæs 2779
mundgripe.
þæt hē þrittiges | manna mǣgencrǣft on his *mund-*
gripe | ... hæbbe. 380
þæt hē ne mētte ... | *mundgripe* māran; 753
þæt hē for mu*ndgripe* mīnum scolde | licgean līfbysig, 965
strenge getrūwode, | *mundgripe* mǣgenes. 1534
wæs | æfter *mundgripe* mēce geþinged, 1938
mundum.
þrymmum cwehte | mǣgenwudu *mundum,* 236
þǣr git ... | mǣton merestrǣta, *mundum* brugdon, 514
þe hit mid *mundum* bewand, 1461
sceall gār wesan | ... *mundum* bewunden, 3022
Ic ... gefēng | micle mid *mundum* mǣgenbyrðenne 3091
murne.
þæt hē his frēond wrece, þonne hē fela *murne.* 1385
murnende.
him wæs gēomor sefa, | *murnende* mōd. 50
mūðan.
onbrǣd þā bealohȳdig ... | recedes *mūþan.* 724
mūðbonan.
him Grendel wearð, | mǣrum maguþegne, tō *mūð-*
bonan, 2079

myndgað.

myndgað mǣla gehwylce | sārum wordum,   2057

myndgiend.

gyf...hwylc... | ðæs morþorhetes *myndgiend* wǣre,   1105

myne.

ne his *myne* wisse.   169
þonne his *myne* sōhte,   2572

mynte.

mynte se mānscaða manna cynnes | sumne besyrwan   712
mynte þæt hē gedǣlde... | līf wið līce,   731
Mynte se mǣra... | wīdre gewindan   762

myrcan.

gegnum fōr | ofer *myrcan* mōr,   1405

myrðe.

sē þe fela ǣror | mōdes *myrðe*... | fyrene gefremede,   810

N.

naca.

þā wæs on sande sǣgēap *naca* | hladen herewǣdum,   1896

nacan.

secgas bǣron | on bearm *nacan* beorhte frætwe,   214
ic maguþegnas mīne hāte... | nīwtyrwydne *nacan*
... | ārum healdan,   295
Gewāt him on *nacan* | drēfan dēop wæter,   1903

nacod.

Hæfdon swurd *nacod*, | þā wit on sund rēon,   539
nacod nīðdraca, nihtes flēogeð | fȳre befangen;   2273
gūðbill geswāc | *nacod* æt nīðe,   2585

næfre.

Nǣfre ic māran geseah | eorla ofer eorþan,   247
Breca *nǣfre* git... | swā dēorlīce dǣd gefremede   583
þæt *nǣfre* Gre[n]del swā fela gryra gefremede,   591
Nǣfre ic ǣnegum men ǣr ālȳfde... | ðrȳþærn Dena   655
Nǣfre hē... | heardran hæle, healðegnas fand.   719
nǣfre on ōre læg | wīdcūþes wīg,   1041
swā hȳ *nǣfre* man lyhð,   1048
nǣfre hit æt hilde ne swāc | manna ǣngum,   1460

nǣgde.

    þæt hē þone wīsan wordum *nǣgde*   1318

nægla.

    wæs steda *nægla* gehwylc stȳle gelīcost,   985

nægled.

    þǣr hīo [*næ*]*gled* sinc | hæleðum sealde.   2023

Nægling.

    Nægling forbærst,   2680

næs.

    nīða genæged ond on *næs* togen,   1439

næshleoðum.

    gesāwon ... | swylce on *næshleoðum* nicras licgean,   1427

næssa.

    ðǣr fyrgenstrēam | under *næssa* genipu niþer gewīteð,   1360

næssas.

    Hīe dȳgel lond | warigeað, ... windige *næssas*,   1358
    Oferēode þā æþelinga bearn ... | nēowle *næssas*,   1411
    þæt hīe Gēata clifu ongitan meahton, | cūþe *næssas*;   1912

næsse.

    Beorh eall gearo | wunode on wonge ... | nīwe be
        næsse,   2243
    Gesæt ðā on *næsse* nīðheard cyning,   2417
    sē scel ... | hēah hlīfian on Hrones *næsse*,   2805
    Þǣr wæs ... | ... boren | hār hilde[rinc] tō Hrones
        næsse.   3136

nāh.

    Nāh hwā sweord wege,   2252

nam. *See* **nōm.**

nama.

    Bēowulf is mīn *nama*.   343
    wæs þǣm hæftmēce Hrunting *nama*;   1457

naman.

    scōp him Heort *naman*,   78

nāman. *See* **nōmon.**

nāt.

    sceaðona ic *nāt* hwylc, | dēogol dædhata, ... | ēaweð
    ... uncūðne nīð,   274
    Nāt hē þāra gōda, þæt hē mē ongēan slēa,   681

nāthwylc.
 þǣr on innan gīong | niða *nāthwylc*   2215
 gumena *nāthwylc* | eormenlāfe ... | þanchycgende
  þǣr gehȳdde,   2233
nāthwylces.
 þāra banena byre *nāthwylces* | ... on flet gǣð,   2053
 þ[ēow] *nāthwylces* | hæleða bearna heteswengeas flēah, 2225
nāthwylcum.
 þæt hē [in] nīðsele *nāthwylcum* wæs,   1513
nēah, *adj.*
 bið se slǣp tō fæst, | ... bona swīðe *nēah,*   1743
 Him wæs gēomor sefa, | ... wyrd ungemete *nēah,*   2420
 ðā wæs ... | ... dēað ungemete *nēah*:   2728
nēah, *adv.*
 þæt hīe mē þēgon, | symbel ymbsǣton sǣgrunde *nēah*; 564
 þæt ðē feor ond *nēah* | ... weras ehtigað,   1221
 selfa mid gesīðum sǣwealle *nēah.*   1924
 Beorh eall gearo | wunode on wonge wæterȳðum *nēah,* 2242
 hē tō forð gestōp | dyrnan cræfte dracan hēafde *nēah.* 2290
 hlǣw under hrūsan holmwylme *nēh,*   2411
 ne meahte horde *nēah* | unbyrnende ... | dēop ge-
  dȳgan   2547
 þæt se wīdfloga ... | hrēas on hrūsan hordærne *nēah*; 2831
 sæt | feðecempa frēan eaxlum *nēah,*   2853
 swylce hē ... | ... feor oððe *nēah* findan meahte,   2870
nēan.
 gif þū Grendles dearst | nihtlongne fyrst *nēan* bīdan. 528
 fērdon folctogan feorran ond *nēan* | ... wundor
  scēawian,   839
 nēan ond feorran þū nū [freoðo] hafast.   1174
 Wæs ... | nearofāges nīð *nēan* ond feorran,   2317
 þæt gē genōge *nēon* scēawiað | bēagas   3104
nēar.
 Forð *nēar* ætstōp,   745
nearo.
 forðon hē ǣr fela, | *nearo* nēðende, nīða gedīgde,   2350
 nearo ðrōwode | fȳre befongen,   2594
nearocræftum.
 Beorh eall gearo wunode ... | ... *nearocræftum* fæst; 2243

nearofāges.

Wæs... | *nearofāges* nīð nēan ond feorran,   2317

nearoðearfe.

nearoþearfe drēah,   422

nearwe, *adj.*

Oferēode þā æþelinga bearn | ... stīge *nearwe*,   1409

nearwe, *adv.*

hyne sār hafað | in *nȳ*dgripe *nearwe* befongen,   976

nefa.

þone hring hæfde Higelāc Gēata, | *nefa* Swertinges, 1203
þonon Ēom*ǣr* wōc... | *nefa* Gārmundes, nīða cræftig. 1962
Hygelāce wæs | nīða heardum *nefa* swȳðe hold,   2170

nefan.

þonne hē swulces hwæt secgan wolde, | ēam his *nefan*, 881
Heaðo-Scilfingas | nīða genǣgdan *nefan* Hererīces — 2206

nēh. *See* **nēah.**

nemdon.

þone on gēardagum Grendel *nemdo*n | foldbūende;   1354

nemnan.

þā ic Frēaware fletsittende | *nemnan* hȳrde,   2023

nemnað.

þone yldestan ōretmecgas | Bēowulf *nemnað*.   364

nēode.

wē þǣr inne ondlangne dæg | *nīode* nāman,   2116

nēodlaðum.

frægn gif him wǣre | æfter *nēodlaðu* niht getǣse.   1320

nēon. *See* **nēan.**

nēosan.

Gewāt ðā *nēosian* ... | hēan hūses,   115
þanon eft gewāt... | mid þǣre wælfylle wīca *nēosan*. 125
Gewiton him ðā wīgend wīca *nēosian*   1125
Gēat wæs glædmōd, gēong sōna tō, | setles *nēosan*, 1786
wolde blondenfeax beddes *nēosan*, | gamela Scylding. 1791
wolde feor þanon | cuma collenferhð cēoles *nēosan*. 1806
gǣst yrre cwōm, | eatol æfengrom, ūser *nēosan*,   2074
lȳt eft becwōm | fram þām hildfrecan hāmes *nīosan*. 2366
gewāt Ongenðīoes bearn | hāmes *nīosan*,   2388
wyrm yrre cwōm... | fȳrwylmum fāh fīonda *nīos[i]an*, 2671
nyðer eft gewāt | dennes *nīosian*;   3045

nēosaδ.

þǣr Ongenþēow Eofores *nīosaδ*;   2486

nēosian. *See* **nēosan.**

nēot.

Brūc δisses bēages... | ... ond þisses hrægles *nēot*,   1217

nēowle.

Oferēode þā æþelinga bearn... | *nēowle* næssas,   1411

nereδ.

Wyrd oft *nereδ* | unfǣgne eorl,   572

nēδdon.

δǣr git... | ... on dēop wæter | aldrum *nēþdon*?   510

þæt wit on gārsecg ūt | aldrum *nēδdon*;   538

nēδende.

forδon hē ǣr fela, | nearo *nēδende*, nīδa gedīgde,   2350

nicera.

nīδa ofercumen on *nicera* mere,   845

niceras.

on ȳδum slōg | *niceras* nihtes,   422

þæt ic mid sweorde ofslōh | *niceras* nigene.   575

gesāwon... | swylce on næshleoδum *nicras* licgean,   1427

nicerhūsa.

Oferēode þā æþelinga bearn... | ... *nicorhūsa* fela;   1411

nicor-. *See* **nicer-.**

nicras. *See* **niceras.**

nīehstan.

þone hring hæfde Higelāc Gēata, | ... *nȳhstan* sīδe,   1203

Bēowulf... bēotwordum sprǣc | *nīchstan* sīδe: 2511

niht.

Gewāt δā nēosian, syþδan *niht* becōm, | hēan hūses,   115

Næs hit lengra fyrst, | ac ymb āne *niht*   135

Git on wæteres ǣht | seofon *niht* swuncon;   517

oþ þæt unc flōd tōdrāf, ... | nīpende *niht*   547

Nō ic on *niht* gefrægn | ... heardran feohtan,   575

siδδan hīe sunnan lēoht gesēon [ne] meahton, | oþδe

nīpende *niht* ofer ealle,   649

wit on *niht* sculon | secge ofersittan,   683

Cōm on wanre *niht* | scrīδan sceadugenga.   702

þæt hē mā mōste manna cynnes | δicgean ofer þā

niht.   736

frægn gif him wǣre | æfter nēodlaðu *niht* getǣse. 1320
þe þū gystran *niht* Grendel cwealdest 1334
oð ðæt *niht* becwōm | ōðer tō yldum. 2116
wēan oft gehēt | . . . ondlonge *niht*; 2938
nihta.
  Ðā wit ætsomne on sǣ wǣron | fīf *nihta* fyrst, 545
  þǣr mæg *nihta* gehwǣm nīðwundor sēon, 1365
nihtbealwa.
  nȳdwracu nīþgrim, *nihtbealwa* mǣst. 193
nihtes.
  on ȳðum slōg | niceras *nihtes*, 422
  ān æfter eallum, unblīðe hwē[op] | dæges ond *nihtes*, 2269
  nacod nīðdraca *nihtes* flēogeð | fȳre befangen; 2273
  lyftwynne hēold | *nihtes* hwīlum, 3044
nihthelm.
  Nihthelm geswearc | deorc ofer dryhtgumum. 1789
nihtlongne.
  gif þū Grendles dearst | *nihtlongne* fyrst nēan bīdan. 528
nihtum.
  Heorot eardode, | sincfāge sel sweartum *nihtum*; 167
  dēogol dǣdhata deorcum *nihtum* | ēaweð . . . un-
    cūðne nīð, 275
  oð ðæt ān ongan | deorcum *nihtum* draca rīcs[i]an, 2211
nihtweorce.
  nihtweorce gefeh, | ellenmǣrþum. 827
niman.
  se hearda. . . | sunu Ecglāfes heht his sweord *niman*, 1808
  lēton wēg *niman* | . . . frætwa hyrde. 3132
nime.
  Onsend Higelāce, gif mec hild *nime,* | beaduscrūda
    betst, 452
  Wes þū mundbora mīnum magoþegnum | . . . gif
    mec hild *nime*; 1481
nimeð.
  hine dēað *nimeð.* 441
  gif mec dēað *nimeð*; 447
  nymeð nȳdbāde, nænegum ārað 598
  ic mē mid Hruntinge | dōm gewyrce, oþðe mec dēað
    nimeð. 1491

þæt ðe gār *nymeð*, | ... Hrēþles eaferan,	1846
gūð *nimeð*, | feorhbealu frēcne, frēan ēowerne.	2536
nīo-. *See* **nēo-.**
nioðor. *See* **niðer.**
nīowan. *See* **nīwan.**
nīpende.
	oþ þæt unc flōd tōdrāf, ... | *nīpende* niht	547
	oþðe *nīpende* niht ofer ealle,	649
nīð.
	ðe sceal | þurh slīðne *nīð* sāwle bescūfan | in fȳres
		fæþm,	184
	dēogol dǣdhata ... | ēaweð þurh egsan uncūðne *nīð*,	276
	wrǣc Wedera *nīð* (wēan āhsodon),	423
	Wǣs ... | nearofāges *nīð* nēan ond feorran,	2317
niða. *See* **niðða.**
nīða.
	nīða ofercumen on nicera mere,	845
	swā hīe ā wǣron | æt *nīða* gehwām nȳdgesteallan;	882
	nīða genǣged ond on næs togen, | wundorlīc wǣg-
		bora;	1439
	þonon Ēomǣr wōc ... | nefa Gārmundes, *nīða* cræftig.	1962
	Hygelāce wæs | *nīða* heardum nefa swȳðe hold,	2170
	Heaðo-Scilfingas | *nīða* genǣgdan nefan Hererīces —	2206
	forðon hē ǣr fela, | nearo nēðende, *nīða* gedīgde,	2350
	Swā hē *nīða* gehwane genesen hæfde,	2397
nīðdraca.
	nacod *nīðdraca* nihtes flēogeð | fȳre befangen;	2273
nīðe.
	Hæfde ... | ... sele Hrōðgāres | genered wið *nīðe*;	827
	gūðbill geswāc | nacod æt *nīðe*,	2585
	þæt hyt on heafolan stōd | *nīþe* genȳded;	2680
niðer.
	ðǣr fyrgenstrēam | under næssa genipu *niþer* ge-
		wīteð,	1360
	þæt hē þone nīðgæst *nioðor* hwēne slōh,	2699
	nyðer eft gewāt | dennes nīosian;	3044
nīðgæst.
	þæt hē þone *nīðgæst* nioðor hwēne slōh,	2699

nīðgeweorca.
 þēah ðe hē rōf sīe | *nīþgeweorca*; 683
nīðgrim.
 nȳdwracu *nīþgrim,* nihtbealwa mæst. 193
nīðheard.
 Gesæt ðā on næsse *nīðheard* cyning, 2417
nīðhȳdige.
 swylce on horde ær | *nīðhēdige* men genumen hæfdon; 3165
nīðsele.
 þæt hē [in] *nīðsele* nāthwylcum wæs, 1513
niðða.
 ac gesacan sceal . . . , | nȳde genȳdde, *niþða* bearna |
 . . . gearwe stōwe, 1005
 þær on innan gīong | *niða* nāthwylc 2215
nīðwundor.
 þær mæg nihta gehwæm *nīðwundor* sēon, 1365
nīwan.
 þā wæs . . . | . . . fægere gereorded | *nīowan* stefne. 1789
 hreðer æðme wēoll, | *nīwan* stefne; 2594
nīwe.
 Swēg ūp āstāg | *nīwe* geneahhe; 783
 heald forð tela | *nīwe* sibbe. 949
 Beorh eall gearo | wunode . . . | *nīwe* be næsse, 2243
nīwra.
 Lȳt swīgode | *nīwra* spella, 2898
nīwtyrwydne.
 nīwtyrwydne nacan . . . | ārum healdan, 295
nōm.
 nam þā mid handa higeþihtigne | rinc 746
 Ne *nōm* hē in þæm wīcum . . . | māðm-æhta mā, 1612
 nam on Ongenðīo īrenbyrnan, 2986
nōmon.
 wē þær inne ondlangne dæg | nīode *nāman,* 2116
nōn.
 Ðā cōm *nōn* dæges; 1600
norð.
 þætte sūð ne *norð* . . . | . . . ōþer nænig | . . . sēlra
 nære 858

norðan.

  norþan wind | heaðogrim ondhwearf;   547

Norð-Denum.

  Norð-Denum stōd | atelīc egesa, ānra gehwylcum,   783

nosan.

  nō hē mid hearme of hliðes *nosan* | gæs[tas] grētte, 1892
  Hātað heaðomǣre hlǣw gewyrcean | ... æt brimes
  nosan;   2803

nōðer.

  Nōðer hȳ hine ne mōston ... | bronde forbærnan,   2124

numen.

  Ðā wæs... | ...Fin slægen | ...ond sēo cwēn *numen*. 1153

nȳd.

  þonne se ān hafað | þurh dēaðes *nȳd* dǣda gefondad. 2454

nȳdbāde.

  nymeð *nȳdbāde*, nǣnegum ārað   598

nȳde.

  ac gesacan sceal... , | *nȳde* genȳdde, niþða bearna |
  ... gearwe stōwe,   1005

nȳdgesteallan.

  swā hīe ā wǣron | æt nīða gehwām *nȳdgesteallan*;   882

nȳdgripe.

  hyne sār hafað | in nȳ*dgripe* nearwe befongen,   976

nȳdwracu.

  nȳdwracu nīþgrim, nihtbealwa mǣst.   193

nȳhstan. *See* **nīehstan.**

nymeð. *See* **nimeð.**

nymðe.

  nymþe līges fæþm | swulge on swaþule.   781
  nymðe mec God scylde.   1658

nytte.

  þegn *nytte* behēold,   494
  ne his līfdagas lēoda ǣnigum | *nytte* tealde.   794
  sceft *nytte* hēold,   3118

nyðer. *See* **niðer.**

O.

ofercōmon.

  þæt hīe fēond heora | ... *ofercōmon*,   699

ofercumen.
    nīða *ofercumen* on nicera mere,   845
ofercwōm.
    ðȳ hē þone fēond *ofercwōm,* | gehnægde helle gāst.   1273
oferēode.
    Oferēode þā æþelinga bearn | stēap stānhliðo,   1408
oferēodon.
    freoðowong þone forð *oferēodon,*   2959
oferflāt.
    hē þē æt sunde *oferflāt,*   517
oferflēon.
    Nelle ic ... | *oferflēon* fōtes trem,   2525
oferhelmað.
    wæter *oferhelmað.*   1364
oferhīgian.
    mæg | ... gumcynnes gehwone | *oferhīgian,*   2766
oferhogode.
    Oferhogode ðā hringa fengel,   2345
oferhȳda. *See* **oferhygda.**
oferhygda.
    oð þæt him on innan *oferhygda* dǣl | weaxeð ond
      wrīdað,   1740
    oferhȳda ne gȳm, | mǣre cempa.   1760
ofermǣgene.
    elne geēodon mid *ofermægene,*   2917
ofermāðmum.
    geald þone gūðrǣs Gēata dryhten ... | ... mid
    ofermāðmum,   2993
ofersāwon.
    selfe *ofersāwon,* ðā ic of searwum cwōm,   419
ofersittan.
    wit on niht sculon | secge *ofersittan,*   684
ofersitte.
    þæt ic wið þone gūðflogan gylp *ofersitte.*   2528
ofersōhte.
    sē ðe mēca gehwane ... | swenge *ofersōhte,*   2686
oferswam.
    Oferswam ðā sioleða bīgong sunu Ecgðēowes,   2367

oferswȳðeð.

hū hē frōd ond gōd fēond *oferswȳðeþ*,   279
þæt ðec, dryhtguma, dēað *oferswȳðeð*.   1768

oferwearp.

oferwearp þā wērigmōd wigena strengest,   1543

ofeste. *See* **ofoste.**

Offa.

Forðam *Offa* wæs | geofum ond gūðum gārcēne man,   1957

Offan.

syððan hīo *Offan* flet . . . | sīðe gesōhte;   1949

offerede.

ond ōðer swylc ūt *offerede*,   1583

ofgeaf.

þā þās worold *ofgeaf* | gromheort guma,   1681
Gewāt him on nacan | . . . , Dena land *ofgeaf*.   1904
gūðdēað fornam, | . . . fȳra gehwylcne, | . . . þāra ðe
   þis [līf] *ofgeaf*;   2251
Hē ðā mid þǣre sorhge . . . | gumdrēam *ofgeaf*,   2469

ofgēafon.

næs *ofgēafon* | hwate Scyldingas;   1600
þæt ðā hildlatan holt *ofgēfan*,   2846

ofgēfan. *See* **ofgēafon.**

ofgyfan.

þæt se . . . maga Ecgðēowes | grundwong þone *of-
gyfan* wolde;   2588

oflǣtest.

gyf þū ǣr þonne hē | . . . worold *oflǣtest*;   1183

oflēt.

se ellorgāst | *oflēt* līfdagas   1622

ofost.

ofost is sēlest   256
Nū is *ofost* betost,   3007

ofoste.

Bēo ðū on *ofeste*,   386
Hēo wæs on *ofste*,   1292
Bīo nū on *ofoste*,   2747
Ār wæs on *ofoste*, eftsīðes georn,   2783
Ic on *ofoste* gefēng | micle . . . mægenbyrðenne   3090

ofostlīce.

þæt hī *ofostlīc*[*e*] ūt geferedon | dȳre māðmas.   3130

ōfre.

ær hē feorh seleð, | aldor on *ōfre,*   1371

ofsæt.

Ofsæt þā þone selegyst, ond hyre sea*x* getēah   1545

ofscēt.

miste mercelses ond his mǣg *ofscēt,*   2439

ofslōh.

þæt ic mid sweorde *ofslōh* | niceras nigene.   574

Ofslōh ðā æt þǣre sæcce ... | hūses hyrdas.   1665

syðþan flōd *ofslōh* | ... gīganta cyn;   1689

Weard ǣr *ofslōh* | fēara sumne;   3060

ofste. *See* **ofoste.**

oftēah.

Oft Scyld Scēfing ... | monegum mægþum meodo-
setla *oftēah.*   5

ho*n*d swenge ne *oftēah,*   1520

hond ... | ... feorhsweng ne *oftēah.*   2489

ofðyncan.

Mæg þæs þonne *ofþyncan* ðēoden Heaðobeardna   2032

ōhwǣr.

ne gesacu *ōhwǣr,* | ecghete, ēoweð,   1737

swylce hē þrȳðlīcost | *ōwēr* ... findan meahte,   2869

Ōhteres.

Hyne wrǣcmǣcgas | ofer sǣ sōhtan, suna *Ōhteres;*   2380

folce gestēpte | ofer sǣ sīde sunu *Ōhteres,*   2394

þæt wæs mid eldum Ēanmundes lāf, | suna *Ōhtere*[*s*], 2612

Sōna him se frōda fæder *Ōhtheres* | ... ondslyht
āgeaf,   2928

Onelan mōdor ond *Ōhtheres*   2932

Ōhtheres. *See* **Ōhteres.**

ombiht.

Weard maþelode, ... | *ombeht* unforht: 287

Ic eom Hrōðgāres | ār ond *ombiht.*   336

ombihtðegne.

sealde his hyrsted sweord, | īrena cyst, *ombihtþegne,*   673

ōmig.

þǣr wæs helm monig | eald ond *ōmig,*   2763

ōmige.

    lāgon ... dȳre swyrd, | *ōmige,* þurhetone,   3049

onarn.

    duru sōna *onarn,* | fȳrbendum fæst,   721

onbād.

    Hordweard *onbād* | earfoðlīce,   2302

onband.

    onband beadurūne   501

onberan.

    þæt ðæs āhlæcan | blōdge beadufolme *onberan* wolde.   990

onbīdan.

    lætað hildebord hēr *onbīdan* | ... worda geþinges.   397

onboren.

    Ðā wæs hord rāsod, | *onboren* bēaga hord;   2284

onbrǣd.

    onbrǣd þā bealohȳdig ... | recedes mūþan.   723

oncerbendum.   *See* **ancerbendum.**

oncirde.

    eorl Ongenþīo ufor *oncirde;*   2951

    syððan ðēodcyning þyder *oncirde.*   2970

oncirran.

    Ne meahte hē ... | ... ðæs Wealdendes [willan]
        wiht *oncirran.*   2857

oncnīow.

    hordweard *oncnīow* | mannes reorde;   2554

oncȳð.

    wæs ... | *oncȳð* eorla gehwǣm,   1420

oncȳððe.

    swylce *oncȳþðe* ealle gebētte, | inwidsorge,   830

ondhwearf.

    norþan wind | heaðogrim *ondhwearf;*   548

ondlangne.   *See* **andlongne.**

ondrǣdan.

    þæt þū him *ondrǣdan* ne þearft, ... | aldorbealu
        eorlum,   1674

ondrǣdað.

    hyne foldbūend | [swīðe *ondrǣ*]da[ð].   2275

ondrēd.

    nō hē him þā sæcce *ondrēd,*   2347

ondrysne.

Mōd Ðrȳðo wæg, | . . . firen *ondrysne*;   1932

ondsaca.

þās worold ofgeaf | gromheort guma, Godes *ondsaca*, 1682

ondsacan.

þe of wealle wōp gehȳrdon, | gryreléoð galan Godes
ondsacan,   786

ondslyht.

se frōda fæder Ōhtheres | . . . *ondslyht* agēaf,   2929
Ne meahte se . . . sunu Wonrēdes | . . . *ondslyht* giofan, 2972

ondsware.

þē þā *ondsware* ǣdre gecȳðan,   354
nalas *ondsware* | bīdan wolde ;   1493
Hrōðgār maþelode him on *ondsware* :   1840

ondswarode.

Him se yldesta *ondswarode*,   258
Him þā ellenrōf *andswarode*,   340

ondswaru.

þā wæs æt ðām geongum grim *ondswaru* | eðbegēte, 2860

Onela.

eald sweord etonisc þæt him *Onela* forgeaf,   2616

Onelan.

Onelan mōdor ond Ōhtheres,   2932

ōnetton.

Gūþmōd grummon, guman *ōnetton*,   306
Scaþan *ōnetton*,   1803

onfand.

Ðā se gist *onfand* | þæt se beadoléoma bītan nolde, 1522
Landweard *onfand* | eftsīð eorla,   1890
stearcheort *onfand* | fēondes fōtlāst;   2288
hē þæt sōna *onfand*,   2300, 2713
þæt se wyrm *onfand*,   2629

onfēng.

Men ne cunnon secgan tō sōðe | . . . hwā þǣm hlæste
onfēng.   52
hléorbolster *onfēng* | eorles andwlitan,   688
hē *onfēng* hraþe | inwitþancum ond wið earm gesæt. 748
þǣr him hel *onfēng*.   852

Heal swēge *onfēng*.   1214
brimwylm *onfēng* | hilderince.   1494
onfōh.
Onfōh þissum fulle, frēodrihten mīn, | sinces brytta;
þū on sǣlum wes,   1169
onfōn.
þæt þæt ðēodnes bearn ... scolde | fæder æþelum
onfōn,   911
onfunde.
Sōna þæt *onfunde* fyrena hyrde,   750
Ðā þæt *onfunde,*   809
Sōna þæt *onfunde,* sē ðe flōda begong | ... behēold 1497
gif hē wæccende weard *onfunde*   2841
onfunden.
ac hē hafað *onfunden,*   595
Hēo wæs on ofste, ... | ... þā hēo *onfunden* wæs;   1293
ongan.
ān *ongan* | fyrene fre[m]man, fēond on helle;   100
Secg eft *ongan* | sīð Bēowulfes snyttrum styrian,   871
þæt sweord *ongan* ... | wīgbil wanian;   1605
Higelāc *ongan* | sīnne geseldan ... | fǣgre fricgean, 1983
ongan eldo gebunden, | ... gioguðe cwīðan | hilde-
strengo;   2111
oð ðæt ān *ongan* | deorcum nihtum draca rīcs[i]an, 2210
Ðā se gǣst *ongan* glēdum spīwan,   2312
þæt ðæt fȳr *ongon* | sweðrian syððan.   2701
Ðā sīo wund *ongon* ... | swelan ond swellan;   2711
hē hine eft *ongon* | wæteres weorpan,   2790
Ic ... | ... *ongan* swā þēah | ... mǣges helpan.   2878
ongeat.
fyrenðearfe *ongeat,*   14
Ðā se eorl *ongeat,*   1512
Ongeat þā se gōda grundwyrgenne,   1518
ongēaton.
bearhtm *ongēaton,* | gūðhorn galan.   1431
syððan hīe Hygelāces horn ond bȳman | gealdor
ongēaton,   2944
Ongenðēoes. *See* **Ongenðēowes.**
Ongenðēow.
þǣr *Ongenþēow* Eofores nīosað;   2486

þætte *Ongenðīo* ealdre besnyðede | Hæðcen Hrēþling 2924
eorl *Ongenþīo* ufor oncirdз;   2951
þær wearð *Ongenðīow* ecgum sweord*a* | ... on bīd
    wrecen,   2961
nam on *Ongenðīo* īrenbyrnan,   2986

Ongenðēowes.
bonan *Ongenþēoes* ... | geongne gūðcyning gōdne
    gefrūnon | hringas dǣlan.   1968
gewāt *Ongenðīoes* bearn | hāmes nīosan,   2387
oððe him *Ongenðēowes* eaferan wǣran | frome,
    fyrdhwate,   2475

Ongenðīo-. *See* **Ongenðēo-.**
onginneð.
onginneð gēomormōd geong[um] cempan | ... higes
    cunnian,   2044

ongit.
Ðū þē lǣr be þon, | gumcyste *ongit*;   1723

ongitan.
oþ þæt hȳ [s]æl timbred | ... *ongyton* mihton;   308
Mæg þonne ... *ongitan* Gēata dryhten,   1484
ær hē þone grundwong *ongytan* mehte.   1496
þæt hīe Gēata clifu *ongitan* meahton,   1911
þæt hē þone grundwong *ongitan* meahte,   2770

ongite.
þæt ic ǣrwelan, | goldǣht *ongite*,   2748

ongon. *See* **ongan.**
ongunnen.
hæbbe ic mǣrða fela | *ongunnen* on geogoþe.   409

ongunnon.
Nō hēr cūðlīcor cuman *ongunnon* | lindhæbbende;   244
Ongunnon þā on beorge bǣlfȳra mǣst | wīgend
    weccan;   3143

ongytan, -on. *See* **ongitan.**
onhōhsnode.
Hūru þæt *onhōhsnod*[e] Hemminges mǣg.   1944

onhrēred.
Wæs merefixa mōd *onhrēred*;   549
hete wæs *onhrēred*,   2554

onlǣteð.

ðonne forstes bend Fæder *onlǣteð*,   1609

onlāh.

þā hē þæs wǣpnes *onlāh* | sēlran sweordfrecan;   1467

onlēac.

werodes wīsa wordhord *onlēac*:   259

onlīcnes.

ðǣra ōðer wæs... | idese *onlīcnes*;   1351

onmēdlan.

þā for *onmēdlan* ... gesōhton | Gēata lēode Gūð-
Scilfingas.   2926

onmunde.

onmunde ūsic mærða, ond mē þās māðmas geaf,   2640

onsacan.

þæt hē sǣmannum *onsacan* mihte,   2954

onsǣce.

þætte freoðuwebbe fēores *onsǣce* |...lēofne mannan.   1942

onsǣge.

þǣr wæs Hondscīo hild *onsǣge*,   2076
Hæðcynne wearð, | Gēata dryhtne, gūð *onsǣge*.   2483

onsǣl.

Site nū tō symle ond *onsǣl* meoto, | sigehrēð secgum, 489

onsāwon.

wlitesēon wrætlīc weras *onsāwon*.   1650

onsend.

Onsend Higelāce... | beaduscrūda betst,   452
swylce þū ðā mādmas,... | Hrōðgār lēofa, Higelāce
onsend.   1483

onsende.

Hine hālig God | for ārstafum ūs *onsende*,   382

onsended.

Bealocwealm hafað | fela feorhcynna forð *onsended*. 2266

onsendon.

þe hine æt frumsceafte forð *onsendon*   45

onsittan.

þæt hē þā fæhðe ne þearf... | swīðe *onsittan*,   597

onspēon.

þegn ungemete till... |... his hel[m] *onspēon*.   2723

onsprungon.
    seonowe *onsprungon*, | burston bānlocan.   817
onstealde.
    sē ðæs orleges ōr *onstealde*;   2407
onswāf.
    Biorn under beorge bordrand *onswāf*   2559
onsȳn. *See* **ansȳn.**
ontyhte.
    þe ðone [þēodcyning] þyder *ontyhte*.   3086
onðāh.
    hē þæs ǣr *onðāh*.   900
onweald.
    Bēowulfe ... | eodor Ingwina *onweald* getēah,   1044
onwendan.
    ne mihte snotor hæleð | wēan *onwendan*;   191
    sibb æfre ne mæg | wiht *onwendan*, þām ðe wel
    þenceð.   2601
onwindeð.
    ðonne forstes bend Fæder onlæteð, | *onwindeð*
    wælrāpas,   1610
onwōc.
    oþ þæt him eft *onwōc* | hēah Healfdene;   56
    þā se wyrm *onwōc*, wrōht wæs genīwad;   2287
onwōcon.
    Ðanon untȳdras ealle *onwōcon*,   111
onwōd.
    hine fyren *onwōd*.   915
opene.
    Hordwynne fond | eald ūhtsceaða *opene* standan,   2271
openian.
    nefne God sylfa | ... sealde ... | ... hord *openian*,   3056
ōr.
    on ðǣm wæs ōr writen | fyrngewinnes,   1688
    sē ðæs orleges *ōr* onstealde;   2407
orcas.
    Geseah ðā sigehrēðig ... | ... *orcas* stondan,   2760
    Him big stōdan būnan ond *orcas*,   3047
orcnēas.
    Ðanon ... onwōcon | eotenas ond ylfe ond *orcnēas*,   112

ord.

    wið *ord* ond wið ecge ingang forstōd.   1549
    oð þæt wordes *ord* | brēosthord þurhbræc.   2791

orde.

    þæt ic āglǣcan *orde* gerǣhte,   556
    symle ic him on fēðan beforan wolde, | āna on *orde,* 2498
    sē ðe on *orde* gēong.   3125

ordfruma.

    Wæs mīn fæder... | æþele *ordfruma* Ecgþēow hāten; 263

ōre.

    nǣfre on *ōre* læg | wīdcūþes wīg,   1041

oreðe. *See also* **oruð.**

    þæt hē wið attorsceaðan *oreðe* gerǣsde,   2839

oreðes.

    ic ... wēne | [o]*reðes* ond *attres;*   2523

ōretmecgas.

    þā ðǣr wlonc hæleð | *ōretmecgas* æfter æþelum frægn: 332
    þone yldestan *ōretmecgas* | Bēowulf nemnað.   363
    Ful oft gebēotedon ... | ofer ealowǣge *ōretmecgas,* 481

ōretta.

    Wearp ðā wundenmǣl wrættum gebunden | yrre
        ōretta,   1532
    Ārās ðā bī ronde rōf *ōretta,*   2538

orfeorme.

    hē þǣr *orfeorme* feorhwunde hlēat | sweordes swengum, 2385

orleahtre.

    þæt wæs ān cyning | ǣghwæs *orleahtre,*   1886

orlege.

    ðonne wē on *orlege* | hafelan weredon,   1326

orleges.

    sē ðæs *orleges* ōr onstealde;   2407

orleghwīl.

    hwylc [orleg]*hwīl* uncer Grendles | wearð on ðām
        wange,   2002

orleghwīla.

    Fela ic on giogoðe gūðrǣsa genæs, | *orleghwīla;* 2427

orleghwīle.

    Nū ys lēodum wēn | *orleghwīle,*   2911

orðancum.

    on him byrne scān, | searonet sēowed smiþes *orþancum*   406
    Glōf ... | ... wæs *orðoncum* eall gegyrwed   2087

oruð. *See also* oreð-.

    cwōm | *oruð* āglǣcean ūt of stāne,   2557

orwearde.

    syððan *orwearde* ǣnigne dǣl | secgas gesēgon   3127

orwēna.

    se āglǣca | ... on flēam gewand, | aldres *orwēna.*   1002
    aldres *orwēna* yrringa slōh,   1565

Ōslāf.

    siþðan grimne gripe Gūðlāf ond *Ōslāf* | ... mǣndon,   1148

oðbær.

    Ðā mec sǣ *oþbær* | ... on Finna land,   579

oðēodon.

    oð ðæt hī *oðēodon* earfoðlīce   2934

oðferede.

    unsōfte þonan | feorh *oðferede*;   2141

oðwītan.

    ne ðorfte him ðā lēan *oðwītan* | mon   2995

ōwēr. *See* ōhwǣr.

ōwihte.

    Gif ic þonne on eorþan *ōwihte* mæg | þīnre mōdlufan
      māran tilian,   1822
    næs ic him ... lāðra *ōwihte* | ... þonne his bearna
      hwylc,   2432

R.

rād.

    sǣgenga bād | āge[n]dfrēan, sē þe on ancre *rād.*   1883
    hē ... | ... him tōgēanes *rād,*   1893

ræd.

    rǣd eahtedon, | hwæt ... sēlest wǣre | ... tō ge-
      fremmanne.   172
    Ic þæs Hrōðgār mæg | ... *rǣd* gelǣran,   278
    gecēas ēcne *rǣd.*   1201
    Nū is se *rǣd* gelang | eft æt þē ānum.   1376
    þæt *rǣd* talað,   2027
    Ne meahton wē gelǣran ... | rīces hyrde *rǣd* ǣnigne,   3080

rǣdan.

þone þe ðū mid rihte *rǣdan* sceoldest.   2056

Wolde dōm Godes dǣdum *rǣdan* | gumena gehwylcum, 2858

rǣdas.

þē þæt sēlre gecēos, | ēce *rǣdas*;   1760

rǣdbora.

Dēad is Æschere,... | mīn rūnwita ond mīn *rǣdbora*, 1325

Rǣdend.

rodera *Rǣdend* hit on ryht gescēd   1555

rǣhte.

rǣhte ongēan | fēond mid folme;   747

rǣs.

þæt hē gūðe *rǣs* | mid his frēodryhtne fremman
  sceolde;   2626

rǣsde.

rǣsde on ðone rōfan, þā him rūm āgeald,   2690

rǣste.

on *rǣste* genam | þrītig þegna;   122

þe him elles hwǣr | gerūmlīcor *rǣste* [sōhte],   139

nam þā ... higeþihtigne | rinc on *rǣste*;   747

Hrōþgār gewāt tō hofe sīnum, | rīce tō *rǣste*,   1237

þone ðe hēo on *rǣste* ābrēat, | blǣdfæstne beorn.   1298

hē on *rǣste* geseah | gūðwērigne Grendel licgan,   1585

rǣsum.

syððan Gēata cyning gūðe *rǣsum* ... | ... swealt   2356

rǣswa.

weoroda *rǣswa* | Heorogār, ond Hrōðgār ond Hālga til; 60

ran-. *See* **ron-.**

rāsod.

Ðā wæs hord *rāsod,* | onboren bēaga hord;   2283

raðe. *See* **hraðe.**

rēafedon.

wyrsan wīgfrecan wæl *rēafedon*   1212

rēafian.

Ðā ic on hlǣwe gefrægn hord *rēafian* | ... ānne
  mannan,   2773

rēafode.

þenden *rēafode* rinc ōðerne,   2985

þenden hē wið wulf wæl *rēafode*.   3027

reccan.

sē þe cūþe | frumsceaft fīra feorran *reccan*,   91

reccenne.

Tō lang ys tō *reccenne*,   2093

recceð.

þæt se æglæca | for his wonhȳdum wæpna ne *recceð*; 434

rēce.

Heofon *rēce* swe[a]lg.   3155

reced.

þæt þes sele stande, | *reced* sēlesta, ... | īdel ond
   unnyt,   412
Reced hlynsode;   770
reced weardode | unrīm eorla,   1237
reced hlīuade | gēap ond goldfāh;   1799

receda.

þæt wæs foremærost foldbūendum | *receda*   310

recede.

Cōm þā tō *recede* rinc sīðian   720
Geseah hē in *recede* rinca manige,   728
Hē æfter *recede* wlāt,   1572

recedes.

Setton sæmēþe ... | rondas ... wið þæs *recedes* weal, 326
onbræd þā bealohȳdig ... | *recedes* mūþan.   724
Ic ... þæt eall geondseh, | *recedes* geatwa,   3088

regnhearde.

Setton sæmēþe ... | rondas *regnhearde*,   326

rehte.

Gomela Scilding, | fela fricgende, feorran *rehte*;   2106
syllīc spell | *rehte* æfter rihte rūmheort cyning;   2110

rēnian.

Swā sceal mæg dōn, | nealles ... | ... dēað *rēn[ian]* |
   hondgesteallan.   2168

rēnweardas.

Yrre wæron bēgen | rēþe *rēnweardas*.   770

rēoc.

Wiht unhælo | ... gearo sōna wæs, | *rēoc* ond rēþe, 122

rēon.

þā git on sund *rēon*;   512
Hæfdon swurd nacod, þā wit on sund *rēon*,   539

reorde.

hordweard oncnīow | mannes *reorde*; 2555

reordian.

sceall... |... se wonna hrefn |... fela *reordian*, 3025

rēotað.

oð ðæt lyft drysmaþ, | roderas *rēotað*. 1376

rēote.

Gesyhð sorhcearig... |... windgereste, | *rēote* be-
rofene; 2457

restan.

Gēat un*g*emetes wel |... *restan* lyste; 1793

þæt þām folcum sceal... | sib gemǣn*e*, ond sacu
restan, 1857

reste.

Reste hine þā rūmheort; 1799

rēðe.

Wiht unhǣlo |... gearo sōna wæs, | rēoc ond *rēþe*, 122

Yrre wǣron bēgen | *rēþe* rēnweardas. 770

Hē him þæs lēan forgeald, | *rēþe* cempa, 1585

rīca.

þæt wæs foremǣrost... | receda... on þǣm se
rīca bād; 310

Ārās þā se *rīca*, ymb hine rinc manig, 399

Hraðe wæs gerȳmed, swā se *rīca* bebēad |... flet 1975

rīce, *sb.*

þæt þæt ðēodnes bearn... scolde |... gehealdan |
... hæleþa *rīce*, 912

þīnum māgum læf | folc ond *rīce*, 1179

gedēð him swā gewealdene worolde dǣlas, | sīde *rīce*, 1733

gyf þū healdan wylt | māga *rīce*. 1853

wæs... |... ōðrum swīðor | sīde *rīce*, 2199

syððan Bēowulfe brāde *rīce* | on hand gehwearf. 2207

þǣr him Hygd gebēad hord ond *rīce*, 2369

ðe ǣr gehēold | wið hettendum hord ond *rīce* 3004

rīce, *adj.*

Monig oft gesæt | *rīce* tō rūne, 172

Hē þā frætwe wæg,... | *rīce* þēoden; 1209

Hrōþgār gewāt tō hofe sīnum, | *rīce* tō ræste, 1237

Sē wæs Hrōþgāre hæleþa lēofost... | *rīce* randwīga, 1298

21

rīces.

þætte... | ... ōþer nænig | ... nǣre | rondhæbbendra,
    rīces wyrðra.   861
Ārīs, rīces weard;   1390
þenden ic wealde wīdan rīces,   1859
wine Scyldinga, | rīces hyrde,   2027
Ne meahton wē gelǣran... | rīces hyrde rǣd ænigne, 3080

ricone.

ricone ārǣrdon, ðā him gerȳmed wearð,   2983

rīcsian.

oð ðæt ān ongan | deorcum nihtum draca rīcs[i]an, 2211

rīcsode.

Swā rīxode ond wið rihte wan   144

rīdan.

Gewāt him þā tō waroðe wicge rīdan | þegn Hrōðgāres, 234
þanon eft gewiton... | ... mōdge mēarum rīdan, 855

rīde.

þæt his byre rīde | giong on galgan;   2445

rīdend.

rīdend swefað, | hæleð in hoðman;   2457

riht.

rodera Rǣdend hit on ryht gescēd   1555
sē þe sōð ond riht | fremeð   1700
þæt hē Wealdende | ofer ealde riht... | bitre gebulge; 2330

rihte, sb.

Swā rīxode ond wið rihte wan   144
sē þe secgan wile sōð æfter rihte.   1049
þone þe ðū mid rihte rǣdan sceoldest.   2056
syllīc spell | rehte æfter rihte rūmheort cyning; 2110

rihte, adv.

Swā wæs... | þurh rūnstafas rihte gemearcod, 1695

rinc.

Ārās þā se rīca, ymb hine rinc manig,   399
Cōm þā tō recede rinc sīðian   720
hē gefēng... | slǣpendne rinc, slāt unwearnum, 741
nam þā mid handa higeþihtigne | rinc   747
þenden rēafode rinc ōðerne,   2985

rinca.

þæt þes sele stande, | ... *rinca* gehwylcum | īdel ond
    unnyt,   412
Geseah hē in recede *rinca* manige,   728

rince.

ic for læssan ... teohhode | hordweorþunge, hnāhran
    rince,   952
Đā wæs gylden hilt gamelum *rince* | ... gyfen,   1677

riodan.

þā ymbe hlǣw *riodan* hildedēore   3169

rodera.

rodera Rǣdend hit on ryht gescēd   1555

roderas.

oð ðæt lyft drysmaþ, | *roderas* rēotað.   1376

roderes.

efne swā of hefene hādre scīneð | *rodores* candel.   1572

roderum.

þæt wæs foremǣrost ... | receda under *roderum*,   310

rodor-. *See* **roder-.**

rōf.

þēah ðe hē *rōf* sīe | nīþgeweorca;   682
Bold wæs betlīc, brego *rōf* cyning,   1925
ac hē mægnes *rōf* mīn costode,   2084
Ārās ðā bī ronde *rōf* ōretta,   2538
scealt nū dǣdum *rōf* ... | feorh ealgian;   2666

rōfan.

rǣsde on ðone *rōfan*,   2690

rōfne.

Gēat ungemetes wel, | *rōfne* randwigan, restan lyste;   1793

rond.

siþðan ic hond ond *rond* hebban mihte,   656
þæt hē mē ongēan slēa, | *rand* gehēawe,   682
Stīðmōd gestōd wið stēapne *rond* | winia bealdor,   2566
ne mihte ðā forhabban, hond *rond* gefēng,   2609
Līgȳðum forborn | bord wið *rond*;   2673

rondas.

geseah weard Scildinga ... | beran ofer bolcan
    beorhte *randas*,   231

sadolbeorht.

þæt hē ... Hygde gesealde ... | ... þrīo wicg ... |
swancor ond *sadolbeorht*; 2175

sǣ.

Ic tō *sǣ* wille | wið wrāð werod wearde healdan. 318
sē þe wið Brecan wunne, | on sīdne *sǣ* 507
Ðā wit ætsomne on *sǣ* wǣron | fīf nihta fyrst, 544
Ðā mec *sǣ* oþbær | ... on Finna land, 579
efne swā sīde swā *sǣ* bebūgeð | windge [e]ardweallas. 1223
Hyne wræcmæcgas | ofer *sǣ* sōhtan, 2380
folce gestēpte | ofer *sǣ* sīde sunu Ōhteres, 2394

sǣbāt.

Ic ... | *sǣbāt* gesæt mid mīnra secga gedriht, 633
sǣbāt gehlēod, 895

sæcca.

þæt hē mid ðȳ wīfe wælfæhða dæl, | *sæcca*, gesette. 2029

sæcce.

secce ne wēneþ | tō Gār-Denum. 600
ic ... teohhode | hordweorþunge, hnāhran rince, |
sǣmran æt *sæcce*. 953
sē þe ǣr æt *sæcce* gebād | wīghryre wrāðra, 1618
Ofslōh ðā æt þǣre *sæcce* ... | hūses hyrdas. 1665
Gesæt þā wið sylfne, sē ðā *sæcce* genæs, 1977
ðū ... gehogodest | *sæcce* sēcean ofer sealt wæter, 1989
nō hē him þā *sæcce* ondrēd, 2347
ic ... | ... tō aldre sceall | *sæcce* fremman, 2499
ðā wæs hringbogan heorte gefȳsed | *sæcce* tō sēceanne. 2562
þām æt *sæcce* wearð | ... Weohstā*n* bana 2612
þæt hē āna scyle | Gēata duguðe ... | gesīgan æt
sæcce; 2659
geswāc æt *sæcce* sweord Bīowulfes, 2681
þonne hē tō *sæcce* bær | wǣpen wund[r]um heard; 2686

sæce.

wǣg | ... fela missera | singale *sæce*; 154

sǣcyninga.

hæfdon hȳ forhealden ... | þone sēlestan *sǣcyninga*, 2382

sǣdan.

Ealodrincende ōðer *sǣdan*, 1945

326 COOK, [sǣdēor-sǣl

sǣdēor.

sǣdēor monig | hildetuxum heresyrcan bræc, 1510

sǣdracan.

gesāwon ... | sellīce sǣdracan sund cunnian, 1426

sægde.

Sǣgde sē þe cūþe | frumsceaft fīra feorran reccan, 90
Mē man sægde, þæt þū ðē for sunu wolde | hereri[n]c
  habban. 1175
sægde him þæs lǣnes þanc, 1809
Wīglāf ... | sægde gesīðum 2632
ac hē sōðlīce sægde ofer ealle: 2899

sægdest.

Hwæt! þū worn fela ... | ... ymb Brecan sprǣce, |
  sægdest from his sīðe. 532

sægdon.

Ðonne sægdon þæt sǣlīþende, 377

sǣgēap.

þā wæs on sande sǣgēap naca | hladen herewǣdum, 1896

Sǣ-Gēata.

hwylce Sǣ-Gēata sīðas wǣron: 1986

Sǣ-Gēatas.

þæt þē Sǣ-Gēatas sēlran nǣbben | tō gecēosenne 1850

sǣgenga.

sǣgenga bād | āge[n]dfrēan, 1882
sǣgenga fōr, 1908

sǣgon.

folc tō sǣgon 1422

sǣgrunde.

þæt hīe mē þēgon, | symbel ymbsǣton sǣgrunde nēah; 564

sæl.

Heorot eardode, | sincfāge sel sweartum nihtum; 167
oþ þæt hȳ [s]ǣl timbred | ... ongyton mihton; 307
ðǣr wē gesunde sǣl weardodon. 2075
ne gōd hafoc | geond sǣl swingeð, 2264

sǣl.

oþ þæt sǣl ālamp, 622
þā wæs sǣl ond mǣl, 1008
þā mē sǣl āgeald, 1665
oð ðæt sǣl cymeð, 2058

sǣla.

sē geweald hafað | *sǣla* ond mǣla;   1611

sǣlāc.

wē þē þās *sǣlāc* ... | ... brōhton   1652

sǣlāce.

sǣlāce gefeah, | mǣgenbyrþenne   1624

sǣlāde.

hē tō gyrnwrǣce | swīðor þōhte, þonne tō *sǣlāde,*   1139
Hīe on *sǣlāde* | drihtlīce wīf tō Denum feredon,   1157

sǣld.

ðǣr Hring-Dene | geond þæt *sǣld* swǣfun.   1280

sǣlde.

sǣlde tō sande sīdfæþme scip   1917

sǣldon.

sǣwudu *sǣldon;*   226

sǣle.

þā ðe syngales *sēle* bewitiað, | wuldortorhtan weder.   1135

sǣlīðend.

secgað *sǣlīðend* þæt þes sele stande ... | īdel ond
   unnyt,   411
Nū wē *sǣlīðend* secgan wyllað   1818
þæt hit *sǣlīðend* syððan hātan | Bīowulfes biorh,   2806

sǣlīðende.

Ðonne sǣgdon þæt *sǣlīþende,*   377

sǣlðe.

sorgcearig *sǣlðe* geneahhe,   3152

sǣlum.

þā wæs on *sālum* sinces brytta,   607
þā wæs ... | þrȳðword sprecen, ðēod on *sǣlum,*   643
þū on *sǣlum* wes, | goldwine gumena,   1170
Ne frīn þū æfter *sǣlum* ;   1322

sǣm.

þætte ... be *sǣm* twēonum | ... ōþer nǣnig | ... sēlra
   nǣre   858
Sē wæs Hrōþgāre hæleþa lēofost | ...be *sǣm* twēonum,   1297
on geweald gehwearf ... | ðǣm sēlestan be *sǣm*
   twēonum,   1685
þone sēlestan bī *sǣm* twēonum, | eormencynnes.   1956

sǣmanna.

    gāras stōdon, | *sǣmanna* searo, samod ætgædere,   329

sǣmannum.

    þæt hē *sǣmannum* onsacan mihte,   2954

sǣmēðe.

    Setton *sǣmēþe* sīde scyldas, | ... wið þæs recedes weal,   325

sǣmra.

    Symle wæs þȳ *sǣmra*,   2880

sǣmran.

    ic ... teohhode | hordweorþunge, hnāhran rince, |

       sǣmran æt sæcce.   953

sǣnæssas.

    þæt ðā līðende land gesāwon, ... | sīde *sǣnæssas*;   223

    þæt ic *sǣnæssas* gesēon mihte,   571

sǣnra.

    hē on holme wæs | sundes þē *sǣnra*,   1436

sǣrinc.

    hine ymb monig | snellīc *sǣrinc* selereste gebēah.   690

sǣsīðe.

    grimne gripe Gūðlāf ond Ōslāf | æfter *sǣsīðe* ...

       mændon,   1149

sæt.

    æþeling ærgōd unblīðe *sæt*,   130

    Weard maþelode, ðær on wicge *sæt*,   286

    Hwearf þā hrædlīce, þær Hrōðgār *sæt*   356

    þe æt fōtum *sæt* frēan Scyldinga,   500

    Unferþ þyle | æt fōtum *sæt* frēan Scyldinga;   1166

    þær se gōda *sæt*, | Bēowulf Gēata,   1190

    Hē gewērgad *sæt*,   2852

    þær ... | morgenlongne dæg mōdgīomor *sæt*   2894

sǣton.

    þā gōdan twēgen | *sǣton* suhtergefæderan;   1164

    Gistas *sētan* | mōdes sēoce,   1602

sǣwealle.

    Higelāc ... wunað | selfa mid gesīðum *sǣwealle* nēah.   1924

sǣwong.

    Gewāt ... se hearda ... | sylf æfter sande *sǣwong*

       tredan,   1964

sǣwudu.

   sǣwudu sǣldon;   226

sǣwylmas.

   gē him syndon ofer *sǣwylmas* | ... hider wilcuman.   393

sāle.

   seomode on *sāle* sidfæþmed scip,   302

   wæs þe mæste merehrægla sum, | segl *sāle* fæst;   1906

sālum. *See* **sǣlum.**

sam-. *See* **som-.**

san-. *See* **son-.**

sār.

   þe ... gehȳrdon, ... | ... *sār* wānigean | helle hæfton.   787

   hyne *sār* hafað | in *nȳ*dgripe nearwe befongen,   975

   þe him sīo *sār* belamp,   2468

sāre.

   Sum *sāre* angeald | æfenræste,   1251

   sē ðe him *sāre* gescēod;   2222

   þe him on sweofote *sāre* getēode;   2295

   hyt lungre wearð | on hyra sincgifan *sāre* geendod.   2311

   se wyrm ligeð, | swefeð *sāre* wund,   2746

sārigferð.

   Wīglāf maðelode, ... | sec[g] *sārigferð*   2863

sārigmōdum.

   Frōfor eft gelamp | *sārigmōdum* somod ærdæge,   2942

sārigne.

   þonne hē gyd wrece, | *sārigne* sang,   2447

sārlīc.

   Nō his līfgedāl | *sārlīc* þūhte secga ænegum,   842

   hwīlum gyd āwræc | sōð ond *sārlīc*;   2109

sārum.

   myndgað mæla gehwylce | *sārum* wordum,   2058

sāwele. *See* **sāwle.**

sāwlberendra.

   ac gesacan sceal *sāwlberendra* ... | ... gearwe stōwe,   1004

sāwle.

   sāwle bescūfan | in fȳres fæþm,   184

   on healfa gehwone hēawan þōhton, | *sāwle* sēcan: 801

   siððan drēama lēas | ... feorh ālegde, | hæþene *sāwle*;   852

   þonne se weard swefeð, | *sāwele* hyrde;   1742

sāwol.

him ... | *sāwol* sēcean sōðfæstra dōm.   2820

sāwollēasne.   *See* **sāwullēasne.**

sāwuldrīore.

hē geblōdegod wearð | *sāwuldrīore*;   2693

sāwullēasne.

magoþegna bær | þone sēlestan *sāwollēasne*,   1406
Fundon ðā on sande *sāwullēasne*   3033

sca-.   *See* **scea-.**

scān.

Gūðbyrne *scān* | heard hondlocen,   321
on him byrne *scān*,   405
woruldcandel *scān*, | sigel sūðan fūs;   1965

sceacan.

ðā cōm beorht *scacan* | [sunne ofer grundas].   1803

sceacen.

Ðā wæs winter *scacen*, | fæger foldan bearm;   1136
þā wæs dæg *sceacen* | wyrme on willan;   2306
ðā wæs eall *sceacen* | dōgorgerīmes,   2727

sceaceð.

þonne mīn *sceaceð* | līf of līce.   2742

scēadenmǣl.

þæt hit *scēadenmǣl* scȳran mōste, | cwealmbealu cȳðan. 1939

sceadu.

þæt hīe ne mōste, ... | se synscaþa under *sceadu*
bregdan;   707

sceadugenga.

Cōm on wanre niht | scrīðan *sceadugenga*.   703

sceaduhelma.

scaduhelma gesceapu scrīðan cwōman,   650

scealc.

Ēode *scealc* monig | swīðhicgende tō sele þām hēan   918
Nū *scealc* hafað | þurh Drihtnes miht dǣd gefremede, 939

sceamiende.

ac hȳ *scamiende* scyldas bǣran,   2850

sceamigan.

Nō hē þǣre feohgyfte | for scotenum *scamigan* ðorfte; 1026

sceapen.

sceapen ... [þā hyne] se fǣr begeat,   2230

scearp.

Ǣghwæþres sceal | *scearp* scyldwiga gescād witan,　288

scēatas.

gefrætwade foldan *scēatas* | leomum ond lēafum;　96

sceaðan.

Scaþan ōnetton,　1803

þæt wilcuman ... | *scaþan* scīrhame tō scipe fōron.　1895

sceaðena.

Oft Scyld Scēfing *sceaþena* þrēatum | ... meodosetla
　oftēah.　4

sceaðona ic nāt hwylc, | dēogol dǣdhata, ... | ēaweð
　... uncūðne nīð,　274

sceatta.

þæt hē ne mētte ... | eorþan *sceatta* ... | mundgripe
　māran;　752

sceattas.

ðāra þe on Sceden-igge *sceattas* dǣlde.　1686

scēawedon.

syðþan hīe þæs lāðan lāst *scēawedon*　132

hwetton hige[r]ōfne, hǣl *scēawedon*.　204

siþðan æþelingas eorles cræfte | ... hand *scēawedon*,　983

weras *scēawedon* | gryrelīcne gist.　1440

scēaweras.

ǣr gē ..., | lēas[e] *scēaweras,* on land Dena | furþur fēran. 253

scēawian.

fērdon folctogan ... | geond wīdwegas wundor *scēawian*,　840

uton hraþe fēran, | Grendles māgan gang *scēawigan*. 1391

hē fēara sum beforan gengde | ... wong *scēawian*,　1413

Gewāt ... | dryhten Gēata dracan *scēawian*;　2402

ðū ... geong | hord *scēawian* under hārne stān,　2744

þæt wē þēodcyning þǣr *scēawian*,　3008

ēodon ..., | wollentēare, wundur *scēawian*.　3032

scēawiað.

þæt gē genōge nēon *scēawiað* | bēagas　3104

scēawigan. *See* **scēawian.**

scēawige.

þæt ic ... | ... gearo *scēawige* | swegle searogimmas, 2748

scēawode.

þāra þe tīrlēases trode *scēawode*,　843

Hrōðgār maðelode, hylt *scēawode,*   1687
Frēa *scēawode* | fīra fyrngeweorc forman sīðe.   2285
[Bēowulf maðelode,] | ... gold *scēawode*:   2793
Scedelandum.
Bēowulf wæs brēme ..., | Scyldes eafera *Scedelandum* in.   19
Sceden-igge.
ðāra þe on *Sceden-igge* sceattas dælde.   1686
Scēfing.
Oft Scyld *Scēfing* sceaþena þrēatum | ... meodosetla
 oftēah.   4
sceft.
sceft nytte hēold,   3118
scencte.
scencte scīr wered.   496
scennum.
Swā wæs on ðǣm *scennum* scīran goldes | ... rihte
gemearcod,   1694
scēotend.
Scēotend swǣfon, ... | ealle būton ānum.   703
Scēotend Scyldinga tō scypon feredon | eal ingesteald   1154
scēoteð.
sē þe of flānbogan fyrenum *scēoteð.*   1744
scepen.
Wæs sīo wrōht *scepen* | heard wið Hūgas,   2913
sceðede.
þǣr him nǣnig wæter wihte ne *sceþede,*   1514
sceððan.
þē ... laðra nǣnig | mid scipherge *sceðþan* ne meahte.   243
þæt him fēla lāf*e* ... ne meahton | ... *sceþðan,*   1033
þæt se beadolēoma bītan nolde, | aldre *sceþðan,*   1524
scild-.   *See* **scyld-.**
scīnan.
fyrlēoht geseah, | blācne lēoman beorhte *scīnan.*   1517
scīneð.
siþþan morgenlēoht ... | ... sūþan *scīneð.*   606
efne swā of hefene hādre *scīneð* | rodores candel.   1571
scinnum.
þæt hīe wīdeferhð | lēoda landgeweorc ... beweredon |
scuccum ond *scinnum.*   939

scinon.

Eoforlīc *scionon* | ofer hlēorber[g]an,   303
Goldfāg *scinon* | web æfter wāgum,   994

scip.

seomode on sāle sīdfæþmed *scip,*   302
sælde tō sande sīdfæþme *scip*   1917

scipe.

þæt wilcuman ... | scaþan scīrhame tō *scipe* fōron.   1895

scipes.

ālēdon ... | bēaga bryttan on bearm *scipes,*   35
bær on bearm *scipes* beorhte frætwa | Wælses eafera; 896

scipherge.

þē ... lāðra nænig | mid *scipherge* sceðþan ne meahte. 243

scipum.

Scēotend Scyldinga tō *scypon* feredon | eal ingesteald 1154

scīr.

hringīren *scīr* | song in searwum,   322
scencte *scīr* wered.   496
hū him *scīr* Metod scrīfan wille.   979

scīran.

Swā wæs on ðǣm scennum *scīran* goldes | ... ge-
mearcod,   1694

scireð.

þonne ... | sweord ... | ecgum dyhtig andweard *scireð.* 1287

scīrhame.

þæt wilcuman ... | scaþan *scīrhame* tō scipe fōron. 1895

scōc.

dug[uð] ellor *scōc.*   2254
þonne strǣla storm ... | *scōc* ofer scildweall,   3118

scōd.

sē þe oft manegum *scōd.*   1887

scofen.

Ðā wæs morgenlēoht | *scofen* ond scynded.   918

scop.

Scop hwīlum sang | hādor on Heorote;   496
ðonne healgamen Hrōþgāres *scop* | ... mǣnan scolde: 1066

scōp.

scōp him Heort naman,   78

334   COOK,   [scopes-scyldfreca

scopes.

þær wæs hearpan swēg, | swutol sang *scopes.*   90

scotenum.

Nō hē þære feohgyfte | for *scotenum* scamigan ðorfte; 1026

scrīfan.

hū him scīr Metod *scrīfan* wille.   979

scrīðan.

scaduhelma gesceapu *scrīðan* cwōman,   650
Cōm on wanre niht | *scrīðan* sceadugenga.   703
Gewāt ðā byrnende gebogen *scrīðan,*   2569

scrīðað.

men ne cunnon, | hwyder helrūnan hwyrftum *scrīþað.* 163

scuccum.

þæt hīe wīdeferhð | lēoda landgeweorc ... beweredon |
scuccum ond scinnum.   939

scufon.

guman ūt *scufon,* | weras on wilsīð, wudu bundenne. 215
Dracan ēc *scufun,* | wyrm ofer weallclif,   3131

scūrheard.

þæt him fēla lāfe ... ne meahton | *scūrheard* sceþðan, 1033

Scyld.

Oft *Scyld* Scēfing sceaþena þrēatum | ... meodosetla
oftēah.   4
Him ðā *Scyld* gewāt tō gescæphwīle | felahrōr fēran 26

scyld.

þæt ic sweord bere oþðe sīdne *scyld,*   437
Scyld wel gebearg | līfe ond līce ... | mǣrum þēodne, 2570
ac se maga geonga under his mǣges *scyld* | elne
geēode,   2675

scyldas.

Setton sǣmēþe sīde *scyldas,*   325
Hwanon ferigeað gē fǣtte *scyldas,*   333
ac hȳ scamiende *scyldas* bǣran,   2850

scylde.

nymðe mec God *scylde.*   1658

Scyldes.

Bēowulf wæs brēme ... | *Scyldes* eafera Scedelandum in. 19

scyldfreca.

þonne *scyldfreca* | ongēan gramum gangan scolde. 1033

scyldig.

Hē æt wīge gecrang | ealdres *scyldig*,　　　　　1338
þā þās worold ofgeaf | ..., Godes ondsaca, | morðres
　　scyldig,　　　　　　　　　　　　　　　　　　1683
þæt se fæmnan þegn ... | ... blōdfāg swefeð, | ealdres
　　scyldig;　　　　　　　　　　　　　　　　　　2061
þæt se secg wǣre synnum *scildig*,　　　　　　3071

Scylding.

wolde blondenfeax beddes nēosan, | gamela *Scylding*. 1792
Gomela *Scilding*, | fela fricgende, feorran rehte;　2105

Scyldinga.

þenden wordum wēold wine *Scyldinga*;　　　　30
Ðā wæs on burgum Bēowulf *Scyldinga* ... | folcum
　　gefrǣge　　　　　　　　　　　　　　　　　53
geþolode | wine *Scyldinga*, wēana gehwelcne,　148
þæt wæs wrǣc micel wine *Scyldinga*,　　　　170
þā of wealle geseah weard *Scildinga*,　　　　229
þæt þis is hold weorod | frēan *Scyldinga*.　　291
Ic þæs wine Deniga, | frēan *Scildinga*, frīnan wille, 351
Hrōðgār maþelode, helm *Scyldinga*:　　371, 456, 1321
Ic þē nū ðā | ... biddan wille, | eodor *Scyldinga*,
　　ānre bēne,　　　　　　　　　　　　　　　428
þe æt fōtum sæt frēan *Scyldinga*,　　　　　　500
Ðā him Hrōþgār gewāt ..., | eodur *Scyldinga*,　663
þæs ne wēndon ǣr witan *Scyldinga*,　　　　778
hæleþa rīce, | ēðel *Scyldinga*.　　　　　　　913
hæleð Healf-Dena, Hnæf *Scyldinga*, | ... feallan scolde. 1069
Scēotend *Scyldinga* tō scypon feredon | eal ingesteald 1154
Unferþ þyle | æt fōtum sæt frēan *Scyldinga*;　1166
Sprǣc ðā ides *Scyldinga*:　　　　　　　　1168
gyf þū ǣr þonne hē, | wine *Scildinga*, worold oflǣtest; 1183
wæs | winum *Scyldinga* weorce on mōde　　1418
Hē gefēng þā fetelhilt, freca *Scyldinga*　　1563
wē þē þās sǣlāc, ... | lēod *Scyldinga*, lustum brōhton 1653
þæt þū him ondrǣdan ne þearft, | þēoden *Scyldinga*, 1675
Gecyste ... | þēoden *Scyldinga* ðegn betstan,　1871
[h]afað þæs geworden wine *Scyldinga*,　　　2026
Mē þone wælrǣs wine *Scildunga* | ... fela lēanode, 2101
cwæð þæt hyt hæfde Hiorogār cyning, | lēod *Scyldunga*, 2159

Scyldingas.

heold þenden lifde | ... glæde *Scyldingas.*   58
næs ofgeafon | hwate *Scyldingas;*   1601
weoldon wælstowe ... | ... hwate *Scyldungas?*   2052

Scyldingum.

þæt mid *Scyldingum* sceaðona ic nāt hwylc ... |
eaweð ... uncūðne nīð,   274

Scyldung-. *See* **Scylding-.**

scyldweall.

þonne stræla storm ... | scōc ofer *scildweall,*   3118

scyldwiga.

Æghwæþres sceal | scearp *scyldwiga* gescād witan,   288

Scylfing.

gomela *Scylfing* | hreas [heoro]blāc;   2487
Næs he forht swā ðeh, | gomela *Scilfing,*   2968

Scylfinga.

hæfdon hȳ forhealden helm *Scylfinga,*   2381
Wīglāf wæs hāten ... | ... leod *Scylfinga,*   2603

Scylfingas.

ðe ær geheold ... | ... hwate *Scilfingas,*   3005

scyndan.

Gewāt ðā byrnende ... | tō gescipe *scyndan.*   2570

scynded.

Ðā wæs morgenleoht | scofen ond *scynded.*   918

scȳne.

sceall ... | ... ne mægð *scȳne* | habban...hringweorðunge, 3016

scypon. *See* **scipum.**

Scyppend.

siþðan him *Scyppend* forscrifen hæfde.   106

scȳran.

þæt hit sceadenmæl *scȳran* mōste, | cwealmbealu cȳðan. 1939

seah.

Ne *seah* ic elþeodige | þus manige men mōdiglīcran.   336
ne *seah* ic wīdan feorh ... | medudream māran.   2014
seah on enta geweorc,   2717
seah on unleofe: 2863

sealde.

wolde ... | ... eall gedælan | ... swylc him God *sealde,*   72
Ymbeode þa ides Helminga ..., | sincfato *sealde,*   622

sealde his hyrsted sweord, | īrena cyst, ombihtþegne,　672
hē gemunde ... | gimfæste gife, ðe him God *sealde*,　1271
him þæs endelēan | ... Waldend *sealde*.　1693
him ǣr God *sealde* | ... weorðmynda dǣl.　1751
oft hīo bēah-wriðan | secge [*sealde*],　2019
þǣr hīo [næ]gled sinc | hæleðum *sealde*.　2024
Mē ðis hildesceorp Hrōðgār *sealde*,　2155
hē ... | ginfæstan gife, þe him God *sealde*, | hēold　2182
Ic him þā māðmas, þe hē mē *sealde*, | geald　2490
sealde hiora gehwæðrum hund þūsenda | landes　2994
nefne God ... , | sigora Sōðcyning, *sealde* ... | ...
hord openian,　3055
sealdest.
ðā mādmas, þe þū mē *sealdest*, | ... Higelāce onsend.　1482
sealdon.
byrelas *sealdon* | wīn of wunderfatum.　1161
sealman.
Gewīteð þonne on *sealman*,　2460
sealt.
ðū ... gehogodest | sæcce sēcean ofer *sealt* wæter,　1989
searo.
gāras stōdon, | sǣmanna *searo*, samod ætgædere,　329
searobendum.
Glōf hangode | sīd ond syllīc, *searobendum* fæst;　2086
searofāh.
scolde herebyrne ... , | sīd ond *searofāh*, sund cunnian,　1444
searogeðræc.
Uton nū efstan ... | sēon ond sēcean *searogeþrǣc*,　3102
searogimma.
swylce hīe ... findan meahton | sigla, *searogimma*.　1157
searogimmas.
þæt ic ... | ... gearo scēawige | swegle *searogimmas*,　2749
searogrim.
gif þīn hige wǣre, | sefa swā *searogrim*, swā þū
self talast;　594
searohæbbendra.
Hwæt syndon gē *searohæbbendra*　237
searonet.
on him byrne scān, | *searonet* sēowed smiþes orþancum　406

22

searonīða.

Nō ic wiht fram þē | swylcra *searonīða* secgan hȳrde, 582

searonīðas.

searonīðas fl̄eah | Eormenrīces,   1200
Ic ... | ne sōhte *searonīðas,*   2738
þā hē biorges weard | sōhte, *searonīðas;*   3067

searoðoncum.

hē þæs fæste wæs | ... īrenbendum | *searoþoncum*
besmiþod.   775

searowundor.

Ēode scealc monig ... | *searowundor* sēon;   920

searwum.

Næfre ic māran geseah | eorla ... ðonne is ... | secg
on *searwum*;   249
hringīren scīr | song in *searwum,*   323
selfe ofersāwon, ðā ic of *searwum* cwōm,   419
þāra ānum stōd | sadol *searwum* fāh,   1038
Geseah ðā on *searwum* sigeēadig bil,   1557
Ond þā sīðfrome, *searwum* gearwe, | wīgend wæron,   1813
Gebīde gē on beorge ... | secgas on *searwum,*   2530
hē on *searwum* bād.   2568
þæt hē þone nīðgæst ... slōh, | secg on *searwum,*   2700
þǣr wæs ... | ... earmbēaga fela | *searwum* gesǣled. 2764

sēað.

Swā ðā mælceare maga Healfdenes | singala *sēað;*   190
Ic ðæs mōdceare | sorhwylmum *sēað,*   1993

seax.

Ofsæt þā þone selegyst, ond hyre *seax* getēah   1545

sēc.

sēc gif þū dyrre.   1379

sēcan. *See* **sēcean.**

secce. *See* **sæcce.**

sēce.

Ðēah þe ... | heorot hornum trum holtwudu *sēce,*   1369

sēcean.

þe mōt | æfter dēaðdæge Drihten *sēcean,*   187
hē gūðcyning | ofer swanrāde *sēcean* wolde,   200
Wē ... hlāford þīnne, | sunu Healfdenes, *sēcean* cwōmon, 268
sunu Healfdenes *sēcean* wolde | æfenræste;   645

wolde wīgfruma Wealhþēo *sēcan*,   664
wolde on heolster flēon, | *sēcan* dēofla gedræg;   756
on healfa gehwone hēawan þōhton, | sāwle *sēcan* :   801
scolde Grendel ... | *sēcean* wynlēas wīc;   821
sē þe ... scolde | *sēcan* sundgebland since geweorðad,   1450
þæt hē sigehrēðig *sēcean* cōme | mærne þēoden,   1597
þæt wē fundiaþ | Higelāc *sēcan*;   1820
hēt [h]ine mid þǣm lācum lēode swǣse | *sēcean*   1869
ðū ... gehogodest | sæcce *sēcean* ofer sealt wæter,   1989
wyrd ... | ... sceolde | *sēcean* sāwle hord,   2422
þæt hē ... | ... *sēcean* þurfe | wyrsan wīgfrecan,   2495
ic wylle, | frōd folces weard, fæhðe *sēcan*,   2513
him ... gewāt | sāwol *sēcean* sōðfæstra dōm.   2820
Gewāt ..., | frōd, fela-gēomor, fæsten *sēcean*,   2950
Uton nū efstan ... | sēon ond *sēcean* searogeþræc,   3102

sēceanne.

ðā wæs ... heorte gefȳsed | sæcce tō *sēceanne*.   2562

sēceað.

þe ūs *sēceað* tō Swēona lēoda,   3001

sēceð.

sē ðe byrnende biorgas *sēceð*,   2272

secg.

secg wīsade, | lagucræftig mon, landgemyrcu.   208
Næfre ic māran geseah | eorla ... ðonne is ... |
   secg on searwum;   249
Snyredon ætsomne, þā *secg* wīsode,   402
Secg eft ongan | sīð Bēowulfes synttrum styrian,   871
Nū ic, Bēowulf, þec, | *secg* betsta, ... wylle | frēogan
   on ferhþe;   947
Ðā wæs swīgra *secg* sunu Ec[g]lāfes   980
wæs ... Bēowulf fetod, | sigorēadig *secg*;   1311
ðǣr þū findan miht | felasinnigne *secg*;   1379
Sweord wæs swātig; *secg* weorce gefeh.   1569
Bebeorh þē ðone bealonīð, ... | *secg* betsta,   1759
þæt wæs mōdig *secg*.   1812
ðǣr inne feal*h* | *secg* synbysig.   2226
syððan hē ..., | sigorēadig *secg*, sele fælsode,   2352
Sē wæs on ðām ðrēate þreottēoþa *secg*,   2406
þæt hē þone nīðgǣst ... slōh, | *secg* on searwum,   2700

340   COOK,

swylc sceolde *secg* wesan, | þegn æt ðearfe.   2708
Wīglāf maðelode,... | *sec*[*g*] sārigferð   2863
Swā se *secg* hwata secgende wæs   3028
þæt se *secg* wære synnum scildig,   3071
secga.
Ic ... | sæbāt gesæt mid mīnra *secga* gedriht,   633
Nō his līfgedāl | sārlīc þūhte *secga* ænegum,   842
scinon | ... wundorsīona fela | *secga* gehwylcum,   996
þæt þū... mōst | ... swefan mid þīnra *secga* gedryht, 1672
secgan.
Men ne cunnon | *secgan* tō sōðe,   51
swā wē sōþlīce *secgan* hȳrdon,   273
Ēow hēt *secgan* sigedrihten mīn,   391
Nō ic wiht fram þē | swylcra searonīða *secgan* hȳrde, 582
þæt hē fram Sigemunde[s] *secgan* hȳrde | ellendædum, 875
þonne hē swulces hwæt *secgan* wolde,   880
þæt *secgan* mæg | efne swā hwylc mægþa,   942
sē þe *secgan* wile sōð æfter rihte.   1049
Ic þæt ... lēode mīne, | selerædende, *secgan* hȳrde, 1346
þæt, lā! mæg *secgan*, sē þe sōð ond riht | fremeð 1700
Nū wē sælīðend *secgan* wyllað   1818
þæt lā! mæg *secgan*, sē ðe wyle sōð specan,   2864
sceall ... | ... se wonna hrefn ... | earne *secgan* 3026
secganne.
Sorh is mē tō *secganne*   473
Wundor is tō *secganne*,   1724
secgas.
secgas bæron | on bearm nacan beorhte frætwe,   213
Gebīde gē on beorge ... | *secgas* on searwum,   2530
syððan... ænigne dæl | *secgas* gesēgon on sele wunian, 3128
secgað.
secgað sælīðend þæt þes sele stande ... | īdel   411
secge, *sb.*
wit on niht sculon | *secge* ofersittan,   684
oft hīo bēah-wriðan | *secge* [sealde],   2019
secge, *vb.*
Secge ic þē tō sōðe,   590
Gode ic þanc *secge*,   1997
Ic ... ðanc | Wuldurcyninge wordum *secge*,   2795

secgende.
  Swā se secg hwata *secgende* wæs   3028
secgum.
  onsæl meoto, | sigehrēð *secgum*,   490
sefa.
  him wæs gēomor *sefa*, | murnende mōd.   49
  onsæl meoto, | sigehrēð secgum, swā þīn *sefa* hwette. 490
  gif þīn hige wære, | *sefa* swā searogrim,   594
  him bið grim *sefa*   2043
  næs him hrēoh *sefa*,   2180
  Him wæs gēomor *sefa*, | wæfre ond wælfūs,   2419
  Hiora in ānum wēoll | *sefa* wið sorgum;   2600
  him wæs *sefa* gēomor   2632
sefan.
  Ic ... Hrōðgār mæg | þurh rūmne *sefan* ræd gelæran, 278
  Sorh is mē tō secganne on *sefan* mīnum   473
  sē þe æfter sincgyfan on *sefan* grēoteþ,   1342
  hū mihtig God ... | þurh sīdne *sefan* snyttru bryttað, 1726
  ne him inwitsorh | on *sefa[n]* sweorceð,   1737
  þē þā wordcwydas wi*t*tig Drihten | on *sefan* sende; 1842
sēft.
  þæt ic ðȳ *sēft* mæge | ... mīn ālætan | līf ond
      lēodscipe,   2749
segen. *See* **segn.**
segl.
  wæs be mæste merehrægla sum, | *segl* sāle fæst; 1906
seglrāde.
  ðā ... oft bewitigað | sorhfulne sīð on *seglrāde*, 1429
segn.
  þā gyt hīe him āsetton *segen* g[yl]denne   47
  Forgeaf þā Bēowulfe b*earn* Healfdenes | *segen*
      gyldenne   1021
  Swylce hē siomian geseah *segn* eallgylden   2767
  segn ēac genōm, | bēacna beorhtost.   2776
  þā wæs æht boden | Swēona lēodum, *segn* Higelāce[s]; 2958
segne.
  siðþan hē under *segne* sinc ealgode,   1204
sel. *See* **sæl.**

sēl.

Ne gefrǣgen ic þā mǣgþe ... | ... *sēl* gebǣran.   1012
ne byð him wihte ðȳ *sēl*.   2277
hwæðer *sēl* mæge | æfter wælrǣse wunde gedȳgan   2530
næs him wihte ðē *sēl*.   2687

seldan.

Oft, [nō] *seldan,* hwær | æfter lēodhryre ... | bongār
    būgeð,   2029

seldguma.

nis þæt *seldguma* | wǣpnum geweorðad,   249

sele.

Sele hlīfade | hēah ond horngēap;   81
þā hīe tō *sele* furðum | ... gangan cwōmon.   323
þæt þes *sele* stande ... | īdel ond unnyt,   411
in *sele* þām hēan.   713
Hæfde þā gefǣlsod ... | ... *sele* Hrōðgāres,   826
Ēode scealc monig | swīðhicgende tō *sele* þām hēan   919
fægere geþǣgon | medoful ... | swīðhicgende on *sele*
    þām hēan,   1016
oþ ðæt semninga tō *sele* cōmon | frome, fyrdhwate,   1640
ongan | ... geseldan in *sele* þām hēan | ... fricgean, 1984
syððan hē Hrōðgāres, | sigorēadig secg, *sele* fǣlsode, 2352
syððan ... ǣnigne dæl | secgas gesēgon on *sele* wunian, 3128

sēle. *See* **sǣle.**

seledrēam.

gesāwon *seledrēam.*   2252

seleful.

hē on lust geþeah | symbel ond *seleful,*   619

selegyst.

Ofsæt þā þone *selegyst,* ond hyre seax getēah   1545

selerǣdende.

Men ne cunnon | secgan ..., *selerǣdende,*   51
Ic þæt ... lēode mīne, | *selerǣdende,* secgan hȳrde,   1346

selereste.

hine ymb monig | snellīc sǣrinc *selereste* gebēah.   690

sēlest.

oð þæt īdel stōd | hūsa *sēlest.*   146
rǣd eahtedon, | hwæt ... *sēlest* wǣre | ... tō ge-
    fremmanne.   173

ofost is *sēlest* | tō gecȳðanne,   256
þenden þǣr wunað | on hēahstede hūsa *sēlest*.   285
Onsend Higelāce, gif mec hild mine, ... | hrǣgla *sēlest*; 454
Hafa nū ond geheald hūsa *sēlest*,   658
þonne blōde fāh, | hūsa *sēlest* heorodrēorig stōd; 935
forþan bið andgit ǣghwǣr *sēlest*,   1059
þonne him Hūnlāfing ... | billa *sēlest* on bearm dyde; 1144
þæt bið drihtguman | unlifgendum æfter *sēlest*. 1389
þæt ... | bolda *sēlest* brynewylmum mealt, 2326

sēlesta.
þæt þes sele stande, | reced *sēlesta*, ... | īdel   412

sēlestan.
þā mē þæt gelǣrdon lēode mīne, | þā *sēlestan*, 416
magoþegna bær | þone *sēlestan* sāwollēasne, 1406
on geweald gehwearf woroldcyninga | ðǣm *sēlestan* 1685
hīo ... | hīold hēahlufan wið hæleþa brego, ... |
    þone *sēlestan*   1956
hæfdon hȳ forhealden ... | þone *sēlestan* sæcyninga, 2382
se ... sunu Wihstānes | acīgde ... þegnas | ... þā *sēlestan*, 3122

seleð.
ǣr hē feorh *seleð*, | ... ǣr hē in wille | hafelan [hȳdan]. 1370
seleð him on ēþle eorþan wynne,   1730
nallas on gylp *seleð* | fǣtte bēagas,   1749

seleðegn.
sōna him *seleþegn* sīðes wērgum | ... forð wīsade, 1794

seleweard.
Hæfde kyning[a] wuldor | Grendle tōgēanes ... |
    seleweard āseted;   667

sēlla. *See* **sēlra.**
sellīce. *See* **syllīce.**
sēlra.
gecwæð | þætte ... | ... ōþer nǣnig | ... *sēlra* nǣre 860
næs mid Gēatum ðā | sincmāðþum *sēlra*   2193
wæs ... | ... ōðrum swīðor | sīde rīce, þām ðǣr
    sēlra wæs.   2199
Dēað bið *sēlla* | eorla gehwylcum þonne edwītlīf. 2890

sēlran.
Nǣnigne ic under swegle *sēlran* hȳrde | hordmādmum
    hæleþa,   1197

þā hē þæs wǣpnes onlāh | *sēlran* sweordfrecan;   1468
feorcȳþðe bēoð | *sēlran* gesōhte,   1839
þæt þē Sǣ-Gēatas *sēlran* nǣbben | tō gecēosenne   1850
sēlre.
sēlre bið ǣghwǣm, | þæt hē his frēond wrece,   1384
þē þæt *sēlre* gecēos, | ēce rǣdas;   1759
semninga.
oþ þæt *semninga* | sunu Healfdenes sēcean wolde |
    ǣfenrǣste;   644
oþ ðæt *semninga* tō sele cōmon | frome, fyrdhwate,   1640
semninga bið, | þæt ðec ... dēað oferswȳðeð.   1767
sende.
þone God *sende* | folce tō frōfre;   13
sende ic Wylfingum ofer wǣteres hrycg | ealde
    mādmas;   471
þē þā wordcwydas wi*t*tig Drihten | on sefan *sende*; 1842
sendeð.
hē [on] lust wīgeð, | swefeð ond *sendeþ*,   600
sēoc.
Ic ... mǣg | feorhbennum *sēoc* gefēan habban;   2740
ligeð ealdorgewïnna | siexbennum *sēoc*;   2904
sēoce.
Gistas sē*t*an | mōdes *sēoce*,   1603
seomade. *See* **seomode.**
seomian.
Swylce hē *siomian* geseah segn eallgylden   2767
seomode.
[Atol] ǣglǣca... | ...duguþe ond geogoþe | *scomade*
    ond syrede,   161
seomode on sāle sīdfæþmed scip,   302
sēon.
hāt in gān | *sēon* sibbegedriht samod ætgædere;   387
Ēode scealc monig ... | searowundor *sēon*;   920
þonne ðū forð scyle | metodsceaft *sēon*.   1180
hē hēan gewāt | ... dēaþwīc *sēon*,   1275
þǣr mǣg nihta gehwǣm nīðwundor *sēon*,   1365
Uton nū efstan ... | *sēon* ond sēcean searogeþrǣc,   3102
seonowe.
seonowe onsprungon, | burston bānlocan.   817

sēowed.

on him byrne scān, | searonet *sēowed* smiþes orþancum 406

sesse.

þæt hē bī wealle wīshycgende | gesæt on *sesse*,   2717
þā hē bī *sesse* gēong,   2756

sētan. *See* **sǣton.**

setl.

mē se mǣra mago Healfdenes... | ... *setl* getǣhte. 2013

setle.

Ēode þā tō *setle*.   1232
Gā nū tō *setle*,   1782
hīo... | secge [sealde], ǣr hīo tō *setle* gēong.   2019

setles.

Gēat wæs glædmōd, gēong sōna tō, | *setles* nēosan, 1786

setlum.

Đā wæs... heardecg togen | sweord ofer *setlum*,   1289

setton.

Setton sǣmēþe sīde scyldas | ... wið þæs recedes weal, 325
Setton him tō hēafdon hilderandas,   1242

sib.

þā gyt wæs hiera *sib* ætgædere, | æghwylc ōðrum
 trȳwe.   1164
þæt þām folcum sceal... | *sib* gemǣne, ond sacu
 restan,   1857
sibb ǣfre ne mæg | wiht onwendan,   2600

sibæðelingas.

hī hyne þā bēgen ābroten hæfdon, | *sibæðelingas*;   2708

sibb. *See* **sib.**

sibbe.

sibbe ne wolde | wið manna hwone... | feorhbealo
 feorran,   154
heald forð tela | nīwe *sibbe*.   949
Hrēðel cyning | geaf mē sinc..., *sibbe* gemunde;   2431
Ne ic tō Swēoðēode *sibbe*... | wihte ne wēne;   2922

sibbegedriht.

hāt in gān | sēon *sibbegedriht* samod ætgædere;   387
Geseah hē... | swefan *sibbegedriht* samod ætgædere, 729

sīd.

scolde herebyrne..., | *sīd* ond searofāh, sund cunnian, 1444
Glōf hangode | *sīd* ond syllīc,   2086

sīdan.

þæt hē þone wīdflogan weorode gesōhte, | *sīdan* herge;   2347

sīde.

þæt ðā līðende land gesāwon, ... | *sīde* sænæssas;   223
Setton sæmēþe *sīde* scyldas | ... wið þæs recedes
weal,   325
efne swā *sīde* swā sǣ bebūgeð | windge [e]ardweallas.   1223
helm ne gemunde, | byrnan *sīde,*   1291
gedēð him swā gewealdene worolde dǣlas, | *sīde* rīce,   1733
wæs ... | ... ōðrum swīðor | *sīde* rīce, þām ðǣr
sēlra wæs.   2199
folce gestēpte | ofer sǣ *sīde* sunu Ōhteres,   2394

sīdfæðme.

sælde tō sande *sīdfæþme* scip   1917

sīdfæðmed.

seomode on sāle *sīdfæþmed* scip,   302

sīdne.

þæt ic sweord bere oþðe *sīdne* scyld,   437
sē þe wið Brecan wunne, | on *sīdne* sǣ   507
hū mihtig God ... | þurh *sīdne* sefan snyttru bryttað, 1726

sīdra.

geþolode | wine Scyld*i*n*g*a wēana gehwelcne, | *sīdra*
sorga;   149

sīdrand.

Ðā wæs ... | ... *sīdrand* manig | hafen handa fæst;   1289

siexbennum.

ligeð ealdorgewinna | *siexbennum* sēoc;   2904

sigedrihten.

Ēow hēt secgan *sigedrihten* mīn,   391

sigeēadig.

Geseah ðā on searwum *sigeēadig* bil,   1557

sigefolca.

þā wæs ... | þrȳðword sprecen, ... | *sigefolca* swēg,   644

sigehrēð.

Site nū tō symle ond onsǣl meoto, | *sigehrēð* secgum,   490

sigehrēðig.

gesette *sigehrēþig* sunnan ond mōnan | lēoman   94
þæt hē *sigehrēðig* sēcean cōme | mǣrne þēoden,   1597
Geseah ðā *sigehrēðig* ... | ... māððumsigla fealo,   2756

sigehwīle.

    þæt ðām þēodne wæs | sīðas[t] *sigehwīle* sylfes dǣdum, 2710

sigel.

    woruldcandel scān, | *sigel* sūðan fūs;   1966

sigelēasne.

    þe ... gehȳrdon | ... galan Godes ondsacan | *sige-*
       lēasne sang,   787

Sigemunde.

    Sigemunde gesprong | æfter dēaðdæge dōm unlȳtel,   884

Sigemundes.

    þæt hē fram *Sigemunde*[s] secgan hȳrde | ellendǣdum,   875

sigerōf.

    hē on lust geþeah | symbel ... , *sigerōf* kyning.   619

Sige-Scyldinga.

    þæt hē þā fǣhðe ne þearf | ... ēower lēode | ...
       onsittan, *Sige-Scyldinga*;   597

Sige-Scyldingum.

    þǣr hē ... | *Sige-Scyldingum* sorge gefremede,   2004

sigeðēode.

    ðā hyne gesōhtan on *sigeþēode* | hearde hildefrecan,   2204

sigewǣpnum.

    ac hē *sigewǣpnum* forsworen hæfde,   804

sigla.

    swylce hīe ... findan meahton | *sigla*, searogimma.   1157

sigle.

    Brōsinga mene, | *sigle* ond sincfæt;   1200

siglu.

    Hī on beorg dydon bēg ond *siglu*,   3163

sigon.

    guman ōnetton, | *sigon* ætsomne,   307

    Sigon þā tō slǣpe.   1251

sigora.

    hwæðre him God ūðe, | *sigora* Waldend,   2875

    God sylfa, | *sigora* Sōðcyning,   3055

sigorēadig.

    Hraþe wæs tō būre Bēowulf fetod, | *sigorēadig* secg;   1311

    syððan hē Hrōðgāres, | *sigorēadig* secg, sele fǣlsode, 2352

sigores.

    Forgeaf ... *bearn* Healfdenes | segen ... *sigores* tō lēane, 1021

sinc.

> bēagas dælde, | *sinc* æt symle.   81
> siðþan hē under segne *sinc* ealgode,   1204
> þonne hē on þæt *sinc* starað,   1485
> þær hīo [næ]gled *sinc* | hæleðum sealde.   2023
> ðe in Swīorīce *sinc* brytnade,   2383
> Hrēðel cyning | geaf mē *sinc* ond symbel,   2431
> *Sinc* ēaðe mæg | ... gumcynnes gehwone | oferhīgian, 2764

sinca.

> þā mec *sinca* baldor | ... æt mīnum fæder genam; 2428

since.

> þāra ānum stōd | sadol searwum fāh, *since* gewurþad; 1038
> sē þe... scolde | sēcan sundgebland *since* geweorðad, 1450
> þā hilt..., | *since* fāge;   1615
> Bēowulf... | ... græsmoldan træd | *since* hrēmig; 1882
> *since* fāh   2217
> se wyrm ligeð, | ... *since* berēafod.   2746

sinces.

> þā wæs on sālum *sinces* brytta,   607
> Onfōh þissum fulle, frēodrihten mīn, | *sinces* brytta; 1170
> næs him feor þanon | tō gesēcanne *sinces* bryttan, 1922
> þæt ðū geare cunne, | *sinces* brytta,   2071

sincfæt.

> Brōsinga mene, | sigle ond *sincfæt*;   1200
> [þā hyne] se fær begeat, | *sincfæt* [geseah].   2231
> hwīlum on beorh æthwearf, | *sincfæt* sōhte;   2300

sincfāge.

> Heorot eardode, | *sincfāge* sel sweartum nihtum;   167

sincfato.

> Ymbēode þā ides Helminga..., | *sincfato* sealde,   622

sincgestrēona.

> ic þē an tela | *sincgestrēona*.   1226

sincgestrēonum.

> þæt... | ... Folcwaldan sunu... | Hengestes hēap...
> wenede | ... *sincgestrēonum*   1092

sincgyfan.

> Ne gefrægen ic þā mægþe ... | ymb hyra *sincgyfan*
> sēl gebǣran.   1012

sē þe æfter *sincgyfan* on sefan grēoteþ, | hreþerbealo
　　hearde;　　1342
swā hyt lungre wearð | on hyra *sincgifan* sāre ge-
　　endod.　　2311
sincmāððum.
　　næs ... | *sincmāðþum* sēlra on sweordes hād;　　2193
sincðego.
　　Nū sceal *sincþego* ond swyrdgifu ... | ... ālicgean;　　2884
singala.
　　Swā ðā mælceare maga Healfdenes | *singala* sēað;　　190
singale.
　　wæg | ... fela missera | *singale* sæce;　　154
singales.
　　þā ðe *syngales* sēle bewitiað, | wuldortorhtan weder.　1135
　　ic þære sōcne *singales* wæg | mōdceare micle.　　1777
sinherge.
　　Besæt ðā *sinherge* sweorda lāfe　　2936
sinnihte.
　　sinnihte hēold | mistige mōras;　　161
sioleða.
　　Oferswam ðā *sioleða* bīgong sunu Ecgðēowes,　　2367
siomian. *See* **seomian.**
site.
　　Site nū tō symle ond onsæl meoto, | sigehrēð secgum,　489
siteð.
　　Wīglāf *siteð* | ofer Bīowulfe,　　2906
sīð.
　　Ic þæs ... | ... frīnan wille ... | þēoden mærne,
　　　ymb þīnne *sīð*,　　353
　　wæs him Bēowulfes *sīð* | ... micel æfþunca,　　502
　　Ne inc ænig mon | ... belēan mihte | sorhfullne *sīð*,　512
　　ne wæs þæt forma *sīð*,　　716
　　þæt wæs gēocor *sīð*,　　765
　　Secg eft ongan | *sīð* Bēowulfes snyttrum styrian,　　872
　　Swylce oft bemearn ... | swīðferhþes *sīð* snotor
　　　ceorl monig,　　908
　　his mōdor ... | ... gegān wolde | sorhfulne *sīð*,　　1278
　　ðā ... oft bewitigað | sorhfulne *sīð* on seglrāde,　　1429
　　næs þæt forma *sīð*,　　1463

ðā wæs forma *sīð* | dēorum mādme,	1527
oftor micle ðonne on ænne *sīð,*	1579
hī *sīð* drugon, | elne geēodon,	1966
Higelāce wæs | *sīð* Bēowulfes snūde gecȳðed,	1971
þæt mec ær ond *sīð* oft gelæste,	2500
Nis þæt ēower *sīð,*	2532
ne bið swylc earges *sīð.*	2541
Ne wæs þæt ēðe *sīð,*	2586
þā wæs forma *sīð* | geongan cempan,	2625
þæt se *sīð* ne ðāh	3058
sīð ālȳfed | inn	3089

sīða.

Fæder alwalda | ... ēowic gehealde | *sīða* gesunde!	318

sīðas.

secgan hȳrde ... | Wælsinges gewin, wīde *sīðas,*	877
hwylce Sæ-Gēata *sīðas* wæron:	1986

sīðast.

þæt ðām þeodne wæs | *sīðas[t]* sigehwīle sylfes dædum,	2710

sīðe.

Hwæt! þū worn fela ... | ... ymb Brecan spræce, | sægdest from his *sīðe.*	532
hē gefēng hraðe forman *sīðe* | slæpendne rinc,	740
þone hring hæfde Higelāc Gēata | ... nȳhstan *sīðe,*	1203
syððan hīo Offan flet | ... be fæder lāre | *sīðe* gesōhte;	1951
Ic ... | ... *sīðe* ne trūwode | lēofes mannes.	1993
þone þīn fæder tō gefeohte bær | ... hindeman *sīðe,*	2049
Frēa scēawode | fīra fyrngeweorc forman *sīðe.*	2286
Bēowulf ... bēotwordum spræc | nīehstan *sīðe:*	2511
Gegrētte ... | hwate helmberend hindeman *sīðe,*	2517
wyrm yrre cwōm, | atol inwitgæst, ōðre *sīðe*	2670
þā wæs þeodsceaða þriddan *sīðe* | ... fæhða gemyndig,	2688
Uton nū efstan ōðre [*sīðe*] | sēon ... searogeþræc,	3101

sīðes.

ic fāra feng fēore gedīgde, | *sīþes* wērig.	579
nū ic eom *sīðes* fūs,	1475
sōna him seleþegn *sīðes* wērgum | ... forð wīsade,	1794
nō þær wēgflotan wind ofer ȳðum | *sīðes* getwæfde;	1908

sīðestan.

þǣr is ... | ... æt *sīðestan* sylfes fēore | bēagas
[geboh]te;   3013

sīðfæt.

Ðone *sīðfæt* him snotere ceorlas | lȳthwōn lōgon,   202

sīðfate.

hē ūsic on herge gecēas | tō ðyssum *sīðfate*   2639

sīðfrome.

Ond þā *sīðfrome,* searwum gearwe, | wīgend wǣron, 1813

sīðian.

Cōm þā tō recede rinc *sīðian*   720
on fēonda geweald feor *sīðian.*   808

sīðode.

Grendeles mōdor | *sīðode* sorhfull;   2119

sittan.

þǣr swīðferhþe *sittan* ēodon, | þrȳðum dealle.   493
ēode ... | ... tō hire frēan *sittan.*   641

slægen.

Ðā wæs ... | ... swilce Fin *slægen,*   1152

slǣp.

bið se *slǣp* tō fæst, | bisgum gebunden,   1742

slǣpe.

Sigon þā tō *slǣpe.*   1251

slǣpende.

slǣpende frǣt | folces Denigea fȳftȳne men,   1581
slǣpende be syre   2218

slǣpendne.

hē gefēng ... | *slǣpendne* rinc, slāt unwearnum,   741

slāt.

hē gefēng ... | slǣpendne rinc, *slāt* unwearnum,   741

slēa.

Nāt hē þāra gōda, þæt hē mē ongēan *slēa,*   681

slēac.

þæt hē *slēac* wǣre, | æðeling unfrom.   2187

slīðen.

begeat | sweordbealo *slīðen* æt his selfes hām,   1147

slīðne.

þurh *slīðne* nīð   184

slīðra.

Swā hē nīða gehwane genesen hæfde, | *slīðra* ge-
slyhta,   2398

slōg. *See* **slōh.**

slōgon.

þær hyne Dene *slōgon*,   2050

slōh.

þæs þe hē Ābel *slōg.*   108
ȳðde eotena cyn, ond on ȳðum *slōg* | niceras   421
aldres orwēna yrringa *slōh*,   1565
þonne hē Hrōðgāres heorðgenēatas | *slōh* on sweofote, 1581
bearn Ecgðēowes . . . | . . . *slōg* | heorðgenēatas;   2179
þær mon Hygelāc *slōh*,   2355
Gēata dryhten gryrefāhne *slōh*   2576
gūðcyning | . . . *slōh* | hildebille,   2679
þæt hē þone nīðgæst nioðor hwēne *slōh*,   2699

smið.

swā hine fyrndagum | worhte wǣpna *smið*,   1452

smiðes.

on him byrne scān, | searonet sēowed *smiþes* orþancum   406

snella.

Ne meahte se *snella* sunu Wonrēdes | . . . ondslyht
giofan,   2971

snellīc.

hine ymb monig | *snellīc* sǣrinc selereste gebēah.   690

snoter-. *See* **snotor-.**

snotor.

ne mihte *snotor* hæleð | wēan onwendan;   190
Hæfde þā gefǣlsod . . . | *snotor* . . . sele Hrōðgāres,   826
Swylce oft bemearn . . . | . . . sīð *snotor* ceorl monig, 908
Ne sorga, *snotor* guma;   1384

snotora.

þær se *snotera* bād,   1313
Geþenc nū, se mǣra maga Healfdenes, | *snottra* fengel, 1475
swā se *snottra* heht.   1786
Hrōðgār . . . | *snotra* fengel;   2156
Hūru se *snotra* sunu Wihstānes | ācīgde . . . þegnas   3120

snotore.

Ðone sīðfæt him *snotere* ceorlas | lȳthwōn lōgon,   202

þā mē þæt gelærdon lēode mīne, | ... *snotere* ceorlas,   416
Sōna þæt gesāwon *snottre* ceorlas,   1591

snotorlīcor.

ne hȳrde ic *snotorlīcor* | ... guman þingian;   1842

snotra. *See* **snotora.**

snottr-. *See* **snotor-.**

snūde.

hē mid eotenum wearð ... | *snūde* forsended.   904
hēt [h]ine ... | ... *snūde* eft cuman.   1869
Higelāce wæs | sīð Bēowulfes *snūde* gecȳðed,   1971
þā wæs Bīowulfe brōga gecȳðed | *snūde* tō sōðe,   2325
se wyrm gebēah | *snūde* tōsomne;   2568
Ðā ic *snūde* gefrægn sunu Wihstānes   2752

snyredon.

Snyredon ætsomne, þā secg wīsode,   402

snyttru.

hū mihtig God ... | þurh sīdne sefan *snyttru* bryttað,   1726

snyttrum.

Secg eft ongan | sīð Bēowulfes *snyttrum* styrian,   872
ðe wē ealle ær ne meahton | *snyttrum* besyrwan.   942
þū hit geþyldum healdest, | mægen mid mōdes *snyttrum*.   1706

sōcne.

ic þære *sōcne* singales wæg | mōdceare micle.   1777

sōhtan. *See* **sōhton.**

sōhte.

þe him elles hwær | gerūmlīcor ræste [*sōhte*],   139
fīftēna sum | sundwudu *sōhte*;   208
sōhte holdne wine.   376
gelærdon lēode mīne ... | ... þæt ic þē *sōhte*,   417
Nealles mid gewealdum wyrmhorda cræft | [*sōhte*],   2222
Hordweard *sōhte* | georne æfter grunde,   2293
hwīlum on beorh æthwearf, | sincfæt *sōhte*;   2300
þonne his myne *sōhte*,   2572
Ic ... | ne *sōhte* searonīðas,   2738
þā hē biorges weard | *sōhte*,   3067

sōhtest.

for ārstafum ūsic *sōhtest*.   458

354 COOK, [sōhton-sorgcearig

sōhton.

þæt gē ... | ... for higeþrymmum Hrōðgār *sōhton.*   339
Hyne wræcmæcgas | ofer sǣ *sōhtan,* suna Ōhteres;   2380

somod.

gāras stōdon, | sǣmanna searo, *samod* ætgædere,   329
hāt in gān | sēon sibbegedriht *samod* ætgædere;   387
Geseah hē ... | swefan sibbegedriht *samod* ætgædere, 729
þær wæs sang ond swēg *samod* ætgædere   1063
Gehwearf ... | brēostgewǣdu ond se bēah *somod*;   1211
samod ærdæge | ēode eorla sum,   1311
būton þone hafelan ond þā hilt *somod,*   1614
þæt hē ðone healsbēah Hygde gesealde ... | ... þrīo
wicg *somod*   2174
Him wæs bām *samod* | on ðām lēodscipe lond gecynde, 2196
Sceolde ... | æþeling ... ende gebīdan, | ... ond se
wyrm *somod,*   2343
Frōfor eft gelamp | sārigmōdum *somod* ærdæge,   2942
nam ... | heard swyrd hilted ond his helm *somod*;   2987

sonde.

strēamas wundon | sund wið *sande*;   213
nīwtyrwydne nacan on *sande,*   295
þā wæs on *sande* sǣgēap naca | hladen herewǣdum, 1896
sǣlde tō *sande* sīdfæþme scip   1917
æfter *sande* sǣwong tredan,   1964
Fundon ðā on *sande* sāwullēasne   3033

song, *sb.*

þær wæs hearpan swēg, | swutol *sang* scopes.   90
galan ... | sigelēasne *sang,*   787
þær wæs *sang* ond swēg samod ætgædere   1063
þonne hē gyd wrece, | sārigne *sang,*   2447

song, *vb.*

hringīren scīr | *song* in searwum,   323
Scop hwīlum *sang* | hādor on Heorote;   496
Horn stundum *song* | fūslīc f[yrd]-lēoð.   1423

sorga, *sb.*

geþolode | wine Scyldinga wēana gehwelcne, | sīdra *sorga*; 149

sorga, *vb.*

Ne *sorga,* snotor guma;   1384

sorgcearig. *See* sorhcearig.

sorge.

sorge ne cūðon, | wonsceaft wera. 119

grimne gripe Gūðlāf ond Ōslāf | ... *sorge* mændon, 1149

Sige-Scyldingum *sorge* gefremede, 2004

heortan *sorge* | weallinde wæg; 2463

Hē ðā mid þære *sorhge* ... | gumdrēam ofgeaf, 2468

sorgian.

nō ðū ymb mīnes ne þearft | līces feorme leng *sorgian.* 451

sorgum.

Hiora in ānum wēoll | sefa wið *sorgum*; 2600

sorh.

Sorh is mē tō secganne 473

sorh is genīwod | Denigea lēodum. 1322

sorhcearig.

Gesyhð *sorhcearig* ... | wīnsele wēstne, 2455

sorgcearig sælðe geneahhe, 3152

sorhfull.

Grendeles mōdor | sīðode *sorhfull*; 2119

sorhfullne.

Ne inc ænig mon | ... belēan mihte | *sorhfullne* sīð, 512

gegān wolde | *sorhfulne* sīð, 1278

oft bewitigað | *sorhfulne* sīð on seglrāde, 1429

sorghe. *See* **sorge.**

sorhlēas.

þæt þū ... mōst | *sorhlēas* swefan 1672

sorhlēoð.

sorhlēoð gæleð | ān æfter ānum; 2460

sorhwylmas.

Hine *sorhwylmas* | lemede tō lange; 904

sorhwylmum.

Ic ðæs mōdceare | *sorhwylmum* sēað, 1993

sōð, *sb.*

Sōð ic talige, | þæt ic merestrengo māran āhte, 532

sōð is gecȳþed, 700

sē þe secgan wile *sōð* æfter rihte. 1049

þæt, lā! mæg secgan, sē þe *sōð* ond riht | fremeð 1700

þæt lā! mæg secgan, sē ðe wyle *sōð* specan, 2864

sōð, *adj.*

þæt is *sōð* Metod. 1611

hwīlum gyd āwræc | *sōð* ond sārlīc; 2109

23*

Sōðcyning.

God sylfa, | sigora *Sōðcyning,*   3055

sōðe.

Men ne cunnon | secgan tō *sōðe,*   51

Bēot eal wið þē | sunu Bēanstānes *sōðe* gelæste.   524

Secge ic þē tō *sōðe,*   590

word ōþer fand | *sōðe* gebunden.   871

þā wæs Bīowulfe brōga gecȳðed | snūde tō *sōðe,*   2325

sōðfæstra.

him ... gewāt | sāwol sēcean *sōðfæstra* dōm.   2820

sōðlīce.

him ... wæs | gesægd *sōðlīce* sweotolan tācne |
  healðegnes hete;   141

swā wē *sōþlīce* secgan hȳrdon,   273

ac hē *sōðlīce* sægde ofer ealle: 2899

specan. *See* **sprecan.**

spēd.

Secg eft ongan ... | ... on *spēd* wrecan spel gerāde,   873

spel.

Secg eft ongan ... | ... on spēd wrecan *spel* gerāde,   873

syllīc *spell* | rehte æfter rihte rūmheort cyning;   2109

spella.

Lȳt swīgode | nīwra *spella,*   2898

secgende wæs | lāðra *spella;*   3029

spēow.

him wiht ne *spēow.*   2854

hū him æt æte *spēow,*   3026

spīwan.

Ðā se gæst ongan glēdum *spīwan,*   2312

spræc.

wlanc Wedera lēod word æfter *spræc,*   341

Spræc ðā ides Scyldinga: 1168

Wealhðēo maþelode, hēo fore þǣm werede *spræc:*   1215

se wīsa *spræc* | sunu Healfdenes;   1698

Bēowulf maðelode, bēotwordum *spræc,*   2510

nō ymbe ðā fæhðe *spræc,*   2618

Bīowulf maþelode: hē ofer benne *spræc,*   2724

sprǣce, *sb.*

gyf ... hwylc frēcnan *sprǣce* | ðæs morþorhetes
  myndgiend wǣre,   1104

sprǑce, *vb.*

    Hwæt! þū worn fela... | ... ymb Brecan *sprǑce,*   531

spræcon.

    hwæt wit gēo *spræcon*:   1476

    gomele ymb gōdne on geador *spræcon,*   1595

    swā wit furðum *spræcon*;   1707

sprang. *See* **sprong.**

sprec.

    tō Gēatum *sprec* | mildum wordum,   1171

sprecan.

    Ic sceal forð *sprecan* | gēn ymbe Grendel,   2069

    þæt lā! mæg secgan, sē ðe wyle sōð *specan,*   2864

    wordgyd wrecan, ond ymb w[er] *sprecan*;   3172

sprecen.

    þā wæs eft swā ær... | þrȳðword *sprecen,*   643

sprong.

    Bēowulf wæs brēme (blæd wīde *sprang*),   18

    Hrā wīde *sprong,*   1588

    þæt him for swenge swāt ædrum *sprong*   2966

sprungon.

    wīde *sprungon* | hildelēoman.   2582

stæle.

    þæt ðū mē ā wære | forð gewitenum on fæder *stæle.*   1479

stāg.

    þā hē tō holme [*st*]*āg.*   2362

stān.

    hē under hārne *stān* | ... genēðde | frēcne dæde;   887

    þæt hē ... fyrgenbēamas | ofer hārne *stān* hleonian

        funde,   1415

    stefn in becōm | heaðotorht hlynnan under hārne *stān*; 2553

    ðū ... geong | hord scēawian under hārne *stān,*   2744

stānbeorh.

    sē ðe on hēa[um] hlæwe hord beweotode, | *stānbeorh*

        stēapne;   2213

stānbogan.

    Geseah ðā be wealle... | sto[n]dan *stānbogan,*   2545

    hū ðā *stānbogan* ... | ēce eorðreced innan healde.   2718

stāncleofu.

    hiorosercean bær | under *stāncleofu,*   2540

standan.

Hordwynne fond | eald ūhtsceaða opene *standan*,   2271
Geseah ðā be wealle ... | *sto[n]dan* stānbogan,   2545
Geseah ðā sigehrēðig ... | ... orcas *stondan*,   2760

standað.

þe gē þǣr on *standað*,   2866

stande.

þæt þes sele *stande* ... | īdel ond unnyt,   411

standeð.

þæt se mere *standeð*,   1362

stāne.

stonc ðā æfter *stāne*, stearcheort onfand | ... fōtlāst; 2288
cwōm | oruð āglǣcean ūt of *stāne*,   2557

stānfāh.

Strǣt wæs *stānfāh*, stīg wīsode | gumum ætgædere.   320

stānhliðo.

Oferēode þā æþelinga bearn | stēap *stānhliðo*,   1409

stapole.

stōd on *stapole*, geseah stēapne hrōf   926

stapulum.

hū ðā stānbogan *stapulum* fæste | ēce eorðreced
... healde.   2718

starað.

þe on swylc *starað*.   996
þonne hē on þæt sinc *starað*,   1485

starede.

þæt hire an dæges ēagum *starede*;   1935

staredon.

Gistas sētan | mōdes sēoce, ond on mere *staredon*;   1603

starie.

þæt ic on þone hafelan heorodrēorigne | ... *starige*. 1781
þe ic hēr on *starie*,   2796

stēap.

Oferēode þā æþelinga bearn | *stēap* stānhliðo,   1409

stēape.

þæt ðā līðende land gesāwon, | ... beorgas *stēape*,   222

stēapne.

stōd on stapole, geseah *stēapne* hrōf   926

hord beweotode, | stānbeorh *stēapne*;   2213
Stīðmōd gestōd wið *stēapne* rond | winia bealdor,   2566
stearcheort.
.   *stearcheort* onfand | fēondes fōtlāst;   2288
   stearcheort styrmde;   2552
steda.
wæs *steda* nægla gehwylc stȳle gelīcost,   985
stefn (*stem of a ship*).
Beornas gearwe | on *stefn* stigon;   212
stefn (*voice*).
stefn in becōm | heaðotorht hlynnan under hārne stān; 2552
stefne.
fægere gereorded | nīowan *stefne*.   1789
Hyrte hyne hordweard ... | nīwan *stefne*;   2594
stēpte.
Ðēah þe hine mihtig God ... | eafeþum *stēpte*   1717
stīg.
Strǣt wæs stānfāh, *stīg* wīsode | gumum ætgædere.   320
stīg under læg | eldum uncūð.   2213
stige.
ær hē on bed *stige*:   676
stīge.
Oferēode þā æþelinga bearn | ... *stīge* nearwe,   1409
stigon.
Beornas gearwe | on stefn *stigon*;   212
þanon ūp hraðe | Wedera lēode on wang *stigon*,   225
stille.
flota *stille* bād,   301
þæt se wīdfloga wundum *stille* | hrēas on hrūsan   2830
stīð.
þæt hit on eorðan læg, | *stīð* ond stȳlecg;   1533
stīðmōd.
Stīðmōd gestōd wið stēapne rond | winia bealdor,   2566
stōd.
þǣr æt hȳðe *stōd* hringedstefna   32
oð þæt īdel *stōd* | hūsa sēlest.   145
him of ēagum *stōd* | ... lēoht unfǣger.   727
Norð-Denum *stōd* | atelīc egesa,   783
stōd on stapole, geseah stēapne hrōf   926

þonne blōde fāh, | hūsa sēlest heorodrēorig *stōd*;   935
þāra ānum *stōd* | sadol searwum fāh,   1037
wæter under *stōd* | drēorig ond gedrēfed.   1416
þæt him on aldre *stōd* | herestrǣl hearda;   1434
Līxte se lēoma, lēoht inne *stōd*,   1570
cēol ūp geþrang | lyftgeswenced, on lande *stōd*.   1913
ðām gyst[e gryre]brōga *stōd*;   2227
brynelēoma *stōd* | eldum on andan;   2313
þæt hyt on heafolan *stōd* | nīþe genȳded;   2679
of ðām lēom*a stōd*,   2769

stōdon.

gāras *stōdon*, | sǣmanna searo, samod ætgædere,   328
Him big *stōdan* būnan ond orcas,   3047

stonc.

stonc ðā æfter stāne, stearcheort onfand | ... fōtlāst;   2288

stondan. *See* **standan.**

stōp.

eoten wæs ūtweard; eorl furþur *stōp*.   761
gumfēþa *stōp* | lindhæbbendra.   1401

storm.

þonne strǣla *storm* strengum gebǣded | scōc   3117

storme.

holm *storme* wēol,   1131

stōw.

Nis þæt hēoru *stōw*;   1372

stōwe.

ac gesacan sceal ... | grundbūendra gearwe *stōwe*,   1006
Eard git ne const, | frēcne *stōwe*,   1378

strǣla.

þonne *strǣla* storm strengum gebǣded | scōc   3117

strǣle.

þonne bið on hreþre under helm drepen | biteran
    strǣle;   1746

strǣt.

Strǣt wæs stānfāh, stīg wīsode | gumum ætgædere.   320

strǣte.

Hwīlum flītende fealwe *strǣte* | mēarum mǣton.   916
foldweg mǣton, | cūþe *strǣte*,   1634

strang.

wæs þæt gewin tō *strang*, | lāð ond longsum.   133
þū eart mægenes *strang* ond on mōde frōd,   1844
wæs sīo hond tō *strong*,   2684

strēam.

Geseah ðā... | ...*strēam* ūt þonan | brecan of beorge; 2545

strēamas.

strēamas wundon | sund wið sande;   212
sē þe wæteregesan wunian scolde, | cealde *strēamas*, 1261

strēd.

Wæs þām yldestan... | mæges dǣdum morþorbed
strēd,   2436

strenge.

hwæþre hē gemunde mægenes *strenge*,   1270
strenge getrūwode, | mundgripe mægenes.   1533

strengel.

Nū sceal glēd fretan |... wigena *strengel*,   3115

strengest.

sē wæs moncynnes mægenes *strengest*   196
sē þe manna wæs mægene *strengest*   789
oferwearp þā wērigmōd wigena *strengest*,   1543

strengo.

strengo getrūwode | ānes mannes;   2540

strengum.

þonne strǣla storm *strengum* gebǣded | scōc   3117

strong. *See* **strang.**

strude.

sē ðone wong *strude*.   3073
Næs ðā on hlytme, hwā þæt hord *strude*,   3126

stundum.

Horn *stundum* song | fūslīc f[yrd]lēoð.   1423

stȳle.

wæs steda nægla gehwylc *stȳle* gelīcost,   985

stȳlecg.

þæt hit on eorðan læg, | stīð ond *stȳlecg*;   1533

styrede.

þæt hē... |... hringsele hondum *styrede*,   2840

styreð.

þonne wind *styreþ* | lāð gewidru,   1374

styrian.

Secg eft ongan | sīð Bēowulfes snyttrum *styrian*,   872

styrmde.

stearcheort *styrmde*;   2552

suhtergefæderan.

þā gōdan twēgen | sǣton *suhtergefæderan*;   1164

suna.

Bēo þū *suna* mīnum | dǣdum gedēfe, drēam healdende. 1226

his mōdor... | ...gegān wolde | ...*suna* deað wrecan; 1278

Sīo gehāten [is] | ... gladum *suna* Frōdan;   2025

Hyne wræcmæcgas | ofer sǣ sōhtan, *suna* Ōhteres;   2380

Gesyhð sorhcearig on his *suna* būre | wīnsele wēstne, 2455

þæt wæs mid eldum Ēanmundes lāf, | *suna* Ōhtere[s], 2612

Nū ic *suna* mīnum syllan wolde | gūðgewǣdu,   2729

sund.

strēamas wundon | *sund* wið sande;   213

þā wæs *sund* liden | eoletes æt ende.   223

sē þe wið Brecan wunne, | ... ymb *sund* flite,   507

þā git on *sund* rēon;   512

Hæfdon swurd nacod, þā wit on *sund* rēon,   539

gesāwon ... | sellīce sǣdracan *sund* cunnian,   1426

scolde herebyrne ..., | sīd ond searofāh, *sund* cunnian, 1444

sunde.

hē þē æt *sunde* oferflāt,   517

ac hine wundra þæs fela | swe[n]cte on *sunde*,   1510

Sōna wæs on *sunde*,   1618

sundes.

hē on holme wæs | *sundes* þē sǣnra,   1436

sundgebland.

sēcan *sundgebland* since geweorðad,   1450

sundnytte.

þonan Bīowulf cōm | ... *sundnytte* drēah;   2360

sundornytte.

sundornytte behēold | ymb aldor Dena,   667

sundur.

sceolde | ... *sundur* gedǣlan | līf wið līce;   2422

sundwudu.

fīftēna sum | *sundwudu* sōhte;   208

sundwudu þunede;   1906

sunnan.

gesette sigehrēþig *sunnan* ond mōnan | lēoman　　94
siððan hīe *sunnan* lēoht gesēon [ne] meahton,　　648

sunne.

morgenlēoht ..., | *sunne* sweglwered,　　606
ðā cōm beorht scacan | [*sunne* ofer grundas].　　1802

sunu.

Wē...hlāford þīnne, | *sunu* Healfdenes, sēcean cwōmon,　268
Wille ic āsecgan *sunu* Healfdenes, | ... mīn ærende,　344
Bēot eal wið þē | *sunu* Bēanstānes sōðe gelæste.　　524
Secge ic þē tō sōðe, *sunu* Ecglāfes,　　590
sunu Healfdenes sēcean wolde | æfenræste;　　645
Nū ic, Bēowulf, þec, | ... mē for *sunu* wylle | frēogan　947
Ðā wæs swīgra secg *sunu* Ec[g]lāfes·　　980
þæt tō healle gang Healfdenes *sunu*;　　1009
ðonne sweorda gelāc *sunu* Healfdenes | efnan wolde; 1040
þæt ... | ... Folcwaldan *sunu* | ... Dene weorþode,　1089
Hēt ðā Hildeburh ... | hire ... *sunu* sweoloðe be-
　fæstan,　　1115
þæt þū ðē for *sunu* wolde | hereri[n]c habban.　　1175
Mæg þonne ... | gesēon *sunu* Hrēðles,　　1485
Hæfde ðā forsīðod *sunu* Ecgþēowes　　1550
wē þē þās sælāc, *sunu* Healfdenes, | ... brōhton　1652
se wīsa spræc | *sunu* Healfdenes;　　1699
sunu Ecglāfes heht his sweord niman,　　1808
wið his sylfes *sunu* setl getæhte.　　2013
sunu dēað fornam, | wīghete Wedra.　　2119
hē mē [māðma]s geaf, | *sunu* Healfdenes,　　2147
Oferswam ðā sioleða bīgong *sunu* Ecgðēowes,　2367
feorhwunde hlēat | ... *sunu* Hygelāces.　　2386
folce gestēpte | ofer sǣ sīde *sunu* Ōhteres,　　2394
Swā hē nīða gehwane genesen hæfde, | ... *sunu*
　Ecgðīowes,　　2398
þonne his *sunu* hangað | hrefne tō hrōðre,　　2447
Wīglāf wæs hāten, Weoxstānes *sunu*,　　2602
Ðā ic snūde gefrægn *sunu* Wihstānes　　2752
Wīglāf maðelode, Weohstānes *sunu*,　　2862
se snella *sunu* Wonrēdes　　2971
Wīglāf maðelode, Wihstānes *sunu*:　　3076
Hūru se snotra *sunu* Wihstānes | ācīgde ... þegnas 3120

sūð.

þætte *sūð* ne norð... | ...ōþer nænig |... sēlra nære 858

sūðan.

siþþan morgenlēoht..., | sunne sweglwered, *sūþan*
scīneð. 606
woruldcandel scān, | sigel *sūðan* fūs; 1966

Sūð-Dena.

þanon hē gesōhte *Sūð-Dena* folc 463

Sūð-Dene.

þæt ðū... | lēte *Sūð-Dene* sylfe geweorðan | gūðe 1996

swāc.

næfre hit æt hilde ne *swāc* | manna ængum, 1460

swæf.

gæst inne *swæf,* 1800

swǣfon.

Scēotend *swǣfon,*... | ealle būton ānum. 703
ðær Hring-Dene | geond þæt sæld *swǣfun.* 1280

swǣse.

hyne þā ætbǣron... | *swǣse* gesīþas, 29
hēt [h]ine mid þǣm lācum lēode *swǣse* | sēcean 1868
oð ðæt hīe forlǣddan tō ðām lindplegan | *swǣse*
gesīðas 2040
Gegrētte ðā gumena gehwylcne,... | *swǣse* gesīðas: 2518

swǣslīce.

wæs | nealles *swǣslīce* sīð ālȳfed 3089

swǣsne.

ðonon hē gesōhte *swǣsne* ēðel, 520

swǣsra.

nænig þæt dorste dēor genēþan | *swǣsra* gesīða, 1934

swancor.

þrīo wicg somod | *swancor* ond sadolbeorht; 2175

swanrāde.

hē gūðcyning | ofer *swanrāde* sēcean wolde, 200

swāt.

swāt ȳðum wēoll. 2693
þæt him for swenge *swāt* ǣdrum sprong 2966

swāte.

sweord *swāte* fāh, 1286

swātfāh.

 æt þǣm āde wæs ēþgesȳne | *swātfāh* syrce,   1111

swātig.

 Sweord wæs *swātig*; secg weorce gefeh.   1569

swātswaðu.

 Wæs sīo *swātswaðu* Sw[ē]ona ond Gēata | ...wīde
  gesȳne,   2946

swaðe.

 hwæþre him sīo swīðre *swaðe* weardade | hand   2098

swaðredon.

 brimu *swaþredon*,   570

swaðule.

 nymþe līges fæþm | swulge on *swaþule*.   782

swealg.

 blōd ēdrum dranc, | synsnǣdum *swealh*;   743
 Heofon rēce *swe[a]lg*.   3155

swealt.

 draca morðre *swealt*.   892
 sē þǣr inne *swealt*.   1617
 syððan ... | Hrēðles eafora hiorodryncum *swealt*   2358
 syððan Hrēðel *swealt*;   2474
 oð þæt hē morðre *swealt*.   2782
 Wedra þēoden wundordēaðe *swealt*.   3037

sweart.

 wud[u]rēc āstāh | *sweart* ofer swioðole,   3145

sweartum.

 Heorot eardode, | sincfāge sel *sweartum* nihtum;   167

swebban.

 forþan ic hine sweorde *swebban* nelle,   679

swefan.

 Fand ... æþelinga gedriht | *swefan* æfter symble;   119
 Geseah hē ... | *swefan* sibbegedriht samod ætgædere,   729
 þæt þū ... mōst | sorhlēas *swefan*   1672

swefað.

 feormend *swefað*, | þā ðe beadogrīman bȳwan sceoldon;   2256
 rīdend *swefað*, | hæleð in hoðman;   2457

swefeð.

 hē [on] lust wīgeð, | *swefeð* ond sendeþ,   600
 þǣr his līchoma legerbedde fæst | *swefeþ* æfter symle.   1008

þonne se weard *swefeð*, | sāwele hyrde;   1741
blōdfāg *swefeð*,   2060
se wyrm ligeð, | *swefeð* sāre wund,   2746
swēg.
  þær wæs hearpan *swēg*, | swutol sang scopes.   89
  þā wæs ... | ... ðēod on sǣlum, | sigefolca *swēg*,   644
  Swēg ūp āstāg | nīwe geneahhe;   782
  þær wæs sang ond *swēg* samod ætgædere   1063
  nis þær hearpan *swēg*,   2458
  sceall ... | ... nalles hearpan *swēg* | wīgend weccean, 3023
swēge.
  Heal *swēge* onfēng.   1214
swegle.
  ðā hēo under *swegle* gesēon meahte | morþorbealo   1078
  Nǣnigne ic under *swegle* sēlran hȳrde | hordmādmum
    hæleþa,   1197
  þæt ic ... | ... gearo scēawige | *swegle* searogimmas,   2749
swegles.
  nǣnig | under *swegles* begong sēlra nǣre   860
  þæt ic mē ǣnigne | under *swegles* begong gesacan
    ne tealde.   1773
sweglwered.
  siþþan morgenlēoht ..., | sunne *sweglwered*, sūþan
    scīneð.   606
swelan.
  Ðā sīo wund ongon ... | *swelan* ond swellan;   2713
swellan.
  Ðā sīo wund ongon ... | swelan ond *swellan*;   2713
swencte.
  ac hine wundra þæs fela | *swe*[*n*]*cte* on sunde,   1510
swenge.
  hond *swenge* ne oftēah,   1520
  sē ðe mēca gehwane ... | *swenge* ofersōhte,   2686
  þæt him for *swenge* swāt ǣdrum sprong   2966
swengum.
  hē ... feorhwunde hlēat | sweordes *swengum*,   2386
sweofote.
  þonne hē Hrōðgāres heorðgenēatas | slōh on *sweofote*, 1581
  þe him on *sweofote* sāre getēode;   2295

sweoloðe.

> Hēt ðā Hildeburh... | hire... sunu *sweoloðe* be-
> fæstan,   1115

Swēona.

> þā wæs synn ond sacu *Swēona* ond Gēata,   2472
> sīo swātswaðu *Sw[ē]ona* ond Gēata,   2946
> þā wæs æht boden | *Swēona* lēodum,   2958
> þe ūs sēceað tō *Swēona* lēoda,   3001

sweorceð.

> ne him inwitsorh | on sefa[n] *sweorceð*,   1737

sweord.

> ic þæt þonne forhicge... | þæt ic *sweord* bere   437
> Hæfdon *swurd* nacod, þā wit on sund rēon,   539
> sealde his hyrsted *sweord*, | īrena cyst, ombihtþegne,   672
> ðæt þæt *swurd* þurhwōd | wrætlīcne wyrm,   890
> *sweord* swāte fāh... | ... andweard scireð.   1286
> Ðā wæs on healle heardecg togen | *sweord* ofer setlum,   1289
> Geseah... | eald *sweord* eotenisc, ecgum þyhtig,   1558
> *Sweord* wæs swātig; secg weorce gefeh.   1569
> þæt *sweord* ongan... | wīgbil wanian;   1605
> *sweord* ær gemealt, | forbarn brōden mǣl;   1615
> þæt ic... geseah... hangian | eald *sweord* ēacen   1663
> hwām þæt *sweord* geworht | ... ǣrest wǣre,   1696
> sunu Ecglāfes heht his *sweord* niman,   1808
> Hē þǣm bātwearde bunden golde | *swurd* gesealde,   1901
> Nāh hwā *sweord* wege,   2252
> þenden þis *sweord* þolað,   2499
> sceall billes ecg, | ... heard *sweord*, ymb hord wīgan.   2509
> Nolde ic *sweord* beran,   2518
> *Sweord* ær gebrǣd | gōd gūðcyning,   2562
> gomel *swyrd* getēah.   2610
> his māgum ætbær... | eald *sweord* etonisc,   2616
> þæt wē him... gyldan woldon... | ... heard *sweord*.   2638
> ūrum sceal *sweord* ond helm | ... bām gemǣne.   2659
> geswāc æt sæcce *sweord* Bīowulfes,   2681
> þæt ðæt *sweord* gedēaf | fāh ond fǣted,   2700
> Lēt se... þegn... | eald *sweord* eotonisc... | brecan   2979
> nam on Ongenðīo... | heard *swyrd* hilted   2987
> discas lāgon ond dȳre *swyrd*,   3048

sweorda.

Besæt ðā sinherge *sweorda* lāfe   2936

þær wearð Ongenðīow ecgum *sweorda* | ... on bīd

    wrecen,   2961

sweordbealo.

Fin eft begeat | *sweordbealo* slīðen æt his selfes hām, 1147

sweorde.

Ic him þēnode | dēoran *sweorde*,   561

þæt ic mid *sweorde* ofslōh | niceras nigene.   574

forþan ic hine *sweorde* swebban nelle,   679

Ic him þā māðmas ... | geald æt gūðe ... | lēohtan

    sweorde;   2492

þonne ic *sweorde* drep | ferhðgenīðlan;   2880

sweorde ne meahte ... | wunde gewyrcean.   2904

sweordes.

þonne hit *sweordes* ecg syððan scolde.   1106

næs ... | sincmāðþum sēlra on *sweordes* hād;   2193

feorhwunde hlēat | *sweordes* swengum, sunu Hygelāces. 2386

sweordfrecan.

þā hē þæs wæpnes onlāh | sēlran *sweordfrecan*;   1468

sweordgifu.

Nū sceal sincþego ond *swyrdgifu* ... | ... ālicgean;   2884

sweordum.

be ȳðlāfe uppe lǣgon, | *sweo[r]dum* āswefede,   567

dǣd gefremede | fāgum *sweordum*   586

hæfdon ealfela eotena cynnes | *sweordum* gesǣged.   884

sweotol.

þær wæs hearpan swēg, | *swutol* sang scopes.   90

him on eaxle wearð | syndolh *sweotol*;   817

þæt wæs tācen *sweotol*,   833

sweotolan.

him ... wæs | gesǣgd sōðlīce *sweotolan* tācne | heal-

    ðegnes hete;   141

Swēoðēode.

Ne ic tō *Swēoðēode* sibbe ... | wihte ne wēne;   2922

Swertinges.

þone hring hæfde Higelāc Gēata, | nefa *Swertinges*, 1203

sweðrian.

þæt ðæt fȳr ongon | *sweðrian* syððan.   2702

sweðrode.
Siððan Heremōdes hild *sweðrode*,   901
swice.
būtan his līc *swice*;   966
swifta.
ne se *swifta* mearh | burhstede bēateð.   2264
swīgedon.
swīgedon ealle: 1699
swīgode.
Lȳt *swīgode* | nīwra spella,   2897
swīgra.
Ðā wæs *swīgra* secg sunu Ec[g]lāfes   980
swīn.
æt þǣm āde wæs ēþgesȳne | ... *swȳn* ealgylden,   1111
swīn ofer helme | ... andweard scireð.   1286
swingeð.
ne gōd hafoc | geond sǣl *swingeð*,   2264
swīnlīcum.
swā hine... | worhte wǣpna smið,... | besette *swīn-*
līcum,   1453
Swīorīce.
ðe in *Swīorīce* sinc brytnade,   2383
oððe tō Gār-Denum, | oððe in *Swīorīce*,   2495
swioðole.
wud[u]rēc āstāh | sweart ofer *swioðole*,   3145
swīð.
wæs þæt gewin tō *swȳð*, | lāþ ond longsum,   191
wæs þæt gifeðe tō *swīð*,   3085
swīðe.
þæt hē þā fǣhðe ne þearf... | *swīðe* onsittan,   597
Wæs þæt beorhte bold tōbrocen *swīðe*,   997
þæt... | ... Folcwaldan sunu ... | ... wenede, | efne
swā *swīðe* sincgestrēonum   1092
bið se slǣp tō fǣst | ... bona *swīðe* nēah,   1743
Bold wæs betlīc,... | hēa healle, Hygd *swīðe* geong, 1926
Hygelāce wæs | nīða heardum nefa *swȳðe* hold,   2170
swȳðe [wēn]don, þæt hē slēac wǣre,   2187
hyne foldbūend | [*swīðe* ondrǣ]da[ð].   2275

24

swīðferhð.

Hæfde þā gefælsod... | ... *swȳðferhð* sele Hrōðgāres,   826

swīðferhðe.

þær *swīðferhþe* sittan ēodon, | þrȳðum dealle.   493

swīðferhðes.

Swylce oft bemearn... | *swīðferhþes* sīð snotor ceorl
    monig,   908

swīðferhðum.

hwæt *swīðferhðum* sēlest wære | ... tō gefremmanne. 173

swīðhicgende.

Ēode scealc monig | *swīðhicgende* tō sele þām hēan   919
fægere geþægon | medoful..., | *swīðhicgende,*   1016

swīðmōd.

Cōm þā tō lande lidmanna helm | *swīðmōd* swymman,   1624

swīðor.

ūþe ic *swīþor,* | þæt ðū hine selfne gesēon mōste,   960
hē tō gyrnwræce | *swīðor* þōhte, þonne tō sælāde,   1139
Him wæs bēga wēn, | ... ōþres *swīðor,*   1874
wæs... | ... ōðrum *swīðor* | sīde rīce,   2198

swīðre.

hwæþre him sīo *swīðre* swaðe weardade | hand   2098

swōgende.

āstāh | ... *swōgende* lēg | wōpe bewunden   3145

swōr.

hē mē āþas *swōr.*   472
Ic... | ... ne mē *swōr* fela | āða on unriht.   2738

swulge.

nymþe līges fæþm | *swulge* on swaþule.   782

swuncon.

Git on wæteres æht | seofon niht *swuncon;*   517

swurd. *See* **sweord.**

swutol. *See* **sweotol.**

swylt.

oþ þæt ende becwōm, | *swylt* æfter synnum.   1255
hē on holme wæs | ... ðē hyne *swylt* fornam.   1436

swyltdæge.

ðe ic mōste... | ær *swyltdæge* swylc gestrȳnan.   2798

swymman.

Cōm þā tō lande lidmanna helm | swīðmōd *swymman,*   1624

swȳn. *See* **swīn.**

swynsode.

Ðǣr wæs hæleþa hleahtor, hlyn *swynsode,*   611

swyrd-. *See* **sweord-.**

swȳð-. *See* **swīð-.**

syfanwintre.

Ic wæs *syfanwintre,* þā mec sinca baldor | ... genam;   2428

syllan.

nō ðȳ ǣr suna sīnum *syllan* wolde ... | brēostgewǣdu.   2160
Nū ic suna mīnum *syllan* wolde | gūðgewǣdu,   2729

sylle.

fram *sylle* ābēag | medubenc monig,   775

syllīc.

Glōf hangode | sīd ond *syllīc,*   2086
syllīc spell | rehte æfter rihte ... cyning;   2109

syllīce.

gesāwon ... | *sellīce* sǣdracan sund cunnian,   1426

syllīcran.

Ǣr hī þǣr gesēgan *syllīcran* wiht,   3038

symbel.

þæt hīe mē þēgon, | *symbel* ymbsǣton sǣgrunde nēah;   564
hē on lust geþeah | *symbel* ond seleful,   619
wolde self cyning *symbel* þicgan.   1010
Hrēðel cyning | geaf mē sinc ond *symbel,*   2431

symbelwynne.

symbelwynne drēoh, | wigge weorþad;   1782

symbla.

þǣr wæs *symbla* cyst,   1232

symble.

bēagas dǣlde, | sinc æt *symle.*   81
Fand ... æþelinga gedriht | swefan æfter *symble;*   119
Site nū tō *symle* ond onsǣl meoto, | sigehrēð secgum,   489
þǣr his līchoma legerbedde fǣst | swefeþ æfter *symle.*   1008
syððan ... | ... wē tō *symble* geseten hæfdon.   2104
Symble bið gemyndgad ... | eaforan ellorsīð;   2450
symle ic him on fēðan beforan wolde,   2497
Symle wæs þȳ sǣmra,   2880

synbysig.

ðǣr inne feal*h* | secg *synbysig.*   2226

syndolh.

him on eaxle wearð | *syndolh* sweotol;   817

syngales. *See* **singales.**

synn.

þā wæs *synn* ond sacu Swēona ond Gēata,   2472

synnum.

nō þȳ leng leofað lāðgetēona | *synnum* geswenced;   975
oþ þæt ende becwōm, | swylt æfter *synnum*.   1255
þæt se secg wære *synnum* scildig,   3071

synscaða.

þæt hīe ne mōste ... | se *synscaþa* under sceadu
bregdan;   707

synscaðan.

þone *synscaðan* ... | gūðbilla nān grētan nolde;   801

synsnǣdum.

blōd ēdrum dranc, | *synsnǣdum* swealh;   743

syrcan.

syrcan hrysedon, | gūðgewǣdo;   226
Hwanon ferigeað gē... | grǣge *syrcan* ond grīmhelmas, 334

syrce.

æt þǣm āde wæs ēþgesȳne | swātfāh *syrce,*   1111

syre.

þ[ēah] ð[e hē] slǣpende be *syre* : : : : de   2218

syrede.

[Atol] ǣglǣca ... | ... duguþe ond geogoþe | seomade
ond *syrede,*   161

T.

tācen.

þæt wæs *tācen* sweotol,   833

tācne.

him ... wæs | gesǣgd sōðlīce sweotolan *tācne* | heal-
ðegnes hete;   141
wē þē þās sǣlāc ... | ... brōhton | tīres tō *tācne,* 1654

talast.

swā þū self *talast;*   594

talað.

ond þæt rǣd *talað,*   2027

talige.

  Sōð ic *talige*, | þæt ic merestrengo māran āhte,   532

  Nō ic mē an herewǣsmun hnāgran *talige* | ... þonne

    Grendel hine;   677

  Wēn ic *talige*,   1845

tēah.

  Mē tō grunde *tēah* | fāh fēondscaða,   553

  þāra þe mid Bēowulfe brimlāde *tēah*,   1051

  ic ne wāt hwæ*der* | atol æse wlanc eftsīðas *tēah*,   1332

tealde.

  ne his līfdagas lēoda ænigum | nytte *tealde*.   794

  þæt ic mē ænigne | ... gesacan ne *tealde*.   1773

  cwæð, hē þone gūðwine gōdne *tealde*,   1810

  ac him wælbende weotode *tealde* | handgewriþene; 1936

  þē hē ūsic gārwīgend gōde *tealde*,   2641

tealdon.

  swā hyne Gēata bearn gōdne ne *tealdon*,   2184

tēaras.

  hruron him *tēaras* | blondenfeaxum.   1872

tela.

  heald forð *tela* | nīwe sibbe.   948

  geþēoh *tela*;   1218

  ic þē an *tela* | sincgestrēona.   1225

  wæron hēr *tela* | willum bewenede;   1820

  Hē gehēold *tela* | fīftig wintra   2208

  Lēofa Bīowulf, læst eall *tela*,   2663

  Ic ... | ... hēold mīn *tela*,   2737

telge.

  þȳ ic Heaðobear[d]na hyldo ne *telge*, | ... Denum

    unfæcne,   2067

tēodan.

  Nalæs hī hine læssan lācum *tēodan*,   43

tēode.

  swā hine ... | ... wæpna smið wundrum *tēode*,   1452

teohhe.

  wēan oft gehēt | earmre *teohhe*   2938

teohhode.

  Ful oft ic for læssan lēan *teohhode*,   951

tēon.

Heht ðā eorla hlēo eahta mēaras | ... on flet *tēon*,   1036

tīd.

twelf wintra *tīd* torn geþolode | wine Scyld*in*ga,   147
sē þe ǣr lange *tīd* lēofra manna | ... wlātode;   1915

til.

weoroda rǣswa | Heorogār, ond Hrōðgār ond Hālga *til*;   61
Ne wæs þæt gewrixle *til*, | þæt hīe ... bicgan scoldon 1304
þegn ungemete *till*,   2721

tilian.

Gif ic ... mæg | þīnre mōdlufan māran *tilian*,   1823

till. *See* til.

tilu.

wæs sēo þēod *tilu*.   1250

timbred.

oþ þæt hȳ [s]æl *timbred* | ... ongyton mihton;   307

tīrēadigum.

Edwenden cwōm | *tīrēadigum* menn torna gehwylces.   2189

tīres.

wē þē þās sǣlāc ... | ... brōhton | *tīres* tō tācne,   1654

tīrfæst.

swylce self cyning ... | tryddode *tīrfæst*   922

tīrlēases.

þāra þe *tīrlēases* trode scēawode,   843

tō.

wæs þæt gewin *tō* strang,   133
wæs *tō* fæst on þām.   137
wæs þæt gewin *tō* swȳð,   191
þæt hīe ǣr *tō* fela micles | ... wældēað fornam,   694
Hine sorhwylmas | lemede *tō* lange;   905
wæs *tō* foremihtig | fēond on fēþe.   969
forþan hē *tō* lange lēode mīne | wanode ond wyrde.   1336
bið se slǣp *tō* fæst, | bisgum gebunden,   1742
þinceð him *tō* lȳtel, þæt hē lange hēold;   1748
næs hīo ... | ... *tō* gnēað gifa Gēata lēodum,   1930
Tō lang ys tō reccenne,   2093
wæs sīo hond *tō* strong,   2684
Wergendra tō lȳt | þrong ymbe þēoden,   2882
wæs þæt gifeðe *tō* swīð,   3085

tōbrecan.

þæt hit . . . manna ǣnig | . . . *tōbrecan* meahte,　　780

tōbrocen.

Wæs þæt beorhte bold *tōbrocen* swīðe,　　997

tōdrāf.

oþ þæt unc flōd *tōdrāf*,　　545

tōgædre.

syððan hīe *tōgædre* gegān hæfdon.　　2630

togen.

Ðā wæs . . . heardecg *togen* | sweord ofer setlum,　　1288

on næs *togen*,　　1439

tōglād.

gūðhelm *tōglād*, gomela Scylfing | hrēas [heoro]blāc;　2487

tōhlidene.

Wæs þæt beorhte bold tōbrocen swīðe, . . . | heorras

tōhlidene;　　999

tōlūcan.

þæt hit . . . manna ǣnig . . . | listum *tōlūcan*,　　781

tōmiddes.

ālegdon ðā *tōmiddes* mǣrne þēoden | hæleð　　3141

torht.

Him þā hildedēor [h]of mōdigra | *torht* getǣhte,　　313

torn.

torn geþolode | wine Scyld*in*ga, wēana gehwelcne,　　147

þe hīe . . . | . . . for þrēanȳdum þolian scoldon, | *torn*

unlȳtel.　　833

torna.

Edwenden cwōm | tīrēadigum menn *torna* gehwylces.　2189

torne.

Gewāt þā twelfa sum, *torne* gebolgen, | dryhten Gēata　2401

torngemōt.

gif hē *torngemōt* þurhtēon mihte,　　1140

tornost.

þæt wæs Hrōðgāre hrēowa *tornost*,　　2129

tōsomne.

se wyrm gebēah | snūde *tōsomne*;　　2568

tōwehton.

hū ðā folc mid him fǣhðe *tōwehton*.　　2948

træd.
ōðer earmsceapen | on weres wæstmum wræclāstas
træd, 1352
gumdryhten mid, | mōdig on gemonge, meodowongas
træd. 1643
Bēowulf þanan, | gūðrinc goldwlanc, græsmoldan *træd* 1881
tredan.
Gewāt ... se hearda ... | sylf æfter sande sǽwong
tredan, 1964
sceal gēomormōd ... | oft, nalles ǽne, elland *tredan,* 3019
treddode.
on fāgne flōr fēond *treddode,* 725
trem.
Nelle ic ... | oferflēon fōtes *trem,* 2525
trēowde.
gehwylc hiora his ferhþe *trēowde,* 1166
trēowe.
Ne hūru Hildeburh herian þorfte | Eotena *trēowe;* 1072
Ne ic tō Swēoðēode ... *trēowe* | wihte ne wēne; 2922
trēowlogan.
þæt ... holt ofgēfan, | tydre *trēowlogan* 2847
trode.
þāra þe tīrlēases *trode* scēawode, 843
trum.
Ðēah þe ... | heorot hornum *trum* holtwudu sēce, 1369
trūwode.
Hūru Gēata lēod georne *trūwode* | mōdgan mægnes, 669
Ic ... | ... sīðe ne *trūwode* | lēofes mannes. 1993
bearne ne *trūwode,* 2370
wiðres ne *trūwode,* 2953
tryddode.
swylce self cyning ... | *tryddode* tīrfæst 922
trȳwe.
þā gyt wæs hiera sib ætgædere, | æghwylc ōðrum
trȳwe. 1165
twēonum.
be sǽm *twēonum* 858, 1297, 1685
bī sǽm *twēonum,* 1956
tydre.
þæt ... holt ofgēfan, | *tydre* trēowlogan 2847

Ð.

ðafian.

þæt se þēodcyning *ðafian* sceolde | ... dōm.   2963

ðāh.

wēox under wolcnum, weorðmyndum *þāh*,   8
Hūru þæt on lande lӯt manna *ðāh*   2836
þæt se sīð ne *ðāh*   3058

ðanc.

Ðisse ansӯne Alwealdan *þanc* | lungre gelimpe.   928
þæs sig Metode *þanc*, | ēcean Dryhtne,   1778
sægde him þæs lǣnes *þanc*,   1809
Gode ic *þanc* secge,   1997
Ic ðāra frætwa Frēan ealles *ðanc* | ... secge,   2794

ðance.

þā ðe gifsceattas Gēata fyredon | þyder tō *þance*,   379

ðancedon. *See* **ðancodon.**

ðanchycgende.

gumena nāthwylc, | eormenlāfe ... | *þanchycgende*
   þǣr gehӯdde,   2235

ðancode.

Gode *þancode* | wīsfæst wordum,   625
Āhlēop ðā se gomela, Gode *þancode*,   1397

ðancodon.

Gode *þancedon*, | þæs þe him ӯplāde ēaðe wurdon.   227
Gode *þancodon* | ðrӯðlīc þegna hēap,   1626

ðearf, *sb.*

him wæs manna *þearf*.   201
efne swylce mǣla, swylce hira mandryhtne | *þearf*
   gesælde;   1250
ðē bið manna *þearf*.   1835
Næs him ænig *þearf*,   2493
gif him þyslicu *þearf* gelumpe,   2637
þā him wæs elnes *þearf*.   2876

ðearf, *vb.*

þæt hē þā fǣhðe ne *þearf* ... | swīðe onsittan,   595
swā [ne] gylpan *þearf* Grendeles māga | ... ūhthlem
   þone,   2006
forðam mē wītan ne *ðearf* Waldend fīra | morðorbealo   2741

ðearfe.

þæt him on *ðearfe* lāh ðyle Hrōðgāres;   1456
gif ic æt *þearfe* þīnre scolde | aldre linnan,   1477
ac sēo ecg geswāc | ðēodne æt *þearfe*;   1525
sē ... ealle beweotede | þegnes *þearfe,*   1797
þonne his ðīodcyning *þearfe* hæfde, | bysigum gebǣded.   2579
ic æt *þearfe* [gefrægn] þēodcyninges | ... eorl ellen
   cȳðan,   2694
swylc sceolde secg wesan, | þegn æt *ðearfe.*   2709
fremmað gēna | lēoda *þearfe*;   2801
on hyra mandryhtnes miclan *þearfe*;   2849

ðearft.

Nā þū mīnne *þearft* | hafalan hȳdan,   445
nō ðū ymb mīnes ne *þearft* | līces feorme ... sorgian.   450
þæt þū him ondrǣdan ne *þearft,* ... | aldorbealu eorlum, 1674

ðearle.

Swā mec gelōme lāðgetēonan | þrēatedon *þearle.*   560

ðēaw.

Swylc wæs *þēaw* hyra, | hæþenra hyht;   178
cūþe hē duguðe *þēaw.*   359
Wæs *þēaw* hyra, | þæt hīe oft wǣron an wīg gearwe   1246
Ne bið swylc cwēnlīc *þēaw* | idese tō efnanne,   1940

ðēawum.

Swā se ðēodkyning *þēawum* lyfde;   2144

ðeccean.

þā sceall brond fretan, | ǣled *þeccean,*   3015

ðegn.

þæt fram hām gefrægn Higelāces *þegn,*   194
Gewāt him ... wicge rīdan | *þegn* Hrōðgāres,   235
Þegn nytte behēold,   494
Hwīlum cyninges *þegn* ... | ... word ōþer fand   867
wǣpen hafenade | heard be hiltum Higelāces *ðegn*   1574
Gecyste ... | þēoden Scyldinga *ðegn* betstan,   1871
þæt se fǣmnan *þegn* fore fæder dǣdum | ... blōdfāg
   swefeð,   2059
swylc sceolde secg wesan, | *þegn* æt ðearfe.   2709
þegn ungemete till,   2721
Lēt se hearda Higelāces *þegn* | brād[n]e mēce ... |
   brecan   2977

ðegna.

on ræste genam | þrītig þegna;	123
Ārās þā se rīca, ymb hine ... | þrȳðlīc þegna hēap;	400
Gode þancodon | ðrȳðlīc þegna hēap,	1627
Ðā cōm in gān ealdor ðegna,	1644
þæt þū ... mōst | sorhlēas swefan ... | ond þegna gehwylc	1673
ic ðē þūsenda þegna bringe	1829
Mæg þæs þonne ofþyncan ... | ... þegna gehwām	2033

ðegnas.

Wīg ealle fornam | Finnes þegnas, nemne fēaum ānum,	1081
þegnas syndon geþwǣre, þēod eal gearo.	1230
se ... sunu Wihstānes | ācīgde of corðre cyni[n]ges þegnas	3121

ðegne.

þæt hē ne mehte ... | ... þā wēalāfe ... forþringan | þēodnes ðegne;	1085
þæs þe þincean mæg þegne monegum,	1341
wæs | ... weorce on mōde | tō geþolianne ðegne monegum,	1419
þegne gesealde, | geongum gārwigan, goldfāhne helm,	2810

ðegnes.

sē ... ealle beweotede | þegnes þearfe,	1797

ðegnsorge.

æþeling ǣrgōd ... | ... þegnsorge drēah,	131

ðegnum.

þonne hē ... gesealde | ... helm ... | þēoden his þegnum,	2869

ðēgon.

þæt hīe mē þēgon,	563
Ic ðæt mǣl geman, þǣr wē medu þēgun,	2633

ðehton.

þǣr git ēagorstrēam earmum þehton,	513

ðenceð.

sē þe wel þenceð.	289
ðe mē se gōda āgifan þenceð.	355
byreð blōdig wæl, byrgean þenceð,	448
þonne hē æt gūðe gegān þenceð | longsumne lof,	1535
þām ðe wel þenceð.	2601

ðengel.

Bær þā sēo brimwyl[f]... | hringa *þengel* tō hofe
    sīnum,   1507

ðēnode.

Ic him *þēnode* | dēoran sweorde,   560

ðēod.

þā wæs... | þrȳðword sprecen, *ðēod* on sǣlum,   643
þegnas syndon geþwǣre, *þēod* eal gearo.   1230
wæs sēo *þēod* tilu.   1250
þæt wæs fremde *þēod* | ēcean Dryhtne;   1691
þæt sīe *ðīod*   2219

ðēoda.

Blǣd is ārǣred... | ðīn ofer *þēoda* gehwylce.   1705

ðēodcyning.

Swā se *ðēodkyning* þēawum lyfde;   2144
þonne his *ðīodcyning* þearfe hæfde,   2579
þæt se *þēodcyning* ðafian sceolde |... dōm.   2963
syððan *ðēodcyning* þyder oncirde.   2970
þæt wē *þēodcyning* þǣr scēawian,   3008
þe ðone [*þēodcyning*] þyder ontyhte.   3086

ðēodcyninga.

wē Gār-Dena... | *þēodcyninga* þrym gefrūnon,   2

ðēodcyninges.

ic æt þearfe [gefrægn] *þēodcyninges* |... eorl ellen
    cȳðan,   2694

ðēoden.

ālēdon þā lēofne *þēoden* |... on bearm scipes,   34
Mǣre *þēoden* |... unblīðe sæt,   129
hē gūðcyning |... sēcean wolde, | mǣrne *þēoden*, 201
Ic þæs... |... frīnan wille... | *þēoden* mǣrne ymb
    þīnne sīð,   353
þæt hīe, *þēoden* mīn, wið þē mōton | wordum wrixlan; 365
þā mē þæt gelǣrdon lēode mīne,... | *þēoden* Hrōðgār, 417
Swā manlīce mǣre *þēoden* |... heaþorǣsas geald 1046
Hē þā frætwe wǣg,... | rīce *þēoden*;   1209
þæt hē sigehrēðig sēcean cōme | mǣrne *þēoden*, 1598
þæt þū him ondrǣdan ne þearft, | *þēoden* Scyldinga, 1675
oþ þæt hē āna hwearf, | mǣre *þēoden*,   1715
Gecyste... | *þēoden* Scyldinga ðegn betstan, 1871

Mæg þæs þonne ofþyncan *ðēoden* Heaðobeardna   2032
þær ic, *þēoden* mīn, þīne lēode | weorðode weorcum.   2095
þā se *ðēoden* mec ðīne līfe | healsode hrēohmōd,   2131
him ðæs ... | Wedera *þīoden* wræce leornode.   2336
hæfdon hȳ forhealden helm Scylfinga, ... | mærne
     þēoden.   2384
þēoden mærne, þegn ungemete till, | ... wætere ge-
     lafede   2721
hwæðer ... gemētte | in ðām wongstede Wedra *þēoden*, 2786
Hē ðā mid þām māðmum mærne *þīoden* | ... fand   2788
Dyde him of healse hring ... | *þīoden* prīsthȳdig;   2810
gesealde | ... helm ... | *þēoden* his þegnum,   2869
*W*ergendra tō lȳt | þrong ymbe *þēoden*,   2883
Wedra *þēoden* wundordēaðe swealt.   3037
Ne meahton wē gelæran lēofne *þēoden* | ... ræd
     ænigne,   3079
ālegdon ðā tōmiddes mærne *þēoden*   3141
ðēodenlēase.
     ðēah hīe hira bēaggyfan banan folgedon | *ðēoden-*
          lēase,   1103
ðēodgestrēona.
     þisses hrægles nēot, | *þēo[d]gestrēona,*   1218
ðēodgestrēonum.
     Nalæs hī hine læssan lācum tēodan, | *þēodgestrēonum,* 44
ðēodkyning.   *See* **ðēodcyning.**
ðēodnas.
     hit ... dīope benemdon | *þēodnas* mære,   3070
ðēodne.
     Wille ic āsecgan ... | mærum *þēodne* mīn ærende,   345
     ac sēo ecg geswāc | *ðēodne* æt þearfe;   1525
     ðū Hrōðgāre | wīdcūðne wēan ... gebēttest, | mærum
          ðēodne?   1992
     Scyld wel gebearg | ... læssan hwīle | mærum *þēodne,* 2572
     Þæt ðām *þēodne* wæs | sīðas[t] sigehwīle   2709
ðēodnes.
     wolde frēadrihtnes feorh ealgian, | mæres *þēodnes,* 797
     þæt þæt *ðēodnes* bearn geþēon scolde,   910
     þæt hē ne mehte ... | ... þā wēalāfe ... forþringan |
          þēodnes ðegne;   1085

Gode þancodon | ðrȳðlīc þegna hēap, *þēodnes* gefēgon, 1627
Gif him þonne Hrēþrīc... | geþingeð, *þēodnes* bearn, 1837
ðone þe him Wealhðēo geaf, | *ðēod[nes]* dohtor,   2174
nemne wē æror mægen | ... feorh ealgian | Wedra
     ðēodnes.   2656
ðēodsceaða.
Swā se *ðēodsceaða*... | hēold ... hordærna sum   2278
þā wæs *þēodsceaða* þriddan sīðe, | ...fæhða gemyndig, 2688
Ðēod-Scyldingas.
nalles fācenstafas | *Þēod-Scyldingas* þenden fremedon. 1019
ðēodðrēaum.
þæt him gāstbona gēoce gefremede | wið *þēodþrēaum.*   178
ðēofes.
þēofes cræfte   2219
ðēon.
þe mec... dorste | egesan *ðēon.*   2736
ðēostrum.
brēost innan wēoll | *þēostrum* geþoncum,   2332
ðēow.
þ[ēow] nāthwylces | hæleða bearna heteswengeas flēah, 2223
ðicgean.
þæt hē mā mōste manna cynnes | *ðicgean*   736
wolde self cyning symbel *þicgan.*   1010
ðince.
siþðan wītig God... | mærðo dēme, swā him gemet
     þince.   687
ðincean.
þæs þe *þincean* mæg þegne monegum,   1341
ðinceað.
Hȳ on wīggetāwum wyrðe *þinceað* | eorla geæhtlan;   368
ðinceð.
þinceð him tō lȳtel, þæt hē lange hēold;   1748
Ne *þynceð* mē gerysne,   2653
ðing.
Mē wearð Grendles *þing* | ... undyrne cūð;   409
sceal | ... āna gehēgan | *ðing* wið þyrse.   426
ðinga.
Nolde eorla hlēo ænige *þinga* | þone cwealmcuman
     ... forlǣtan,   791

Nō ðȳ ǣr fēasceafte findan meahton | ... ǣnige *ðinga,* 2374
ne meahte | ... ǣnige *þinga* | wunde gewyrcean. 2905
ðingian.
ne wolde ... | feorhbealo feorran, fēo *þingian,* 156
ne hȳrde ic snotorlīcor | ... guman *þingian;* 1843
ðingode.
Siððan þā fǣhðe fēo *þingode;* 470
ðīod-. *See* **ðēod-.**
ðōhte.
Nǣnig heora *þōhte,* 691
Ne þæt se āglǣca yldan *þōhte,* 739
Ic hi*ne* ... | on wǣlbedde wrīþan *þōhte,* 964
hē tō gyrnwrǣce | swīðor *þōhte,* 1139
ðōhton.
wit unc wið hronfixas | werian *þōhton.* 541
ond on healfa gehwone hēawan *þōhton,* 800
ðolað.
oððe ā syþðan earfoðþrāge, | þrēanȳd *þolað,* 284
þenden þis sweord *þolað,* 2499
ðolian.
þe hīe ... | ... for þrēanȳdum *þolian* scoldon, 832
ðolode.
æþeling ǣrgōd ... | *þolode* ðrȳðswȳð, 131
ðolode ǣr fela | hondgemōta, 1525
ðorfte.
ne þǣr nǣnig witena wēnan *þorfte* | beorhtre bōte 157
Nō hē þǣre feohgyfte | ... scamigan *ðorfte;* 1026
Ne hūru Hildeburh herian *þorfte* | Eotena trēowe; 1071
Nealles folccyning fyrdgesteallum | gylpan *þorfte;* 2874
ne *ðorfte* him ðā lēan oðwītan | mon 2995
ðorfton.
Nealles Hetware hrēmge *þorf[t]on* | fēðewīges, 2363
ðrāg.
þā hyne sīo *þrāg* becwōm. 2883
ðrāge.
Ðā wæs ... Bēowulf Scyldinga | ... longe *þrāge* |
folcum gefrǣge 54
Ðā se ellengǣst earfoðlīce | *þrāge* geþolode, 87

þā wið Gode wunnon | lange *þrāge*; 114
þætte wrecend... | lifde... lange *þrāge* | æfter gūð-
  ceare; 1257
ðrēanēdlan.
  for *þrēanēdlan* þ[ēow]... | ... heteswengeas flēah, 2224
ðrēanȳd.
  oððe ā syþðan earfoðþrāge, | *þrēanȳd* þolað, 284
ðrēanȳdum.
  þe hīe... | ... for *þrēanȳdum* þolian scoldon, 832
ðrēate.
  Sē wæs on ðām *ðrēate* þreottēoþa secg, 2406
ðrēatedon.
  Swā mec gelōme lāðgetēonan | *þrēatedon* þearle. 560
þrēatum.
  Oft Scyld Scēfing sceaþena *þrēatum* | ... meodosetla
  oftēah. 4
ðrecwudu.
  þær on bence wæs | ...ȳþgesēne... | *þrecwudu* þrymlīc. 1246
ðrīsthȳdig.
  Dyde him of healse hring... | þīoden *þrīsthȳdig*; 2810
ðrong.
  Wergendra tō lȳt | *þrong* ymbe þēoden, 2883
ðrōwade.
  syþðan hē æfter dēaðe drepe *þrōwade*, 1589
  þæt hē þæs gewinnes weorc *þrōwade*, 1721
  nearo *ðrōwode* | fȳre befongen, 2594
ðrōwian.
  geseah his mondryhten | ... hāt *þrōwian*; 2605
  þæt hē āna scyle | Gēata duguðe gnorn *þrōwian*, 2658
ðrōwode. *See* **ðrōwade.**
ðrungon.
  syððan Hrēðlingas tō hagan *þrungon*. 2960
ðrym.
  wē Gār-Dena... | þēodcyninga *þrym* gefrūnon, 2
  þȳ læs hym ȳþa *ðrym* | wudu... forwrecan meahte. 1918
ðrymlīc.
  þær on bence wæs | ...ȳþgesēne... | *þrecwudu þrymlīc.* 1246
ðrymmum.
  þrymmum cwehte | mægenwudu mundum, 235

ðrȳðærn.

Næfre ic ænegum men ær ālȳfde ... | *ðrȳþærn* Dena   657

ðrȳðlīc.

Ārās þā se rīca, ymb hine ... | *þrȳðlīc* þegna hēap;   400
Gode þancodon | *ðrȳðlīc* þegna hēap,   1627

ðrȳðL:cost.

swylce hē *þrȳðlīcost* | ōwēr ... findan meahte,   2869

Ðrȳðo.

Mōd *Ðrȳðo* wæg, | fremu folces cwēn,   1931

ðrȳðswȳð.

æþeling ærgōd ... | þolode *ðrȳðswȳð,*   131
Prȳðswȳð behēold | mæg Higelāces,   736

ðrȳðum.

þær swīðferhþe sittan ēodon, | *þrȳðum* dealle.   494

ðrȳðword.

þā wæs eft swā ær ... | *þrȳðword* sprecen,   643

ðūhte.

Nō his līfgedāl | sārlīc *þūhte* secga ænegum,   842
þūhte him eall tō rūm, | wongas ond wīcstede.   2461
swā him gemet *ðūhte.*   3057

ðūhton.

ðær him foldwegas fægere *þūhton,*   866

ðunede.

sundwudu *þunede;*   1906

ðungen.

Hygd swīðe geong, | wīs, wel *þungen,*   1927

ðurfe.

þæt hē ... | ... sēcean *þurfe* | wyrsan wīgfrecan,   2495

ðurhbræc.

oð þæt wordes ord | brēosthord *þurhbræc.*   2792

ðurhdēaf.

wæter ūp *þurhdēaf;*   1619

ðurhetone.

lāgon ... dȳre swyrd, | ōmige, *þurhetone,*   3049

ðurhfōn.

þæt hēo þone fyrdhom *ðurhfōn* ne mihte,   1504

ðurhtēon.

gif hē torngemōt *þurhtēon* mihte,   1140

25

ðurhwōd.

ðæt þæt swurd *þurhwōd* | wrǣtlīcne wyrm,   890
bil eal *ðurhwōd* | fǣgne flǣschoman;   1567

ðus.

þe *þus* brontne cēol | ofer lagustrǣte lǣdan cwōmon,   238
Ne seah ic elþēodige | *þus* manige men mōdiglīcran.   337
nū ic *þus* feorran cōm,   430

ðyhtig.

Geseah ... | eald sweord eotenisc, ecgum *þyhtig,*   1558

ðyle.

Swylce þǣr *Unferþ þyle* | æt fōtum sæt frēan
      Scyldinga;   1165
þæt him on ðearfe lāh *ðyle* Hrōðgāres;   1456

ðynceð. *See* ðinceð.

ðyrse.

ic ... | ... sceal | ... āna gehēgan | ðing wið *þyrse.*   426

ðyslicu.

gif him *þyslicu* þearf gelumpe,   2637

ðȳstrum.

sē þe in *þȳstrum* bād,   87

ðȳwað.

þæt þec ymbsittend egesan *þȳwað,*   1827

U.

ufan.

gāras stōdon, ... | æscholt *ufan* grǣg;   330
þæt þǣr gumena sum | ælwihta eard *ufan* cunnode. 1500

uferan.

Eft þæt geīode *ufaran* dōgrum | hildehlæmmum,   2201
Sē ðæs lēodhryres lēan gemunde | *uferan* dōgrum; 2392

ufor.

eorl Ongenþīo *ufor* oncirde;   2951

ūhtan.

Ðā wæs on *ūhtan* ... | Grendles gūðcræft gumum
      undyrne;   126

ūhtflogan.

Geseah ðā sigehrēðig ... | ... þæs wyrmes denn, |
      ealdes *ūhtflogan;*   2760

ūhthlem.

[ne] gylpan þearf Grendeles māga | [ǣnig]... *ūhthlem*
    þone,   2007

ūhtsceaða.

Hordwynne fond | eald *ūhtsceaða* opene standan,   2271

umborwesende.

þe hine... onsendon | ǣnne ofer ȳðe *umborwesende*.   46

umborwesendum.

hwæt wit... | *umborwesendum* ǣr ārna gefremedon.   1187

unblīðe.

æþeling ǣrgōd *unblīðe* sæt,   130
ān æfter eallum, *unblīðe* hwē[op] | dæges ond nihtes,   2268
ēodon *unblīðe* under Earna næs,   3031

unbyrnende.

ne meahte horde nēah | *unbyrnende*... | dēop ge-
    dȳgan   2548

uncūð.

Oferēode þā æþelinga bearn... | ... *uncūð* gelād,   1410
stīg under læg | eldum *uncūð*.   2214

uncūðes.

gecwæð... | ... *uncūþes* fela,   876
frēcne genēðdon | eafoð *uncūþes*;   960

uncūðne.

dēogol dǣdhata... | ēaweð þurh egsan *uncūðne* nīð,   276

underne. *See* **undyrne.**

undernmǣl.

ðā on *undernmǣl* oft bewitigað | sorhfulne sīð   1428

undyrne, *adj.*

Ðā wæs... | Grendles gūðcræft gumum *undyrne*;   127
þæt is *undyrne*, dryhten Higelāc,   2000
syððan *under[ne]* | ... fyll cyninges | wīde weorðeð.   2911

undyrne, *adv.*

wearð | ylda bearnum *undyrne* cūð,   150
Mē wearð Grendles þing | ... *undyrne* cūð;   410

unfǣcne.

þȳ ic Heaðobear[d]na hyldo ne telge | ... Denum
    unfǣcne,   2068

unfǣge.

Swā mæg *unfǣge* ēaðe gedīgan | wēan ond wrǣcsīð,   2291

25*

unfæger.

 him of ēagum stōd | ligge gelīcost lēoht *unfæger*. 727

unfǣgne.

 Wyrd oft nereð | *unfǣgne* eorl, 573

Unferð.

 Un*ferð* maþelode, Ecglāfes bearn, 499

 þū worn fela, wine mīn Un*ferð*, | . . . sprǣce, 530

 Un*ferþ* þyle | æt fōtum sæt frēan Scyldinga; 1165

 Ond þū Un*ferð* lǣt ealde lāfe | . . . wīdcūðne man |

  . . . habban; 1488

unflitme.

 Fin Hengeste | elne *unflitme* āðum benemde, 1097

 Hengest . . . | . . . wunode mid Finn | el[ne] *unflitme*; 1129

unforht.

 ðǣr on wicge sæt | ombeht *unforht*: 287

unforhte.

 Wēn ic þæt hē wille . . . | . . . Gēatena lēode | etan

  unforhte, 444

unfrōdum.

 Ðā wæs gegongen gum*an* *unfrōdum* | earfoðlīce, 2821

unfrom.

 þæt hē slēac wǣre, | æðeling *unfrom*. 2188

ungēara.

 ic him Gēata sceal | eafoð . . . *ungēara* nū | gūþe

  gebēodan. 602

 Ðæt wæs *ungēara*, 932

ungedēfelīce.

 Wæs þām yldestan *ungedēfelīce* | . . . morþorbed strēd, 2435

ungemete.

 Him wæs gēomor sefa, | . . . wyrd *ungemete* nēah, 2420

 þegn *ungemete* till, 2721

 ðā wæs . . . | . . . dēað *ungemete* nēah: 2728

ungemetes.

 Gēat *ungemetes* wel, | rōfne randwigan, restan lyste; 1792

ungyfeðe.

 Ūs wæs . . . | Merewīoingas milts *ungyfeðe*. 2921

unhǣlo.

 Wiht *unhǣlo*, | grim ond grǣdig, gearo sōna wæs, 120

unhār.

Hrōðgār sæt | eald ond *unhār* mid his eorla gedriht;   357

unhēoru.

wæs steda nægla gehwylc stȳle gelīcost, ... | egl
unhēoru;   987

unhīore.

Weard *unhīore,* | gearo gūðfreca, goldmāðmas hēold, 2413

unhȳre.

Wīf *unhȳre* | hyre bearn gewræc,   2120

unlēofe.

Wīglāf ... | ... seah on *unlēofe*:   2863

unlifgendum. *See* **unlifigendum.**

unlifigende.

Ðā wæs Heregār dēad, | mīn yldra mæg *unlifigende,* 468

unlifigendes.

sōna hæfde | *unlyfigendes* eal gefeormod,   744

unlifigendne.

syðþan hē aldorþegn *unlyfigendne* | ... wisse.   1308

unlifigendum.

þæt bið drihtguman | *unlifgendum* æfter sēlest.   1389

Wīglāf siteð ... | eorl ofer ōðrum *unlifigendum,*   2908

unlyfigend-. *See* **unlifigend-.**

unlȳtel.

þǣr wæs ... | duguð *unlȳtel* Dena ond Wedera.   498

þe hīe ... | ... þolian scoldon, | torn *unlȳtel.*   833

Sigemunde gesprong | æfter dēaðdæge dōm *unlȳtel,* 885

unmurnlīce.

eteð āngenga *unmurnlīce,*   449

sē þe *unmurnlīce* mādmas dæleþ,   1756

unnyt.

þæt þes sele stande | ... rinca gehwylcum | īdel
ond *unnyt,*   413

þǣr hit nū gēn lifað | eldum swā *unnyt,*   3168

unriht.

siþðan goldsele Grendel warode, | *unriht* æfnde,   1254

Ic ... | ... ne mē swōr fela | āða on *unriht.*   2739

unrihte.

ðe *unrihte* inne gehȳdde | wrǣte   3059

unrīm.

reced weardode | *unrīm* eorla,   1238
geaf him ... gūðgewǣda | ǣghwǣs *unrīm*,   2624
þǣr wæs wunden gold ... hladen, | ǣghwǣs *unrīm*; 3135

unrīme.

þǣr is ... | gold *unrīme*, grimme gecēa[po]d,   3012

unrōte.

Higum *unrōte* | ... mǣndon mondryhtnes cw[e]alm; 3148

unslāw.

gebrǣd | gōd gūðcyning, gomele lāfe, | ecgum *unslāw*; 2564

unsnyttrum.

þæt hē ... ne mæg | his *unsnyttrum* ende geþencean. 1734

unsōfte.

Ic þæt *unsōfte* ealdre gedīgde,   1655
ic ... | ... *unsōfte* þonan | feorh oðferede;   2140

unswīðor.

bāt *unswīðor*, | þonne his ðīodcyning þearfe hæfde, 2578
fȳr *unswīðor* | wēoll of gewitte.   2881

unsynnigne.

Hē mec þǣr on innan *unsynnigne* | ... gedōn wolde 2089

unsynnum.

unsynnum wearð | beloren lēofum   1072

untǣle.

Ic þā lēode wāt ... | ǣghwǣs *untǣle* ealde wīsan. 1865

untȳdras.

Ðanon *untȳdras* ealle onwōcon,   111

unwāclīcne.

gegiredan Gēata lēode | ād on eorðan *unwāclīcne*, 3138

unwearnum.

hē gefēng ... | slǣpendne rinc, slāt *unwearnum*, 741

unwrecen.

sceolde ... | æðeling *unwrecen* ealdres linnan. 2443

ūplang.

ūplang āstōd | ond him fæste wiðfēng;   759

uppriht.

syððan ic on yrre *uppriht* āstōd.   2092

ūtanweardne.

hlǣw oft ymbehwearf | ealne *ūtanweardne*;   2297

ūtfūs.

þǣr æt hȳðe stōd hringedstefna | īsig ond *ūtfūs*,　　33

uton. *See* **wuton.**

ūtweard.

eoten wæs *ūtweard*; eorl furþur stōp.　　761

ūðe.

forþon þe hē ne *ūþe*,　　503
ūþe ic swīþor,　　960
ðēah hē *ūðe* wel,　　2855
hwæðre him God *ūðe*,　　2874

ūðgenge.

þǣr wæs Æschere, | frōdan fyrnwitan, feorh *ūðgenge*. 2123

W.

wā.

Wā bið þǣm ðe sceal | ... sāwle bescūfan | in fȳres
fæþm,　　183

waca.

mægenellen cȳð, | *waca* wið wrāþum.　　660

wada.

ðǣr git for wlence *wada* cunnedon,　　508

wadu.

oþ þæt unc flōd tōdrāf, | *wado* weallende;　　546
Ðā mec sǣ oþbær | ... on Finna land, | *wadu*
weallendu.　　581

wæccende.

hē *wæccende* wrāþum on andan | bād ... beadwa
geþinges.　　708
gif hē *wæccende* weard onfunde　　2841

wæccendne.

sē ... fand | *wæccendne* wer wīges bīdan.　　1268

wæcnan.

þæt se *ecg*hete āþumswerian | ... *wæcnan* scolde.　　85

wǣfre.

ne meahte *wǣfre* mōd | forhabban in hreþre.　　1150
Wearð him on Heorote tō handbanan | wælgǣst
wǣfre;　　1331
Him wæs gēomor sefa, | *wǣfre* ond wælfūs,　　2420

wæg.

hetenīðas *wæg*, | fyrene ond fǣhðe   152
Hē þā frætwe *wæg* | ... ofer ȳða ful,   1207
ic þǣre sōcne singales *wæg* | mōdceare micle.   1777
Mōd Ðrȳðo *wæg*, | fremu folces cwēn,   1931
Wedra helm | ... heortan sorge | weallinde *wæg*;   2464
þæt hē on byrnan *wæg*;   2704
līgegesan *wæg* | hātne for horde,   2780
wǣgbora.

wearð ... | ... on næs togen | wundorlīc *wǣgbora*;   1440
wǣge.

Nāh hwā sweord wege, | oððe fe[o]r[mie] fǣted *wǣge*,   2253
mandryhtne bær | fǣted *wǣge*,   2282
wǣgholm.

Gewāt þā ofer *wǣgholm* ... | flota fāmiheals   217
wǣglīðendum.

sē wæs ... | [*wǣ*]*glīðendum* wīde g[e]sȳne,   3158
Wǣgmundinga.

gemunde ðā ðā āre, ... | wīcstede weligne *Wǣg-
    mundinga,*   2607
þū eart endelāf usses cynnes, | *Wǣgmundinga*;   2814
wǣgsweord.

þū ... lǣt ... | wrǣtlīc *wǣgsweord,* wīdcūðne man |
    ... habban;   1489
wæl.

byreð blōdig *wæl,* byrgean þenceð,   448
on *wæl* crunge | fēondgrāpum fæst.   635
wyrsan wīgfrecan *wæl* rēafedon   1212
þenden hē wið wulf *wæl* rēafode.   3027
wælbedde.

Ic hine ... | on *wælbedde* wrīþan þōhte,   964
wælbende.

ac him *wælbende* weotode tealde | handgewriþene;   1936
wælblēate.

hē ofer benne spræc, | wunde *wælblēate;*   2725
wældēað.

þæt hīe ǣr tō fela micles | ... *wældēað* fornam,   695
wældrēore.

Lagu drūsade, | wæter under wolcnum, *wældrēore* fāg.   1631

wæle.

   sume on *wæle* crungon.   1113

wælfǣhða.

   þæt hē ... *wælfǣhða* dæl, | sæcca, gesette.   2028

wælfāgne.

   Hengest ... | *wælfāgne* winter wunode mid Finn   1128

wælfealle.

   ne gewēox hē him tō willan, ac tō *wælfealle*   1711

wælfūs.

   Him wæs gēomor sefa, | wǣfre ond *wælfūs,*   2420

wælfylla.

   wælfylla wonn   3154

wælfylle.

   þanon eft gewāt... | mid þǣre *wælfylle* wīca nēosan.   125

wælfȳra.

   Wand tō wolcnum *wælfȳra* mǣst,   1119

wælfȳre.

   beorges weard ... | wearp *wælfȳre*;   2582

wælgǣst.

   Wearð him ... tō handbanan | *wælgǣst* wǣfre;   1331

   þæt ðū þone *wælgǣst* wihte ne grētte,   1995

wælhlem.

   forgeald hraðe | wyrsan wrixle *wælhlem* þone,   2969

wæll-. *See* **wæl-.**

wælm-. *See* **wylm-.**

wælnīð.

   þæt ys sīo fǣhðo ond ... | *wælnīð* wera,   3000

wælnīðas.

   [syð]ðan Ingelde | weallað *wælnīðas,*   2065

wælnīðe.

   þæt se *ecghete* ... | æfter *wælnīðe* wæcnan scolde.   85

wælrǣs.

   Mē þone *wælrǣs* wine Scildunga | ... fela lēanode,   2101

   Wæs ... | *wælrǣs* weora wīde gesȳne,   2947

wælrǣse.

   Denum eallum wearð | æfter þām *wælrǣse* willa ge-
lumpen.   824

   hwæðer sēl mǣge | æfter *wælrǣse* wunde gedȳgan   2531

394   COOK,   [wǣlrāpas-wǣpna

wǣlrāpas.
  ðonne ... Fæder ... | onwindeð *wǣlrāpas*,   1610
wælrēaf.
  siðþan hē ... sinc ealgode, | *wælrēaf* werede;   1205
wælrēc.
  Wōd þā þurh þone *wælrēc*,   2661
wælrēow.
  Hē þæt ful geþeah, | *wælrēow* wiga,   629
wælreste.
  wunað *wælreste* wyrmes dǣdum.   2902
wælsceaftas.
  lætað ... hēr onbīdan | wudu, *wælsceaftas*,   398
wælseaxe.
  cyning | ...*wællseaxe* gebrǣd | biter ond beaduscearp, 2703
Wǣlses.
  bær ... beorhte frætwa | *Wǣlses* eafera;   897
Wǣlsinges.
  hē ... secgan hȳrde ... | *Wǣlsinges* gewin, wīde sīðas, 877
wælstenge.
  fēower scoldon | on þǣm *wælstenge* ... geferian | ...
  Grendles hēafod,   1638
wælstōwe.
  þǣr hyne Dene slōgon, | wēoldon *wælstōwe*   2051
  þæt hīe *wælstōwe* wealdan mōston,   2984
wǣn.
  þǣr wæs wunden gold on *wǣn* hladen,   3134
wǣpen.
  Gewītaþ forð beran | *wǣpen* ond gewǣdu,   292
  gif hē gesēcean dear | wīg ofer *wǣpen*,   685
  wǣpen hafenade | heard be hiltum Higelāces ðegn 1573
  þēah þæt *wǣpen* duge;   1660
  Nolde ic sweord beran, | *wǣpen* tō wyrme,   2519
  þonne hē tō sæcce bær | *wǣpen* wund[r]um heard; 2687
wǣpna.
  þæt se ǣglǣca | for his wonhȳdum *wǣpna* ne recceð; 434
  Bēowulfe ... | eodor ... onweald getēah | wicga ond
  wǣpna;   1045
  swā hine fyrndagum | worhte *wǣpna* smið,   1452

swā hē ne mihte nō . . . | *wǣpna* gewealdan; 1509
þæt [wæs] *wǣpna* cyst, 1559
wǣpne.
þæt ic ðȳ *wǣpne* gebræd. 1664
Hyne yrringa | Wulf Wonrēding *wǣpne* geræhte, 2965
wǣpnedmen.
swā bið . . . | wīggryre wīfes be *wǣpnedmen,* 1284
wǣpnes.
þā hē þæs *wǣpnes* onlāh | sēlran sweordfrecan; 1467
wǣpnum.
nis þæt seldguma | *wǣpnum* geweorðad, 250
wæs se īrenþrēat | *wǣpnum* gewurþad. 331
þenden hīe ðām *wǣpnum* wealdan mōston, 2038
gestēpte | . . . sunu Ōhteres, | wigum ond *wǣpnum;* 2395
wǣre.
Scyld gewāt . . . | felahrōr fēran on Frēan *wǣre;* 27
þæt ðǣr ænig mon | . . . worcum *wǣre* ne bræce, 1100
þǣr hē . . . sceal | on ðæs Waldendes *wǣre* geþolian. 3109
wæstmum.
ōðer . . . | on weres *wæstmum* wræclāstas træd, 1352
wæter.
swā *wæter* bebūgeð; 93
ðǣr git . . . | . . . on dēop *wæter* | aldrum nēþdon? 509
wudu wyrtum fæst *wæter* oferhelmað. 1364
wæter under stōd | drēorig ond gedrēfed. 1416
þǣr him nænig *wæter* wihte ne sceþede, 1514
wæter ūp þurhdēaf; 1619
Lagu drūsade, | *wæter* under wolcnum, 1631
Gewāt him on nacan | drēfan dēop *wæter,* 1904
ðū . . . gehogodest | sæcce sēcean ofer sealt *wæter,* 1989
wæs . . . | ofer [w]īd *wæter* wrōht gemǣne, 2473
wætere.
gesāwon ðā æfter *wætere* wyrmcynnes fela, 1425
wigge under *wætere* weorc genēþde | earfoðlīce; 1656
þegn ungemete till, | winedryhten his, *wætere* gelafede 2722
wehte hyne *wætre;* 2854
wæteregesan.
sē þe *wæteregesan* wunian scolde, 1260

wæteres.

    sende ic Wylfingum ofer *wæteres* hrycg | ealde mādmas; 471
    Git on *wæteres* æht | seofon niht swuncon;   516
    him þæs endelēan | þurh *wæteres* wylm Waldend
        sealde.   1693
    hē hine eft ongon | *wæteres* weorpan,   2791
wæterȳðum.

    Beorh eall gearo | wunode on wonge *wæterȳðum* nēah, 2242
wætre. *See* **wætere.**
wāge.

    þæt ic on *wāge* geseah ... hangian | eald sweord   1662
wāgum.

    Goldfāg scinon | web æfter *wāgum,* wundorsīona fela   995
wala.

    hēafodbeorge | wīrum bewunden *wala* ūtan hēold,   1031
wald-. *See* **weald-.**
walu.

    næfre on ōre læg | wīdcūþes wīg, ðonne *walu* fēollon. 1042
wan-. *See* **won-.**
wang. *See* **wong.**
wānigean.

    þe ... gehȳrdon ... | ... sār *wānigean* | helle hæfton.   787
warað.

    hē hæðen gold | *warað* wintrum frōd;   2277
warigeað.

    Hīe dȳgel lond | *warigeað,*   1358
warode.

    siþðan goldsele Grendel *warode,*   1253
    hē þā fāg gewāt, ... | wēsten *warode.*   1265
waroðas.

    Gewāt ... se hearda ... | ... sæwong tredan, | wīde
        waroðas;   1965
waroðe.

    Gewāt him þā tō *waroðe* wicge rīdan | þegn Hrōðgāres, 234
wāst.

    þū *wāst* gif hit is,   272
wāt.

    ic ne *wāt* hwæðer | atol æse wlanc eftsīðas tēah,   1331
    Ic on Higelāce *wāt,* | Gēata dryhten,   1830

Ic þā lēode *wāt* | ... fǣste geworhte,   1863
God *wāt* on mec,   2650
Ic *wāt* geare, | þæt nǣron eald gewyrht,   2656

wēa.

wēa wīdscofen witena gehwylcne,   936

weal.

Setton sǣmēþe ... | rondas ... wið þæs recedes *weal,* 326

wēalāfe.

þæt hē ne mehte ... | ... þā *wēalāfe* wīge forþringan 1084
þæt hē þā *wēalāfe* weotena dōme | ārum hēolde,   1098

wealdan.

Wēn ic þæt hē wille, gif hē *wealdan* mōt, | ...
    Gēatena lēode | etan   442
þenden hīe ðām wǣpnum *wealdan* mōston,   2038
lēt ... Bīowulf ... | Gēatum *wealdan;*   2390
ðǣr hē þȳ fyrste forman dōgore | *wealdan* mōste, 2574
Bēahhordum leng | wyrm wōhbogen *wealdan* ne mōste, 2827
þæt hīe wælstōwe *wealdan* mōston,   2984

wealde.

þenden ic *wealde* wīdan rīces,   1859

Wealdend.

Him þæs ... | wuldres *Wealdend* woroldāre forgeaf; 17
ne hīe hūru ... herian ne cūþon | wuldres *Waldend.* 183
ac mē geūðe ylda *Waldend,*   1661
him þæs endelēan | ... *Waldend* sealde.   1693
him ǣr God sealde, | wuldres *Waldend,* weorðmynda
    dǣl.   1752
forðam mē wītan ne ðearf *Waldend* fīra | morðorbealo 2741
hwæðre him God ūðe, | sigora *Waldend,*   2875

Wealdende.

þæt hē *Wealdende* ... | bitre gebulge;   2329

Wealdendes.

sē ðe *Waldendes* | hyldo gehealdeþ.   2292
Ne meahte hē ... | ... ðæs *Wealdendes* [willan] wiht
    oncirran.   2857
þǣr hē ... sceal | on ðæs *Waldendes* wǣre geþolian. 3109

wealdswaðum.

Lāstas wǣron | æfter *waldswaþum* wīde gesȳne,   1403

Wealhðēo.

Ēode *Wealhþēow* forð, | cwēn Hrōðgāres,   612
wolde wīgfruma *Wealhþēo* sēcan,   664
þā cwōm *Wealhþēo* forð   1162
Wealhðēo maþelode, hēo fore þǣm werede sprǣc: 1215
ðone þe him *Wealhðēo* geaf, | ðēod[nes] dohtor,   2173

Wealhðēon.

Hē þæt ful geþeah | . . . æt *Wealhþēon,*   629

Wealhðēow. *See* **Wealhðēo.**

weallas.

þæt ic sǣnǣssas gesēon mihte, | windige *weallas.*   572

weallað.

[syð]ðan Ingelde | *weallað* wælnīðas,   2065

weallclif.

Dracan ēc scufun, | wyrm ofer *weallclif,*   3132

wealle.

þā of *wealle* gęseah weard Scildinga,   229
þe of *wealle* wōp gehȳrdon,   785
þæt hit on *wealle* ætstōd, | dryhtlīc īren;   891
hwearf þā be *wealle;*   1573
nō on *wealle* leng | bīdan wolde,   2307
ac unc sceal weorðan æt *wealle,* swā unc wyrd getēoð,   2526
Geseah ðā be *wealle,* . . . | sto[n]dan stānbogan,   2542
þæt hē bī *wealle* wīshycgende | gesæt on sesse,   2716
Geseah ðā sigehrēðig . . . | wundur on *wealle,*   2759
ðe . . . gehȳdde | wrǽte under *wealle.*   3060
Uton nū efstan . . . | sēon ond sēcean . . . | wundur
    under *wealle;*   3103
bronda lāfe | *wealle* beworhton,   3161

weallende.

oþ þæt unc flōd tōdrāf, | wado *weallende;*   546
Ðǣr wæs on blōde brim *weallende,*   847
Wedra helm | . . . heortan sorge | *weallinde* wæg;   2464

weallendu.

Ðā mec sǣ oþbær | . . . on Finna land, | wadu
    weallendu.   581

wealles.

beorges getrūwode, | wīges ond *wealles;*   2323

weallinde. *See* **weallende.**

wēan.

ne mihte snotor hæleð | *wēan* onwendan;   191
wræc Wedera nīð (*wēan* āhsodon),   423
syþðan hē for wlenco *wēan* āhsode,   1206
ðū Hrōðgāre | wīdcūðne *wēan* wihte gebēttest,   1991
Swā mæg unfæge ēaðe gedīgan | *wēan* ond wræcsīð,   2292
wēan oft gehēt | earmre teohhe   2937

wēana.

geþolode | wine Scyld*i*nga *wēana* gehwelcne,   148
þæt ic ænigra mē | *wēana* ne wēnde ... | bōte ge-
bīdan,   933
Gūðlāf ond Ōslāf ... | ætwiton *wēana* dæl;   1150
Ðȳs dōgor þū geþyld hafa | *wēana* gehwylces,   1396

weard.

þā of wealle geseah *weard* Scildinga,   229
Weard maþelode, ðær on wicge sæt, | ombeht unforht: 286
swylce self cyning | ... bēahhorda *weard,* | tryddode   921
Ārīs, rīces *weard;*   1390
þonne se *weard* swefeð, | sāwele hyrde;   1741
Weard unhīore, | gearo gūðfreca, goldmāðmas hēold,   2413
ic wylle, | frōd folces *weard,* fæhðe sēcan,   2513
Nelle ic beorges *weard* | oferflēon   2524
wæs beorges *weard* | ... on hrēoum mōde,   2580
gif hē wæccende *weard* onfunde   2841
Weard ær ofslōh | fēara sumne;   3060
þā hē biorges *weard* | sōhte,   3066

weardade. *See* weardode.

wearde.

ferh *wearde* hēold.   305
Ic tō sæ wille | wið wrāð werod *wearde* healdan.   319

weardian.

hē his folme forlēt | tō līfwraþe lāst *weardian,*   971

weardode.

fīfelcynnes eard | wonsæli wer *weardode* hwīle,   105
reced *weardode* | unrīm eorla,   1237
hwæþre him sīo swīðre swaðe *weardade* | hand   2098
þæt þām frætwum fēower mēaras | ... lāst *weardode,*   2164

weardodon.

ðær wē gesunde sæl *weardodon.*   2075

wearne.

nō ðū him *wearne* getēoh | ðīnra gegncwida,   366

wearp.

Wearp ðā wundenmǣl wrǣttum gebunden | yrre ōretta, 1531
beorges weard . . . | *wearp* wælfȳre;   2582

wēaspelle.

æfter *wēaspelle* wyrpe gefremman.   1315

weaxan.

weaxan wonna lēg   3115

weaxeð.

oð þæt him on innan oferhygda dǣl | *weaxeð* ond
wrīdað,   1741

web.

Goldfāg scinon | *web* æfter wāgum, wundorsīona fela   995

weccean.

onginneð gēomormōd . . . | wīgbealu *weccean*,   2046
sceall . . . | . . . nalles hearpan swēg | wīgend *weccean*, 3024
Ongunnon . . . bælfȳra mǣst | wīgend *weccan*;   3144

wedde.

Iofore forgeaf āngan dohtor | . . . hyldo tō *wedde*.   2998

weder.

þā ðe syngales sēle bewitiað, | wuldortorhtan *weder*. 1136

Wedera.

þanon ūp hraðe | *Wedera* lēode . . . stigon,   225
wlanc *Wedera* lēod word æfter sprǣc,   341
wrǣc *Wedera* nīð (wēan āhsodon),   423
ðā hine *Wedera* cyn | for herebrōgan habban ne mihte. 461
þǣr wæs . . . | duguð unlȳtel Dena ond *Wedera*.   498
Dryhten forgeaf | . . . *Wedera* lēodum | frōfor   697
þæt wilcuman *Wedera* lēodum | scaþan scīrhame . . .
fōron.   1894
sunu dēað fornam, | wīghete *Wedra*.   2120
him ðæs . . . | *Wedera* þīoden wrǣce leornode.   2336
Wedra helm | . . . heortan sorge | weallinde wǣg;   2462
nemne wē ǣror mǣgen | . . . feorh ealgian | *Wedra*
ðēodnes.   2656
forwrāt *Wedra* helm wyrm on middan.   2705
hwæðer . . . gemētte | in ðām wongstede *Wedra* þēoden, 2786

Nū is wilgeofa *Wedra* lēoda | . . . dēaðbedde fæst,   2900
þæt se . . . | *Wedra* þēoden wundordēaðe swealt.   3037
Geworhton ðā *Wedra* lēode | hl[æw]   3156

wedera.

wedera cealdost . . . | heaðogrim ondhwearf;   546

Weder-Gēata.

Æfter þǣm wordum *Weder-Gēata* lēod | efste mid elne,   1492
Ne nōm hē . . . , *Weder-Gēata* lēod, | māðm-æhta mā,   1612
Lēt . . . | *Weder-Gēata* lēod word ūt faran,   2551

Weder-Gēatum.

oð ðæt hē yldra wearð, | *Weder-Gēatum* wēold.   2379

Wedermearce.

byreð | . . . lēofne mannan | wudu wundenhals tō
Wedermearce.   298

Wedra. *See* **Wedera.**

weg.

gebād wintra worn, ǣr hē on *weg* hwurfe   264
Mynte se mǣra . . . | . . . on *weg* þanon | flēon   763
hū hē wērigmōd on *weg* þanon . . . | . . . feorhlāstas
bær.   846
gyf þū on *weg* cymest.   1382
hīe on *weg* hruron | bitere ond gebolgne,   1430
Hē on *weg* losade, | lȳtle hwīle līfwynna br[ēa]c;   2096

wēg.

lēton *wēg* niman | . . . frætwa hyrde.   3132

wegan.

sceall . . . | . . . nalles eorl *wegan* | māððum tō ge-
myndum,   3015

wege.

Nāh hwā sweord *wege*,   2252

wēgflotan.

nō þǣr *wēgflotan* wind ofer ȳðum | sīðes getwǣfde;   1907

wehte.

wehte hyne wætre;   2854

Wēlandes.

þæt is Hrēðlan lāf, | *Wēlandes* geweorc.   455

welhwylc.

hine gearwe geman | witena *welhwylc*   266
welhwylc gecwæð,   874

26

welhwylcra.

    sē þe ēow *welhwylcra* wilna dohte.   1344

weligne.

    gemunde ðā ðā āre,... | wīcstede *weligne* Wæg-
        mundinga,   2607

wēn. *See also* **wēne.**

    þæs ic *wēn* hæbbe,   383
    þā him ālumpen wæs | wistfylle *wēn.*   734
    Wēn ic talige,   1845
    Him wæs bēga *wēn,* | ealdum, infrōdum,   1873
    him sēo *wēn* gelēah.   2323
    Nū ys lēodum *wēn* | orleghwīle,   2910
    ðæs ðe ic [*wēn*] hafo,   3000

wēnan.

    ne þær nænig witena *wēnan* þorfte | beorhtre bōte   157
    frōfre ne *wēnan,*   185

wēnde.

    þæt ic ænigra mē | wēana ne *wēnde*... | bōte gebīdan, 933
    wēnde þæs yldan | þæt hē... longgestrēona | brūcan
        mōste.   2239
    wēnde se wīsa, þæt hē Wealdende... | ... gebulge; 2329

wendeð.

    him eal worold | *wendeð* on willan.   1739

Wendla.

    þæt wæs *Wendla* lēod,   348

wēndon.

    þæs ne *wēndon* ær witan Scyldinga,   778
    ðāra þe ne *wēndon,*   937
    þæt hig þæs æðelinges eft ne *wēndon,*   1596
    wiston ond ne *wēndon,*   1604
    swȳðe [*wēn*]*don,* þæt hē slēac wære,   2187

wēne.

    ne sceal þær dyrne sum | wesan, þæs ic *wēne.*   272
    Wēn ic þæt gē for wlenco... | ... Hrōðgār sōhton. 338
    Wēn ic þæt hē wille... | ... Gēatena lēode | etan 442
    Ðonne *wēne* ic tō þē wyrsan geþingea,   525
    wēne ic, þæt hē mid gōde gyldan wille | uncran
        eaferan,   1184
    swā ic þē *wēne* tō.   1396

ac ic ðǣr heaðufȳres hātes *wēne*,   2522
Ne ic tō Swēoðēode sibbe... | wihte ne *wēne*;   2923
wenede.
þæt... | ... Folcwaldan sunu... | Hengestes hēap
   hringum *wenede*,   1091
wēneð.
secce ne *wēneþ* | tō Gār-Denum.   600
wēnum.
on *wēnum* | endedōgores   2895
Weohstān-. *See* **Wihstān-.**
wēol. *See* **wēoll.**
wēold.
þenden wordum *wēold* wine Scyldinga;   30
ðā ic furþum *wēold* folce Den*i*ga,   465
þæt mihtig God manna cynnes | *wēold w*īdeferhð.   702
Metod eallum *wēold* | gumena cynnes,   1057
ic Hring-Dena hund missera | *wēold* under wolcnum, 1770
oð ðæt hē yldra wearð, | Weder-Gēatum *wēold*.   2379
sē ðe ǣr folce *wēold*.   2595
wēoldon.
wēoldon wælstōwe,   2051
wēoll.
geofon ȳþum *wēol*, | wintrys wylm.   516
atol ȳða geswing... | hāton heolfre, heorodrēore, *wēol*; 849
holm storme *wēol*, | won wið winde;   1131
Flōd blōde *wēol*... | hātan heolfre.   1422
hreðer inne *wēoll*,   2113
holm heolfre *wēoll*,   2138
brēost innan *wēoll* | þēostrum geþoncum,   2331
Hyrte hyne hordweard, hreðer ǣðme *wēoll*,   2593
Hiora in ānum *wēoll* | sefa wið sorgum;   2599
swāt ȳðum *wēoll*.   2693
þæt him on brēostum bealonīð *wēoll*,   2714
fȳr unswīðor | *wēoll* of gewitte.   2882
weora. *See* **wera.**
weorc.
Ðā ic wīde gefrægn *weorc* gebannan   74
wigge under wætere *weorc* genēþde | earfoðlīce;   1656
þæt hē þæs gewinnes *weorc* þrōwade,   1721

26*

weorca.

Æghwæþres sceal | ... scyldwiga gescād witan |
    worda ond *worca,*   289

weorce.

Denum eallum wæs | ... *weorce* on mōde   1418
Sweord wæs swātig; secg *weorce* gefeh.   1569

weorcum.

þæt ðær ænig mon | ... *worcum* wære ne bræce,   1100
fēower scoldon | ... *weorcum* geferian | ... Grendles
    hēafod,   1638
þæt hē mec fremman wile | wordum ond *weorcum,* 1833
ic, þēoden mīn, þīne lēode | weorðode *weorcum.* 2096

weorod.

þæt þis is hold *weorod* | frēan Scyldinga.   290
Ic tō sæ wille | wið wrāð *werod* wearde healdan. 319
Werod eall ārās;   651
Weorod wæs on wynne;   2014
Weorod eall ārās ;   3030

weoroda.

weoroda ræswa | Heorogār, ond Hrōðgār ond Hālga til; 60
ne hyne ... micles wyrðne | drihten *wereda* gedōn
    wolde;   2186

weorode.

Ne gefrægen ic þā mægþe māran *weorode* | ... sēl
    gebæran.   1011
Wealhðēo maþelode, hēo fore þæm *werede* spræc: 1215
þæt hē þone wīdflogan *weorode* gesōhte, | sīdan herge; 2346

weorodes.

werodes wīsa wordhord onlēac: 259

weorpan.

hē hine eft ongon | wæteres *weorpan,*   2791

weorð.

ēode *weorð* Denum | æþeling tō yppan,   1814

weorðad.

symbelwynne drēoh, | wigge *weorþad;*   1783

weorðe.

þæt hē ... | ... þurfe | wyrsan wīgfrecan, *weorðe*
    gecȳpan;   2496

weorðfullost.

    hē manna wæs | wīgend *weorðfullost*   3099

weorðig.

    þæt ðær on *worðig* wīgendra hlēo |... lifigende cwōm, 1972

weorðlīcost.

    swā hyt *weorðlīcost* |... men findan mihton.   3162

weorðmynd.

    þā wæs Hrōðgāre herespēd gyfen, | wīges *weorðmynd,*   65
    Geseah ðā on searwum sigeēadig bil,... | wigena
      weorðmynd;   1559

weorðmynda.

    him ær God sealde, |... *weorðmynda* dæl.   1752

weorðmyndum.

    wēox under wolcnum, *weorðmyndum* þāh,   8
    hwæt wit tō willan ond tō *worðmyndum* |... ārna
      gefremedon.   1186

weorðode.

    þæt... |... Folcwaldan sunu | dōgra gehwylce Dene
      weorþode,   1090
    ic, þēoden mīn, þīne lēode | *weorðode* weorcum.   2096

weorðra.

    þæt hē syðþan wæs | on meodubence māþme þȳ
      weorþra,   1902

weot-. *See* **wit-.**

wēox.

    wēox under wolcnum, weorðmyndum þāh,   8

Weoxstānes. *See* **Wihstānes.**

wer.

    fīfelcynnes eard | wonsæli *wer* weardode hwīle,   105
    sē æt Heorote fand | wæccendne *wer* wīges bīdan. 1268
    woldon... | wordgyd wrecan ond ymb *w[er]* sprecan; 3172

wera.

    sorge ne cūðon, | wonsceaft *wera.*   120
    fela þǣra wæs | *wera* ond wīfa,   993
    seleð him ... | tō healdanne hlēoburh *wera,*   1731
    Wæs ... | wælrǣs *weora* wīde gesȳne,   2947
    þæt ys sīo fǣhðo ond ... | wælnīð *wera,*   3000

weras.

    guman ūt scufon, | *weras* on wilsīð, wudu bundenne. 216

Hafast þū gefēred, þæt ðē ... | ... *weras* ehtigað,   1222
þǣr wæs symbla cyst, | druncon wīn *weras*;   1233
weras scēawedon | gryrelīcne gist.   1440
wlitesēon wrætlīc *weras* onsāwon.   1650
wered.
scencte scīr *wered.*   496
wered-. *See* **weorod-.**
werede.
Hwæt syndon gē searohæbbendra | byrnum *werede,*   238
siðþan hē ... sinc ealgode, | wælrēaf *werede;*   1205
ac se hwīta helm hafelan *werede,*   1448
Gebīde gē on beorge byrnum *werede,*   2529
weredon.
ðonne wē on orlege | hafelan *weredon,*   1327
werefyhtum.
F[or *w*]*erefyhtum* þū ... | ... ūsic sōhtest.   457
weres.
ōðer ... | on *weres* wæstmum wræclāstas træd,   1352
wereð.
þæt mīne brēost *wereð,*   453
wergan.
syðþan hīe þæs lāðan lāst scēawedon | *wergan* gāstes; 133
him bebeorgan ne con | wōm ... *wergan* gāstes;   1747
wērge.
Besæt ... sweorda lāfe | wundum *wērge;*   2937
wergendra.
wergendra tō lȳt | þrong ymbe þēoden,   2882
wērgum.
sōna him seleþegn sīðes *wērgum* | ... forð wīsade,   1794
werhðo.
þæs þū in helle scealt | *werhðo* drēogan,   589
werian.
wit unc wið hronfixas | *werian* þōhton.   541
wērig.
ic fāra feng fēore gedīgde, | sīþes *wērig.*   579
wērigmōd.
hū hē *wērigmōd* on weg þanon ... | ... feorhlāstas
bær.   844
oferwearp þā *wērigmōd* wigena strengest,   1543

werod-. *See* **weorod-.**

werðēode.

Sē wæs wreccena wīde mǣrost | ofer *werþēode,*   899

werum.

þæt gesȳne wearþ, | wīdcūþ *werum,*   1256

West-Denum.

Hine hālig God | ... ūs onsende, | tō *West-Denum,*   383
þe hē geworhte tō *West-Denum*   1578

wēsten.

hē þā fāg gewāt, ... | *wēsten* warode.   1265

wēstenne.

ne ðǣr ǣnig mon | on þǣm *wēstenne.*   2298

wēstne.

Gesyhð sorhcearig on his suna būre | wīnsele *wēstne,* 2456

wīc.

scolde Grendel ... | sēcean wynlēas *wīc;*   821
sceolde [ofer] willan *wīc* eardian | elles hwergen,   2589

wīca.

þanon eft gewāt... | mid þǣre wælfylle *wīca* nēosan.   125
Gewiton him ðā wīgend *wīca* nēosian   1125

wicg.

gūðbeorna sum | *wicg* gewende,   315
þā wæs Hrōðgāre hors gebǣted, | *wicg* wundenfeax; 1400
þæt hē ðone healsbēah Hygde gesealde, ... | ... þrīo
wicg somod   2174

wicga.

Bēowulfe ... | eodor ... onweald getēah | *wicga* ond
wǣpna;   1045

wicge.

Gewāt him þā tō waroðe *wicge* rīdan | þegn Hrōðgāres, 234
Weard maþelode, ðǣr on *wicge* sæt,   286

wīcstede.

þūhte him eall tō rūm, | wongas ond *wīcstede.*   2462
gemunde ðā ðā āre, ... | *wīcstede* weligne Wæg-
mundinga,   2607

wīcum.

cearu wæs genīwod, | geworden in *wīcun.*   1304
Ne nōm hē in þǣm *wīcum* ... | māðmǣhta mā,   1612

þæt hē... | lēte hyne... | *wīcum* wunian oð woruld-
ende;   3083
wīd.

wæs... | ofer [*w*]*īd* wæter wrōht gemæne,   2473
wīdan.

þæt ic... mē |... ne wēnde tō *wīdan* fēore | bōte
gebīdan,   933
þenden ic wealde *wīdan* rīces,   1859
ne seah ic *wīdan* feorh... | medudrēam māran.   2014
wīdcūð.

þæt gesȳne wearþ, | *wīdcūþ* werum,   1256
wīdcūðes.

næfre on ōre læg | *wīdcūþes* wīg,   1042
wīdcūðne.

þū... læt... |... *wīdcūðne* man | heardecg habban;   1489
ðū Hrōðgāre | *wīdcūðne* wēan wihte gebēttest,   1991
wīde, *adj.*

secgan hȳrde... | Wælsinges gewin, *wīde* sīðas,   877
Gewāt... se hearda... |... sǣwong tredan, | *wīde*
waroðas;   1965
wīde, *adv.*

Bēowulf wæs brēme (blæd *wīde* sprang),   18
Ðā ic *wīde* gefrægn weorc gebannan   74
sē þe his wordes geweald *wīde* hæfde.   79
hine... geman | witena welhwylc *wīde* geond eorþan.   266
Sē wæs wreccena *wīde* mǣrost   898
Lāstas wǣron | æfter waldswaþum *wīde* gesȳne,   1403
Hrā *wīde* sprong,   1588
Forðam Offa wæs... | *wīde* geweorðod;   1959
þe is *wīde* cūð,   2135
ne mæg byrnan hring | æfter wīgfruman *wīde* fēran   2261
Wæs þæs wyrmes wīg *wīde* gesȳne,   2316
wīde sprungon | hildelēoman.   2582
syððan under[ne] |... fyll cyninges | *wīde* weorðeð.   2913
ac wæs *wīde* cūð,   2923
Wæs... | wælrǣs weora *wīde* gesȳne,   2947
hē manna wæs | wīgend weorðfullost *wīde* geond
eorðan,   3099
sē wæs... | [wæ]glīðendum *wīde* g[e]sȳne,   3158

wīdeferhð.

þæt mihtig God manna cynnes | wēold *wīdeferhð*.   702

þæt hīe *wīdeferhð* | lēoda landgeweorc lāþum be-
    weredon   937

þæt ðē ... | ealne *wīdeferhþ* weras ehtigað,   1222

wīdfloga.

þæt se *wīdfloga* wundum stille | hrēas on hrūsan   2830

wīdflogan.

þæt hē þone *wīdflogan* weorode gesōhte, | sīdan herge; 2346

wīdre.

Mynte se mæra ... | *wīdre* gewindan   763

wīdscofen.

wēa *wīdscofen* witena gehwylcne,   936

wīdwegas.

fērdon folctogan ... | geond *wīdwegas* wundor scēawian, 840

Blæd is ārǣred | geond *wīdwegas*, wine mīn Bēowulf, 1704

wīf.

ond þā frēolīc *wīf* ful gesealde | ... ēþelwearde, 615

Hīe ... | drihtlīce *wīf* tō Denum feredon,   1158

Wīf unhȳre | hyre bearn gewræc,   2120

wīfa.

fela þǣra wæs | wera ond *wīfa*,   993

wīfe.

Ðām *wīfe* þā word wel līcodon,   639

þæt hē mid ðȳ *wīfe* wælfǣhða dǣl, | sæcca, gesette. 2028

wīfes.

Wæs se gryre læssa | ... swā bið ... | wīggryre *wīfes*
    be wæpnedmen,   1284

wīflufan.

[syð]ðan Ingelde | ... *wīflufan* | ... cōlran weorðað. 2065

wīg.

þonne *wīg* cume,   23

wæs his mōdsefa manegum gecȳðed, | *wīg* ond wīsdōm 350

gif hē gesēcean dear | *wīg* ofer wæpen,   685

næfre on ōre læg | wīdcūþes *wīg*,   1042

Wīg ealle fornam | Finnes þegnas,   1080

þæt hē ne mehte ... | *wīg* Hengeste wiht gefeohtan, 1083

Wæs þēaw hyra, | þæt hīe oft wæron an *wīg* gearwe   1247

Wæs þæs wyrmes *wīg* wīde gesȳne,   2316

ne him þæs wyrmes *wīg* for wiht dyde, | ... ellen,   2348
ðā hyne *wīg* beget.   2872
wiga.
Hē þæt ful geþeah, | wælrēow *wiga*,   629
wīgan.
sceall... | hond ond heard sweord ymb hord *wīgan*.   2509
wīgbealu.
onginneð gēomormōd ... | *wīgbealu* weccean,   2046
wīgbil.
þæt sweord ongan ... | *wīgbil* wanian;   1607
wīgbord.
Heht him þā gewyrcean wīgendra hlēo... | *wīgbord*
    wrætlīc;   2339
wīgcræft.
hæfde ... gefrūnen | wlonces *wīgcræft*;   2953
wīgcræftigne.
cwæð, hē þone gūðwine gōdne tealde, | *wīgcræftigne*; 1811
wīge.
þæt hē ne mehte... | ...þā wēalāfe *wīge* forþringan 1084
Hē æt *wīge* gecrang | ealdres scyldig,   1337
wigge under wætere weorc genēþde ¦ earfoðlīce;   1656
ic ... | ... hig *wigge* belēac | manigum mægþa   1770
symbelwynne drēoh, | *wigge* weorþad;   1783
ne his mæg*es* lāf | gewāc æt *wīge*;   2629
wigena.
oferwearp þā wērigmōd *wigena* strengest,   1543
Geseah ðā on searwum sigeēadig bil,... | *wigena*
    weorðmynd;   1559
Nū sceal glēd fretan | ... *wigena* strengel,   3115
wīgend.
Gewiton him ðā *wīgend* wīca nēosian   1125
Ond þā sīðfrome, searwum gearwe, | *wīgend* wæron,   1814
sceall... | ... nalles hearpan swēg | *wīgend* weccean, 3024
hē manna wæs | *wīgend* weorðfullost   3099
Ongunnon ... bælfýra mæst | *wīgend* weccan;   3144
wīgendra.
þæt ðū mē ne forwyrne, *wīgendra* hlēo,   429
Sē wæs wreccena wīde mærost | ..., *wīgendra* hlēo,   899
þæt ðǣr on worðig *wīgendra* hlēo | ...lifigende cwōm, 1972

Heht him þā gewyrcean *wīgendra* hlēo ... | wīgbord
    wrætlīc;   2337
wīges.
    þā wæs Hrōðgāre herespēd gyfen, | *wīges* weorðmynd,   65
    syþðan *wīges* heard wyrm ācwealde,   886
    sē æt Heorote fand | wæccendne wer *wīges* bīdan.   1268
    beorges getrūwode, | *wīges* ond wealles;   2323
wīgeð.
    hē [on] lust *wīgeð*, | swefeð ond sendeþ,   599
wīgfrecan.
    wyrsan *wīgfrecan* wæl rēafedon   1212
    þæt hē ... | ... sēcean þurfe | wyrsan *wīgfrecan*,   2496
wīgfruma.
    wolde *wīgfruma* Wealhþēo sēcan,   664
wīgfruman.
    ne mæg byrnan hring | æfter *wīgfruman* wīde fēran   2261
wigge. *See* **wīge.**
wīggetāwum.
    Hȳ on *wīggetāwum* wyrðe þinceað | eorla geæhtlan;   368
wīggryre.
    Wæs se gryre læssa | ... swā bið ... | *wīggryre* wīfes
    be wæpnedmen,   1284
wīgheafolan.
    wīgheafolan bær | frēan on fultum,   2661
wīghēap.
    is mīn fletwerod, | *wīghēap*, gewanod;   477
wīghete.
    sunu dēað fornam, | *wīghete* Wedra.   2120
wīghryre.
    sē þe ǣr æt sæcce gebād | *wīghryre* wrāðra,   1619
Wīglāf.
    Wīglāf wæs hāten, Weoxstānes sunu,   2602
    Wīglāf maðelode wordrihta fela,   2631
    Nū ðū lungre geong ... | *Wīglāf* lēofa,   2745
    wlitan on Wī[g]lāf.   2852
    Wīglāf maðelode, Weohstānes sunu,   2862
    Wīglāf siteð | ofer Bīowulfe,   2906
    Wīglāf maðelode, Wihstānes sunu: 3076

næs him *wihte* ðē sēl. 2687
Ne ic tō Swēoðēode sibbe... | *wihte* ne wēne; 2923
wilcuman.
 þæt hīe sint *wilcuman* | Deniga lēodum. 388
 gē him syndon..., | heardhicgende, hider *wilcuman.* 394
 þæt *wilcuman*... | scaþan scīrhame... fōron. 1894
wildēor.
 gesāwon... | wyrmas ond *wildēor*; 1430
Wilfingum. *See* **Wylfingum.**
wilgeofa.
 Nū is *wilgeofa* Wedra lēoda |... dēaðbedde fæst, 2900
wilgesīðas.
 þæt hine on ylde eft gewunigen | *wilgesīþas*, 23
willa.
 þæs ðe hire se *willa* gelamp, 626
 Denum eallum wearð | æfter þām wælræse *willa*
  gelumpen. 824
willan.
 þæt ic ānunga ēowra lēoda | *willan* geworhte, 635
 hwæt wit tō *willan* ond tō worðmyndum |... ārna
  gefremedon. 1186
 ne gewēox hē him tō *willan*, ac tō wælfealle 1711
 him eal worold | wendeð on *willan.* 1739
 þā wæs dæg sceacen | wyrme on *willan*; 2307
 Hē ofer *willan* gīong, 2409
 Ne meahte hē... |... ðæs Wealdendes [*willan*] wiht
  oncirran. 2857
 Oft sceall eorl monig ānes *willan* | wræc ādrēogan, 3077
willum.
 wæron hēr tela | *willum* bewenede; 1821
 Nealles... wyrmhorda cræft | [sōhte], sylfes *willum*, 2222
 hē ūsic on herge gecēas |... sylfes *willum*, 2639
wilna.
 Ne bið þē *wilna* gād, 660
 Ne bið þē [n]ænigra gād | worolde *wilna*, 950
 sē þe ēow welhwylcra *wilna* dohte. 1344
wilnian.
 wel bið þæm þe mōt... |... tō Fæder fæþmum freoðo
  wilnian. 188

wilsīð.

guman ūt scufon, | weras on *wilsīð,* wudu bundenne. 216

wīn.

byrelas sealdon | *wīn* of wunderfatum.   1162
þær wæs symbla cyst, | druncon *wīn* weras;   1233

wīnærnes.

him hæl ābēad, | *wīnærnes* geweald,   654

wind.

norþan *wind* | heaðogrim ondhwearf;   547
þonne *wind* styreþ | lāð gewidru,   1374
nō þær wēgflotan *wind* ofer ȳðum | sīðes getwǣfde; 1907

windagum.

sē þe longe hēr | on ðyssum *windagum* worolde
    brūceð.   1062

windblond.

windblond gelæg   3146

winde.

Gewāt ... *winde* gefȳsed | flota fāmiheals   217
holm storme wēol, | won wið *winde*;   1132

windge. *See* **windige.**

windgereste.

Gesyhð sorhcearig ... | wīnsele wēstne, *windgereste,* 2456

windige.

þæt ic sǣnæssas gesēon mihte, | *windige* weallas.   572
efne swā sīde swā sǣ bebūgeð | *windge* [e]ardweallas. 1224
Hīe dȳgel lond | warigeað, wulfhleoþu, *windige* næssas, 1358

wine.

gōde gewyrcean | ... on fæder [*wi*]*ne,*   21
þenden wordum wēold *wine* Scyldinga;   30
geþolode | *wine* Scyld*i*nga, wēana gehwelcne,   148
þæt wæs wrǣc micel *wine* Scyldinga,   170
Ic þæs *wine* Deniga, | frēan Scildinga, frīnan wille, 350
sōhte holdne *wine.*   376
F[or w]erefyhtum þū, *wine* mīn Bēowulf, | ... ūsic
    sōhtest.   457
Hwæt! þū worn fela, *wine* mīn *Un*ferð, | ... sprǣce, 530
gyf þū ǣr þonne hē, | *wine* Scildinga, worold of-
    lǣtest;   1183
Blǣd is ārǣred | geond wīdwegas, *wine* mīn Bēowulf, 1704

[h]afað þæs geworden *wine* Scyldinga,　　2026
Meaht ðū, mīn *wine*, mēce gecnāwan,　　2047
Mē þone wælræs *wine* Scildunga | ... fela lēanode,　2101

wīne.

þæt hē ær gespræc | *wine* druncen,　　1467

winedrihten.

Ne hīe hūru *winedrihten* wiht ne lōgon,　　862
þæt hīe heora *winedrihten* | selfne gesāwon.　1604
þegn ungemete till, | *winedryhten* his, wætere ge-
lafede　　2722
þæt mon his *winedryhten* wordum herge,　3175

winedrihtne.

Wulfgār maðelode tō his *winedrihtne*:　　360

winedryhten. *See* **winedrihten.**

winegēomor.

se ān ðā gēn | lēoda duguðe ... | wearð *winegēomor*, 2239

winelēasum.

þām...wearð, | wræcca[n] *winelēasum*, Weohstān bana 2613

winemāgas.

þæt him his *winemāgas* | georne hȳrdon,　　65

wines.

þæt gē geworhton æfter *wines* dædum | ... beorh
þone hēan,　　3096

winia.

oftost wīsode | *winigea* lēasum　　1664
Stīðmōd gestōd wið stēapne rond | *winia* bealdor,　2567

wīnreced.

hē *wīnreced*, | goldsele gumena, gearwost wisse,　714
þe þæt *wīnreced*, | gestsele, gyredon.　　993

wīnsele.

þæt hīe ... | in þæm *wīnsele* wældēað fornam,　695
þæt se *wīnsele* | wiðhæfde heaþodēorum,　　771
Gesyhð sorhcearig on his suna būre | *wīnsele* wēstne, 2456

winter.

Hengest ... | wælfāgne *winter* wunode mid Finn　1128
winter ȳþe belēac | īsgebinde,　　1132
Ðā wæs *winter* scacen, | fæger foldan bearm;　1136

wintra.

twelf *wintra* tīd torn geþolode | wine Scyld*i*nga,　147

gebād *wintra* worn, ǣr hē on weg hwurfe   264
þēah ðe *wintra* lȳt | ... gebiden hæbbe | Hæreþes
   dohtor;   1927
Hē gehēold tela | fīftig *wintra*   2209
se ðēodsceaða þrēo hund *wintra* | hēold ... hordærna
   sum   2278
Ic ðās lēode hēold | fīftig *wintra*;   2733
swā hīe ... | þūsend *wintra* þær eardodon;   3050
wintrum.
  ic þis gid be þē | āwrǣc *wīntrum* frōd.   1724
  þonne hē *wintrum* frōd worn gemunde.   2114
  hē hǣðen gold | warað *wintrum* frōd;   2277
wintrys.
  geofon ȳþum wēol, | *wintrys* wylm.   516
winum.
  wæs | *winum* Scyldinga weorce on mōde   1418
wīra.
  sē wæs innan full | wrætta ond *wīra.*   2413
wīrum.
  hēafodbeorge | *wīrum* bewunden walan ūtan hēold, 1031
wīs.
  þū eart ... on mōde frōd, | *wīs* wordcwida. 1845
  wæs ... | ... Hygd swīðe geong, | *wīs,* wel þungen, 1927
  cwico wæs þā gēna, | *wīs* ond gewittig.   3094
wīsa.
  werodes *wīsa* wordhord onlēac: 259
  wīsa fengel | geatolīc gen[g]de;   1400
  se *wīsa* sprǣc | sunu Healfdenes;   1698
  wēnde se *wīsa,* þæt hē Wealdende ... | ... gebulge; 2329
wīsade.   *See* **wīsode.**
wīsan.
  þæt hē þone *wīsan* wordum nǣgde   1318
  Ic þā lēode wāt ... | ǣghwæs untǣle ealde *wīsan.* 1865
wīsdōm.
  wæs his mōdsefa maṅegum gecȳðed, | wīg ond *wīsdōm* 350
wīsdōme.
  Offa ... | ... *wīsdōme* hēold | ēðel sīnne. 1959
wīsfæst.
  Gode þancode | *wīsfæst* wordum,   626

wīshycgende.

    þæt hē bī wealle *wīshycgende* | gesæt on sesse,   2716

wīsian.

    hæft hygegīomor sceolde hēan ðonon | wong *wīsian.* 2409

wīsige.

    ic ēow *wīsige*;   292
    ic ēow *wīsige,*   3103

wīsode.

    secg *wīsade,* | lagucræftig mon, landgemyrcu.   208
    Strǣt wæs stānfāh, stīg *wīsode* | gumum ætgædere.   320
    sē þǣm heaðorincum hider *wīsade.*   370
    Snyredon ætsomne, þā secg *wīsode,*   402
    oftost *wīsode* | winigea lēasum   1663
    sōna him seleþegn . . . | feorrancundum forð *wīsade,* 1795

wīsra.

    hē fēara sum . . . gengde | *wīsra* monna wong scēawian, 1413

wiss-. *See* **wist-.**

wiste, *sb.*

    þā wæs æfter *wiste* wōp ūp āhafen,   128
    Wunað hē on *wiste*; nō hine wiht dweleð   1735

wiste, *vb.*

    ne his myne *wisse.*   169
    wiste þǣm āhlǣcan | tō þǣm hēahsele hilde geþinged, 646
    hē wīnreced, | goldsele gumena, gearwost *wisse,* 715
    wiste his fingra geweald | on grames grāpum.   764
    wiste þē geornor,   821
    syðþan hē . . . | þone dēorestan dēadne *wisse.*   1309
    wisse hē gearwe,   2339, 2725
    tō ðæs ðe hē eorðsele ānne *wisse,*   2410
    gif ic *wiste* hū | . . . meahte | gylpe wiðgrīpan, 2519

wistfylle.

    þā him ālumpen wæs | *wistfylle* wēn.   734

wiston.

    ne *wiston* hīe Drihten God,   181
    ne gē lēafnesword | gūðfremmendra gearwe ne *wisson,* 246
    Hīe þæt ne *wiston,* þā hīe gewin drugon,   798
    þāra þe gumena bearn gearwe ne *wiston,*   878
    wiston ond ne wēndon,   1604

wit.

    þēah þīn *wit* duge.   589

witan, *sb.*

    þæs ne wēndon ǣr *witan* Scyldinga,   778

witan, *vb.*

    Nū ic ēower sceal | frumcyn *witan,*   252
    Ǣghwæþres sceal | scearp scyldwiga gescād *witan,*   288

wītan.

    forðam mē *wītan* ne ðearf Waldend fīra | morðorbealo 2741

wite.

    þæt þone grund *wite.*   1367

witena.

    ne þǣr nǣnig *witena* wēnan þorfte | beorhtre bōte   157
    hine gearwe geman | *witena* welhwylc   266
    wēa wīdscofen *witena* gehwylcne,   936
    þæt hē þā wēalāfe *weotena* dōme | ārum hēolde,   1098

wītig.

    siþðan *wītig* God | on swā hwæþere hond... | mǣrðo
      dēme,   685
    nefne him *wītig* God wyrd forstōde,   1056
    hālig God | gewēold wīgsigor, *wītig* Drihten,   1554
    þē þā wordcwydas *wittig* Drihten | on sefan sende; 1841

witode.

    ac him wælbende *weotode* tealde | handgewriþene; 1936

wittig. *See* **wītig.**

Wiðergyld.

    syððan *Wiðergyld* læg, | æfter hæleþa hryre,   2051

wiðerræhtes.

    Ǣr hī þǣr gesēgan...|...*wiðerrœhtes*...|...licgean; 3039

wiðfēng.

    ūplang āstōd | ond him fæste *wiðfēng*;   760

wiðgrīpan.

    hū | wið ðām āglǣcean elles meahte | gylpe *wiðgrīpan,* 2521

wiðhæfde.

    þæt se wīnsele | *wiðhœfde* heaþodēorum,   772

wiðres.

    wiðres ne trūwode,   2953

wlanc. *See* **wlonc.**

wlāt.

　Hē æfter recede *wlāt,*　　　　　　　　　　1572

wlātode.

　sē þe ... lēofra manna | fūs æt faroðe feor *wlātode*; 1916

wlence.

　ðær git for *wlence* wada cunnedon,　　　　508

wlenco.

　Wēn ic þæt gē for *wlenco* ... | ... Hrōðgār sōhton.　338
　syþðan hē for *wlenco* wēan āhsode,　　　　1206

wlitan. *See* **wliton.**

wlite.

　nis þæt seldguma | ... næf*ne* him his *wlite* lēoge,　250

wlitebeorhtne.

　þæt se Ælmihtiga ... worh[te] | *wlitebeorhtne* wang,　93

wlitesēon.

　wlitesēon wrætlīc weras onsāwon.　　　　1650

wlitig.

　þæt ic on wāge geseah *wlitig* hangian | eald sweord 1662

wliton.

　þā ðe mid Hrōðgāre on holm *wliton,*　　　1592
　wlitan on Wī[g]lāf.　　　　　　　　　　2852

wlonc.

　þā ðær *wlonc* hæleð | ōretmecgas ... frægn:　　331
　wlanc Wedera lēod word æfter spræc,　　　341
　ic ne wāt hwæ*der* | atol æse *wlanc* eftsīðas tēah, 1332
　nalles ... | ... māðm-æhta *wlonc* | ansȳn ȳwde,　2833

wlonces.

　hæfde ... gefrūnen | *wlonces* wīgcræft;　　2953

wōc.

　þanon *wōc* fela | gēosceaftgāsta;　　　　1265
　þonon Ēom*ær* *wōc* | hæleðum tō helpe,　　1960

wōcun.

　Ðæm fēower bearn forð gerīmed | in worold *wōcun,*　60

wōd.

　Wōd under wolcnum,　　　　　　　　　714
　Wōd þā þurh þone wælrēc,　　　　　　　2661

wōhbogen.

　Bēahhordum leng | wyrm *wōhbogen* wealdan ne mōste, 2827

420   COOK,   [wolcnum - wonge

wolcnum.

wēox under *wolcnum*, weorðmyndum þāh,   8
scaduhelma gesceapu scrīðan cwōman, | wan under
   wolcnum.   651
Wōd under *wolcnum*,   714
Wand tō *wolcnum* wælfȳra mǣst,   1119
þonon ȳðgeblond ūp āstīgeð | won tō *wolcnum*,   1374
Lagu drūsade, | wæter under *wolcnum*,   1631
ic Hring-Dena hund missera | wēold under *wolcnum*, 1770

wollentēare.

ēodon ... | *wollentēare* wundur scēawian.   3032

wōm.

him bebeorgan ne con | *wōm* wundorbebodum   1747

wommum.

þæt se secg wǣre ... | *wommum* gewitnad,   3073

won, *adj.*

scaduhelma gesceapu scrīðan cwōman, | *wan* under
   wolcnum.   651
þonon ȳðgeblond ūp āstīgeð | *won* tō wolcnum,   1374

won, *vb.*

Swā rīxode ond wið rihte *wan*   144
þætte Grendel *wan* | hwīle wið Hrōþgār,   151
holm storme wēol, | *won* wið winde;   1132

wond.

Wand tō wolcnum wælfȳra mǣst,   1119

wong.

þæt se Ælmihtiga ... worh[te] | wlitebeorhtne *wang,*   93
þanon ūp hraðe | Wedera lēode on *wang* stigon,   225
hē fēara sum beforan gengde | ... *wong* scēawian,   1413
hæft hygegīomor sceolde hēan ðonon | *wong* wīsian. 2409
sē ðone *wong* strude.   3073

wongas.

þūhte him eall tō rūm, | *wongas* ond wīcstede.   2462

wonge.

hwylc [orleg]hwīl uncer Grendles | wearð on ðām
   wange,   2003
Beorh eall gearo | wunode on *wonge* wæterȳðum nēah, 2242
Ǣr hī þǣr gesēgan ... | wyrm on *wonge* ... | ...
   licgean;   3039

wongstede.

hwæðer... gemētte | in ðām *wongstede* Wedra þēoden, 2786

wonhȳdum.

þæt se æglǣca | for his *wonhȳdum* wǣpna ne recceð; 434

wonian.

þæt sweord ongan... | wīgbil *wanian*; 1607

wonn.

wælfylla *wonn* 3154

wonna.

sceall... | ... se *wonna* hrefn | ... fela reordian, 3024

weaxan *wonna* lēg 3115

wonode.

forþan hē tō lange lēode mīne | *wanode* ond wyrde. 1337

wonre.

Cōm on *wanre* niht | scrīðan sceadugenga. 702

Wonrēdes.

Ne meahte se snella sunu *Wonrēdes* | ... ondslyht
giofan, 2971

Wonrēding.

Hyne yrringa | Wulf *Wonrēding* wǣpne geræhte, 2965

wonsǣli.

fīfelcynnes eard | *wonsǣli* wer weardode hwīle, 105

wonsceaft.

sorge ne cūðon, | *wonsceaft* wera. 120

wōp.

þā wæs æfter wiste *wōp* ūp āhafen, 128

þe of wealle *wōp* gehȳrdon, 785

wōpe.

āstāh | ... swōgende lēg | *wōpe* bewunden 3146

worc-. *See* **weorc-.**

word.

word æfter cwæð: 315

wlanc Wedera lēod *word* æfter spræc, 341

word inne ābēad; 390

hlyn swynsode, | *word* wǣron wynsume. 612

Ðām wīfe þā *word* wel līcodon, 639

þæt *word* ācwæð: 654

word ōþer fand | sōðe gebunden. 870

onginneð... | wīgbealu weccean, ond þæt *word* ācwyð: 2046

Lēt ðā ... | Weder-Gēata lēod *word* ūt faran,   2551
þæt wæs þām gomelan gingæste *word*   2817
worda.
Ǣghwæþres sceal | ... scyldwiga gescād witan, |
  worda ond worca   289
lætað hildebord hēr onbīdan | ... *worda* geþinges.   398
fēa *worda* cwæð: 2246, 2662
hē ne lēag fela | wyrda ne *worda.*   3030
wordcwida.
þū eart ... on mōde frōd, | wīs *wordcwida.*   1845
wordcwydas.
þē þā *wordcwydas* wittig Drihten | on sefan sende;   1841
wordcwydum.
ic ... gefrægn sunu Wihstānes | æfter *wordcwydum*
  ... dryhtne | hȳran   2753
worde.
Mē ðis hildesceorp Hrōðgār sealde, | ... sume *worde*
  hēt,   2156
wordes.
sē þe his *wordes* geweald wīde hæfde.   79
oð þæt *wordes* ord | brēosthord þurhbræc.   2791
wordgyd.
woldon ... | *wordgyd* wrecan ond ymb w[er] sprecan;   3172
wordhord.
werodes wīsa *wordhord* onlēac: 259
wordrihta.
Wīglāf maðelode *wordrihta* fela,   2631
wordum.
þenden *wordum* wēold wine Scyldinga;   30
wordum bǣdon | þæt him gāstbona gēoce gefremede   176
þæt hīe ... wið þē mōton | *wordum* wrixlan;   366
gesaga him ēac *wordum,* þæt hīe sint wilcuman   388
Gode þancode | wīsfæst *wordum,*   626
Secg eft ongan ... | *wordum* wrixlan;   874
þæt ðær ænig mon | *wordum* ... wǣre ne brǣce,   1100
tō Gēatum sprec | mildum *wordum,*   1172
Him wæs ful boren, ond frēondlaþu | *wordum* be-
  wægned,   1193
þæt hē þone wīsan *wordum* nægde   1318

Æfter þæm *wordum* Weder-Gēata lēod | efste mid
    elne,   1492
nales *wordum* lōg | mēces ecge.   1811
þæt hē mec fremman wile | *wordum* ond weorcum,   1833
    syððan mandryhten | ... holdne gegrētte | meaglum
    wordum.   1980
myndgað mǣla gehwylce | sārum *wordum,*   2058
Æfter ðām *wordum* wyrm yrre cwōm,   2669
Ic ... ðanc | Wuldurcyninge *wordum* secge,   2795
þæt mon his winedryhten *wordum* herge,   3175
worhte.
    cwæð þæt se Ælmihtiga eorðan *worh*[*te*],   92
    swā hine fyrndagum | *worhte* wǣpna smið,   1452
worlde. *See* **worolde.**
worn.
    gebād wintra *worn,* ǣr hē on weg hwurfe   264
    Hwæt! þū *worn* fela, wine mīn *Unf*erð, | ... sprǣce, 530
    sē ðe ealfela ealdgesegena | *worn* gemunde,   870
    unc sceal *worn* fela | māþma gemǣnra,   1783
    þonne hē wintrum frōd *worn* gemunde.   2114
    Worn eall gespræc | gomol on gehðo,   3094
worna.
    þær hē *worna* fela | Sige-Scyldingum sorge gefremede, 2003
    sē ðe *worna* fela, | gumcystum gōd, gūða gedīgde,   2542
worold.
    Ðǣm fēower bearn forð gerīmed | in *worold* wōcun,   60
    gyf þū ǣr þonne hē | ... *worold* oflǣtest;   1183
    þā þās *worold* ofgeaf | gromheort guma,   1681
    him eal *worold* | wendeð on willan.   1738
woroldāre.
    Him þæs Līffrēa, | wuldres Wealdend, *woroldāre*
    forgeaf;   17
woroldcandel.
    woruldcandel scān, | sigel sūðan fūs;   1965
woroldcyning.
    cwǣdon þæt hē wǣre *wyruldcyning,* | manna mildust 3181
woroldcyninga.
    on geweald gehwearf *woroldcyninga* | ðǣm sēlestan 1684

424   COOK,   [worolde - wræcsīðum

worolde.

Ne bið þē [n]ænigra gād | *worolde* wilna,   950
sē þe longe hēr | on ðyssum windagum *worolde*
brūceð.   1062
þær hēo ǣr mǣste hēold | *worolde* wynne.   1080
Ūre æghwylc sceal ende gebīdan | *worolde* līfes;   1387
gedēð him swā gewealdene *worolde* dǣlas,   1732
Sceolde... | æþeling... ende gebīdan, | *worulde* līfes, 2343
þæt...wæs | sīðas[t] sigehwīle... | *worlde* geweorces. 2711
þurh hwæt his *worulde* gedāl weorðan sceolde.   3068
woroldende.

þæt hē... | lēte hyne... | wīcum wunian oð
woruldende;   3083
woroldrǣdenne.

Swā hē ne forwyrnde *woroldrǣdenne*,   1142
worð-. *See* **weorð-.**
woruld-. *See* **worold-.**
wræc, *sb.*

þæt wæs *wræc* micel wine Scyldinga,   170
Oft sceall eorl monig... | *wræc* ādrēogan,   3078
wræc, *vb.*

wræc Wedera nīð   423
Hēo þā fǣhðe *wræc*,   1333
fyrendǣda *wræc*, | dēaðcwealm Denigea,   1669
gyd æfter *wræc*:   2154
Fēond gefyldan, ferh ellen *wræc*,   2706
wræccan. *See* **wreccan.**
wræce.

him ðæs... | Wedera þīoden *wræce* leornode.   2336
wræclāstas.

ōðer earmsceapen | on weres wæstmum *wræclāstas*
træd,   1352
wræcmæcgas.

Hyne *wræcmæcgas* | ofer sǣ sōhtan,   2379
wræcsīð.

Swā mæg unfǣge ēaðe gedīgan | wēan ond *wræcsīð*, 2292
wræcsīðum.

Wēn ic þæt gē... nalles for *wræcsīðum* | ... Hrōðgār
sōhton.   338

wræte.

    þæt hē ... meahte | *wræte* giondwlītan.   2771

    ðe ... gehȳdde | *wræte* under wealle.   3060

wrætlīc.

    þū ... læt ... | *wrætlīc* wægsweord wīdcūðne man |

    ... habban;   1489

    wlitesēon *wrætlīc* weras onsāwon.   1650

    Heht him þā gewyrcean wīgendra hlēo ... | wīgbord

    wrætlīc;   2339

wrætlīcne.

    ðæt þæt swurd þurhwōd | *wrætlīcne* wyrm,   891

    þæt hē ... Hygde gesealde | *wrætlīcne* wundurmāðum, 2173

wrætta.

    sē wæs innan full | *wrætta* ond wīra.   2413

wrættum.

    Wearp ðā wundenmæl *wrættum* gebunden | yrre ōretta, 1531

wrāð.

    Ic tō sæ wille | wið *wrāð* werod wearde healdan.   319

wrāðe.

    þæt hē gēnunga gūðgewædu | *wrāðe* forwurpe,   2872

wrāðlīce.

    sīo fæhð gewearð | gewrecen *wrāðlīce*.   3062

wrāðra.

    sē þe ær æt sæcce gebād | wīghryre *wrāðra*,   1619

wrāðum.

    mægenellen cȳð, | waca wið *wrāþum*.   660

    hē wæccende *wrāþum* on andan | bād ... beadwa

    geþinges.   708

wrecan.

    Secg eft ongan ... | ... on spēd *wrecan* spel gerāde, 873

    wolde | ... sunа *dēað wrecan*;   1278

    wolde hyre mæg *wrecan*   1339

    wolde hire bearn *wrecan*, | āngan eaferan.   1546

    woldon ... | wordgyd *wrecan*, ond ymb w[er] sprecan; 3172

wrecca.

    fundode *wrecca*, | gist of geardum;   1137

wreccan.

    þām ... wearð, | *wræcca*[*n*] winelēasum, Weohstā*n* bana 2613

wreccena.

Sē wæs *wreccena* wīde mærost   898

wrece.

sēlre bið æghwæm, | þæt hē his frēond *wrece,*   1385
þonne hē gyd *wrece,* | sārigne sang,   2446

wrecen.

þær wæs ... | gomenwudu grēted, gid oft *wrecen,*   1065
þær wearð Ongenðīow,... | blondenfexa, on bīd *wrecen,* 2962

wrecend.

þætte *wrecend* þā gyt | lifde æfter lāþum,   1256

wreoðenhilt.

hwām þæt sweord geworht | ... wære, | *wreoþenhilt*
   ond wyrmfāh.   1698

wrīdað.

oð þæt him on innan oferhygda dæl | weaxeð ond
   wrīdað,   1741

writen.

on ðæm wæs ōr *writen* | fyrngewinnes,   1688

wrīðan.

Ic hi*ne* ... | on wælbedde *wrīþan* þōhte,   964

wriðon.

Ðā wæron monige, þe his mæg *wriðon,*   2982

wrixlan.

Hȳ bēnan synt, | þæt hīe ... wið þē mōton | wordum
   wrixlan;   366
Secg eft ongan ... | wordum *wrixlan;*   874

wrixle.

forgeald hraðe | wyrsan *wrixle* wælhlem þone,   2969

wrōht.

þā se wyrm onwōc, *wrōht* wæs genīwad;   2287
wæs ... | ofer [w]īd wæter *wrōht* gemæne,   2473
Wæs sīo *wrōht* scepen | heard wið Hūgas,   2913

wudu.

guman ūt scufon, | weras on wilsīð, *wudu* bundenne.   216
byreð | ... lēofne mannan | *wudu* wundenhals   298
lætað ... hēr onbīdan, | *wudu,* wælsceaftas, worda
   geþinges.   398
wudu wyrtum fæst wæter oferhelmað.   1364

oþ þæt hē færinga fyrgenbēamas | ... funde, | wyn-
lēasne *wudu*;   1416
þȳ læs hym ȳþa ðrym | *wudu* ... forwrecan meahte. 1919
wudurēc.
   wud[u]rēc āstāh | sweart ofer swioðole,   3144
wuldor.
   Hæfde kyning[a] *wuldor* | Grendle tōgēanes ... |
   seleweard āseted;   665
Wuldorcyninge.
   Ic ... ðanc | *Wuldurcyninge* wordum secge,   2795
wuldortorhtan.
   þā ðe syngales sēle bewitiað, | *wuldortorhtan* weder. 1136
wuldres.
   Him þæs Līffrēa, | *wuldres* Wealdend, woroldāre
   forgeaf;   17
   heofena Helm herian ne cūþon, | *wuldres* Waldend. 183
   þā mæg God wyrcan | wunder æfter wundre, *wuldres*
   Hyrde.   931
   him ær God sealde, | *wuldres* Waldend, weorðmynda
   dæl.   1752
wuldur-. *See* **wuldor-.**
Wulf.
   Hyne ... | *Wulf* Wonrēding wæpne geræhte,   2965
wulf.
   þenden hē wið *wulf* wæl rēafode.   3027
Wulfe.
   geald þone gūðræs Gēata dryhten... | Iofore ond *Wulfe* 2993
Wulfgār.
   Wulfgār maþelode   348
   Wulfgār maðelode tō his winedrihtne: 360
   þā wið duru healle | *Wulfgār* ēode,   390
wulfhleoðu.
   Hīe dȳgel lond | warigeað, *wulfhleoþu*, windige
   næssas,   1358
wunað.
   þenden þær *wunað* | on hēahstede hūsa sēlest. 284
   Wunað hē on wiste;   1735
   Higelāc Hrēþling þær æt hām *wunað*   1923
   wunað wælreste wyrmes dædum.   2902

wund.

Ðā sīo *wund* ongon ... | swelan ond swellan ;   2711
se wyrm ligeð, | swefeð sāre *wund,*   2746
þēah ðe him *wund* hrine.   2976

wunde.

ac on mergenne mēcum *wunde* | ... lǣgon,   565
hīe on gebyrd hruron | gāre *wunde* ;   1075
hwæðer sēl mæge | æfter wælrǣse *wunde* gedȳgan   2531
hē ofer benne spræc, | *wunde* wælblēate ;   2725
ne meahte | on ðām āglǣcean ... | *wunde* gewyrcean.   2906

wunden.

Him wæs ... | ... *wunden* gold | ēstum geēawed,   1193
þǣr wæs *wunden* gold on wǣn hladen,   3134

wundenfeax.

þā wæs Hrōðgāre hors gebǣted, | wicg *wundenfeax* ;   1400

wundenhals.

byreð | ... lēofne mannan | wudu *wundenhals* tō
Wedermearce.   298

wundenmǣl.

Wearp ðā *wundenmǣl* wrættum gebunden | yrre ōretta,   1531

wundenstefna.

oð þæt ... | *wundenstefna* gewaden hæfde,   220

wunder-. *See* **wundor-.**

wundnum.

Ic þē þā fæhðe fēo lēanige, ... | *wund*num golde,   1382

wundon.

strēamas *wundon* | sund wið sande ;   212

wundor.

þā wæs *wundor* micel, þæt se wīnsele | wiðhæfde
heaþodēorum,   771
fērdon folctogan ... | geond wīdwegas *wundor* scēawian,   840
ā mæg God wyrcan | *wunder* æfter wundre,   931
Wundor is tō secganne,   1724
Geseah ðā sigehrēðig ... | *wundur* on wealle,   2759
ēodon ... | wollentēare, *wundur* scēawian.   3032
Wundur hwār þonne | eorl ... ende gefēre | līfgesceafta,   3062
Uton nū efstan ... | sēon ond sēcean ... | *wundur*
under wealle ;   3103

wundorbebodum.

him bebeorgan ne con | wōm *wundorbebodum*   1747

wundordēaðe.

þæt se ... | Wedra þēoden *wundordēaðe* swealt.   3037

wundorfatum.

byrelas sealdon | wīn of *wunderfatum.*   1162

wundorlīc.

wearð ... | ... on næs togen | *wundorlīc* wægbora;   1440

wundormāððum.

þæt hē ... Hygde gesealde | wrætlīcne *wundurmāððum,*   2173

wundorsīona.

Goldfāg scinon | web æfter wāgum, *wundorsīona* fela   995

wundorsmiða.

hit on æht gehwearf ... | *wundorsmiþa* geweorc;   1681

wundra.

ac hine *wundra* þæs fela | swe[n]cte on sunde,   1509
þæt wæs *wundra* sum,   1607

wundre.

ā mæg God wyrcan | wunder æfter *wundre,*   931

wundrum.

swā hine ... | ... wæpna smið *wundrum* tēode,   1452
þonne hē tō sæcce bær | wæpen *wund[r]um* heard;   2687

wundum.

æt þæm āde wæs ēþgesȳne ... | ... æþeling manig |
    wundum āwyrded;   1113
ic ... gefrægn sunu Wihstānes | ... *wundum* dryhtne |
    hȳran   2753
þæt se wīdfloga *wundum* stille | hrēas on hrūsan   2830
Besæt ... sweorda lāfe | *wundum* wērge;   2937

wundur-. *See* **wundor-.**

wunian.

sē þe wæteregesan *wunian* scolde,   1260
þæt hē ... | lēte hyne ... | wīcum *wunian* oð
    woruldende;   3083
syððan ... ænigne dæl | secgas gesēgon on sele *wunian,*   3128

wunne.

Eart þū se Bēowulf, sē þe wið Brecan *wunne,*   506

wunnon.

þā wið Gode *wunnon* | lange þrāge;   113
þær þā graman *wunnon*;   777

wunode.

Hengest ... | wælfāgne winter *wunode* mid Finn   1128
Beorh eall gearo | *wunode* on wonge wæterȳðum nēah, 2242

wuton.

uton hraþe fēran, | Grendles māgan gang scēawigan. 1390
wutun gongan tō, | helpan hildfruman,   2648
Uton nū efstan ōðre sīðe | sēon ... searogeþræc, 3101

Wylfingum.

wearþ hē Heaþolāfe tō handbonan | mid *Wilfingum*;   461
sende ic *Wylfingum* ofer wæteres hrycg | ealde
  mādmas;   471

wylm.

geofon ȳþum wēol, | wintrys *wylm*.   516
him þæs endelēan | þurh wæteres *wylm* Waldend
  sealde.   1693
þæt þec... |...flōdes *wylm*... | forsiteð ond forsworceð; 1764
oð ðæt dēaðes *wylm* | hrān æt heortan.   2269
wæs þære burnan *wælm* | heaðofȳrum hāt;   2546

wylmas.

ac him hildegrāp heortan *wylmas,* | bānhūs gebræc. 2507

wylmes.

Ic ðā ðæs *wælmes* ... | grimne, gryrelīcne grundhyrde
  fond.   2135

wyn.

Nis hearpan *wyn,* | gomen glēobēames,   2262

wynlēas.

scolde Grendel ... | sēcean *wynlēas* wīc;   821

wynlēasne.

oþ þæt hē fǣringa fyrgenbēamas | ... funde, | *wyn-
  lēasne* wudu;   1416

wynne.

þær hē[o] ær mæste hēold | worolde *wynne*.   1080
seleð him on ēþle eorþan *wynne,*   1730
oþ þæt hrefn blaca heofones *wynne* | ... bodode;   1801
Weorod wæs on *wynne*;   2014

hwīlum hildedēor hearpan *wynne*, | gome*n*wudu grētte, 2107
þæt hē dæghwīla gedrogen hæfde | eorðan *wynn*[*e*]; 2727
wynnum.
    Ðēah þe hine mihtig God mægenes *wynnum*, | eafe-
        þum, stēpte   1716
    oþ þæt hine yldo benam | mægenes *wynnum*,   1887
wynsuman.
    þȳ læs hym ȳþa ðrym | wudu *wynsuman* forwrecan
        meahte.   1919
wynsume.
    hlyn swynsode, | word wǣron *wynsume*.   612
wyrcan.
    ā mæg God *wyrcan* | wunder æfter wundre,   930
wyrce.
    wyrce sē þe mōte | dōmes ǣr dēaþe;   1387
wyrd.
    Gǣð ā *wyrd* swā hīo scel.   455
    hīe *wyrd* forswēop | on Grendles gryre.   477
    Wyrd oft nereð | unfægne eorl,   572
    Ne wæs þæt *wyrd* þā gēn,   734
    nefne him witig God *wyrd* forstōde,   1056
    hyne *wyrd* fornam,   1205
    wyrd ne cūþon, | gēosceaft grim*m*e,   1233
    Him wæs gēomor sefa, | . . . *wyrd* ungemete nēah,   2420
    ac unc sceal weorðan æt wealle, swā unc *wyrd* getēoð, 2526
    swā him *wyrd* ne gescrāf | hrēð æt hilde.   2574
    ealle *wyrd* fors*w*ēo*p* | . . . tō metodsceafte,   2814
wyrda.
    hē ne lēag fela | *wyrda* ne worda.   3030
wyrde.
    forþan hē tō lange lēode mīne | wanode ond *wyrde*. 1337
wyrm.
    syþðan wīges heard *wyrm* ācwealde,   886
    ðæt þæt swurd þurhwōd | wrætlīcne *wyrm*,   891
    wyrm hāt gemealt.   897
    þā se *wyrm* onwōc, wrōht wæs genīwad;   2287
    Sceolde . . . | æþeling . . . ende gebīdan, | . . . ond se
        wyrm somod,   2343
    se *wyrm* gebēah | snūde tōsomne;   2567

þǽt se *wyrm* onfand,   2629
Æfter ðām wordum *wyrm* yrre cwōm,   2669
forwrāt Wedra helm *wyrm* on middan.   2705
se *wyrm* ligeð, | swefeð sāre wund,   2745
Bēahhordum leng | *wyrm* wōhbogen wealdan ne mōste, 2827
Ǣr hī þǣr gesēgan . . . | *wyrm* on wonge . . . | . . .
    licgean;   3039
Dracan ēc scufun, | *wyrm* ofer weallclif,   3132
wyrmas.
    gesāwon . . . | *wyrmas* ond wildēor;   1430
wyrmcynnes.
    gesāwon ðā æfter wætere *wyrmcynnes* fela,   1425
wyrme.
    þā wæs dæg sceacen | *wyrme* on willan;   2307
    þe hē wið þām *wyrme* gewegan sceolde.   2400
    Nolde ic sweord beran, | wǣpen tō *wyrme,*   2519
wyrmes.
    Wæs þæs *wyrmes* wīg wīde gesȳne,   2316
    ne him þæs *wyrmes* wīg for wiht dyde, | eafoð ond
       ellen,   2348
    Geseah ðā sigehrēðig . . . | . . . þæs *wyrmes* denn,   2759
    Næs ðæs *wyrmes* þǣr | onsȳn ǣnig,   2771
    wunað wælreste *wyrmes* dǣdum.   2902
wyrmfāh.
    hwām þæt sweord geworht | . . . wǣre, | wreoþenhilt
      ond *wyrmfāh.*   1698
wyrmhorda.
    Nealles mid gewealdum *wyrmhorda* cræft | [sōhte], 2222
wyrpe.
    hwæþre him A*l*walda æfre wille | . . . *wyrpe* ge-
      fremman.   1315
wyrsan.
    Ðonne wēne ic tō þē *wyrsan* geþingea,   525
    wyrsan wīgfrecan wæl rēafedon   1212
    þæt hē . . . | . . . sēcean þurfe | *wyrsan* wīgfrecan,   2496
    forgeald hraðe | *wyrsan* wrixle wælhlem þone,   2969
wyrse.
    Hē þæt *wyrse* ne con,   1739

wyrtum.

wudu *wyrtum* fæst, wæter oferhelmað.   1364

wyrðe.

Hȳ on wīggetāwum *wyrðe* þinceað | eorla geæhtlan;   368

wyrðne.

ne hyne ... micles *wyrðne* | drihten ... gedōn wolde; 2185

wyrðra.

þætte ... | ... ōþer nænig | ... nære | rondhæbbendra,
   rīces *wyrðra*.   861

wyruld-. *See* **worold-.**

Y.

yfla.

hū i[c] ... | *yfla* gehwylces hondlēan forgeald;   2094

ylda.

wearð | *ylda* bearnum undyrne cūð,   150
siþþan morgenlēoht | ofer *ylda* bearn... | ... scīneð.   605
ac mē geūðe *ylda* Waldend,   1661

yldan.

Ne þæt se āglǣca *yldan* þōhte,   739
se ān ðā gēn | lēoda duguðe ... | wearð winegēomor,
   wēnde þæs *yldan*,   2239

ylde.

þæt hine on *ylde* eft gewunigen | wilgesīþas,   22

yldesta.

Him se *yldesta* ondswarode,   258

yldestan.

þone *yldestan* ōretmecgas | Bēowulf nemnað.   363
Wæs þām *yldestan* ungedēfelīce | ... morþorbed strēd, 2435

yldo.

þon[n]e *yldo* bearn æfre gefrūnon,   70
nō hine wiht dweleð | ādl ne *yldo*,   1736
þæt þec... | ...atol *yldo*... | forsiteð ond forsworceð; 1766
oþ þæt hine *yldo* benam | mægenes wynnum,   1886

yldra.

Ðā wæs Heregār dēad, | mīn *yldra* mæg unlifigende,   468
Dēad is Æschere, | Yrmenlāfes *yldra* brōþor,   1324
oð ðæt hē *yldra* wearð, | Weder-Gēatum wēold.   2378

yldum. *See also* **eldum.**

Him on fyrste gelomp | ædre mid *yldum,*   77
þæt wæs *yldum* cūþ,   705
oð ðæt niht becwōm | ōðer tō *yldum.*   2117

ylfe.

Ðanon ... onwōcon | eotenas ond *ylfe* ond orcnēas,   112

ymbbearh.

hring ūtan *ymbbearh,*   1503

ymbefēng.

heals ealne *ymbefēng* | biteran bānum;   2691

ymbehwearf.

hlǣw oft *ymbehwearf* | ealne ūtanweardne;   2296

ymbēode.

Ymbēode þā ides Helminga | ... dǣl æghwylcne,   620

ymbesittendra.

oð þæt him æghwylc þāra *ymbsittendra* | ... hȳran
    scolde,   9
næs se folccyning | *ymbesittendra* ænig ðāra,   2734

ymbsǣton.

þæt hīe mē þēgon, | symbel *ymbsǣton*   564

ymbsittend.

þæt þec *ymbsittend* egesan þȳwað,   1827

yppan.

ēode weorð Denum | æþeling tō *yppan,*   1815

yrfe.

þonne wæs þæt *yrfe* ēacencræftig | ... galdre be-
    wunden,   3051

yrfelāfe.

māþðum gesealde, | *yrfelāfe*;   1053
þæt hē syðþan wæs | ... māþme þȳ weorðra, | *yrfelāfe.*   1903

yrfeweard.

þǣr mē gifeðe swā | ænig *yrfeweard* æfter wurde   2731

yrfeweardas.

ōðres ne gȳmeð | tō gebīdanne ... | *yrfeweardas,*   2453

Yrmenlāfes.

Dēad is Æschere, | *Yrmenlāfes* yldra brōþor,   1324

yrmðe.

Grendles mōdor, | ides, āglǣcwīf, *yrmþe* gemunde,   1259
þǣr hē ... | Sige-Scyldingum ... gefremede | *yrmðe*
    tō aldre;   2005

yrre.

Godes *yrre* bǣr;   711

Yrre wǣron bēgen | rēþe rēnweardas.   769

Wearp ðā wunde*n*mǣl wrǣttum gebunden | *yrre*
ðretta,   1532

wǣpen hafenade | ...Higelāces ðegn | *yrre* ond ānrǣd. 1575

gǣst *yrre* cwōm, | eatol ǣfengrom, ūser nēosan,   2073

syððan ic on *yrre* uppriht āstōd.   2092

Æfter ðām wordum wyrm *yrre* cwōm,   2669

yrremōd.

on fāgne flōr fēond treddode, | ēode *yrremōd*;   726

yrres. *See* **eorres.**

yrringa.

aldres orwēna *yrringa* slōh,   1565

Hyne *yrringa* | Wulf Wonrēding wǣpne gerǣhte,   2964

ȳ̄ða.

þanon hē gesōhte Sūð-Dena folc | ofer *ȳ̄ða* gewealc,   464

hrēo wǣron *ȳ̄þa*.   548

atol *ȳ̄ða* geswing eal gemenged | ...heorodrēore wēol; 848

Hē ... wǣg | eorclanstānas ofer *ȳ̄ða* ful,   1208

ne dorste | under *ȳ̄ða* gewin aldre genēþan,   1469

þȳ̄ lǣs hym *ȳ̄þa* ðrym | wudu ... forwrecan meahte. 1918

ȳ̄ðe.

ȳ̄ðe eotena cyn, ond on *ȳ̄ðum* slōg | niceras   421

ȳ̄ðe.

þe hine ... forð onsendon | ǣnne ofer *ȳ̄ðe*   46

Nō þæt *ȳ̄ðe* byð | tō beflēonne,   1002

winter *ȳ̄þe* belēac | īsgebinde,   1132

flēat fāmigheals forð ofer *ȳ̄ðe*,   1909

nǣs þæt *ȳ̄ðe* cēap | tō gegangenne gumena ǣnigum. 2415

ȳ̄ðelīce.

rodera Rǣdend hit on ryht gescēd | *ȳ̄ðelīce*;   1556

ȳ̄ðgeblond.

þonon *ȳ̄ðgeblond* ūp āstīgeð   1373

þæt wæs *ȳ̄ðgeblond* eal gemenged,   1593

wǣron *ȳ̄ðgebland* eal gefǣlsod,   1620

ȳ̄ðgesēne.

þǣr ... wæs | ofer æþelinge *ȳ̄þgesēne* | heaþostēapa
helm,   1244

ȳðgewinne.

hē... wisse | hlæw... holmwylme nēh, | *ȳðgewinne,*   2412

ȳðgewinnes.

Sumne Gēata lēod | ... fēores getwæfde, | *ȳð* gewinnes, 1434

ȳðlāde.

Gode þancedon, | þæs þe him *ȳþlāde* ēaðe wurdon.   228

ȳðlāfe.

mēcum wunde | be *ȳðlāfe* uppe lægon,   566

ȳðlidan.

Hēt him *ȳðlidan* | gōdne gegyrwan;   198

ȳðum.

flota wæs on *ȳðum,* | bāt under beorge.   210

ȳðde eotena cyn, ond on *ȳðum* slōg | niceras   421

geofon *ȳþum* wēol, | wintrys wylm.   515

þæt ic merestrengo māran āhte, | earfeþo on *ȳþum,*   534

Hræþe wearð on *ȳðum* mid eofersprēotum | ...

genearwod,   1437

nō þær wēgflotan wind ofer *ȳðum* | sīðes getwæfde; 1907

swāt *ȳðum* wēoll.   2693

ȳwde.

nalles ... | ... māðm-æhta wlonc | ansȳn *ȳwde,*   2834

ERRATA.

The following occurrences of words are omitted:

[b]unden 3151.   dyde 671.   fæder 373.   gearwe 1247.   gesceap 3084.
gewyrht 2657.   hæfton 788.   heorde 3151.